La piedra que desecharon los edificadores se ha convertido en la piedra angular

Capstone Curriculum

THE URBAN MINISTRY INSTITUTE

un ministerio de WORLD IMPACT, INC.

Rev. Dr. Don L. Davis

con contribuciones de

Rev. Terry Cornett y Rev. Don Allsman

Representando la teología

Una colección de la A a la Z de diagramas, tablas, gráficos y artículos clave de TUMI

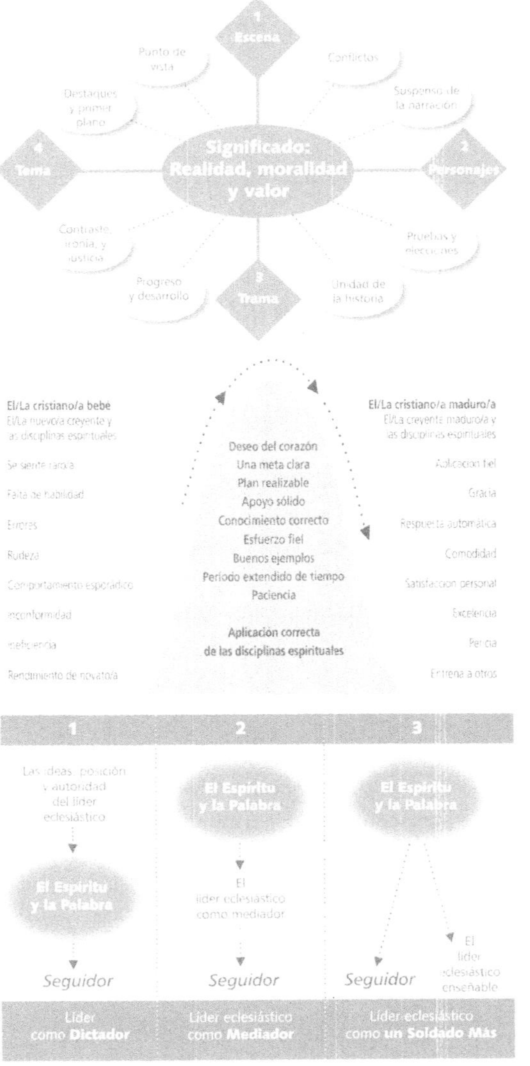

TUMI Press | 3701 East Thirteenth Street North, Suite 100 | Wichita, Kansas 67208

Representando la teología
Una colección de la A a la Z de diagramas, tablas, gráficos y artículos clave de TUMI

Esta publicación contiene los apéndices recopilados del recurso de nivel de seminario
de 16 módulos de TUMI llamado The Capstone Curriculum.

ISBN: 978-1-62932-120-2

The Urban Ministry Institute,
3701 E. 13th Street, Suite 100
Wichita, KS 67208

The Urban Ministry Institute is a ministry of *World Impact*, Inc.

Tabla de contenidos

Introducción

Es difícil argumentar en contra del valor de los gráficos, símbolos, diagramas y tablas para simplificar la presentación de temas teológicos difíciles. ¿A quién no le gustan las imágenes y los gráficos cuando se dan para explicar cuestiones éticas y teológicas espinosas? En muchos sentidos, somos criaturas creadoras de imágenes, adictas tanto a los símbolos como a las metáforas cuando nos comunicamos con los demás en el curso de nuestra vida cotidiana. El viejo adagio, "Una imagen vale más que mil palabras", resulta cierto en la conversación diaria, así como en la poesía, la ciencia o cualquier otro trabajo intelectual.

La mayoría de las veces, me resulta difícil comprender finalmente el significado de una idea hasta que he ilustrado, graficado o simbolizado el concepto de una forma u otra. Los buenos gráficos y metáforas son herramientas listas para representar y resumir los conceptos y categorías clave de cualquier tema serio o campo de estudio. El uso de diagramas y gráficos de imágenes puede ayudarnos mucho en nuestra búsqueda de comprender los significados más profundos de nociones teológicas o conceptos espirituales complejos o difíciles de entender.

Por supuesto, todo ese esfuerzo en bosquejar ideas y conceptos a través de gráficos y tablas es más que simplificar la verdad, por no decir menos. Aún así, la representación visual de ideas complejas en gráficos y diagramas es una ayuda esencial y útil para ayudarnos a analizar y comprender algo que es extremadamente complejo y difícil de comprender. Aunque a veces un gráfico puede ofrecerse como un mal sustituto de un razonamiento claro sobre una idea o concepto, las buenas metáforas, diagramas o símbolos a menudo pueden ser la herramienta que nos ayude a captar algún misterio con una mejor comprensión.

Los profetas y apóstoles a menudo usaban imágenes visuales y metáforas para ayudar al pueblo de Dios a comprender el análisis de Dios de una situación, o apoyarse en el significado de algún misterio o concepto que Dios les estaba comunicando. Por ejemplo, los apóstoles usaron imágenes de cosas comunes y familiares para ayudarnos a comprender mejor los misterios de Dios. Piense en las metáforas relacionadas con la Iglesia: es la familia de Dios, el cuerpo de Cristo y templo del Espíritu Santo. Para saber verdaderamente qué es la iglesia, debe profundizar en el significado de qué es una familia, cómo funciona un cuerpo y en qué consiste el propósito de un templo. En realidad, sin esas imágenes, nunca llegará a comprender o apreciar plenamente lo que la Iglesia realmente es y lo que debería estar haciendo en el mundo.

Le ofrezco a usted, lector, estos gráficos, tablas y diagramas con humildad y con cierta reserva. Fueron dibujados para ayudar a mis alumnos a luchar con el significado de las profundas verdades y misterios de la Biblia. A partir de los comentarios positivos de mis alumnos, puedo decir que resultaron útiles para muchos. Ruego que con la publicación independiente de estas imágenes y gráficos, también resulten beneficiosos en su estudio y reflexiones. Estoy convencido de que, con un poco de meditación, los gráficos de esta colección aumentarán su confianza y disposición para comprometerse con la verdad de las Escrituras en aras del máximo impacto en su vida. En verdad, si una imagen vale más que mil palabras, esta colección tiene mucho que decir sobre la maravilla y la profundidad de las verdades de la Palabra de Dios.

Rev. Dr. Don L. Davis
Wichita, Kansas

¡Levántese Dios!

Un serio llamado a la oración prevaleciente para un dinámico Avivamiento espiritual y avance agresivo del Reino en las zonas urbanas del Caribe, España, Sur, Centro y Norte América.

Rev. Dr. Don L. Davis, enero 1, 2003

Escrito en honor de quienes por varios largos años con fe y con sacrificio rechazaron soltarse del Señor hasta que Él los bendijo en nombre de los pobres de la ciudad

Qué título tan largo para un corto ensayo! Este es mi tributo a la maravillosa pieza escrita por el clérigo e intelectual, Jonathan Edwards, líder de los Avivamientos en el noreste de los Estados Unidos en el siglo 18, con relación a la necesidad de desarrollar nuevos movimientos para Dios. El título original de su obra también era largo: "Un Humilde Intento de Promover un Explícito Acuerdo y Unión Visible del Pueblo de Dios, con Oración Extraordinaria para el Avivamiento de la Religión y el Avance del Reino de Cristo en la Tierra". Edwards escribió su pequeño tratado en 1746, después de experimentar dos notables movimientos del Espíritu de Dios, en 1734-35 y 1740-42, respectivamente.

El tratado de Edwards mostraba su profunda convicción que cuando el pueblo de Dios ora ferviente, intensa y poderosamente por el avivamiento, Él liberará el poder de su Espíritu en la sociedad. Esta notable visitación resultaría en mucha gente arrepintiéndose y creyendo en Cristo como Señor, y desataría un "avivamiento" religioso a nivel mundial y un "avance del Reino en la tierra". Todo cristiano comprometido, de acuerdo a Edwards, tiene el positivo deber de orar por esto. Habiendo argumentado por sus puntos principalmente de un cuidadoso razonamiento y su exégesis de Zacarías 8.18-23 (entre otros textos), Edwards buscó apoyar su "humilde súplica" por un más dedicado y organizado movimiento de oración rogándole a Dios por su visitación. Edwards no era el primero ni el único líder cristiano de su tiempo que estaba llamando a la "oración extraordinaria". De hecho, se había escrito un "Memorial" por unos ministros de Escocia quienes circulaban sus ideas al tiempo del tratado de Edwards. El memorial había circulado a través de muchas iglesias de habla inglesa, pero sobre todo en Inglaterra. Llamaba a un nuevo énfasis de "oración extraordinaria" a ciertas horas, horario que el mismo Edwards endosó, específicamente los "sábados en la tarde, los domingos en la mañana y el primer martes de cada trimestre, por un período inicial de siete años".

¡Levántese Dios! (continuación)

Aunque la historia no registra otro período amplio de avivamiento en el mundo de habla inglesa, sino hasta los años 1770's (seguido por otro en los años 1790's), el pequeño tratado de Edwards ha sido consultado y estudiado por muchos discípulos y congregaciones que anhelan ver una nueva y poderosa visitación de Dios sobre la Iglesia y el mundo.

Al estar escribiendo este artículo, me doy cuenta que al presente ha transcurrido mucho tiempo desde las sociedades Inglesas y Escocesas del siglo 18, en que Edwards escribió su ensayo sobre el "avivamiento de la religión". Al escribir mis pensamientos sobre este tema aquí en mi hogar en Norte América urbana, estoy consciente que con la llegada de otro milenio y el comienzo de un nuevo año, hemos heredado un mundo definitivamente más peligroso, complejo y de más temor que el de Edwards y sus contemporáneos de Escocia e Inglaterra. Más de 6,000 millones de personas habitan el planeta cargado de polución y sobrepoblación. Estamos a la orilla de la guerra, con reportes de amenazas terroristas y conflictos étnicos que "gritan" a través de las ondas radiales. Millones viven malnutridos y en miseria, y una vasta cantidad vive en desesperación sin remedio en un mundo que fundamentalmente es injusto e impío. Si jamás hubo un tiempo para renovar un humilde y serio llamado a la "oración extraordinaria" a favor de un pueblo, de un tiempo, de una hora, lo es en la actualidad.

De los campos más duros y más difíciles de alcanzar sobre la tierra hoy día, las áreas urbanas de Norte América son consideradas como una de los más difíciles. Los niveles de pobreza, violencia y desesperación, hacen que los esfuerzos ordinarios se queden cortos y parezcan totalmente inútiles. Yo estoy convencido que solamente si Dios visita, si el Señor se levanta y dispersa sus enemigos, como dice el Salmo 68, prevalecerán la libertad, el bienestar y la justicia, tanto dentro del pueblo de Dios en la ciudad y por medio de ellos a quienes están en desesperante necesidad de la gracia y la provisión de Dios.

Este tratado, al igual que el de Edwards, representa otro humilde intento de movilizar a los creyentes a clamar día y noche a Dios a favor de una Iglesia adormecida y por quienes sufren y que mueren sin Cristo. Sin embargo, el grito del corazón aquí está enfocado en las áreas urbanas de Norte América. Esto representa una súplica seria a llamar a un núcleo, un ejército de intercesores piadosos y disponibles a que se comprometan a luchar con Dios en oración prevaleciente para que Él irrumpa con su poder, para que haya un avivamiento espiritual entre su pueblo y que avance su Reino en las ciudades de todo el mundo.

¡Levántese Dios! (continuación)

Un serio llamado a la oración prevaleciente

Cuando Edwards escribió su llamado a las iglesias de Inglaterra y Escocia a orar por un vivamiento, él se enfocó en Zacarías 8.18-23, que dice así:

> Vino a mí palabra de Jehová de los ejércitos, diciendo: [19] Así ha dicho Jehová de los ejércitos: El ayuno del cuarto mes, el ayuno del quinto, el ayuno del séptimo, y el ayuno del décimo, se convertirán para la casa de Judá en gozo y alegría, y en festivas solemnidades. Amad, pues, la verdad y la paz. [20] Así ha dicho Jehová de los ejércitos: Aún vendrán pueblos, y habitantes de muchas ciudades; [21] y vendrán los habitantes de una ciudad a otra, y dirán: Vamos a implorar el favor de Jehová, y a buscar a Jehová de los ejércitos. Yo también iré. [22] Y vendrán muchos pueblos y fuertes naciones a buscar a Jehová de los ejércitos en Jerusalén, y a implorar el favor de Jehová. [23] Así ha dicho Jehová de los ejércitos: En aquellos días acontecerá que diez hombres de las naciones de toda lengua tomarán del manto a un judío, diciendo: Iremos con vosotros, porque hemos oído que Dios está con vosotros.

Edwards relacionó este texto con profecías del fin del tiempo cuando Dios traería un avivamiento dramático y glorioso a la tierra a través de la enfocada intercesión del pueblo de Dios. Creo que Edwards tenía razón. Además, estoy convencido que las promesas de Dios a ser movido con relación a la oración extraordinaria por su pueblo santo, se encuentran a través de la Biblia, sostenido con muchos ejemplos de la historia bíblica y de la vida contemporánea. El Dios Todopoderoso contesta la oración.

Por lo tanto, hacemos un serio llamado a todos los creyentes que aman al Señor Jesús y las ciudades de América, a unirse en la formación de nuevos movimientos de oración por las ciudades, por todos los que viven en ellas, especialmente el pueblo de Dios. Estamos haciendo un llamado a la oración prevaleciente en el nombre de Cristo Jesús para la gloria de Dios. Estamos pidiendo que Dios nos envíe al Espíritu Santo mismo, para que irrumpa en las tinieblas, en el mal y en la desesperación de la ciudad, y traiga un refrigerio y un cambio revolucionario entre los más pobres de los pobres de Ibero-América.

Este no es un llamado a repetir los "grandes días" del pasado (un nostálgico retorno a los gloriosos días de las reuniones de los grandes avivamientos, o cualquier otro avivamiento de la historia). El llamado tampoco es para los que sólo pasan pocas horas en oración sobre cosas sin importancia. Tampoco estamos suplicando por sólo un poco más de esfuerzo al orar, algo así como un énfasis temporal en oración por las ciudades que pudiera hacerse sosegada y cómodamente "un trimestre si, otro trimestre no" o algo así. Más bien, lo

¡Levántese Dios! (continuación)

que queremos aquí es una visión totalmente nueva de nosotros mismos y de la ciudad como impotentes sin la intervención del Señor. Lo que estamos pidiendo aquí es una reorientación de nuestras vidas hacia la oración a Dios, basados en un redescubrimiento y reafirmación que solamente Dios puede cambiar las zonas urbanas de América.

Hablando francamente, mi más profunda convicción continúa siendo que las zonas urbanas de las ciudades de América, simplemente son inalcanzables sin una nueva y clara visitación de Dios. Casi sesenta millones de personas viven en nuestras comunidades más pobres, con más del 90% de ellos sin conocimiento o una relación con Dios en Cristo Jesús. Estas comunidades torturadas han sido profundamente cicatrizadas y desfiguradas por la violencia, están severamente olvidadas y económicamente explotadas, y sufren de horribles problemas relacionados con la salud. La mayoría de zonas urbanas de América Latina y Estados Unidos son peligrosas en varios puntos diferentes, sin embargo, continúan llenándose de poblaciones inmigrantes y diversidades étnicas y raciales que dejan a uno lleno de asombro. Quizás la mayor responsabilidad de todo, sea que las zonas urbanas de Estados Unidos sufren por desesperación y desánimo nihilista; parece que cada quien vive en temor y espanto, con un profundo sentido de desesperación.

Trágicamente, hay cristianos que citan las Escrituras profetizando junto con liberales y conservadores negativistas que lamentan la tragedia y muerte de la ciudad. Algunos misiólogos sugieren que los Estados Unidos ya ha sido ganado, y que las iglesias étnicas y urbanas pueden terminar la labor en las zonas urbanas del país. Otros incluso dudan que la ciudad sea digna de ser ganada, haciendo una cierta clase de grotesco juicio que los que sufren simplemente están cosechando lo que deliberadamente han sembrado. A la luz de tal pobreza física, familias destrozadas, escuelas inferiores, servicios sociales inferiores y oscuridad espiritual en general, la mayoría espera muy poco de la ciudad. Sus palabras y comportamiento demuestran lo que realmente creen: ellos en realidad cuestionan si algo bueno puede salir de nuestras zonas urbanas, consideradas nuestros Nazarets del siglo 21.

A pesar de tales bajos niveles de creencia, yo estoy convencido que el registro bíblico es correcto cuando dice que nada es imposible para Dios (Lc. 1.37). Nada es demasiado difícil para Dios (Jer. 32.26), y que Él puede tocar y transformar a los habitantes de la ciudad por medio de su poder. Nos mantenemos firmes y esperanzados en que Dios va a visitar a su pueblo en la ciudad, y que por medio del derramamiento de su Espíritu podemos ver explosivos movimientos de avivamiento espiritual y discipulado intercultural entre los pobres de las zonas urbanas. Estos movimientos no van a ocurrir por el ingenio y esfuerzo humano, sino a través de los tiempos del refrigerio que vienen del Señor (Hch. 3.19). Nosotros estamos convencidos que solamente una irrupción del

¡Levántese Dios! (continuación)

poder de Dios en maneras y niveles notables será suficiente para ganar las ciudades urbanas del país. Solamente una visitación de Dios a su pueblo, por medio de la presencia de su Espíritu Santo garantizará una nueva y fructífera clase de alcance urbano eficaz, que puede resultar en el cambio de miles de vidas por medio del poder de Cristo.

Como creyentes y compañeros de milicia que testifican del reino, hacemos un llamado a los creyentes en cualquier parte, tocados por la necesidad de las zonas urbanas de Norte América y Latinoamérica a unirse con nosotros en el movimiento ¡Levántese Dios! Hacemos un llamado a todos los que aman a quienes viven en la ciudad a una nueva manera de vivir bajo el supremo señorío de Cristo Jesús. Llamamos a todos los que aman a la Iglesia en la ciudad, a una nueva manera de buscar a Dios con fervor y pasión, quienes clamarán al Señor día y noche. Con el espíritu lleno de anhelo y humildad, debemos buscar seriamente el rostro del Señor en intercesión, y hacerlo estratégicamente en una forma organizada y efectiva.

¡Escúcheme bien, compañero de milicia en Cristo! El movimiento ¡Levántese Dios!, en el mismo espíritu que el hermano Edwards lo hizo en Inglaterra, es otro humilde intento de implorar a cada discípulo preocupado acerca de los pobres de cualquier área urbana a unirse con nosotros en constante oración a que Dios se levante y disperse a sus enemigos. Estamos procurando facilitar y desafiar a personas, grupos pequeños, congregaciones enteras de diferentes clases a que se reúnan regularmente en sus hogares, en iglesias, en negocios, en escuelas - dondequiera que el Señor les dirija a hacerlo, para orar por la petición de la visitación de Dios sobre la ciudad.

Un plano para buscar a Dios e implorar Su favor

Nuestra más elevada prioridad en la intercesión, según lo sugiere el texto de Zacarías, es que nuestro objetivo principal debe ser "buscar al Señor" antes que otras peticiones. No debemos sustituir sus bendiciones o beneficios por la búsqueda del Señor primero. ¡Levántese Dios! principalmente es un llamado a los discípulos de Jesús a volver a comprometerse a un nuevo nivel de espiritualidad, apertura y quebrantamiento delante de Dios, que llevará a la visitación especial de Dios de su pueblo en la ciudad. El serio llamado a prevalecer en oración está anclado en un sentido de nuestra propia impotencia sin el Señor. Este llamado no es con el propósito de cierta clase de obra donde podríamos pretender ganar el favor de Dios, ni estamos intentando sobornar a Dios con una sesión manejable y abreviada de humildad delante de Él. Al contrario, nuestro deseo es ser transformados por Dios por completo. Deseamos que Dios visite la ciudad, pero si también nos visita a nosotros. Deseamos la transformación de la ciudad, pero más

¡Levántese Dios! (continuación)

deseamos que el avivamiento comience con la transformción de nuestras vidas bajo el señorío de Cristo Jesús. Tenemos hambre por más de Él: más amor, más poder, más del Señor. Sobre todo, deseamos prevalecer en oración, seria, abierta y humildemente buscando al Señor, llegando a conocerlo íntimamente y glorificándolo en nuestras vidas, por lo que somos. Por encima de todo, ¡Levántese Dios! desea que los creyentes de las zonas urbanas busquen la persona del Señor primero, que lo conozcan, que lo vean y que experimenten su poder y bendición en nuevas formas en sus vidas, como sus discípulos.

Esto significa que como movimiento, ¡Levántese Dios! entiende lo legítimo de las prioridades detalladas a través de las Escrituras, especialmente en Zacarías 8.23. El versículo 22 lo dice bien claro: "Y vendrán muchos pueblos y fuertes naciones a buscar a Jehová de los ejércitos en Jerusalén, y a implorar el favor de Jehová". Podemos acercarnos con toda confianza al trono de la gracia de Dios, no en la Jerusalén terrenal, sino en el Monte Sion de lo alto, donde habita nuestro Dios lleno de gracia. Hebreos 12.22-24 subraya esto: "Sino que os habéis acercado al monte de Sion, a la ciudad del Dios vivo, Jerusalén la celestial, a la compañía de muchos millares de ángeles, [23] a la congregación de los primogénitos que están inscritos en los cielos, a Dios el Juez de todos, a los espíritus de los justos hechos perfectos, [24] a Jesús el Mediador del nuevo pacto, y a la sangre rociada que habla mejor que la de Abel".

Ciertamente, la principal prioridad sobre todas las cosas, es buscar el rostro del Señor con todo nuestro corazón, conocerlo a Él y hacerlo a Él nuestra meta y objetivo en la oración.

Adoración, admisión y disposición

La siguiente descripción de los varios elementos de una sesión de oración ¡Levántese Dios! representa un breve resumen de la clase de oración y acercamiento a Dios que procuramos tener. No queremos ser formalistas o rígidos en nuestras sugerencias, sino ofrecer lo siguiente meramente como una clase de bosquejo, un plano o mapa para guiarnos juntos al buscar el rostro y la manifestación de Dios. Deseamos que estos elementos nos den direcciones prácticas al reunirnos en nuestros hogares para la oración prevaleciente delante del Señor.

Por lo tanto, nuestras sesiones de oración comienzan con adoración al Señor, que es la fase *Adoración* de nuestros conciertos de oración. Todas las reuniones de nuestros *¡Levántese Dios!* estimulan a los presentes a empezar su concierto y sesión de oración prevaleciente con un tiempo de adoración y alabanza, con cantos y exaltación donde nos deleitamos y gozamos en el Señor con aplausos, gritos de gozo y alabanza de corazón.

¡Levántese Dios! (continuación)

Debemos darle gracias a Dios por su obra llena de gracia a favor nuestro en Cristo, y ser agradecidos por la oportunidad de venir ante su presencia por medio de la sangre de Cristo. Sobre todo lo demás (toda necesidad, peticiones y deseos), nuestro Dios es digno de por sí mismo de ser adorado y exaltado.

Luego pasamos a la parte *Admisión* de nuestro tiempo de oración. Después de reconocer la gloria y la majestad del Dios y Padre de nuestro Señor Jesús, pasamos bastante tiempo admitiendo nuestras faltas y necesidades delante de Él. Aprendamos a doblegarnos delante del Señor en humilde confesión de nuestro pecado, y admitamos que no tenemos poder, que somos incapaces y estamos indefensos sin su supervisión, gracia y provisión. No escondamos nuestro pecado sino que de inmediato confesémoslo. No declaremos nuestra inocencia ni nos vanagloriemos en nuestros logros (Lc. 18.9-14), sino que honestamente humillémonos ante el Señor para que Él pueda levantarnos (1 Pe. 5.6). De hecho, Dios resiste a los orgullosos (es decir, los que pretenden ser suficientes y adecuados por su propia sabiduría, fuerza y poder) y da su gracia a los humildes (es decir, los que admiten su impotencia y desesperación delante del Señor, Stg 4.6).

Finalmente, el segmento *Disposición* de nuestro concierto se enfoca en la gozosa dedicación de nuestras vidas al Señor para su gloria y propósitos. Durante este tiempo nos dedicamos de nuevo al Señor, afirmando nuestra muerte con Cristo y nuestra resurrección en Él a nueva vida para la gloria y alabanza de Dios (Ro. 6.1-4). Rendimos todo lo que somos y todo lo que tenemos a Cristo Jesús para que Él pueda separarnos para sus causas e intereses, y que pueda contentarse como resultado de todo lo que estamos llegando a ser, lo que estamos haciendo y los logros de nuestras vidas. Pablo trata esto cuando le escribe a los corintios en 2 Cor 5.9-10: "Por tanto procuramos también, o ausentes o presentes, serle agradables. [10] Porque es necesario que todos nosotros comparezcamos ante el tribunal de Cristo, para que cada uno reciba según lo que haya hecho mientras estaba en el cuerpo, sea bueno o sea malo". Nuestra intención y meta explícita es complacer al Señor.

Por lo tanto, en oración, no pongamos la confianza en nuestra sabiduría o fuerza carnal. Además, dejemos de confiar en la sabiduría del mundo y consagrémonos por completo, dedicados a ser y a hacer cualquier cosa que el Señor Jesús demande, cualquiera que sea el precio, la dificultad o costo. En humilde oración, que miles podamos doblar nuestras rodillas al Señor en auténtico rendimiento, permitiéndole a su Espíritu el derecho y privilegio de dirigirnos dondequiera que Él lo determine, por cualquier senda y para cualquier propósito que Él nos llame (Juan 3.8). Solamente esta clase de disponibilidad incondicional y radical a Dios le permitirá usarnos cuando Él derrame su Santo Espíritu sobre las zonas urbanas de Ibero y Latinoamérica.

¡Levántese Dios! (continuación)

Por un avivamiento dinámico y espiritual

A pesar de cualquier término que sea usado en la literatura erudita acerca de la visitación de Dios en un avivamiento o despertar (por ej., avivamiento, renovación, refrigerio, revelación, etc.), la realidad que se habla dentro de estos materiales se refiere a la misma verdad. ¿Qué es la verdad? Todo estos materiales apuntan hacia la necesidad, sobre todas las cosas, de la presencia de Dios como factor crítico en todo avivamiento y testimonio del Reino. Las zonas urbanas de las ciudades del mundo hoy en día demandan una especial y nueva visitación del Señor. Dios debe levantarse en la ciudad; Él debe venir y dispersar a sus enemigos, y ampliamente derramar su bondad y provisión. El Espíritu Santo debe ser derramado sobre la ciudad, si es que ésta ha de ser ganada para Cristo.

Sólo la presencia de Dios en la ciudad es lo que será suficiente. Ninguna otra solución asegura la promesa de cambio duradero, o comprensivo, ocurriendo en las vidas de millones que se consumen en la ciudad. Ninguna de las típicas respuestas puede tocar las vidas de tanta gente; ninguna solución gubernamental, filantropía social, reforma política o de jurisprudencia, o el reclutar más policías y combatir el crimen, o la eliminación de varias clases de elementos inmorales en vecindarios empobrecidos, vencerán los poderes espirituales y potestades que atormentan las comunidades de nuestras zonas urbanas. Las necesidades espirituales deben ser satisfechas con recursos espirituales.

Tampoco una iglesia anémica, floja y mundana logrará hacer la tarea de libertar a los cautivos. Como creyentes, nosotros somos llamados a esforzarnos en el Señor y en el poder de su fortaleza (Ef. 6.10-12). Jesús es el guerrero de Dios, quien consumará la victoria del Señor en la tierra en su Segunda Venida (comp. Apc. 19.8ss). Solamente cuando Cristo se manifieste podemos esperar la libertad, el bienestar y la justicia del Reino para libertar a los perdidos de la ciudad. Cristo es el único capaz de atar al "hombre fuerte del diablo" y libertar a sus cautivos (comp. Mt. 12.25-30).

Suplica el favor del Señor por intereses globales y locales

Debido a que de todo corazón creemos que Dios ama a toda la gente, en cualquier parte, concentramos nuestra oración en énfasis e intereses tanto *globales* como *locales*.

Intereses "globales" quiere decir que cada vez que nos reunimos, no meramente oramos por las necesidades de las zonas urbanas nada más, sino por las necesidades del mundo entero, en las ciudades, naciones y entre los grupos de gente donde la Iglesia de Cristo Jesús esté dando testimonio, como también por las de aquellos que todavía no han escuchado del evangelio salvador del Señor.

¡Levántese Dios! (continuación)

Nosotros creemos, como dice El Credo Niceno, que sólo hay una Iglesia, santa, católica (universal) y apostólica, y que lo que preocupa a los cristianos en algún lugar debe preocupar a los cristianos en cualquier lugar donde estén. También creemos en la Gran Comisión de Jesús, que la Iglesia ha sido llamada en estos dos últimos milenios para dar testimonio del Reino de Dios en Cristo Jesús entre cada grupo de pueblos sobre la tierra. Por lo tanto, nosotros oramos por un *Despertar* de la Iglesia de Cristo Jesús en todo lugar, pidiéndole a Dios que actúe en las congregaciones de creyentes al reunirse en cualquier parte, en otras naciones y continentes, todos con la intención que Dios se glorificará entre su pueblo dondequiera que ellos se reúnan.

Similarmente, los intereses "locales" deben captar nuestra atención y petición. Por local nos referimos a la iglesia particular a la cual pertenecemos, las iglesias de nuestra denomincíón y vecindario inmediato, y la iglesia en nuestra localidad o región. Cada región de iglesias tiene sus propios asuntos peculiares y singulares, desafíos y preocupaciones, y nuestra intercesión reconoce tales específicas preocupaciones de la iglesia de nuestra comunidad. Nosotros rogamos por el favor del Señor para el bien de nuestra asamblea local de la iglesia, y las asambleas de nuestra ciudad, localidad y región.

Por lo tanto, nosotros comenzamos nuestra intercesión con rogativas especiales, súplicas y oraciones ofrecidas a nombre del pueblo de Dios para un dinámico *Avivamiento* espiritual. Oremos por la Iglesia en el mundo (y en diferentes partes del mundo) para que los creyentes sean refrescados con repetidos y poderosos derramamientos y manifestaciones de la presencia del Espíritu Santo entre su pueblo. Oremos para que Dios asocie estos derramamientos con señales y maravillas que dirigirán la atención hacia su gloria y reinado, y para que el carácter espiritual de las iglesias sea renovado para que obedezcan el Gran Mandamiento con toda energía. Oremos para que las iglesias, global y localmente, amen a Dios con todo el corazón y a sus prójimos como a sí mismos. Oremos por reconciliación, unidad y relaciones restauradas entre los creyentes alrededor de toda la tierra, y pidámosle a Dios por la creación de un nuevo espíritu de unidad y acuerdo junto con el avance del Reino de Dios en nuestras iglesias.

En este respecto, oremos por un revolucionario redescubrimiento del señorío de Cristo Jesús en nuestras iglesias, con refrescantes manifestaciones de humildad, confesión, quebrantamiento y amor entre los miembros; todo para la gloria de Dios. Hagamos estas y otras oraciones similares a favor del pueblo de Dios, tan ferviente e inteligentemente como sea posible, orando específicamente por petición a Dios de un avivamiento y la renovación de su pueblo globalmente, sobre todo en las ciudades de Ibero-América.

¡Levántese Dios! (continuación)

Entonces, con un corazón franco y lleno de fe, oremos por las iglesias en las zonas urbanas del mundo entero. Oremos por protección de la violencia y corrupción que hay alrededor de ellas. Oremos por audacia y franqueza al dar ellos testimonio del Cristo resucitado en sus obras de justicia, amor y evangelización. Oremos por un nuevo sentido de gozo y poder en el Espíritu Santo, una mayor revelación de la Palabra de Dios, una nueva experiencia del poder limpiador de la sangre de Cristo, y un enriquecido caminar con Dios. Oremos por un espíritu de tranquilidad y paz, por la atadura del enemigo para que el evangelio pueda ir hacia adelante.

Oremos por un nuevo espíritu de alabanza, adoración y gozo en las iglesias urbanas, y nueva creatividad, deleite y placer en la presencia de Dios. Oremos por un nuevo nivel de apertura y unidad en los creyentes, un más profundo y rico amor y reverencia a Dios en las iglesias. Oremos por nuevos niveles de reverencia y temor en el pueblo de Dios y nuevos y agresivos movimientos de adoración, oración y celebración en las comunidades.

No nos detengamos aquí. Oremos que Dios quebrante el control del enemigo sobre las mentes y corazones de quienes viven en las zonas urbanas de los Estados Unidos (2 Co. 4.4). Oremos que el Espíritu Santo frustre los programas de engaño y desesperación del diablo, y que nuevas puertas sean abiertas para la demostración y proclamación de la Palabra de Dios en todos los niveles. Oremos que la Iglesia dé un testimonio audaz con palabras y hechos del reinado de Dios en Cristo Jesús para que los creyentes, jóvenes, de mediana edad y los mayores, demuestren en sus vidas nuevos niveles del amor y poder del Señor entre sus familias, amigos y en sus redes de relaciones.

Oremos por nuevos niveles de interés, curiosidad y conciencia de las cosas espirituales entre todos los que viven en la ciudad, pero sobre todo, nuevos niveles de realidad y poder entre los creyentes de las zonas urbanas. Oremos que el diablo no sea capaz de detener lo que Dios está abriendo para Cristo en todos los niveles de las comunidades, sociedades y vecindarios. Oremos por un derramamiento de Dios sobre la ciudad, que las ciudades del mundo puedan despertar a la necesidad que tienen de Dios, en Cristo Jesús.

Por el avance del Reino

Al humillarnos en oración por un dinámico *Avivamiento* espiritual entre el pueblo de Dios, también debemos pedirle a Dios que se mueva a favor de los perdidos, las personas y regiones que todavía no han conocido de la misericordia de Dios en la persona del

¡Levántese Dios! (continuación)

Señor Jesucristo. Cada vez que nos reunimos en los conciertos de oración, debemos clamar a Dios que se mueva en las áreas urbanas de la ciudad, para que pueda haber un sostenido y agresivo *Avance del Reino* dentro de ellos. Una de las características centrales de todo el movimiento de *¡Levántese Dios!* es ver a Dios moviéndose en un sentido doble: avivamiento de las comunidades urbanas para su gloria y poder en una Iglesia renovada y revitalizada, y ver su reino avanzando entre los que viven en la ciudad y que todavía no han escuchado ni respondido al amor de Dios en Cristo.

Por lo tanto, oremos durante nuestra porción de *Avance* del concierto por el triunfo del poder espiritual sobre el enemigo, tanto globalmente en el mundo en contextos específicos de los que sepamos, como localmente, en áreas específicas de nuestra localidad y región. Oremos que el Espíritu Santo derrame su poder sobre los siervos de Dios, de los equipos, organizaciones y las iglesias que están ganando almas, haciendo discípulos y plantando iglesias alrededor del mundo. Oremos que Dios se mueva en los lugares donde no permiten testificar de Cristo, que los corazones de los oficiales del gobierno y de los religiosos permitan a los creyentes entrar en sus sociedades y comunidades para hablar con libertad del evangelio del Reino.

Ore también que el Espíritu Santo les dé a los perdidos una extraordinaria revelación de Dios y de Cristo, que Él les dé sueños y visiones como lo hizo en el caso de los de Macedonia (comp. Hechos 16.9ss.). Estas manifestaciones podrían poner un fundamento espiritual para la presentación de la Palabra de Dios concerniente a Cristo en campos difíciles y recalcitrantes. Ore para que las iglesias, denominaciones y agencias misioneras revitalizadas formen nuevas y estratégicas alianzas, lo que conducirá a una acometida evangelística y movimientos vitales entre los más duros, los más difíciles y más distanciados campos pioneros no alcanzados allende el mar y en nuestros países.

Además, ore que el avivamiento de la Iglesia, tanto global como localmente, conduzca a mayores y eficaces esfuerzos para movilizar a los miembros de la Iglesia para un nuevo avance de la misión. Oremos que Dios mueva a las personas, los pastores, obreros cristianos y creyentes en general de cada congregación a orar por sus familiares y amigos no salvos, a ser capacitados para compartir su fe eficazmente, y comprometerse a redoblar sus ofrendas y contribuciones para el cumplimiento de la Gran Comisión. Ore para que muchos solteros y parejas se dispongan a hacer labor misionera como voluntarios, no meramente sobre la base de un tiempo corto, sino algunos como un llamamiento de por vida. Ore para que algunos que respondan sean enviados por el Señor de la mies a los campos que todavía están sin cosechar en las comunidades urbanas del mundo.

¡Levántese Dios! (continuación)

Además, oremos con fervor que las iglesias de las áreas urbanas combinen sus esfuerzos, finanzas, iniciativas y proyectos para hacer una propia, singular y poderosa contribución a la misión global y local. Ore para que Dios mueva los corazones de quienes están al frente de las agencias misioneras, para que ya no más descuiden los ricos recursos de las iglesias urbanas, sino que los hagan prácticos para que los discípulos urbanos salgan a evangelizar, discipular y plantar iglesias, especialmente entre las docenas y docenas de comunidades donde no existe presencia evangélica.

Sobre todo, oremos a Dios día y noche por un nuevo nivel de rigor y disciplina en su pueblo, por una forma de ser fuerte, pero fe de corazón tierno para abrazar las congregaciones pequeñas que hay en la ciudad. Oremos por ellos, que Dios les dé una conciencia de milicia del reino, la clase de mentalidad rigurosa que permita a los discípulos urbanos adoptar la necesaria firmeza para resistir durezas y sufrir la guerra espiritual por sus comunidades. Oremos por nuevos niveles de audacia y poder, por nuevos y agresivos alcances, por más dedicación a movimientos de oración prevaleciente entre las iglesias urbanas, y nuevas redes de liderazgo y apoyo que unirán a discípulos urbanos de buena voluntad para movilizar sus recursos para un máximo impacto en la ciudad.

Intercede apasionadamente que Dios provea los recursos para que las iglesias urbanas inicien nuevos alcances de compasión, justicia y paz a favor de los desamparados, los oprimidos, los huérfanos, los que tienen desafíos mentales, los plagados con VIH y otros males comunicables, por los mayores de edad, los enfermos en prisiones y los rechazados. Ore por un derramamiento de amor de la Iglesia que asombre y crea nueva hambre para que los perdidos busquen a Jesús, una clase de amor que sirva como fundamento para expresar y auntenticar el evangelio de Cristo. Ore que Dios use los esfuerzos de la justicia y el derecho como una puerta para que cientos de miles se conviertan al Señor.

Ore por su localidad particular, y la necesidad de ver las señales del Reino manifestadas dentro de ella en palabra y en hechos. Ore por su iglesia, por su pastor, su comunidad, los líderes civiles en la ciudad, sus vecinos, directores de escuelas, oficiales de la ley y otros que estén en posición de liderazgo en su medio. Ore por la liberación de nuevos niveles de audacia y claridad al predicar, y por señales más auténticas del Reino en su comunidad para que Dios pueda revelarle a los perdidos ahí, la majestad y las maravillas del Señor Jesús. Ore por usted mismo y su familia, por una nueva disponibilidad a ver el Reino avanzando en su trabajo, su escuela, vecindario, su familia, en su vida. Dios va a contestar sólo si le pedimos con fe y auténtico rendimiento a su voluntad (Mt. 6.6; Jn 15.16).

¡Levántese Dios! (continuación)

En las áreas urbanas de las Américas

La idea de *¡Levántese Dios!* comenzó con una profunda convicción que las áreas urbanas de Estados Unidos no pueden ser ganadas sin la directa intervención y provisión del Señor. Lo difícil de este campo lo aclara bien la verdad del argumento del salmista en el Salmo 127.1: "Si Jehová no edificare la casa, en vano trabajan los que la edifican; si Jehová no guardare la ciudad, en vano vela la guardia". Este movimiento cree que todo esfuerzo por alcanzar a los millones de habitantes de las zonas urbanas de este país, serán inútiles a menos que Dios visite la ciudad. Y sostenemos que esta visitación solamente se llevará a cabo si mujeres y hombres piadosos se agarran de Dios en intercesión a favor de la ciudad. Solamente una irrupción del poder de Dios transformará nuestras ciudades.

Si bien es cierto que la ciudad es considerada la más grande creación de la humanidad en la civilización, de por sí misma no tiene nada de qué gloriarse. Las megápolis modernas representan el bastión de injusticia, impiedad e inmoralidad. No es posible pensar en los Estados Unidos sin pensar en sus grandes e influyentes ciudades: Nueva York, Washington D.C., Los Ángeles, Filadelfia, Chicago, Houston, Miami, San Francisco, Boston, Portland, Atlanta, Denver, San Luis, Dallas, Seattle, San Antonio. Y en Latinoamérica: México, Caracas, Sao Paulo, Buenos Aires, Santiago y muchas otras. Estos grandes centros representan la más elevada cultura, educación, arte, medicina, ley, jurisprudencia, gobierno, política, negocio, comercio, industria, entretenimiento y poder. Sin embargo, ellas también representan algunos de los más desesperados lugares de la tierra; nuestras ciudades están abultadas con millones y millones de personas cuyas vidas están llenas de placeres vacíos, grandes injusticias y experiencias horribles.

Sin duda, el nivel de tenebrosidad, pobreza y desaliento que hay en las zonas urbanas de las Américas está en su punto más alto. Es triste que muchas congregaciones evangélicas y denominaciones cristianas han abandonado la ciudad y han buscado "vientos más apacibles" en los suburbios, llevándose consigo sus colegios bíblicos, seminarios, casas editoriales y organizaciones para-eclesiasticas. Los creyentes se van de la ciudad en cantidades récord, dejando a quienes no conocen a Cristo ante sus propios designios y opresión.

Contentos con reducir el cristianismo a su propia clase de religión parroquial, muchos evangélicos han reducido el radio de nuestro Drama Cósmico; ellos han reducido el majestuoso llamado de la fe salvadora de Cristo a la ética de la familia nuclear, fuerte fervor patriótico y política conservadora. Sin sentido de conciencia manchada o perturbada, muchos cristianos le han dado la espalda al grito de los moribundos en la ciudad. Para una Iglesia llamada a ser como nuestro Señor, eso es totalmente inaceptable.

¡Levántese Dios! (continuación)

Afirmación y reconocimiento

Las dos dimensiones finales de un concierto de oración *¡Levántese Dios!*, que son *Afirmación* y *Reconocimiento*, permiten el dar testimonios y oraciones finales que afirman la verdad de Dios acerca de Él y de su intención de ganar la ciudad.

Aunque reconocemos la cruel opresión y constante mal de la ciudad, a su vez afirmamos la esperanza de salvación de la misma, como en el caso de Nínive en el libro de Jonás y de Asiria, sórdida capital de la violencia, las que Dios perdonó. Al perdonar la transgresión y aplacarse del juicio de esas ciudades perdidas, vemos el profundo amor de Dios por la perdida y rebelde humanidad, y su disposición de no aplicar su juicio incluso contra la más malvada ciudad, si sus habitantes se humillan delante de Él. Si Dios perdonó a los millares que llenaban la Nínive de los tiempos bíblicos, con seguridad podemos afirmar que Él puede librar a las decenas de millones de la ciudad de Nueva York, o las docenas de millones de la Ciudad de México. La analogía es tanto bíblica como persuasiva: el Dios Todopoderoso responde al clamor de un penitente quebrantado y contrito (Sal. 34.18).

En la sesión de *Afirmación*, afirmamos a Dios en oración y a unos y otros en testimonio lo que Dios nos ha hablado durante nuestro tiempo buscando y suplicando al Señor. Afirmamos el eterno amor de un Dios que envió a su único Hijo para nuestra redención (Juan 3.16), y nos recordamos entre sí de la histórica acción de Dios de responder cuando su pueblo, que es llamado por su nombre, se humilla, ora, busca su rostro y se arrepiente de sus malos caminos de preocupación personal, autoindulgencia y autoconfianza (2 Cr. 7.14). Dios obra en respuesta al clamarle a Él su pueblo en su aflicción, quebrantamiento y necesidad delante de Él (Dt. 26.5-10).

Terminamos nuestra sesión de *Afirmación* con una conclusión de oraciones donde reconocemos la veracidad y soberanía de Dios. Juntos nos comprometemos a esperar en el Señor, a esperar por su venida, Él es el único que puede fortalecer nuestros corazones (Sal. 27.14). Aunque podemos cansarnos en medio de nuestras oraciones, estamos seguros que con Dios vamos a prevalecer porque estamos orando de acuerdo a su voluntad y a su corazón (Is. 40.28-31). No vamos a dudar, ni a renunciar, ni a desanimarnos (Santiago 1.5; Gál. 6.9). Si comenzamos a interceder, podemos estar tentados a titubear, pero como la viuda que molestó al juez hasta que él respondió a su favor, nos recordamos el uno al otro que debemos rogar por acción hasta que Dios responda (Lucas 18.1-8).

Nuestros corazones están firmes, y estamos determinados como el patriarca Jacob a luchar con Dios, a implorarle, a asirnos de Él y no dejarlo ir hasta que nos bendiga (Gn. 32.24-32). Como Josafat, no tenemos fuerzas contra los gobernantes de las presentes

¡Levántese Dios! (continuación)

tinieblas y fuerzas espirituales reunidas para destruir las zonas urbanas del mundo, ni sabemos lo que hay que hacer, pero nuestros ojos están fijos en el Señor (2 Cr. 20.12).

Estamos convencidos que un día Dios va a darle a su Hijo las ciudades de este mundo (incluyendo las zonas urbanas de Estados Unidos), las que sólo son una parte significativa de la herencia que al Padre le ha placido darle al Resucitado Señor (Sal. 2.8). Sabiendo que nuestro Señor Jesús debe reinar hasta que todos sus enemigos sean puestos bajo sus pies (1 Co. 15.24-28), nosotros ni dudamos sus intenciones ni somos impacientes del tiempo de sus respuestas. Dios nos responderá a su debido tiempo y a su propia manera. Al salir de nuestras reuniones para ir de nuevo a nuestros particulares círculos de influencia y relaciones, reconocemos nuestra dependencia en Él. Ya sea que nuestra sesión haya durado media hora, una mañana entera, o varios días y semanas de ayuno y oración, sabemos que la promesa del Señor es segura:

> Is. 55.6-11 - Buscad a Jehová mientras puede ser hallado, llamadle en tanto que está cercano. [7] Deje el impío su camino, y el hombre inicuo sus pensamientos, y vuélvase a Jehová, el cual tendrá de él misericordia, y al Dios nuestro, el cual será amplio en perdonar. [8] Porque mis pensamientos no son vuestros pensamientos, ni vuestros caminos mis caminos, dijo Jehová. [9] Como son más altos los cielos que la tierra, así son mis caminos más altos que vuestros caminos, y mis pensamientos más que vuestros pensamientos. [10] Porque como desciende de los cielos la lluvia y la nieve, y no vuelve allá, sino que riega la tierra, y la hace germinar y producir, y da semilla al que siembra, y pan al que come,[11] así será mi palabra que sale de mi boca; no volverá a mí vacía, sino que hará lo que yo quiero, y será prosperada en aquello para que la envié.

Ciertamente, la Palabra del Señor no puede volver vacía a Él, o sin fruto. Los propósitos de Dios, nuestro gran Dios, permanecen para siempre (Is.40.8).

¡Levántese Dios! (continuación)

Conclusión: Responda en humildad al serio llamado a la oración prevaleciente por las zonas urbanas

Estimado amigo, permítame hacerle una pregunta: ¿Cuál cree usted que es la necesidad más crítica del momento en las zonas urbanas de las ciudades de América?

Yo creo que no es meramente ayudar con más negocios y dinero, ni simplemente más y mejores políticos, mejores iniciativas urbanas contra el crimen, seminarios de planeación familiar, ni programas de comida. La más *crucial* necesidad de la ciudad es que el Señor haga sentir su presencia en ella. El factor decisivo que conducirá a la transformación de las zonas urbanas del mundo es una visitación de Dios, repetidos derramamientos del Espíritu Santo entre su pueblo en la ciudad. Tales visitaciones de la presencia y poder de Dios revolucionarían las comunidades; la visitación de Dios crearía tanta variedad de sanidad, compasión y justicia que nadie, ni siquiera el político de mente más liberal o el terco ateo lo pudieran explicar. El Salmo 68 es un testamento de lo que puede ocurrir cuando el Señor desciende, más bien, se levanta y dispersa sus enemigos y deja en su paso las bendiciones de su gran corazón de amor por la humanidad:

> [1] Levántese Dios, sean esparcidos sus enemigos, y huyan de su presencia los que le aborrecen.
>
> [2] Como es lanzado el humo, los lanzarás; Como se derrite la cera delante del fuego, Así perecerán los impíos delante de Dios.
>
> [3] Mas los justos se alegrarán; se gozarán delante de Dios, y saltarán de alegría.
>
> [4] Cantad a Dios, cantad salmos a su nombre; Exaltad al que cabalga sobre los cielos. JAH es su nombre; alegraos delante de él.
>
> [5] Padre de huérfanos y defensor de viudas Es Dios en su santa morada.
>
> [6] Dios hace habitar en familia a los desamparados; Saca a los cautivos a prosperidad; Mas los rebeldes habitan en tierra seca.

¡Levántese Dios! (continuación)

[7] Oh Dios, cuando tú saliste delante de tu pueblo, Cuando anduviste por el desierto, Selah

[8] La tierra tembló; destilaron los cielos ante la presencia de Dios; Aquel Sinaí tembló delante de Dios, del Dios de Israel.

[9] Abundante lluvia esparciste, oh Dios; A tu heredad exhausta tú la reanimaste.

[10] Los que son de tu grey han morado en ella; Por tu bondad, oh Dios, has provisto al pobre.

~ Salmo 68.1-10

¡Levántese Dios! en medio de su pueblo.

¡Levántese Dios! en medio de la miseria y el decaimiento urbano.

¡Levántese Dios! en los centros de poder e influencia.

¡Levántese Dios! en los vecindarios plagados de violencia y temor.

¡Levántese Dios! en los santuarios y congregaciones bajo intimidación y sitio.

¡Levántese Dios! con un derramamiento de su Espíritu Santo que resultará en el avivamiento espiritual y avance dramático del Reino entre los más pobres de los pobres de las zonas urbanas de las ciudades de Latinoamérica, Norte América, y España.

Nosotros le hacemos un *llamado* a la oración prevaleciente: ¿Se unirá con nosotros a clamar a Dios día y noche a favor de la ciudad y sus habitantes, desde Nueva York hasta Los Ángeles, desde Chile hasta México, y por todos los que en cualquier otra parte necesitan oír del amor salvador de Dios en Cristo?

Nosotros le hacemos un serio llamado a la oración prevaleciente: ¿Capta usted el sentido de cuán significativa puede ser su contribución si solamente se dedica a un ruego inquebrantable, con resolución, lleno de fe, a Dios a favor de uno de los más grandes y más difíciles campos misioneros en el mundo?

Nosotros le hacemos un serio llamado a la *oración prevaleciente*: ¿Le permitirá usted a Dios Espíritu Santo que le capacite para ser un guerrero en el campo espiritual, asiéndose de Dios para interceder por la Iglesia que está durmiendo y debe ser despertada, y un mundo que está muriendo y debe oír del reino de Dios, dador de la vida y que ya se ha introducido, y ha sido ganado para nosotros por medio de Cristo Jesús al morir en la cruz?

¡Levántese Dios! (continuación)

Solamente Dios puede renovar a Su pueblo. Solamente Dios puede salvar la ciudad.

Reunámonos en un acuerdo santo, ya sean dos o tres (Mt. 18.20) o una galería entera de solicitantes (2 Cr. 20) a buscar al Señor y suplicar por su favor para el bien de la ciudad. Hagámoslo en nuestras oraciones personales en el interior de la recámara, en nuestros grupos de células y en pequeños grupos de estudio, en nuestras congregaciones y servicios en las iglesias, en nuestras reuniones de oración y convocaciones, en nuestros conciertos de oración - en vigilias, retiros, hogares, escuelas - dondequiera que el Señor ponga en nuestros corazones pedirle a Él una visitación a las ciudades, y por nuestra ciudad.

Comprometámonos a asirnos de Dios hasta que Él nos visite. Si lo hacemos, las ciudades de Estados Unidos (y tal vez, las del mundo entero) nunca serán las mismas.

¡LEVÁNTESE DIOS!

Siete palabras clave para buscar al Señor y encontrar su favor

Rev. Dr. Don L. Davis

			TEMA	PASAJE	TENER CONCIENCIA DE		CONCIERTO DE ORACIÓN
"Buscad al Señor" Zacarías 8:18-23 • Isaías 55:6	1	**Adoración**	• Deleitarse y disfrutar en Dios • Gratitud sobreabundante • Reconocer a Dios en su Persona y sus obras	Sal. 29:1,2 Ap. 4-11 Rom. 11:33-36 Sal. 27:4-8	La majestuosa gloria de Dios	El rostro de Dios	Reunirse para adorar y orar
	2	**Admisión**	• Incompetencia • Desamparo • Advertir la necesidad desesperante que tenemos de Dios	Sal. 34:18, 19 Pr. 28:13 Dan. 4:34, 35 Is. 30:1-5	Nuestro quebrantar ante Dios		Confesar impotencia
	3	**Disposición**	• Morir a la preocupación por uno mismo y al amor al mundo • No confiar en la sabiduría, los recursos o los métodos carnales • Consagrarnos nosotros mismos como sacrificios vivos a Dios	Rom. 12:1-5 Jn. 12:24 Flp. 3:3-8 Gál. 6:14	Nuestra docilidad frente a Dios		Rendir todo a Cristo
"Busquen el favor del Señor" Zacarías 8:18-23 • Jeremías 33:3	4	**Avivamiento** *global y local*	• Refrigerio: Derramamiento del Espíritu Santo sobre el pueblo de Dios • Renovación: Obediencia al Gran Mandamiento Amar a Dios y al prójimo • Revolución: Nueva orientación radical a Cristo como Señor	Os. 6:1-3 Ef. 3:15-21 Mt. 22:37-40 Jn. 14:15	Pedir la llenura del Espíritu	Plenitud	Fervientemente intercede en nombre de otros
	5	**Avance** *global y Local*	• Movimientos: Campañas hacia los no alcanzados, regiones pioneras • Movilización: De cada congregación para cumplir la Gran Comisión • Mentalidad militar: Adoptar una mente guerrera para sufrir y soportar las dificultades en la guerra espiritual	Hch. 1:8 Mc. 16:15,16 Mt. 28:18-20 Mt. 11:12 Lc. 19:41, 42 2 Tim. 2:1-4	Pedir por el mover del Espíritu	Cumplimiento	
	6	**Afirmación**	• Dar testimonio de lo que el Señor ha hecho • Desafiarse unos a otros al hablar la verdad en Amor	Sal. 107:1, 2 Heb. 13:3 2 Cor. 4:13 Mal. 3:16-18	Los redimidos que lo digan	La fe	Anima unos a otros en verdad y testimonio
	7	**Reconocimiento**	• Esperar pacientemente a que Dios actúe en su tiempo y con sus métodos • Vivir con la confianza de que Dios está respondiendo a nuestras peticiones • Actuar creyendo como que si Dios hará *precisamente lo que dice que hará*	Sal. 27:14 2 Cró. 20:12 Pr. 3:5, 6 Is. 55:8-11 Sal. 2:8	Mantener nuestros ojos en el Señor	La lucha	Dispersión para trabajar y esperar

"¡Tiene que servir a alguien!"

Más de la mitad de las metáforas escogidas por Jesús describen a alguien que está bajo la autoridad de otro. A menudo, la palabra seleccionada implica un miembro de una familia con su par correspondiente, tal como el hijo (de un padre, *pater*), un siervo (de un maestro, *kyrios*), o un discípulo (de un maestro, *didaskalos*). Otras imágenes de aquellos bajo autoridad incluyen al pastor (*poimen*), quien atiende al rebaño que pertenece a otro, el trabajador (*ergates*) contratado por el patrón (*oikodespotes*), el apóstol (*apostolos*) comisionado por su superior, y la oveja (*probaton*) obedeciendo la voz del pastor. Es interesante notar que a pesar de que los discípulos estaban preparados para el liderazgo espiritual en la iglesia, Jesús pone mucho más énfasis en su responsabilidad sobre la autoridad de Dios, que en la autoridad que ellos mismos ejercerían. Hay mucha más instrucción sobre el papel del *seguimiento* que sobre el papel de *guiar* [énfasis añadido].

~ David Bennett, **The Metaphors of Ministry**, p. 62.

¡Venga Tu Reino!

Disertaciones sobre el Reino de Dios

Editados por Terry G. Cornett y Don L. Davis

Tomado de "The Agony and The Ecstasy" en la sección Why We Haven't Changed the World, by Peter E. Gillquist. Old Tappan, New Jersey: Fleming H. Revell Company, 1982. págs. 47-48.

Un relato de dos reinos

Escuchen la parábola del reino. Un príncipe usurpador del reino de este mundo, por medio de un magistral e ingenioso programa de engaño, logró reunir a millones de súbditos bajo su poderoso gobierno. Por supuesto que él los atrajo del dominio de otro monarca, pero ahora los consideraba a todos como suyos. Después de todo, ellos habían estado bajo su dominio por un tiempo considerable, y el monarca aún no los había recuperado. Sí, en la mente de este príncipe usurpador, esa gente legalmente es su pueblo y esa tierra *su* tierra.

De repente, sin mucha advertencia, el gobierno rival, el monarca de quien fueron robados, se pone en acción. El hijo del monarca rival es colocado en el terreno mismo del príncipe usurpador para tomar a quienes quisieran sujetarse a su reinado de nuevo. El plan del monarca es tomar a esa gente de la autoridad, filosofía y estilo de vida del príncipe usurpador.

Lo más atrevido de todo es que el monarca establece su Gobierno dentro de la propiedad misma del príncipe usurpador. Y en lugar de remover inmediatamente a sus restaurados súbditos de la tierra, los mantiene ahí hasta que una enfermedad llamada muerte (una consecuencia del régimen del príncipe que es eventualmente aplicada a todos) trae un cambio en sus existencias. Para agravar aún más el asunto, el hijo incluso promete a la gente que va a salvarlos de la muerte y que serán primicias cuando Él muera y vuelvan con Él a la vida otra vez.

Turbado, pero no derrotado (piensa él), el príncipe usurpador lanza contraataques por todos los frentes. Al darse cuenta que no es un fuerte rival para el otro rey, uno a uno, lanza un renovado programa de engaño, simplemente mintiéndole a sus ciudadanos acerca del otro gobierno. Eso no siempre da resultado, porque el hijo del monarca sigue recibiendo nuevos súbditos. Pero como son criaturas tan débiles, el príncipe no ve razón para perder las esperanzas de su eventual retorno. Consecuentemente, incluso después que ellos llegan a ser ciudadanos del otro reino, el usurpador se mantiene presionándolos.

La falsedad es el arma más común del príncipe. La usa en los puntos más estratégicos. Puesto que las personas más comprometidas son las más peligrosas, él ataca con los celosos que quedaron de sus anteriores súbditos para soltar rumores acerca de ellos e

¡Venga Tu Reino! Disertaciones sobre el Reino de Dios (continuación)

intimidarlos con muestras de su poder. Sin embargo, en general son pocos sus éxitos porque esas personas demuestran un apego casi sobrenatural al monarca liberador.

A pesar de todo, el príncipe es estimulado por una causa relativamente pequeña, aunque muy significativa con la cual no había contado.

Hay algunos siervos del hijo del monarca, muy honestos y bien intencionados, que no declaran bien sus promesas. Estos siervos tienen tanta intensidad en ganar personas al nuevo dominio, que dejan fuera de su mensaje asuntos muy importantes con relación a la responsabilidad de la ciudadanía en ese dominio. Raramente ellos, si acaso, mencionan la batalla, o los subversivos artificios del príncipe, o los efectos residuales de las temibles enfermedades que sobrevienen bajo su reinado. Francamente, ellos exhiben al gobierno del hijo algo así como un estado de batalla espiritual, donde hay bienes gratuitos para todos, con muy poco énfasis en la responsabilidad. Uno agarra la idea de cierta clase de un reposado paraíso, mientras el monarca dirige un gigantesco programa de repartición de objetos.

Con mucho gozo malvado, el príncipe usurpador capitaliza en este inexplicable hueco de sus armaduras. Todo lo que tiene que hacer es dejarlos predicar tales omisiones, y luego beneficiarse en las contradicciones que las personas experimentan en sus vidas diarias. Después de todo, su mejor fuente "misionera" muy bien pudieran ser los decepcionados oyentes que le prestan atención a estos siervos entusiasmados con unas pocas verdades.

El Reino como clave de toda la Escritura

Estos fragmentos fueron tomados de "Introduction and Chapter One" in A Kingdom Manifesto, by Howard A. Snyder. Downers Grove: InterVarsity Press, 1985. págs. 11-25

Jesús siempre tenía alguna sorpresa para todos, incluso para sus discípulos. Tal vez la mayor de éstas fue su anuncio acerca del Reino de Dios.

Jesús anunció el Reino, creando con ello un revuelo. A través de un breve tiempo de ministerio público Él continuó mostrándoles a sus discípulos lo que en realidad el Reino era. Ellos sólo lo entendían en parte.

Después que resucitó de entre los muertos, Jesús pasó seis semanas enseñándoles más a sus discípulos acerca del Reino (Hch. 1.3). Les explicó que sus sufrimientos, muerte y resurrección eran parte del plan del reino predicho por los profetas del Antiguo Testamento (Lc. 24.44-47).

Ahora bien, después de la resurrección sus discípulos le preguntaron: "¿Vas a restaurar por fin tu Reino?" (parafraseando Hch. 1.6). ¿Cómo respondió Jesús? Él les dijo en efecto:

¡Venga Tu Reino! Disertaciones sobre el Reino de Dios (continuación)

"—No les toca a ustedes conocer la hora ni el momento determinados por la autoridad misma del Padre —les contestó Jesús—. [8] Pero cuando venga el Espíritu Santo sobre ustedes, recibirán poder y serán mis testigos tanto en Jerusalén como en toda Judea y Samaria, y hasta los confines de la tierra. (Hch. 1.7-8, NVI).

Y así fue, y así ha sido. Estamos viendo en la actualidad que finalmente se acerca el cumplimiento de la profecía de Jesús que "será predicado este evangelio del reino en todo el mundo, para testimonio a todas las naciones" (Mt. 24.14).

Así que, ahora es el tiempo de hablar del Reino de Dios como nunca antes.

Esto no es ningún intento de adelantarse a Dios para declarar de antemano el soberano misterio del Reino. El Reino aún está, y siempre permanecerá en las manos de Dios. Entonces, este libro no es acerca de "tiempos y sazones" (Hch. 1.7), sino de las claras enseñanzas del reino a lo largo de las Escrituras. Lo que quiero decir es simplemente esto: La Biblia habla mucho acerca del Reino de Dios, y la Iglesia lo ha desconocido en gran parte. Pero en la providencia de Dios quizás ahora ha llegado la hora en que las buenas nuevas del Reino puedan ser oídas y entendidas como nunca antes. Esto no es por causa de una persona ni de la sabiduría humana, sino es la propia obra de Dios en nuestros días trayendo un nuevo conocimiento del Reino.

Por eso, el tema de este libro es: El Reino de Dios en las Escrituras y su significado para nosotros actualmente.

El Reino de Dios es un hilo conductor clave en las Escrituras, uniendo toda la Biblia en un conjunto. No es el único tema unificador, ni debería reemplazar otros temas que son claramente bíblicos. Pero es un tema muy importante, sobre todo para el día de hoy. Su reciente resurgimiento en la Iglesia es, yo creo, uno de los desarrollos más significativos de este siglo.

Cuando comienza a buscar en las Escrituras el tema del reinado o Reino de Dios, éste aparece en todo sitio de la misma. Tomemos como ejemplo un caso que recientemente encontré en mi estudio devocional:

> SEÑOR, tus obras todas te darán gracias, y tus santos te bendecirán. [11] La gloria de tu reino dirán, y hablarán de tu poder, [12] para dar a conocer a los hijos de los hombres tus hechos poderosos, y la gloria de la majestad de tu reino. [13] Tu reino es reino por todos los siglos, y tu dominio permanece por todas las generaciones.
>
> ~ Salmo 145.10-13 (LBLA)

¡Venga Tu Reino! Disertaciones sobre el Reino de Dios (continuación)

De hecho, este Salmo contiene una sustancial teología del Reino, enfatizando el reinado soberano de Dios, sus hechos poderosos, su compasión y cercanía a quienes lo buscan, su derecho y su justicia.

El Reino es un tema de tanta importancia en las Escrituras que Richard Lovelace dice: "El Reino mesiánico no solamente es el tema principal de la predicación de Jesús; es la categoría central unificando la revelación bíblica". Y John Bright comenta: "El concepto del Reino de Dios involucra, en un sentido, la totalidad del mensaje de la Biblia . . . Entender el significado del Reino de Dios, es acercarse mucho al corazón del evangelio de salvación que expresa la Biblia". Y Stanley Jones escribió hace más de cuatro décadas hablando del mensaje de Jesús "fue el Reino de Dios. Fue el centro y la circunferencia de todo lo que enseñó e hizo ... El Reino de Dios es el concepto maestro, el plan maestro, el propósito maestro, la voluntad maestra que reúne todo en sí mismo y le da redención, coherencia, objetivo".

Pero ver el Reino de Dios como el único tema unificador de las Escrituras nos puede guiar mal. Personalmente creo que la verdad que lo abarca todo es la revelación de la naturaleza y carácter de Dios (no meramente su existencia, lo cual es claro por el orden creado (Ro. 1.20). Aquí el amor de Dios, su justicia y santidad son centrales, el carácter de la persona de Dios en su Tri-Unidad. Aun así, el reinado/gobierno de Dios es un tema clave de las Escrituras, porque el amoroso, justo y santo Dios, gobierna según Su carácter y en una forma que produce el reflejo del mismo en todos los que voluntariamente le sirven.

De modo que ciertamente el Reino es una hebra clave que corre a través de la Biblia. Si esto no es tan evidente en los escritos de Pablo, es porque él con frecuencia habla del Reino en términos del plan soberano de Dios realizado por medio de Cristo Jesús (por ejemplo Ef. 1.10), y por buenas razones usa menos el lenguaje del reino. Pero es incorrecto decir, según algunos, que el tema del Reino "desaparece" en Pablo . . .

La Biblia está llena del Reino de Dios . . . Aprendemos más acerca del Reino cuando analizamos toda la Escritura como la historia de la "economía" de Dios o el plan de restaurar una creación caída, trayendo todo lo que Dios ha hecho, la mujer, el hombre y la totalidad del medio ambiente, a la plenitud de Sus propósitos bajo Su reinado soberano.

Una tarde caminaba con mi hijo de siete años de edad por un lugar con bastantes árboles; después de un rato llegamos a un campo abierto. El sol estaba casi en su ocaso; el cielo serenamente adornado de azul y oro. Los pájaros revoloteaban en los árboles. Hablamos acerca de la paz, del futuro y del Reino de Dios. De alguna manera ambos sentimos, a pesar de nuestra diferencia de edad y entendimiento, que Dios desea la paz y que todo lo

¡Venga Tu Reino! Disertaciones sobre el Reino de Dios (continuación)

que Él desea lo va a hacer. Algún día, dijimos y lo supimos, todo el mundo será como este mágico momento. Pero no sin costo ni lucha.

Jesús insiste: "Entrad por la puerta estrecha"; porque "estrecha es la puerta, y angosto el camino que lleva a la vida, y pocos son los que la hayan" (Mateo 7.13-14). El Reino de Dios es vida en abundancia (Jn. 10.10), pero el camino a la vida es por medio de la estrecha puerta de la fe y obediencia a Cristo Jesús. Si los cristianos quieren experimentar el pacífico orden del Reino, deben aprender y vivir el camino de la paz de Dios.

La Predicación y enseñanza de Jesús

Sumario de Enseñanza, Vic Gordon

1. La cosa más importante de la vida es ser discípulo de Cristo Jesús. Aprender de Él y luego obedecer lo que oímos. Él debe ser nuestro Maestro y Señor (Mt. 7.24-27; 11.29; 28.18-20; Jn. 13.13).

2. Obviamente, no podemos seguir a Jesús si no conocemos su enseñanza. El tema principal de su enseñanza y predicación fue el Reino de Dios. La mayoría de los cristianos no saben eso, sin embargo, lo llaman Señor y Maestro.

3. Entonces, confrontamos un problema. En cuanto sabemos el tema principal de su enseñanza, automáticamente lo malentendemos. En los idiomas bíblicos (hebreo, arameo, griego) reino significa algo diferente que en el español de la actualidad. Para nosotros "Reino" significa "dominio" (un lugar sobre el cual un rey gobierna) o "un grupo de personas que viven bajo el dominio del rey" (la gente sobre quienes el rey gobierna). Sin embargo, en la Biblia el principal significado de "Reino" es "reinar" o "gobernar". Por lo tanto, el Reino de Dios significa el reinado de Dios o el gobierno de Dios. El Reino de Dios no es un lugar ni un grupo de personas, sino el dominio activo y dinámico de Dios. El Reino es un acto de Dios, es decir, algo que Él hace.

4. La carga y propósito de los tres años de ministerio público de Jesús que lo llevó a su muerte y resurrección, fue predicar, proclamar y enseñar acerca del Reino de Dios (Mc. 1.14ss; Mt. 4.17, 23; 9.35; Lc. 4.42ss; 8.1; 9.2, 6, 11; 10.1, 9; Hch. 1.3; 28.31).

5. Jesús fue el proclamador original del evangelio, y Él lo proclamó originalmente en términos del Reino de Dios (Mc. 1.14ss; Mt. 4.23; 9.35; 24.14; Lc. 20.1). Las buenas nuevas son acerca del reino de Dios. Por supuesto que esto es una metáfora, un conjunto de palabras que describen una profunda realidad.

¡Venga Tu Reino! Disertaciones sobre el Reino de Dios (continuación)

6. La enseñanza de Jesús acerca del Reino de Dios, como vamos a ver, determina la estructura básica de toda su enseñanza; y por cierto, también la estructura de la totalidad de la enseñanza del Nuevo Testamento.

7. ¿Por qué Jesús escogió el conjunto de palabras "Reino de Dios" para proclamar las buenas nuevas de Dios al mundo? Dos básicas razones son:

   a. **Es bíblico.** Aunque la frase exacta "Reino de Dios" no ocurre en el Antiguo Testamento (tal vez sólo en 1 Cr. 28.5), la idea está presente en todos lados en el Antiguo Testamento, especialmente en los profetas. Su monarquía no siempre se realiza en este mundo pecaminoso. De hecho, el mayor énfasis en el Antiguo Testamento, declarado cientos de veces con diferentes grupos de palabras, está en el futuro y venidero reino de Dios. La esperanza del Antiguo Testamento es que Dios mismo va a venir a traer salvación a su pueblo y juicio (destrucción) a sus enemigos. (Por ejemplo, mira 1 Cr. 29.11; Sal. 22.28; 96.10-13; 103.19; 145.11-13; Is. 25ss; 65ss; Dn. 2.44; 4.3, 34; 6.26; 7.13ss, 27).

   b. **Era entendido y tenía significado para los judíos de Palestina del primer siglo, a quienes Jesús proclamó las buenas nuevas.** De hecho, la frase "Reino de Dios" se había desarrollado bastante en los 400 años entre el Antiguo Testamento y la venida de Jesús. El Reino de Dios ahora resumía la total esperanza del Antiguo Testamento. Los judíos del primer siglo estaban esperando a Dios como rey para reinar sobre el mundo entero, destruyendo a sus enemigos y dándoles todas las bendiciones a su pueblo Israel. Este concepto era especialmente significativo para los judíos, quienes, por un lado, firmemente creían que Yahweh su Dios, era el único Dios verdadero que gobernaba sobre todo el universo, y quienes, por otro lado, habían experimentado 700 años de dominio extranjero bajo las manos de gobernantes paganos, comenzando con Asiria, luego Babilonia, Persia, Grecia y finalmente Roma. Jesús nunca les definió el Reino de Dios porque todos ellos sabían lo que significaba. Esto es un gran ejemplo para nosotros en nuestros ministerios. Jesús fue a donde el pueblo estaba (la encarnación), fue fiel al mensaje bíblico y les habló en términos que podían entender. (Por ejemplo, leer Lc. 1.32ss; 19.11; 23.51; Mc. 11.10; 15.43; Hch. 1.6). La frase Reino de Dios resumía toda la esperanza y promesa del Antiguo Testamento. "Todo lo que Dios ha dicho y hecho en la historia de Israel llega a su cumplimiento en el Reino de Dios" (Dale Patrick).

¡Venga Tu Reino! Disertaciones sobre el Reino de Dios (continuación)

8. Pero Jesús ofrece un nuevo entendimiento de un concepto ya entendido. Él vacía su propio significado autoritativo del Reino de Dios y ofrece una nueva y definitiva interpretación de la promesa y enseñanza del Antiguo Testamento. Él asegura que el "Reino de Dios" es la clave de la interpretación para el Antiguo Testamento. Él concuerda con los judíos en que el Reino de Dios se está introduciendo en la historia y reina para darle salvación a su pueblo y juzgar a sus enemigos. Pero Jesús va más allá de esto al proveer una enorme y nueva interpretación del reinado de Dios.

9. Jesús sorprende y deja pasmados a sus oyentes al decir que el Reino de Dios que todos ellos han estado esperando, ahora está presente (Mc. 1.15). El tiempo del cumplimiento de las promesas del Antiguo Testamento había llegado. Él va aun más allá al enseñar que el Reino está presente en su propia persona y ministerio. (Mt. 11.1-15; 12.28; Lc. 10.23ss; 17.20ss). La enseñanza que el Reino de Dios ha llegado o está aquí, es radicalmente nueva. Ningún rabí judío había enseñado antes tal cosa (Lc. 10.23ss).

10. Pero Jesús, como la mayoría de los judíos de su tiempo, también enseñó que el Reino de Dios todavía estaba en el futuro, es decir, todavía tendría que venir (por ej., Mt. 6.10; 8.11ss; 25.31-34; Lc. 21.31; 22.17ff., compare con Mt. 5.3-12; Mc. 9.47).

11. La solución a esta extraña enseñanza está en darse cuenta que la nueva perspectiva de Jesús acerca del Reino de Dios, contiene los dos elementos: el Reino está presente y es futuro. Jesús enseñó dos venidas del Reino. Primero, el Reino vino parcialmente en su propia persona y ministerio en la historia. Segundo, Jesús enseñó que habrá una futura y completa venida de su Reino cuando Él regrese al final de la historia humana.

12. Ahora podemos entender lo que Jesús quiso decir por el "misterio del Reino" (Mc. 4.10ss). Esta extraña y nueva perspectiva acerca del Reino de Dios, enseña que las promesas del Antiguo Testamento pudieron ser cumplidas sin ser consumadas. Así que el misterio del Reino es cumplimiento sin consumación. **El Reino de Dios ha venido a la historia en la persona y ministerio de Cristo Jesús sin ser consumado.** Este misterio estuvo oculto hasta que fue revelado en Cristo.

¡Venga Tu Reino! Disertaciones sobre el Reino de Dios (continuación)

13. En una forma o en otra, todas las parábolas de Jesús acerca del Reino (el "Reino de Dios es semejante a . . .") proclaman y/o explican este misterio. Tal entendimiento acerca del Reino es radicalmente nuevo. Los judíos del primer siglo de Palestina, necesitaban oír este mensaje, entenderlo y creerlo. Esta es la principal preocupación de la predicación y enseñanza de Jesús.

14. De modo que podemos entender la enseñanza de Jesús acerca de la llegada del Reino de Dios como ya estando presente, y siendo futuro. El Reino ya está aquí, pero todavía no está. Jesús anuncia la presencia del futuro.

15. La gráfica "Viviendo en el Reino de EL YA y EL TODAVÍA NO" nos puede ayudar a ver más claramente lo que Jesús está diciendo. La gráfica es una línea de tiempo desde la Creación hasta el eterno futuro (eterno en la Biblia significa tiempo sin fin).

    a. El tiempo del Reino es la época por venir. Nosotros ahora vivimos tanto en esta época como en la que está por venir.

    b. El Reino de Dios tiene dos momentos, cada uno caracterizado por la venida de Jesús como el Rey mesiánico para traer el reinado de Dios.

16. El Reino de Dios trae las bendiciones de Dios. Al vivir el pueblo del Reino ahora en tensión tanto por el presente como por el Reino futuro, ya nos han llegado algunas bendiciones y otras esperan la consumación futura del Reino.

Bendiciones Presentes del Reino

a. El evangelio es proclamado.

b. El perdón de los pecados.

c. El Espíritu Santo habita en el pueblo de Dios.

d. La santificación ya ha comenzado.

Futuras Bendiciones del Reino

a. La Presencia de Dios.

b. Resurrección de los muertos.

c. Plena santificación.

¡Venga Tu Reino! Disertaciones sobre el Reino de Dios (continuación)

d. *Shalom*: paz, justicia, gozo, salud, bienestar.

e. Un cielo nuevo y una tierra nueva.

f. Juicio y destrucción de todos los enemigos de Dios, incluyendo el pecado, la muerte, el diablo, sus demonios, y el mal.

17. No pasemos por alto la obvia realidad que la predicación de Jesús acerca del Reino es fundamentalmente una proclamación acerca de Dios. Dios trae su Reino como un indagador, invitador, un Abba Padre lleno de gracia. Él también viene como juez contra todos los que rechazan su Reino.

18. El Reino de Dios es en todo respecto a la obra de Dios. Lleno de gracia Él irrumpe la historia humana en la persona de su Hijo Jesucristo para traer Su gobierno a la tierra. Por lo tanto, el Reino es completamente sobrenatural y lleno de gracia. Los seres humanos no pueden traer, construir o lograr el Reino. Es totalmente una acción de Dios.

19. Los milagros y exorcismos de Jesús son señales que el Reino de Dios está presente en Él y en su ministerio (Mt. 11.1-6; 4.23; 9.35; 10.7ss; Lc. 9.1, 2, 6, 11).

20. El Reino de Dios invadió el reino de Satanás cuando Jesús vino y trajo el Reino (Mt. 12.22-29; 25.41; Mc. 1.24, 34; Lc. 10.17ss; 11.17-22).

21. El Reino de Dios es de mucho valor; de hecho, es la cosa más grande en el mundo entero (Mt. 13.44-46). Por lo tanto, debemos preguntar: "¿Cómo debemos responder a este Reino?" o "¿Cómo recibimos el don del Reino de Dios?"

Aferrándonos firmemente a la Escritura

De Leroy Eims, The Lost Art of Disciple Making, Pág. 81

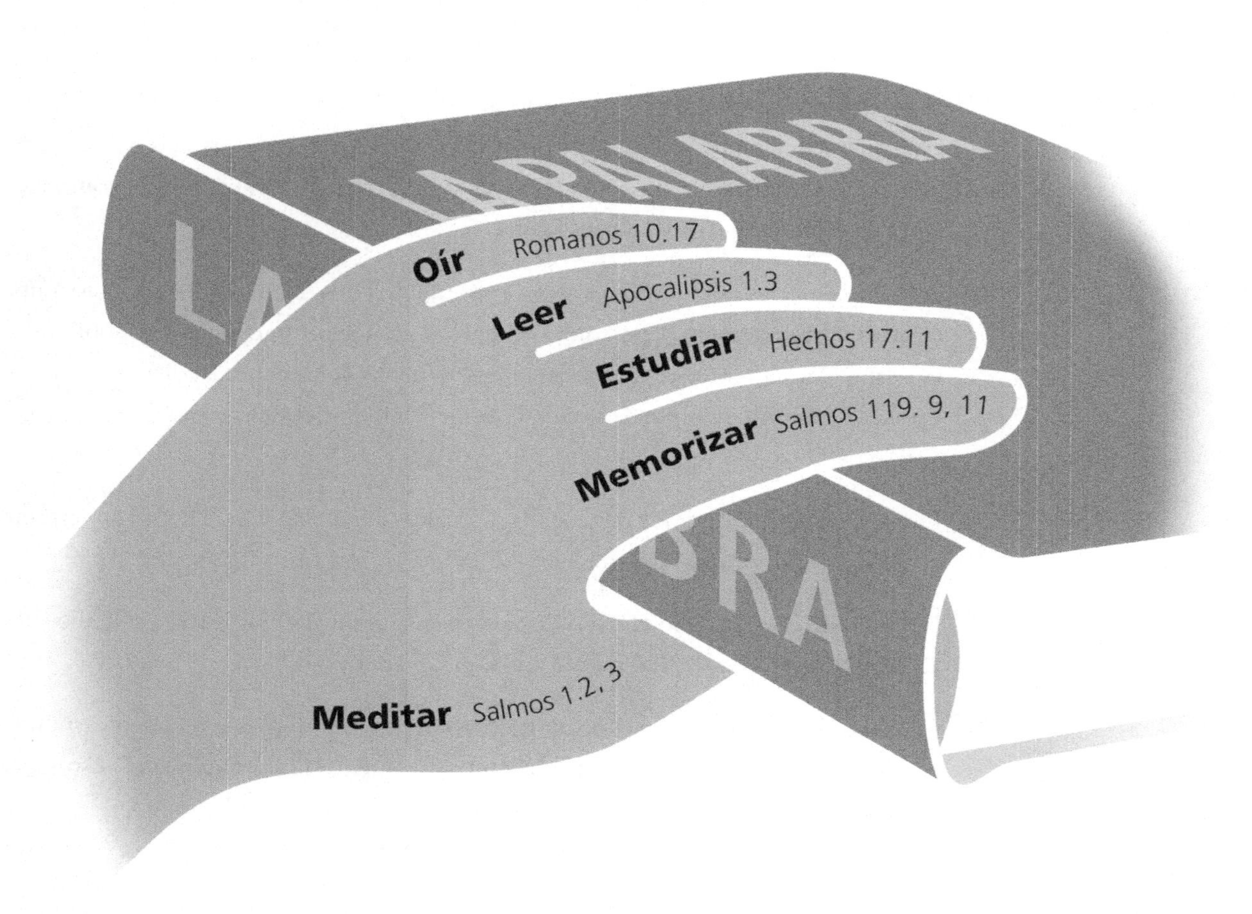

Alcanzando a grupos no afectados dentro de vecindarios con iglesias

Mission Frontiers

Muchas personas: Diferentes culturas, costumbres y lenguajes

Muchas congregaciones homogéneas

Lo Extenso de la evangelización "normal": Incorporando y reuniendo gente sólo de acuerdo a la cultura

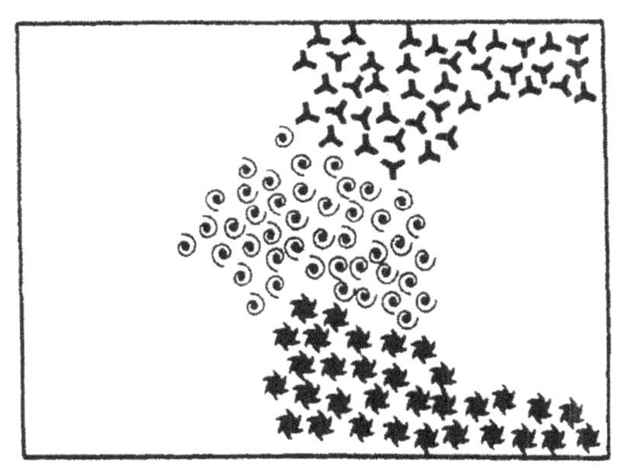

"Tan cerca, sin embargo tan lejos": Los vecinos no alcanzados y no afectados

Análisis de diferentes tendencias de pensamiento

Modo de pensar y estilos de vida integrado vs. fragmentado

Rev. Dr. Don L. Davis

Un modo de pensar fragmentado	Un modo de pensar integrado
Ve las cosas en relación a sus necesidades	Ve todas las cosas como un todo
Ve todo lo que no es de Dios como un punto de referencia que sustituye el significado y la verdad	Ve a Dios en Cristo como el máximo punto de referencia para todo significado y verdad
Busca la bendición de Dios para su realce personal	Alinea sus metas personales con el plan y propósitos de Dios
Entiende que el propósito de la vida es experimentar el nivel más alto del logro personal y realce posible	Entiende que el propósito de la vida es hacer la máxima contribución posible al propósito de Dios en el mundo
Sólo se relaciona con otros en base a su efecto hacia ellos y al lugar que ocupa dentro de su espacio personal	Profundamente se identifica con todas las personas y las cosas como parte integral del gran plan de Dios para Su gloria
Define la teología como un intento de expresar la perspectiva de alguien sobre ciertas ideas o conceptos religiosos	Define la teología como el intento de entender los planes y designios de Dios para sí mismo en Jesucristo
Sus aplicaciones están en buscar la respuesta correcta a un tema o situación particular	Sus aplicaciones son el resultado de entender qué es lo que Dios está haciendo para Sí mismo en el mundo
Se enfoca en el estilo del análisis (discierne los procesos y el quehacer de las cosas)	Se enfoca en el estilo de la síntesis (para discernir la conexión y unidad de todas las cosas)
Busca entender la revelación bíblica primordialmente desde el punto de vista de su vida privada ("El plan de Dios para mi vida")	Busca entender la revelación bíblica primordialmente desde un punto de vista del plan de Dios para la humanidad ("El plan de Dios para las edades")
Es gobernado por las preocupaciones para asegurar su seguridad y la importancia de sus esfuerzos ("Mi plan personal para mi vida")	Gobernado por un compromiso como co-obrero de Dios en la visión completa ("La obra de Dios en el mundo")
Se coordina en torno a necesidades personales teniendo proyectos o paradigmas de trabajo	Se conecta y relaciona en torno a la visión de Dios y su plan como un paradigma de trabajo
Ve la misión y el ministerio como la expresión de su talento y carga personal, trayendo a sí mismo satisfacción y seguridad	Ve la misión y el ministerio como una presente expresión de su identidad en relación con la visión panorámica de Dios
Relaciona el conocimiento, oportunidad y actividad a las metas de realce y logro personal	Relaciona el conocimiento, oportunidad y actividad a una sola visión integrada y propósito
Todo en la vida es percibido en torno a la identidad personal y necesidades del individuo	Todo en la vida es percibido alrededor de un sólo tema: la revelación de Dios en Jesús de Nazaret

Análisis de diferentes tendencias de pensamiento (continuación)

Escrituras acerca de la validez de ver todas las cosas unidas como una sola

Sal. 27.4 (LBLA) - Una cosa he pedido al SEÑOR, y ésa buscaré: que habite yo en la casa del SEÑOR todos los días de mi vida, para contemplar la hermosura del SEÑOR, y para meditar en su templo.

Lc. 10.39-42 (RV60) - Esta tenía una hermana que se llamaba María, la cual, sentándose a los pies de Jesús, oía su palabra. [40] Pero Marta se preocupaba con muchos quehaceres, y acercándose, dijo: Señor, ¿no te da cuidado que mi hermana me deje servir sola? Dile, pues, que me ayude. [41] Respondiendo Jesús, le dijo: Marta, Marta, afanada y turbada estás con muchas cosas. [42] Pero sólo una cosa es necesaria; y María ha escogido la buena parte, la cual no le será quitada.

Flp. 3.13-14 (NVI) - Hermanos, no pienso que yo mismo lo haya logrado ya. Más bien, una cosa hago: olvidando lo que queda atrás y esforzándome por alcanzar lo que está delante, [14] sigo avanzando hacia la meta para ganar el premio que Dios ofrece mediante su llamamiento celestial en Cristo Jesús.

Sal. 73.25 (RV60) - ¿A quién tengo yo en los cielos sino a ti? Y fuera de ti nada deseo en la tierra.

Mc. 8.36 (NVI) - ¿De qué sirve ganar el mundo entero si se pierde la vida?

Lc. 18.22 (RV60) -Jesús, oyendo esto, le dijo: Aún te falta una cosa: vende todo lo que tienes, y dalo a los pobres, y tendrás tesoro en el cielo; y ven, sígueme.

Jn. 17.3 (RV60) - Y esta es la vida eterna: que te conozcan a ti, el único Dios verdadero, y a Jesucristo, a quien has enviado.

1 Co. 13.3 (NVI) - Si reparto entre los pobres todo lo que poseo, y si entrego mi cuerpo para que lo consuman las llamas, pero no tengo amor, nada gano con eso.

Gál. 5.6 (NVI) - En Cristo Jesús de nada vale estar o no estar circuncidados; lo que vale es la fe que actúa mediante el amor.

Análisis de diferentes tendencias de pensamiento (continuación)

Col. 2.8-10 (LBLA) - Mirad que nadie os haga cautivos por medio de su filosofía y vanas sutilezas, según la tradición de los hombres, conforme a los principios elementales del mundo y no según Cristo. [9] Porque toda la plenitud de la Deidad reside corporalmente en El, [10] y habéis sido hechos completos en El, que es la cabeza sobre todo poder y autoridad.

1 Jn. 5.11-12 (RV60) - Y este es el testimonio: que Dios nos ha dado vida eterna; y esta vida está en su Hijo. [12] El que tiene al Hijo, tiene la vida; el que no tiene al Hijo de Dios no tiene la vida.

Sal. 16.5 (LBLA) - El SEÑOR es la porción de mi herencia y de mi copa; tú sustentas mi suerte.

Sal. 16.11 (RV60) - Me mostrarás la senda de la vida; en tu presencia hay plenitud de gozo; delicias a tu diestra para siempre.

Sal. 17.15 (LBLA) - En cuanto a mí, en justicia contemplaré tu rostro; al despertar, me saciaré cuando contemple tu imagen.

Ef. 1.9-10 (NVI) - Él nos hizo conocer el misterio de su voluntad conforme al buen propósito que de antemano estableció en Cristo, [10] para llevarlo a cabo cuando se cumpliera el tiempo: reunir en él todas las cosas, tanto las del cielo como las de la tierra.

Jn. 15.5 (NVI) - Yo soy la vid y ustedes son las ramas. El que permanece en mí, como yo en él, dará mucho fruto; separados de mí no pueden ustedes hacer nada.

Sal. 42.1 (LBLA) - Como el ciervo anhela las corrientes de agua, así suspira por ti, oh Dios, el alma mía.

Hab. 3.17-18 (NVI) - Aunque la higuera no dé renuevos, ni haya frutos en las vides; aunque falle la cosecha del olivo, y los campos no produzcan alimentos; aunque en el aprisco no haya ovejas, ni ganado alguno en los establos; [18] aun así, yo me regocijaré en el Señor ¡me alegraré en Dios, mi libertador.

Mt. 10.37 (RV60) - El que ama a padre o madre más que a mí, no es digno de mí; el que ama a hijo o hija más que a mí, no es digno de mí.

Sal. 37.4 (RV60) - Deléitate asimismo en Jehová, y él te concederá las peticiones de tu corazón.

Sal. 63.3 (RV60) - Porque mejor es tu misericordia que la vida; mis labios te alabarán.

Análisis de diferentes tendencias de pensamiento (continuación)

Sal. 89.6 (LBLA) - ¿Quién en los cielos es comparable al Señor? ¿Quién como él entre los seres celestiales?

Fil. 3.8 (NVI) - Es más, todo lo considero pérdida por razón del incomparable valor de conocer a Cristo Jesús, mi Señor. Por él lo he perdido todo, y lo tengo por estiércol, a fin de ganar a Cristo.

1 Jn. 3.2 (RV60) - Amados, ahora somos hijos de Dios, y aún no se ha manifestado lo que hemos de ser; pero sabemos que cuando él se manifieste, seremos semejantes a él, porque le veremos tal como él es.

Ap. 21.3 (NVI) - Oí una potente voz que provenía del trono y decía: "¡Aquí, entre los seres humanos, está la morada de Dios! Él acampará en medio de ellos, y ellos serán su pueblo; Dios mismo estará con ellos y será su Dios.

Ap. 21.22-23 (NVI) - No vi ningún templo en la ciudad, porque el Señor Dios Todopoderoso y el Cordero son su templo. [23] La ciudad no necesita ni sol ni luna que la alumbren, porque la gloria de Dios la ilumina, y el Cordero es su lumbrera.

Sal. 115.3 (RV60) - Nuestro Dios está en los cielos; todo lo que quiso ha hecho.

Jer. 32.17 (LBLA) - ¡Ah, Señor DIOS! He aquí, tú hiciste los cielos y la tierra con tu gran poder y con tu brazo extendido; nada es imposible para ti.

Dn. 4.35 (RV60) - Todos los habitantes de la tierra son considerados como nada; y él hace según su voluntad en el ejército del cielo, y en los habitantes de la tierra, y no hay quien detenga su mano, y le diga: ¿Qué haces?

Ef. 3.20-21 (NVI) - Al que puede hacer muchísimo más que todo lo que podamos imaginarnos o pedir, por el poder que obra eficazmente en nosotros, [21] ¡a él sea la gloria en la Iglesia y en Cristo Jesús por todas las generaciones, por los siglos de los siglos! Amén.

Apariciones del Mesías resucitado

Dr. Don L. Davis

	Aparición	Escritura
1	Aparición a María Magdalena	Juan 20.11-17; Mc. 16.9-11
2	Aparición a las mujeres	Mt. 28.9-10
3	Aparición a Pedro	Lc. 24.34; 1 Co. 15.5
4	Aparición a los discípulos en el camino a Emaús	Mc. 16.12-13; Lc. 24.13-35
5	Aparición a los diez discípulos, referido como a los "once" (con Tomás ausente)	Mc. 16.14; Lc. 24.36-43; Juan 20.19-24
6	Aparición a los once con Tomás presente una semana después	Juan 20.26-29
7	Aparición a siete discípulos junto al Mar de Galilea	Juan 21.1-23
8	Aparición a quinientos	1 Co. 15.6
9	Aparición a Santiago, hermano del Señor	1 Co. 15.7
10	Aparición a los once discípulos en el monte de Galilea*	Mt. 28.16-20
11	Aparición a sus discípulos en su ascensión en el Monte de los Olivos*	Lc. 24.44-53; Hch. 1.3-9
12	Aparición a Esteban antes de su muerte como el primer mártir de la Iglesia (testigo)	Hch. 7.55-56
13	Aparición a Pablo en el camino a Damasco	Hch. 9.3-6; compárelo con 22.6-11; 26.13-18; 1 Co. 15.8
14	Aparición a Pablo en Arabia	Hch. 20.24; 26.17; Gál. 1.12,17
15	Aparición a Pablo en el templo	Hch. 22.17-21; compárelo con 9.26-30; Gál. 1.18
16	Aparición a Pablo en la prisión en Cesarea	Hch. 23.11
17	Aparición a Juan durante su exilio en Patmos	Ap. 1.12-20

* Los incisos 10 y 11 describen los eventos que comúnmente se denominan "La Gran Comisión" y "La Ascensión", respectivamente.

Apostolado

El lugar único de los apóstoles en la fe y práctica cristiana

Rev. Dr. Don L. Davis

Gá. 1.8-9 (RV) - Mas si aun nosotros, o un ángel del cielo, os anunciare otro evangelio diferente del que os hemos anunciado, sea anatema. **[9]** Como antes hemos dicho, también ahora lo repito: Si alguno os predica diferente evangelio del que habéis recibido, sea anatema.
2 Ts. 3.6 (RV) - Pero os ordenamos, hermanos, en el nombre de nuestro Señor Jesucristo, que os apartéis de todo hermano que ande desordenadamente, y no según la enseñanza que recibisteis de nosotros.
Lucas 1.1-4 (RV) - Puesto que ya muchos han tratado de poner en orden la historia de las cosas que entre nosotros han sido ciertísimas, **[2]** tal como nos lo enseñaron los que desde el principio lo vieron con sus ojos, y fueron ministros de la palabra, **[3]** me ha parecido también a mí, después de haber investigado con diligencia todas las cosas desde su origen, escribírtelas por orden, oh excelentísimo Teófilo **[4]** para que conozcas bien la verdad de las cosas en las cuales has sido instruido.
Juan 15.27 (RV) - Y vosotros daréis testimonio también, porque habéis estado conmigo desde el principio.
Hch. 1.3 (RV) - A quienes también, después de haber padecido, se presentó vivo con muchas pruebas indubitables, apareciéndoseles durante cuarenta días y hablándoles acerca del reino de Dios.
Hch. 1.21-22 (RV) - Es necesario, pues, que de estos hombres que han estado juntos con nosotros todo el tiempo que el Señor Jesús entraba y salía entre nosotros, **[22]** comenzando desde el bautismo de Juan hasta el día en que de entre nosotros fue recibido arriba, uno sea hecho testigo con nosotros, de su resurrección.
1 Juan 1.1-3 (RV) - Lo que era desde el principio, lo que hemos oído, lo que hemos visto con nuestros ojos, lo que hemos contemplado, y palparon nuestras manos tocante al Verbo de vida **[2]** (porque la vida fue manifestada, y la hemos visto, y testificamos, y os anunciamos la vida eterna, la cual estaba con el Padre, y se nos manifestó) **[3]** lo que hemos visto y oído, eso os anunciamos, para que también vosotros tengáis comunión con nosotros; y nuestra comunión verdaderamente es con el Padre, y con su Hijo Jesucristo.

Aprendiendo a ser un teo-mitos

Adoptando un acercamiento hebreo acerca de la verdad

Rev. Dr. Don L. Davis

Entendiendo y buscando la verdad, no desde una base racionalista científica, sino desde un fundamento mitopoético

M isterio, dialéctica, lo no conocido, y lo "verdaderamente real"

I maginación, símbolo, y metáfora

T ipos, analogías, conexiones y asociaciones inspiradas

O rgánico, pensamiento global, concreto, lugar sagrado, y decreto

S alvífica pasión por el Reino de Dios

Áreas de desacuerdo entre cristianos respecto a los dones espirituales

Rev. Terry G. Cornett

I. ¿Cuál es la relación entre "talentos o capacidades naturales" y "dones espirituales"?

A. Perspectiva #1 - Los dones espirituales son los talentos y habilidades naturales (de una persona regenerada) a los cuales el Espíritu de Dios da energía, poder, amplitud y una nueva dirección.

Esta perspectiva procura salvaguardar el hecho que:

1. No hay discontinuidad entre la actividad del Espíritu que crea y que recrea. (La salvación tiene una naturaleza restauradora, y por consiguiente nos convierte en las personas completas que éramos originalmente)

2. Dios ha escogido operar sus dones a través de seres humanos, lo cual implica usar sus mentes, cuerpos y personalidades. Él nos incluye en su obra, de tal modo que aunque su poder nos faculta para hacer mucho más que meros logros humanos, aún está obrando en, con y a través nuestro tal cual somos.

3. Dios nos conoció y estaba obrando de antemano en nosotros antes de nuestra salvación (compárese con Jer. 1.5).

   a. Jer. 1.5 (RV) - Antes que te formase en el vientre te conocí, y antes que nacieses te santifiqué, te di por profeta a las naciones.

   b. Ef. 2.10 (RV) - Porque somos hechura suya, creados en Cristo Jesús para buenas obras, las cuales Dios preparó de antemano para que anduviésemos en ellas.

Áreas de desacuerdo entre cristianos respecto a dones espirituales (continuación)

4. Incluso aquellos que no son salvos y están en rebelión contra Dios confían en Su creación y Sus dones de gracia (aunque los mismos estén limitados, corrompidos o mal dirigidos) para su ser y productividad.

   a. 1 Co. 4.7 (RV) - Porque ¿quién te distingue? ¿o qué tienes que no hayas recibido? Y si lo recibiste, ¿por qué te glorías como si no lo hubieras recibido? (compárese con Sal. 104).

   b. Mt. 5.45 (RV) - . . . para que seáis hijos de vuestro Padre que está en los cielos, que hace salir su sol sobre malos y buenos, y que hace llover sobre justos e injustos.

   c. "El mismo Dios es Dios de la creación y de la nueva creación, que trabaja por su perfecta voluntad. El propósito cortés de Dios para cada uno de nosotros es eterno. Fue formado y hasta "nos fue dado" en Cristo "antes del tiempo eterno" (2 Ti. 1.9, literalmente); Dios nos eligió para ser santos y nos destinó para ser sus hijos por medio de Jesucristo "antes de la fundación de este mundo" (Ef. 1.4,5); y buenas obras para los cuales fueron recreados en Cristo aquellos "que Dios preparó de antemano". Esta verdad fundamental que Dios planeó el final desde el principio nos debe advertir a que no... [separemos con tanta facilidad] la naturaleza de la gracia, o nuestra vida antes y después de la conversión" (John R. W. Stott, *Baptism and Fullness: The Work of the Holy Spirit Today*).

B. Perspectiva #2 - Los dones Espirituales son habilidades nuevas y sobrenaturales, dadas a los cristianos que están disponibles solamente por medio del poder de Dios, y pueden cumplir cosas más allá de lo que la habilidad humana puede alcanzar.

   Esta perspectiva procura salvaguardar el hecho que:

   1. La salvación sirve tanto para transformar como para restaurar.

Áreas de desacuerdo entre cristianos respecto a dones espirituales (continuación)

2. Dios puede suplir cualquier cosa que se necesite en una situación, sin importar los recursos que pareciéramos tener disponibles. Dependemos del Espíritu de Dios, no de nuestros propios recursos.

3. Los poderes sobrenaturales que exceden cualquier cosa conocida están disponibles para el cuerpo de Cristo.

4. A todos se nos ordena buscar ciertos dones espirituales que son de beneficio para el cuerpo (1 Co. 12.31 & 14.12). Siempre se habla de los dones en relación a cómo edifican al cuerpo de Cristo. No hay referencia bíblica sobre dones espirituales independientes de su uso en y por la Iglesia.

   a. 1 Co. 1.26-29 (RV) - Pues mirad, hermanos, vuestra vocación, que no sois muchos sabios según la carne, ni muchos poderosos, ni muchos nobles; [27] sino que lo necio del mundo escogió Dios, para avergonzar a los sabios; y lo débil del mundo escogió Dios, para avergonzar a lo fuerte; [28] y lo vil del mundo y lo menospreciado escogió Dios, y lo que no es, para deshacer lo que es, [29] a fin de que nadie se jacte en su presencia.

   b. Los no-cristianos tienen talentos por gracia común . . . pero éstos son talentos, no dones. Ningún no creyente tiene un don espiritual. Solamente los creyentes son dotados espiritualmente . . . Los talentos dependen del poder natural, los dones del poder espiritual (Leslie B. Flynn, *19 Gifts of the Spirit*).

C. Perspectiva #3 - Un camino medio que sugiere que los dones espirituales puedan ser la activación de los talentos naturales dados por Dios o la creación completa de nuevos talentos.

Áreas de desacuerdo entre cristianos respecto a dones espirituales (continuación)

1. Note que lógicamente, por lo menos, no es necesario que estas dos perspectivas se excluyan entre sí. Es posible que existan ambos tipos de dones espirituales, algunos que son latentes y otros que son nuevos.

2. Probablemente, una manera más útil de pensar sobre esto sería recordar que los dones son la "manifestación" del Espíritu para el bien común.

3. El Espíritu, en su manifestación, es el énfasis y no el medio por el cual sucede. Siempre es un "don de gracia" cuando esto sucede. Siempre sucede únicamente por la decisión del Espíritu y por el poder del Espíritu. Así, ya sea que el Espíritu escoja dar poder a una capacidad natural o crear completamente una nueva, cada uno es un "carisma" — un don de gracia. La habilidad dada por Dios para enseñar, ejercitada por un no creyente, es un don de gracia (dado por el Espíritu en la creación) pero no es una "manifestación del Espíritu" hasta que la persona se someta al Espíritu Santo y use ese don bajo Su dirección y para Su propósito.

II. ¿Están disponibles todos los dones mencionados en el Nuevo Testamento hoy?

A. Algunas denominaciones dicen "no".

1. Algunas tradiciones discuten la cesación de ciertos dones: usualmente de apostolado, profecía, lenguas e interpretación de lenguas (a veces milagros).

2. Hay por lo menos dos razones teológicas por las cuales se cree esto.

   a. Primero, existe una preocupación por proteger la revelación de Dios en la Escritura:

   Si los apóstoles, profetas, y lenguas continúan funcionando como un medio de revelación continua, la integridad de la Escritura es puesta en

Áreas de desacuerdo entre cristianos respecto a dones espirituales (continuación)

riesgo potencialmente. Una y otra vez en la historia de la Iglesia, cierta gente ha reclamado una revelación nueva y profética que contradijo o fue más allá de las afirmaciones de la Escritura. El testimonio bíblico de Jesús como la Palabra final de Dios no puede ser amenazado, y estas tradiciones teológicas no ven que se pueda reconciliar la posibilidad de nuevas revelaciones con ese hecho.

b. Segundo, el papel de los apóstoles como el "fundamento" de la Iglesia parece implicar un lugar único en la historia de la Iglesia.

Los Evangelios y el Libro de Hechos son vistos como un punto pivote de la historia durante el cual Dios obra exclusivamente y no repetidamente para cambiar su revelación del Antiguo Pacto al Nuevo Pacto. Esto se logra por la dádiva de revelaciones nuevas (las cuales forman las Escrituras del Nuevo Testamento) y señales y maravillas, las cuales confirman y establecen este testimonio como auténtico. La Iglesia ahora debe existir por el testimonio de esa Palabra, guardando el depósito de fe pero no añadiendo o quitando de ella.

(1) Judas 1.3 (RV) - Amados, por la gran solicitud que tenía de escribiros acerca de nuestra común salvación, me ha sido necesario escribiros exhortándoos que contendáis ardientemente por la fe que ha sido una vez dada a los santos.

(2) Heb. 1.1-3 (RV) - Dios, habiendo hablado muchas veces y de muchas maneras en otro tiempo a los padres por los profetas, [2]en estos postreros días nos ha hablado por el Hijo a quien constituyó heredero de todo, y por quien asimismo hizo el universo; [3] el cual, siendo el resplandor de su gloria, y la imagen misma de su sustancia, y quien sustenta todas las cosas con la palabra de su poder, habiendo efectuado la purificación de nuestros pecados por medio de sí mismo, se sentó a la diestra de la Majestad en las alturas,

(3) Gál. 1.8-9 (RV) - Mas si aun nosotros, o un ángel del cielo, os anunciare otro evangelio diferente del que os hemos anunciado, sea anatema. [9] Como antes hemos dicho, también ahora lo repito: Si alguno os predica diferente evangelio del que habéis recibido, sea anatema.

Áreas de desacuerdo entre cristianos respecto a dones espirituales (continuación)

B. Algunas denominaciones responden "sí".

"Todos pueden estar de acuerdo en que no habrá una nueva revelación acerca de Dios en Cristo. Pero parece que no hay una buena razón por la cual el Dios viviente, que habla y actúa (contrario a los ídolos muertos), no pueda usar el don de profecía para guiar en forma particular a la iglesia local, la nación o a un individuo, o para advertir o animar por medio de predicciones o también recordatorios, en acorde total con la palabra escrita de la Escritura, por lo cual todas las expresiones deben ser examinadas. Ciertamente, el Nuevo Testamento no ve que la obra del profeta consista en ser un innovador doctrinal, sino que entregue la palabra que el Espíritu le da de acuerdo a la verdad dada de una vez por todas a los santos (Judas 3), para desafiar y fomentar nuestra fe" (J. P. Baker, "Prophecy", *New Bible Dictionary*, 2nd Edition, J. D. Douglas and others, eds.).

1. El ministerio de Jesús y el ejemplo de los apóstoles y la Iglesia del Nuevo Testamento es nuestro modelo inspirado para el ministerio, y todos ellos usaron dones milagrosos en el ministerio.

2. La única vez que la Escritura menciona que los dones van a cesar se refiere al regreso de Cristo (1 Co. 13.8-12).

3. El Espíritu Santo es libre y soberano. Él puede dar (o retener) cualquier don en cualquier momento y para cualquier propósito que él escoja (1 Co. 12.11 – da como Él lo determina).

4. La lectura de Craig S. Keener (*Gift and Giver*—pp. 89-112) marca los argumentos básicos para la perspectiva de que todos están disponibles.

Avanzando al mirar atrás

Hacia una recuperación evangélica de la Gran Tradición

Rev. Dr. Don L. Davis

Redescubriendo la "Gran Tradición"

En un libro maravilloso, Ola Tjorhom[1] describe la Gran Tradición de la Iglesia (a veces llamada la "clásica tradición cristiana") como "viva, orgánica y dinámica".[2] La gran tradición representa el corazón de la fe y práctica evangélica, apostólica y católica (universal) que llegó a fructificar en gran medida entre los años 100-500 A.C.[3] su rico legado y tesoros representan la confesión de la Iglesia de lo que ésta siempre ha creído, la adoración que la Iglesia antigua y unánime celebraba y encarnaba, y la búsqueda a la que se aferró y comprometió.

Mientras que la Gran Tradición no puede sustituir a la Tradición Apostólica (e.d., la fuente autorizada de toda la fe cristiana, las Escrituras), ni ensombrecer la presencia viva de Cristo en la Iglesia por medio del Espíritu Santo, aun así tiene autoridad para el pueblo de Dios y le revitaliza. Tiene y puede proporcionarle al pueblo de Dios la sustancia de su confesión y fe. La Gran Tradición ha sido adoptada y afirmada como autoridad por teólogos católicos, ortodoxos, anglicanos y protestantes, tanto antiguos como modernos, puesto que ha producido los documentos seminales, las doctrinas, confesiones y prácticas de la Iglesia (ej., el canon de las Escrituras, las doctrinas de la Trinidad, la deidad de Cristo, etc.).

Muchos eruditos evangélicos hoy en día creen que el camino a seguir para la fe dinámica y renovación espiritual requiere mirar hacia atrás, no con nostalgia por los "buenos viejos

[1] Ola Tjorhom, *Visible Church–Visible Unity: Ecumenical Ecclesiology* (*Iglesia Visible-Unidad Visible: Eclesiología Ecuménica*) y *"The Great Tradition of the Church"* (La Gran Tradición de la Iglesia). Collegeville, Minnesota: Liturgical Press, 2004. Robert Webber definió a la Gran Tradición de esta manera: "[Es] el esquema general de la fe cristiana y la práctica desarrollada a partir de las Escrituras entre el tiempo de Cristo y la mitad del siglo quinto". Robert E. Webber, The Majestic Tapestry (El majestuoso tapiz). Nashville: Thomas Nelson Publishers, 1986, pág. 10.

[2] Ibíd., pág. 35.

[3] El corazón de la Gran Tradición se concentra en las formulaciones, confesiones y prácticas de los primeros cinco siglos de vida y trabajo de la Iglesia. Thomas Oden, a mi juicio, con razón, afirma correctamente que "... la mayor parte de lo que es duradero y valioso en la exégesis bíblica contemporánea fue descubierto por el siglo quinto" (comp. Thomas C. Oden, *The Word of Life* (*La Palabra de Vida*). San Francisco: HarperSanFrancisco, 1989, pág. xi.).

Áreas de desacuerdo entre cristianos respecto a dones espirituales (continuación)

tiempos" de una iglesia primitiva libre de problemas, o un intento ingenuo e inútil de imitar su heroico viaje de fe. Por el contrario, mirando la historia con ojo crítico, con un espíritu devoto de respeto por la Iglesia antigua, y un profundo compromiso con las Escrituras, debemos redescubrir a través de la Gran Tradición las simientes de una nueva, auténtica y poderosa fe. Podemos ser transformados al recuperar y ser informados por las creencias y prácticas fundamentales de la Iglesia antes de las horribles divisiones y fragmentaciones en la historia de la Iglesia.

Bueno, si nosotros creemos que debemos por lo menos mirar de nuevo a la Iglesia primitiva y su forma de vida, o mejor aún, estamos convencidos de recuperar la Gran Tradición en aras de la renovación de la Iglesia, ¿qué es exactamente lo que esperamos recuperar? ¿Vamos a aceptar a ciegas todo lo que la Iglesia antigua ha dicho y hecho como "evangelio", simplemente porque estuvo más cerca de los sorprendentes eventos de Jesús de Nazaret en el mundo? ¿Por qué lo viejo en sí mismo?

No. Ni aceptamos todas las cosas sin sentido crítico, ni tampoco creemos que lo viejo, en sí mismo, sea totalmente bueno. La verdad, para nosotros es algo más que ideas o declaraciones antiguas; para nosotros, la verdad se encarnó en la persona de Jesús de Nazaret, y las Escrituras nos dan una confirmación fidedigna y final sobre el significado de su revelación y de la salvación en la historia. No podemos aceptar las cosas simplemente porque se dice que sucedieron en el pasado, o que ha comenzado en el pasado. Asombrosamente, la Gran Tradición argumentó por nosotros para que seamos críticos, para contender por la fe una vez dada a los santos (Judas 3), para abrazar y celebrar la tradición recibida de los apóstoles, arraigada e interpretada por las Santas Escrituras, y expresada en la confesión y la práctica cristiana.

Dimensiones principales de la Gran Tradición

Mientras Tjorhom ofrece su propia lista de diez elementos del contenido teológico de la Gran Tradición que él cree que es digno de reinterpretación y consideración,[4] yo creo que hay siete dimensiones que, desde un punto de vista bíblico y espiritual, nos pueden permitir entender lo que la Iglesia primitiva creía, cómo adoraban y vivían, y las formas en que defendían su fe viva en Jesucristo. A través de su lealtad a los documentos,

[4] *Ibíd.*, págs. 27-29. Los diez elementos de Tjorhom se discuten en el contexto de su obra en la que también aboga por los elementos estructurales y las implicaciones ecuménicas de la recuperación de la Gran Tradición. Estoy totalmente de acuerdo con la orientación general de su argumento, que, al igual que mi propia creencia, afirma que el interés y el estudio de la Gran Tradición puede renovar y enriquecer a la Iglesia contemporánea en su adoración, servicio y misión.

Áreas de desacuerdo entre cristianos respecto a dones espirituales (continuación)

confesiones, y prácticas de este período, la Iglesia antigua testificó de la promesa de salvación de Dios en medio de una generación desviada y pagana. El centro de nuestra fe actual y su práctica se desarrolló en esta época, y se merece una segunda (y aún decimosegunda) mirada.

Adaptar, redactar, y extender las nociones de la Gran Tradición de Tjorhom, a continuación enumero lo que considero que es, para empezar, una simple lista de las dimensiones que merecen toda nuestra atención y deseo de recuperación.

1. ***La Tradición Apostólica.*** La Gran Tradición está enraizada en la Tradición Apostólica, e.d., el testimonio visual de los apóstoles, y la experiencia personal con Jesús de Nazaret, la autoridad de su testimonio de vida y obra se relata en las Sagradas Escrituras, el canon de nuestra Biblia actual. La Iglesia es apostólica, edificada sobre el fundamento de los profetas y los apóstoles, con Cristo mismo como piedra angular. Las Escrituras mismas representan la fuente de nuestra interpretación sobre el Reino de Dios, la historia del amor redentor de Dios encarnado en la promesa a Abraham y los patriarcas, en los pactos y la experiencia de Israel, que culmina en la revelación de Dios en Cristo Jesús, como anunciado por los profetas y explicado en el testimonio apostólico.

2. ***Los concilios y credos ecuménicos, especialmente el Credo Niceno.*** La Gran Tradición declara la verdad y establece los límites de la fe ortodoxa histórica tal como se define y afirma en los credos ecuménicos de la Iglesia antigua e indivisible, con especial énfasis en el Credo Niceno. Sus declaraciones fueron consideradas una interpretación precisa sobre las enseñanzas de los apóstoles que figuran en la Escritura. Si bien no es la fuente de la propia fe, la confesión de los consejos y credos ecuménicos representan la esencia de sus enseñanzas,[5] en especial antes del siglo quinto (donde se articularon y adoptaron prácticamente todas las doctrinas elementales acerca de Dios, Cristo y la salvación).[6]

[5] Estoy en deuda con el Dr. Robert E. Webber por esta distinción muy útil entre la fuente y la sustancia de la fe cristiana y la interpretación.

[6] Si bien los siete concilios ecuménicos (junto con otros) son considerados tanto en congregaciones católicas como ortodoxas como de cohesión, son los primeros cuatro concilios los que se han de considerar como las confesiones más importantes de la Iglesia antigua. Otros y yo abogamos por esto, en gran parte porque los primeros cuatro articulan y establecen claramente lo que se ha de considerar la fe ortodoxa respecto a las doctrinas de la Trinidad y la Encarnación (comp. Philip Schaff, *The Creeds of Christendom* (*Los credos de la cristiandad*), v. 1. Grand Rapids: Baker Book House, 1996, pág 44.). De manera similar, hasta los reformadores magisteriales adoptaron las enseñanzas de la Gran Tradición,

Áreas de desacuerdo entre cristianos respecto a dones espirituales (continuación)

3. ***La antigua regla de la fe.*** La Gran Tradición resumió la esencia de esta fe cristiana fundamental en una regla, e.d., una antigua norma básica de la fe, que fue considerada como la vara con la que las afirmaciones y propuestas relacionadas con la interpretación de la fe bíblica serían medidas. Esta regla, cuando se aplica con reverencia y con rigor, nos permite definir la confesión cristiana principal de la Iglesia antigua e indivisible, expresada claramente en esa instrucción y adagio de Vicente de Lerins: "lo que se ha creído siempre, en todas partes, y por todos".[7]

4. ***La cosmovisión del Cristo victorioso (Christus Victor).*** La Gran Tradición celebra y afirma que Jesús de Nazaret es el Cristo, el Mesías prometido de las Escrituras hebreas, el Señor resucitado y exaltado, y Cabeza de la Iglesia. Sólo en Jesús de Nazaret, Dios ha reafirmado su reinado sobre el universo, después de haber destruido la muerte en su muerte, conquistando a los enemigos de Dios por medio de su encarnación, muerte, resurrección y ascensión, y rescatando a la humanidad de su pena por transgredir la ley. Ahora, resucitado de entre los muertos, ascendido y exaltado a la diestra de Dios, ha enviado el Espíritu Santo al mundo para fortalecer a la Iglesia en su vida y el testimonio. La Iglesia debe considerarse como el pueblo de la victoria de Cristo. A

y consideraron sus declaraciones más importantes de gran autoridad. En consecuencia, Calvino pudo argumentar en sus propias interpretaciones teológicas que "estos consejos llegarían a tener la majestuosidad que les corresponde; pero mientras tanto la Escritura se destacaría en el lugar más alto, con todas las cosas sujetas a su patrón. De esta manera, estamos dispuestos a adoptar y respetar como santos a los primeros concilios, como los de Nicea, Constantinopla, el primero de Éfeso I, Calcedonia, y similares, que consistían en refutar los errores a la vez que se relacionaban con las enseñanzas de la fe. Pues contienen nada más que la exposición pura y genuina de la Escritura, que los Santos Padres aplicaban con prudencia espiritual para derrotar a los enemigos de la religión que habían surgido" (comp. Juan Calvino, *Institutes of the Christian Religion* (*Institución de la Religión Cristiana*), IV, ix. 8. John T. McNeill, ed. Ford Lewis Battles, trans. Philadelphia: Westminster Press, 1960, págs. 1171-72).

[7] Esta norma, que ha ganado un merecido a favor a lo largo de los años como un claro patrón teológico de la verdad cristiana auténtica, teje tres hilos de evaluación para determinar lo que puede considerarse como ortodoxo o no en la enseñanza de la Iglesia. San Vicente de Lerins, un comentarista teológico que murió antes del 450 D.C., autor de lo que se denomina la "Regla Vicentina, una prueba triple de la catolicidad: *quod ubique, quod semper, quod ab omnibus creditum est* (lo que se ha creído siempre, en todas partes, y por todos). Mediante esta prueba triple de ecumenismo, antigüedad, y consentimiento, la Iglesia puede discernir entre lo verdadero y las falsas tradiciones" (comp. Thomas C. Oden, *Classical Pastoral Care* (*Cuidado Pastoral Clásico*), vol. 4. Grand Rapids: Baker Books, 1987, pág. 243).

Áreas de desacuerdo entre cristianos respecto a dones espirituales (continuación)

su regreso, consumará su obra como Señor. Esta cosmovisión se expresó en la confesión, predicación, adoración y testimonio de la Iglesia antigua. Hoy en día, a través de su liturgia y práctica del Año de la Iglesia o Año Eclesiástico, la Iglesia reconoce, celebra, encarna y proclama la victoria de Cristo: la destrucción del pecado y del mal y la restauración de toda la creación.

5. ***La centralidad de la Iglesia.*** La Gran Tradición confiesa confiadamente a la Iglesia como pueblo de Dios. La fiel asamblea de creyentes, bajo la autoridad del Pastor Jesucristo, es ahora el lugar y el agente del Reino de Dios en la tierra. En su adoración, comunión, enseñanza, servicio y testimonio, Cristo sigue viviendo y moviéndose. La Gran Tradición insiste en que la Iglesia, bajo la autoridad de sus subpastores y la totalidad del sacerdocio de los creyentes, es la morada visible de Dios en el Espíritu en el mundo de hoy. Con Cristo mismo como piedra angular, la Iglesia es el templo de Dios, el cuerpo de Cristo, y templo del Espíritu Santo. Todos los creyentes, vivos, muertos, y los que aun no han nacido, constituyen la comunidad única, santa, católica (universal), y apostólica. Los miembros de la Iglesia se reúnen periódicamente con otros creyentes a nivel local para adorar a Dios mediante la Palabra y los sacramentos (ordenanzas), y para dar testimonio de sus buenas obras y la proclamación del evangelio. Al incorporar nuevos creyentes a la Iglesia por el bautismo, ésta encarna la vida del Reino en su comunión, y demuestra con hechos y palabras la realidad del Reino de Dios a través de su vida juntos y en servicio al mundo.

6. ***La unidad de la fe.*** La gran tradición afirma inequívocamente la catolicidad (universalidad) de la Iglesia de Jesucristo, ocupándose de mantener la comunión y la continuidad de la adoración y la teología de la Iglesia a lo largo de los siglos (Iglesia Universal). Dado que ha habido y sólo puede haber una esperanza, llamado, y fe, la Gran Tradición luchó y se esforzó por la unidad en la palabra, en la doctrina, en la adoración y en la caridad.

7. ***El mandato evangélico del Cristo resucitado.*** La Gran Tradición confirma el mandato apostólico de dar a conocer a las naciones la victoria de Dios en Jesucristo, proclamando la salvación por gracia mediante la fe en su nombre, e invitando a todos los pueblos al arrepentimiento y a tener fe para entrar en el Reino de Dios. A través de actos de justicia y rectitud, la Iglesia muestra la vida del Reino en el mundo de hoy, y a través de su predicación y forma de vida provee un testimonio y una señal del Reino presente en y para el mundo (*sacramentum mundi*), y como pilar y baluarte de la verdad. Como evidencia del Reino de Dios y custodia de la Palabra de Dios, la Iglesia se encarga de definir con claridad y defender la fe una vez dada a la Iglesia por los apóstoles.

Áreas de desacuerdo entre cristianos respecto a dones espirituales (continuación)

Conclusión: Encontrando nuestro futuro, mirando hacia atrás

En un momento en el que muchos están confundidos por el ruidoso caos de tantos que pretenden hablar por Dios, es hora de que volvamos a descubrir las raíces de nuestra fe, que volvamos al comienzo de la confesión y la práctica cristiana, y ver si de hecho podemos recuperar nuestra identidad en la adoración y el discipulado de Cristo que cambió el mundo. A mi juicio, esto se puede hacer a través de una apropiación seria y evangélica de la Gran Tradición, esa creencia y práctica básica que es la fuente de todas nuestras tradiciones, ya sea católica, ortodoxa, anglicana o protestante.

Por supuesto, las tradiciones específicas seguirán tratando de expresar y vivir su compromiso con la Tradición Suprema (e.d., las Escrituras) y la Gran Tradición a través de su adoración, enseñanza y servicio. Nuestras diversas tradiciones cristianas ("t" minúscula), cuando tienen su raíz y expresión en la enseñanza de las Escrituras y son guiadas por el Espíritu Santo, seguirán haciendo al evangelio algo claro dentro de nuevas culturas o subculturas, hablando y mostrando la esperanza de Cristo en nuevas situaciones formadas por su propio conjunto de cuestiones a la luz de sus propias y únicas circunstancias. Nuestras tradiciones son esencialmente movimientos de contextualización, es decir que son intentos de hacer de la Tradición Suprema algo simple dentro de los diferentes grupos de personas, en una manera que los guíe fiel y eficazmente a la fe en Jesucristo.

Por tanto, debemos encontrar maneras de enriquecer nuestras tradiciones contemporáneas volviendo a conectar e integrar nuestras confesiones y prácticas contemporáneas con la Gran Tradición. No olvidemos nunca que el cristianismo, en su esencia, es un fiel testigo de los actos salvíficos de Dios en la historia. Como tal, siempre seremos un pueblo que busca encontrar su futuro, mirando hacia atrás en el tiempo en esos momentos de revelación y de acción, donde la Regla de Dios se puso de manifiesto a través de la encarnación, la pasión, la resurrección, la ascensión, y pronta venida de Cristo. Recordemos, pues, celebrar, recrear, aprender de nuevo, y proclamar apasionadamente lo que los creyentes han confesado desde aquella mañana de la tumba vacía – la historia salvadora de la promesa de Dios en Jesús de Nazaret para redimir y salvar a un pueblo para sí mismo.

Avanzando el Reino en la ciudad

Multiplicando congregaciones con una identidad común

Rev. Dr. Don L. Davis

Hechos 2.41-47 (RV) - Así que, los que recibieron su palabra fueron bautizados; y se añadieron aquel día como tres mil personas. [42] Y perseveraban en la doctrina de los apóstoles, en la comunión unos con otros, en el partimiento del pan y en las oraciones. [43] Y sobrevino temor a toda persona; y muchas maravillas y señales eran hechas por los apóstoles. [44] Todos los que habían creído estaban juntos, y tenían en común todas las cosas; [45] y vendían sus propiedades y sus bienes, y lo repartían a todos según la necesidad de cada uno. [46] Y perseverando unánimes cada día en el templo, y partiendo el pan en las casas, comían juntos con alegría y sencillez de corazón, [47] alabando a Dios, y teniendo favor con todo el pueblo. Y el Señor añadía cada día a la iglesia los que habían de ser salvos.

koinonia

Principio trinitario: Unidad • Diversidad • Igualdad

World Impact procura plantar iglesias que sean comunidades orientadas hacia el reino, donde Cristo es exaltado como Señor, y el Reino de Dios avanza en cada aspecto de la vida comunitaria, y procuramos hacerlo en una forma que respeta y reconoce la validez y significado de encarnar esta vida comunitaria en la cultura receptora. Para asegurarnos la viabilidad, protección y florecimiento de estas congregaciones, debemos explorar las asociaciones que se forman con vínculos fuertes entre congregaciones donde se practica una identidad en común, una misma confesión y fe, bajo una supervisión y liderazgo común que conecta en una forma fundamental los recursos y la visión de cada iglesia, sin señorear sobre ellas.

A continuación veremos un cuadro que bosqueja lo que podrían ser los elementos de dicha coalición de iglesias, las cuales vinculan sus vidas en una forma estratégica para el bienestar y enriquecimiento de toda la comunidad de iglesias. (comp. "*Imaginando un Movimiento de plantación de iglesias unificado y conectado* (vea http://www.tumi.org/migration/images/stories/spimaginecpm.pdf) que en una forma comprensiva sugiere qué se podría incluir en los vínculos eclesiásticos y misiológicos, litúrgicos y de catequesis de dicha comunión.

Avanzando el Reino en la ciudad (continuación)

Compartiendo una identidad, propósito y misión en común	
Un nombre y asociación en común	Entender que las iglesias están vinculadas fundamentalmente por la historia, identidad, legado y destino
Una confesión de fe en común	Desarrollo de una visión doctrinal y teológica en común
Una celebración y adoración en común	Práctica de una liturgia en común, con enfoques compartidos sobre la adoración
Un discipulado y catequismo en común	Compartir un currículo y un proceso de bienvenida en común, que incorpore y discipule los nuevos creyentes en nuestra comunidad
Un gobierno y supervisión en común	Rendir cuentas a una fuente común para recibir liderazgo y cuidado
Un servicio y extensión misionera en común	Desarrollar procesos integrados y programas de justicia, buenas obras, evangelización y misiones, tanto en casa como en todo el mundo
Una mayordomía y compañerismo en común	Combinar recursos a través de contribuciones mutuas consistentes, para maximizar el impacto para toda la asociación

Beneficios de un movimiento en común

1. Sentido de pertenencia a través de una fe e identidad compartida
2. Eficiencia y economía de esfuerzos
3. Habilidad de plantar múltiples plantaciones en muchos lugares y poblaciones diferentes
4. Cultiva unidad y diversidad genuinas, con un espíritu de mutualismo e igualdad entre las congregaciones
5. Incremento de la productividad y viabilidad dentro de nuestros esfuerzos misioneros
6. Intercambio y trans-polinización
7. Apoyo y estímulo continuos de nuestros líderes
8. Ofrece potencial para nuevos proyectos e iniciativas
9. Procesos y procedimientos estandarizados para la incorporación y entrenamiento
10. Mayores oportunidades para convocar y exponer ante otros creyentes que piensan en forma similar
11. Exploración de nuevas conexiones con otras asociaciones con una visión similar
12. Asistencia en arrancar la espiritualidad y unidad de la Orden Misionera Religiosa de World Impact

Banda apostólica

Cultivando la evangelización para una cosecha dinámica

Rev. Dr. Don L. Davis

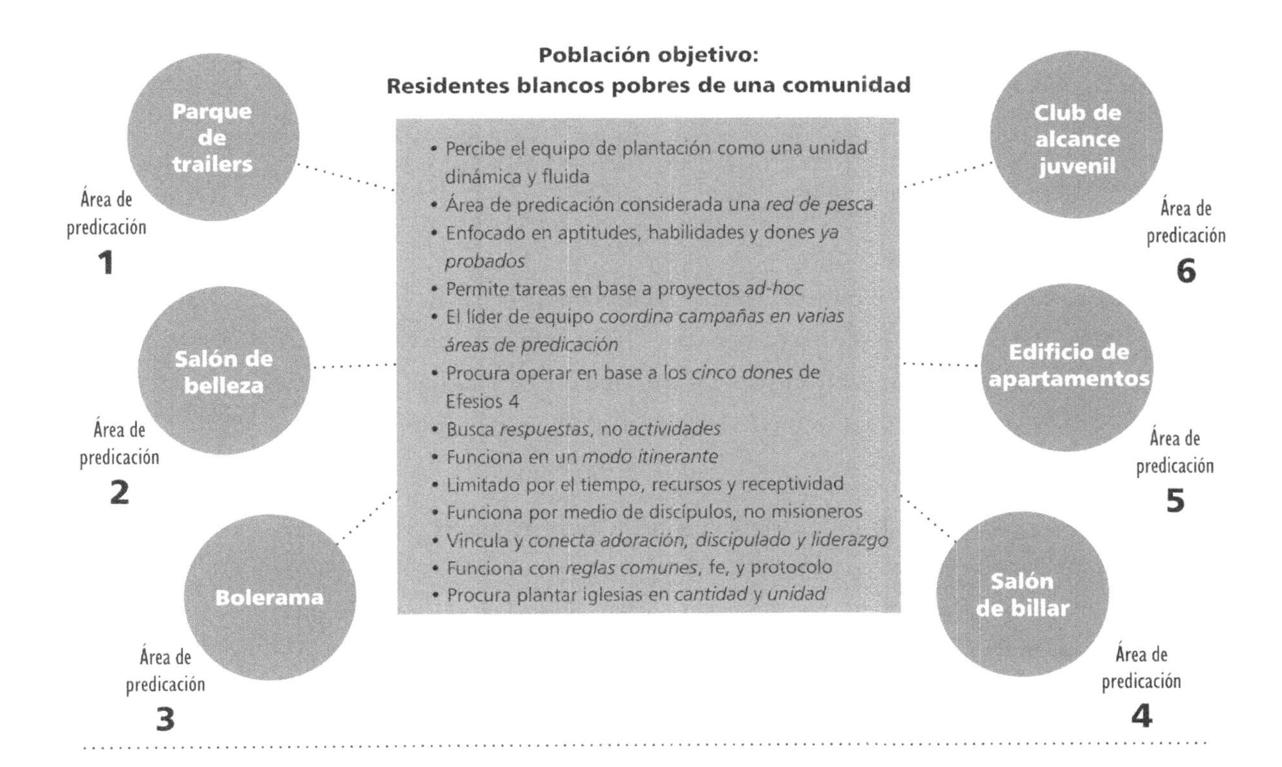

Principales conceptos

1. Itinerante- una banda apostólica funciona en contextos múltiples simultáneamente organizados en torno a una población objetivo en común
2. Cosas en común- una banda apostólica usa formas, métodos y protocolos similares para ganar y edificar convertidos
3. Autoridad- una banda apostólica funciona bajo una autoridad estructural en común y un liderazgo central
4. Identidad- una banda apostólica planta iglesias de un tipo con doctrina, prácticas, estructuras y tradiciones compartidas
5. Dones- una banda apostólica está organizada en torno a los dones demostrados de la misma, no sólo a la disponibilidad y la tarea
6. Fluidez- una banda apostólica invierte en contactos que responden en las áreas de predicación, y proveen a los receptores su crucial atención
7. Coordinación- una banda apostólica empleará individuos selectos para que contribuyan en tiempos cruciales en proyectos particulares
8. Consolidación- una banda apostólica consolida el fruto en una área, prestando atención al movimiento y el crecimiento, no la permanencia
9. Disciplina- una banda apostólica funciona según un orden y estructura, equipando discípulos en las disciplinas de la fe
10. Germinal- una banda apostólica procura inaugurar e iniciar el nacimiento y la formación espiritual, confiando el crecimiento y madurez de la congregación a la supervisión pastoral

DEFINICIÓN DE TÉRMINOS:

Banda apostólica– un equipo fluido de obreros dotados, dispuestos y comprometidos, asignados a cumplir papeles particulares o realizar tareas específicas que contribuyen a la evangelización de un grupo

Área de predicación– un área distintiva, o lugar donde vive o se reúne la población objetivo

Carácter del equipo–un acuerdo fluido basado en el tiempo y recursos necesarios para presentar el Evangelio en forma creíble a la población objetivo en un cierto lugar

Administración del proyecto–juntar un grupo de personas, estrategias y recursos temporalmente, para completar una tarea, evangelización o evento en particular

Capacitando al pueblo para la libertad, el bienestar y la justicia

Fundamentos teológicos y éticos para el desarrollo de los ministerios de World Impact

Don Davis y Terry Cornett

Una teología de desarrollo

Prólogo

Desde un principio, amar a Dios y al prójimo han sido temas importantes de la teología del Antiguo y Nuevo Testamento. Desde los tiempos de la Iglesia primitiva ha habido una preocupación en demostrar el amor y carácter de Dios al mundo, en palabras y hechos, por medio de la fe y de las obras, tanto por medio de la proclamación evangelística como por actos de justicia y misericordia.

Comenzando con los precursores de los movimientos de la Reforma y avivamientos de los Puritanos, los Pietistas, los Moravos y los Wesleyanos y extendiéndose al movimiento de las misiones protestantes modernas, los misioneros evangélicos han combinado un fuerte énfasis sobre la evangelización y el establecimiento de iglesias con la seria intención de ponerse en acción para fomentar la justicia y el derecho, especialmente a favor de los pobres y los oprimidos.

Los reformadores y misioneros evangélicos han establecido escuelas y hospitales, haciéndolos accesibles a los segmentos de la sociedad con menos posibilidades, han construido orfanatos y han luchado por reformar las leyes de los obreros infantiles, han establecido negocios y cooperativas entre los pobres, han apoyado legislaciones para abolir la esclavitud y asegurar la protección de los derechos humanos, se han esforzado en mejorar la posición social de la mujer y han mediado entre grupos y naciones en guerra.[1]

Aunque en general, los cristianos están de acuerdo en que la evangelización y la acción social son responsabilidades importantes de la Iglesia, hay una considerable variación tanto en los términos que se usan para designar tales responsabilidades, como en la manera en que son definidas y relacionadas entre sí. Como una agencia misionera involucrada en ambas actividades, para nosotros es importante establecer nuestra definición de los términos y hacer una declaración de la relación teológica que existe entre estas dos labores.

1 Véase el artículo de Paul E. Pierson, "Las Misiones y el Desarrollo de la Comunidad: Una Perspectiva Histórica", (Elliston 1989, 1-22) para una introducción a la historia de la obra del desarrollo en las misiones evangélicas y el libro de Donald W. Dayton, "Descubriendo una Herencia Evangélica" (Dayton, 1988) para entender más los movimientos evangélicos reformados.

Capacitando al pueblo para la libertad, el bienestar y la justicia (continuación)

1. El Reino de Dios como la base de la evangelización, plantar iglesias y el desarrollo

1.1 El Reino de Dios como la base para la misión

"Cada vez más y más la misiología está viendo al Reino de Dios como el centro alrededor del cual gira toda la obra de la misión" (Verkuyl 1978, 203). Evangelizar, plantar iglesias y desarrollar la obra no son cosas que estén basadas en unos cuantos textos aislados "como prueba", sino que se trata de una continua respuesta al tema del Reino, el cual se entreteje a lo largo del registro de las Escrituras. El Reino de Dios incorpora la esencia de lo que la misión de Dios (*Missio Dei*) es en el mundo y provee una base para ver cómo nuestras propias actividades tienen el fin de encajar en el plan general de Dios.[2]

[2] Leer George Eldon Ladd (1986, 54-181), para una introducción a una teología bíblica del Reino.

1.2 El Reino como restauración

Las Escrituras afirman lo que la experiencia humana revela por doquier. Al mundo ha ido dramáticamente mal. La Biblia muestra que la base de este problema es el rechazo del hombre a la soberanía de Dios. El relato de Génesis acerca de la Caída muestra a la humanidad repudiando el derecho de Dios de dar dirección y de limitar sus decisiones. Desde aquel tiempo en adelante, el mal llenó el vacío dejado por la ausencia del amable gobierno de Dios. El mundo cesó de funcionar correctamente, la muerte reemplazó a la vida; la enfermedad reemplazó a la salud; la enemistad reemplazó a la amistad; la tiranía reemplazó a la cooperación; y la escasez reemplazó a la abundancia. Toda relación humana con Dios y entre la humanidad misma fue dañada por el deseo interior de cada persona y grupos sociales por reemplazar la autoridad de Dios con su propio gobierno.

La respuesta de la gracia de Dios a esta situación fue decidir, no rechazar ni destruir al mundo, sino redimirlo. Dios puso en marcha un plan para liberar al mundo de la esclavitud de los poderes del mal, y restaurar todas las cosas a una perfección bajo Su soberanía real. A través de las Escrituras tal plan de reclamación, es descrito como el "Reino de Dios" y el discernimiento de su naturaleza y manera de venir se han ido revelando progresivamente.

Johannes Verkuyl resume el mensaje del Reino de la siguiente forma:

> *El corazón del mensaje tanto del Antiguo como del Nuevo Testamento, es que Dios . . . está involucrado en el restablecimiento de Su dominio libertador sobre el cosmos y toda la humanidad. Al buscar a Israel, Él nos buscó a todos y a todo el mundo, y en Cristo Jesús Él puso el fundamento del Reino. Cristo Jesús el Mesías "prometido a los padres", es el auto basileia[3]: en Él el Reino ha venido, y está viniendo en una manera absolutamente singular y con una claridad excepcional. En su predicación Jesús divulga las riquezas, los tesoros de ese Reino: reconciliación, el perdón de los pecados, victoria sobre los poderes demoníacos. Apoyándose en*

[3] Es decir, Aquel que en su propia persona plenamente se incorpora el gobierno de Dios.

Capacitando al pueblo para la libertad, el bienestar y la justicia (continuación)

> *la tradición de la ley mosaica, Él expone el corazón del mensaje de . . . los profetas; Él logra la reconciliación entre el mundo y Dios; Él abre el camino al presente y al futuro Reino que demanda nuestras decisiones en todos los aspectos de la vida (Verkuyl 1993, 72).*

1.3 Responsabilidades de quienes buscan el Reino de Dios

Las implicaciones del Reino de Dios para la misión pueden ser delineadas por medio de tres verdades centrales. Una teología y misiología centrada en el Reino prestará atención a lo siguiente:

- Evangelizar de tal manera que la gente se convierta a Cristo.
- Crear iglesias donde la gente sea discipulada y dé fruto.
- Ayudar a la Iglesia a expresar su entrega, a lograr libertad, bienestar y justicia en el mundo.

Por lo tanto:

> *Una teología verdaderamente centrada en el Reino . . . nunca puede negar el llamado a la conversión de personas de entre los pueblos y las comunidades religiosas. A todo aquel de cualquier persuasión religiosa, el mensaje debe ser repetido: "El reino de Dios se ha acercado; arrepentíos y creed en el evangelio" . . . La teología centrada en el Reino involucra un llamado a reconocer el señorío del Rey y nueva orientación a la constitución de Su Reino. Si no existe este aspecto, es imposible la proclamación de las buenas nuevas del evangelio. Una teología y misiología informada por la noción bíblica del gobierno de Cristo, nunca dejará de identificar la conversión personal como una de las metas inclusivas del reino de Dios . . .*
>
> *La Iglesia . . . ha sido formada por Dios entre todas las naciones para compartir la salvación y servicio de sufrimiento del Reino . . . La Iglesia constituye las primicias, la primera cosecha del Reino. Por lo tanto, aunque éste no esté limitado a la Iglesia, no se puede pensar en el Reino sin la Iglesia. Y a la inversa, el crecimiento y expansión de la Iglesia no debe ser visto como fines, sino más bien como medios para ser usados en el servicio del Reino . . . Las llaves del Reino le han sido dadas a la Iglesia, y ésta no cumple con su mandato por descuidar tales llaves, sino más bien por usarlas para abrir las avenidas de acceso al Reino para todos los pueblos y grupos de habitantes de todos los niveles de la sociedad humana . . .*

Capacitando al pueblo para la libertad, el bienestar y la justicia (continuación)

> *Finalmente, el evangelio del Reino trata con toda necesidad humana inmediata, tanto física como mental. Su objetivo es corregir lo que está mal en la tierra. Se suma a la lucha por la justicia racial, social, cultural, económica y política . . . Las buenas nuevas del Reino tienen que ver con todas estas cosas. Por esta razón la misiología debe enfocar sus esfuerzos en lograr una multiplicidad de señales visibles del reino de Dios a través de lo largo y ancho de este planeta (Verkuyl 1993, 72-73).*

Tanto la obra evangelízación como la plantación de iglesias y el desarrollo proceden de un fundamento teológico común, el cual es el deseo de vivir las implicaciones del Reino de Dios que en la persona de Cristo Jesús, el Rey de reyes, se han introducido en la actual época presente. El Reino es tanto *ya* pero *todavía no.* En la actualidad está *avanzando a la fuerza y extendiéndose como la levadura lo hace en la masa,* pero también espera el regreso de Cristo *cuando toda rodilla se doblará* y habrá un *cielo nuevo y una tierra nueva.* Nuestra labor de evangelización y nuestro desarrollo de la obra, reconocen la soberanía del reinado de Dios hoy día, en un tiempo en que el mundo, en su totalidad, no lo hace. Nosotros anunciamos las buenas nuevas de la introducción del Reino de paz y justicia, llamamos a los pueblos al arrepentimiento y a la salvación por medio de la fe en su Rey, de esperanza en su inevitable triunfo total y vivimos en obediencia a sus mandamientos y valores en el tiempo presente.

2. La obra del Reino

Ya que la evangelización, la plantación de iglesias y la obra del desarrollo están estrechamente relacionadas, quienes se involucran en ello con frecuencia notan que sus funciones y proyectos se traslapan. Aunque esto es normal y bueno, una clara definición desde el inicio de cada función, puede ayudar a reducir la confusión que a veces resulta de este proceso.

2.1 Misioneros

Los misioneros son llamados a ser pioneros de nuevos alcances que se enfocan en la evangelización de personas en áreas, clases sociales o grupos culturales no alcanzados (o alcanzados a medias).

Por lo tanto, nosotros afirmamos que:

> *Los misioneros cruzan barreras de clase y cultura para evangelizar y discipular grupos no alcanzados de tal manera que se forman iglesias reproductoras entre ellos y se ponen al servicio de la soberanía del reino de Dios.*

Capacitando al pueblo para la libertad, el bienestar y la justicia (continuación)

2.2 Obreros de desarrollo

Los obreros de desarrollo son llamados a confrontar condiciones y estructuras en el mundo que no se someten al gobierno de Dios.

Por lo tanto, nosotros afirmamos que:

> *Los obreros de desarrollo capacitan a personas, iglesias y comunidades a experimentar movimientos hacia la libertad, el bienestar y la justicia del Reino de Dios.*

2.3 El enlace común

Tanto los misioneros como los obreros de desarrollos cristianos están unidos en una entrega común para llevar el gobierno del reino de Dios a todas las áreas de la vida.

La actividad misionera gira alrededor de la proclamación de las "buenas nuevas" que llaman a la gente al Reino de Dios por medio de las experiencias de la salvación y la regeneración. Se enfoca en atraer a los pueblos, culturas y subculturas a la comunidad de los redimidos (es decir, "trayendo el mundo a la Iglesia"). Todo esto es hecho con un ojo puesto en la creación de iglesias con el propósito de discipular a sus miembros para que reconozcan el gobierno de Dios, y vivan los valores de su Reino en sus vidas personales y corporales.

La actividad misionera también cubre el desarrollo que procura que cada área de la vida esté conformada con el gobierno de Dios. En concreto, evalúa cada situación de la vida a la luz de la oración del Padre Nuestro ("venga tu Reino, hágase tu voluntad, como en el cielo, así también en la tierra") y se involucra en obras de compasión, amor y justicia que demuestran la naturaleza del plan de Dios para toda la gente. Se enfoca en que el gobierno de Dios esté actuando en cada relación y estructura humana (es decir, "llevando la Iglesia al mundo").

3. Relación teológica entre la evangelización y el desarrollo

3.1 Una relación asociada

La evangelización misionera, la plantación de iglesias y la obra del desarrollo son socios en el proceso de la proclamación, demostración y extensión del gobierno del Rey. Las dos son respuestas al hecho que Dios ha anunciado su deseo de reconciliar al mundo consigo por medio de Su Hijo. Aunque ambas son una legítima respuesta del plan de Dios para el mundo, ninguna es suficiente por sí misma. Tanto la Palabra como las obras son componentes necesarios para anunciar la fidelidad que tiene la Iglesia al Reino de Dios.

Capacitando al pueblo para la libertad, el bienestar y la justicia (continuación)

3.2 Interdependencia e interconexión

La relación entre las misiones y el desarrollo no es simple. Su interconexión tiene muchas facetas.

- *Las dos cosas están conectadas por una meta común.*

  Ni los misioneros ni los obreros de desarrollo están satisfechos hasta que la reconciliación de Dios con el hombre, y la reconciliación del hombre con el hombre estén completamente realizadas. Nosotros creemos que esto hace que tanto las misiones como el desarrollo tengan una orientación Cristo-céntrica, ya que es "en Cristo" que Dios está reconciliando al mundo consigo mismo. Cristo es el Rey. Es su muerte como sacrificio reconciliador lo que provee la base objetiva para la reconciliación entre la humanidad y Dios, y dentro de las relaciones y estructuras humanas. Es su autoridad y presencia de realeza lo que permite que el Reino irrumpa en la época presente, destruyendo las obras de las tinieblas y creando auténticas comunidades reunidas bajo el gobierno de Dios.

- *Las dos cosas mantienen un grado de independencia entre sí.*

  La evangelización y la plantación de iglesias a veces pueden llevarse a cabo sin un enfoque inmediato sobre el desarrollo de la obra. Y a la inversa, el desarrollo de la obra a veces puede hacerse sin la actividad de la plantación de iglesias. Debido a que las dos cosas son respuestas auténticas de la actividad de Dios en el mundo, pueden, cuando es apropiado, operar independientemente la una de la otra. En tanto que cada una es una actividad legítima de por sí, sería más saludable y normal, obviamente, que las dos ocurrieran simultáneamente.

- *Las dos se necesitan entre sí para una duradera efectividad.*

  Sin evangelización no hay vidas cambiadas, no hay reconciliadores que entiendan el plan de Dios para el hombre y la sociedad, ni quien procure el cambio en el poder del Espíritu. Sin desarrollo, las iglesias establecidas por la misión se tornan solitarias, y no funcionan como "sal y luz" dentro de sus comunidades locales y nacionales. Los esfuerzos misioneros son minados cuando las iglesias existentes no exhiben en sus vidas los efectos del reino de Dios. La integración de las dos cosas está aptamente expresado en Efesios 2.8-10 donde dice: "Porque por gracia sois salvos por medio de la fe; y esto no es de vosotros, pues es don de Dios; [9] no por obras, para que nadie se gloríe. [10] Porque somos hechura suya, creados en Cristo Jesús para buenas obras, las cuales Dios preparó de antemano para que anduviésemos en ellas".

Capacitando al pueblo para la libertad, el bienestar y la justicia (continuación)

Estas facetas pueden ser resumidas como "una triple relación entre la evangelización y la actividad social. Primero, la actividad social cristiana [desarrollo] es una consecuencia de la evangelización, ya que es la persona evangelizada quien se involucra en ello. Segundo, es un puente para la evangelización, ya que expresa el amor de Dios y así ambos vencen el prejuicio y abren puertas cerradas. Tercero, es socio de la evangelización, de tal manera que son 'como las dos hojas de un par de tijeras o las dos alas de un ave'" (Stott 1995, 52).

3.3 La necesidad de especialización

Las misiones modernas han visto el surgimiento de agencias, tanto de la misión como del desarrollo. Esto ocurre al especializarse las organizaciones en un componente de la tarea que en general Dios ha dado. El reconocimiento de la necesidad de especialización se dio desde muy al principio de la Iglesia.

J. Chongham Cho comenta:

> *En Hechos 6 . . . una distinción entre la evangelización y la acción social fue hecha. En lo esencial esto no era una división, sino que se dio debido a la práctica eficaz de la misión de la iglesia y como solución a un problema que surgió en ella. Esta es una deducción necesaria de la naturaleza de la iglesia como cuerpo de Cristo. Aunque debemos resistir la polarización entre la evangelización y la acción social, no debemos resistir la especialización (Cho 1985, 229).*

Como agencia misionera, nuestro primer enfoque es la evangelización y el discipulado, lo que resulta en la plantación de iglesias autóctonas. El hecho que la evangelización, la plantación de iglesias y el desarrollo están interconectados significa que las agencias misioneras, especialmente las que se enfocan en los pobres y los oprimidos, van a involucrarse en una forma en el desarrollo de la obra. Sin embargo, la agencia misionera cuidadosamente debe estructurar el desarrollo de la obra de tal manera que estimule la tarea central de la evangelización y la plantación de iglesias, más bien que desviarse de ello.[4] Debemos involucrarnos en un desarrollo de la obra que fomente la formación, salud y reproducción de iglesias autóctonas entre los pobres.

[4] Ver el Apéndice A para una variedad de perspectivas en que el desarrollo de obras inapropiadamente implementadas pueden afectar adversamente la labor misionera.

La especialización le permite a las organizaciones aprovechar al máximo la capacitación y los recursos los cuales pueden ser dedicados a una parte específica de la tarea general de la misión. La agencia del desarrollo puede involucrarse en una cantidad de necesarios y buenos proyectos que no tienen conexión inmediata con la evangelización, y la plantación y nutrición de las iglesias en formación. La agencia misionera aprecia las muchas agencias de desarrollo que participan en esta clase de obra. Aunque la agencia misionera desearía formar una red con ellos (y orar que Dios grandemente aumente sus números y

Capacitando al pueblo para la libertad, el bienestar y la justicia (continuación)

efectividad), ésta se enfocará en proyectos de desarrollo que asistan a la tarea de evangelización, discipulado y establecimiento de iglesias autóctonas. Sin este compromiso a especializarse, la agencia misionera va a perder su habilidad de hacer su parte en la mayor tarea.

4. Obra de desarrollo holístico de World Impact, nuestra agencia misionera

4.1 Declaración de propósito

Aunque reconocemos lo legítimo de involucrarse en el desarrollo de obras por interés propio como una directa respuesta piadosa a la necesidad humana, nosotros creemos que estamos llamados a especializarnos en el desarrollo de obras que concretamente apoyan y contribuyen a la tarea de la evangelización, discipulado y plantación de iglesias. A la luz de esto, afirmamos la siguiente declaración.

El propósito de los ministerios de desarrollo de World Impact es apoyar las metas de evangelización, discipulado y plantación de iglesias de World Impact para:

- *Demostrar el amor de Cristo*

  Mucha gente oprimida tiene muy pocas razones para entender el amor de Dios por ellos y la justicia esencial y compasión de Su carácter. El desarrollo de obras puede proveer un testimonio viviente del amor de Cristo y su preocupación por la justicia y la paz en los vecindarios urbanos. Ministerios que atienden a la persona de manera total pueden darse a la par de la proclamación verbal del evangelio, verificando su credibilidad y enriqueciendo la profundidad del entendimiento entre sus oyentes. El desarrollo de la obra puede funcionar pre-evangelísticamente para preparar a las personas a escuchar genuinamente las aseveraciones de Cristo y el mensaje de salvación.

- *Facultar a las iglesias que van emergiendo*

  Las iglesias urbanas en proceso de formación por lo general tienen muy pocos recursos materiales para afrontar las enormes necesidades de la ciudad. El desarrollo de la obra puede asociarse con los pastores de plantación de iglesias, dándoles acceso a los recursos y programas capaces de satisfacer necesidades inmediatas dentro de sus congregaciones, estimular el desarrollo del liderazgo y ayudar a sus congregaciones a participar en un alcance efectivo de atención a la persona de manera total en sus comunidades.

Capacitando al pueblo para la libertad, el bienestar y la justicia (continuación)

- *Modelar las implicaciones del evangelio*

  No podemos esperar la reproducción de iglesias comprometidas para su involucramiento en una tarea que ellos nunca han visto en la práctica. Nosotros nos involucramos en el desarrollo de obras porque esperamos que las iglesias recién plantadas hagan lo mismo. Debemos proveer un ejemplo viviente para que necesariamente el evangelio se mueva de la creencia a la acción, de la palabra al hecho.

4.2 Un importante recordatorio

Cabe hacer una advertencia. Por nuestros propios esfuerzos no podemos traer el Reino de Dios. Paul Hiebert comenta al respecto: "Nuestros paradigmas son defectuosos si comenzamos la misión con actividad humana. La misión no es primeramente lo que nosotros hacemos. Es lo que Dios hace" (Hiebert 1993, 158). La evangelización, la plantación de iglesias y el desarrollo de las obras funciona, sobre todo, con la disposición del Espíritu de Dios. Sabiendo qué debe ser hecho y cómo debe ser hecho, nunca es determinado por medio de diagramas estratégicos ni abordajes organizacionales bien elaborados. Nuestro deber principal es ser fieles al Rey, escuchar sus instrucciones y responder a sus iniciativas.

Un desarrollo ético

5. Introducción

Nosotros hemos declarado que:

> *El desarrollo de obras capacita a las personas, iglesias y comunidades a experimentar movimiento hacia la libertad, el bienestar y la justicia del Reino de Dios.*

El proceso por medio del cual nos movemos hacia esta meta y las decisiones que tomamos para lograrlas, debe ser guiado por una ética que sea consistente con el estándar de Dios para las relaciones humanas. La ética tiene que ver con la conducta y el carácter humano. Es el estudio sistemático de los principios y métodos que distinguen entre el bien y el mal. Una ética cristiana de desarrollo nos ayuda a tomar decisiones acerca de asuntos de desarrollo a la luz de la revelación y teología bíblica. Nos capacita para actuar y pensar claramente, de tal manera que podamos discernir lo que es correcto hacer y cómo debería ser hecho.

Capacitando al pueblo para la libertad, el bienestar y la justicia (continuación)

La ética se preocupa porque nuestra teología sea aplicada a nuestros comportamientos y actitudes. No se contenta con meramente entender la verdad. Más bien, continuamente procura ayudarnos a descubrir cómo aplicarla (e intenta motivarnos a hacerlo). El verdadero comportamiento ético significa que los principios éticos son entendidos, interiorizados y aplicados a la situación por medio del desarrollo de estrategias y prácticas específicas. En una organización, el verdadero comportamiento ético también requiere que las estrategias y las prácticas pasen regularmente por pruebas, evaluación y refinamiento. Esto asegura que la organización esté logrando en la práctica lo que afirma en principios.

Finalmente, debe notarse que nuestras experiencias siempre nos confrontan con paradojas, anomalías y competencia de prioridades. Una ética de desarrollo no intenta condensar la vida en un sistema nítidamente empacado. Más bien, provee principios que nos ayudarán a ver con claridad lo más importante en la situación particular que estemos afrontando. Cada decisión ética debe involucrar una discusión acerca de cómo los varios principios bosquejados se inter relacionan, y acerca de cuáles son los valores más significativos para cierta decisión. La decisión correcta solamente puede ser discernida con diálogo y oración. Los principios éticos del Reino de Dios pueden ser expresados en los valores de libertad, bienestar y justicia. Estos valores son la raíz y el fruto del desarrollo desde la perspectiva del Reino.

6. El desarrollo de la obra de World Impact está comprometido a la libertad

Libertad es la habilidad de poner en práctica nuestra capacidad dada por Dios para tomar decisiones que expresen amor. Por lo tanto, el desarrollo debería generar la libertad para ayudar a las personas a:

- Tener dignidad y respeto.
- Estar preparados para tomar decisiones sabias.
- Ser responsables de sí mismos y de otros.

Este proceso involucra ayudar a las personas a *entender* y *lograr* lo que necesitan para que vivan libremente en comunidad como siervos del Reino de Dios, bíblicamente responsables, auto dirigidos y maduros. Implica el desarrollo de relaciones caracterizadas no por dependencia ni independencia, sino por una *interdependencia* llena de amor que resulta en asociación, mutualidad e incremento de la libertad.

Capacitando al pueblo para la libertad, el bienestar y la justicia (continuación)

6.1 El desarrollo afirma que los seres humanos son valiosos y únicos a la vista de Dios, y cree que a ellos les han sido dadas capacidades y potenciales singulares por Dios.

Explicación

Como seres hechos a la imagen de Dios, cualquiera que sea la posición o lugar que alguna persona tenga, merece dignidad y respeto. Las personas deben ser apreciadas, recibir cuidado y proveérseles de acuerdo a su intrínseco valor y apreciación ante Dios. Un desarrollo bíblicamente basado, nunca explotará a la gente con propósitos económicos ni los tratará como instrumentos, sino más bien, los evaluará como un fin-en-sí-mismos, para ser amados y respetados por su dignidad delante de Dios.

Implicaciones

- *A la gente se le debe dar prioridad en cada dimensión del desarrollo.*

  El desarrollo debería contribuir al potencial para la auto-suficiencia, debería mejorar la calidad de vida, y estimular la buena mayordomía entre quienes participan en los programas.

- *El respeto mutuo es fundamental para el auténtico desarrollo.*

  Para los pobres, la vida en la comunidad urbana está llena de inconvenientes, dificultades y oprobios. Los necesitados diariamente experimentan la indignidad de ser pobres en una sociedad donde hay abundancia. Con frecuencia se les acusa de negligencia moral, sujetos a engorrosas burocracias y prejuzgados como la causa de su propia pobreza debido a incompetencia o a falta de motivación. El desarrollo es sensible a estos mensajes que se les da a los necesitados en nuestra sociedad. Reconoce que los pobres son el objeto de la compasión de Dios y de las buenas nuevas, escogidos para ser ricos en fe y herederos del Reino de Dios (Stg. 2.5). El desarrollo procura demostrar el justo aprecio de Dios delante de los pobres por medio de acciones y relaciones específicas.

  La ayuda que no esté fundamentada en respeto genuino, fácilmente puede humillar a los pobres. Por lo tanto, la asistencia ofrecida a los que están en necesidad debe afirmar su dignidad y auto respeto. Cualquier cosa que denigre la dignidad y significancia de los pobres en el proceso del desarrollo, es pecaminoso e injurioso para el bienestar de ellos, tanto de quienes ofrecen como de los que lo reciben.

Capacitando al pueblo para la libertad, el bienestar y la justicia (continuación)

- *Los lugares de trabajo deberían operar como comunidades que se preocupan.*

  Aunque una atmósfera impersonal caracteriza el ambiente de muchos negocios, el desarrollo cristiano se esfuerza en crear un marco de relaciones para quienes se estén capacitando, y para los empleados. Los obreros del desarrollo y los que participan en él, deben establecer patrones de cuidado el uno al otro, más allá del apremio del proyecto que tengan a mano.

6.2 El desarrollo debe habilitar a la gente a ser plenamente responsables de sus propias vidas y a ver por las necesidades de los otros.

Explicación

El desarrollo surge de la convicción que todo trabajo es honroso. Dios ha ordenado que los seres humanos se ganen la vida con integridad y excelencia. Tal mandato para el trabajo individual está fundamentado en el mandamiento original de Dios dado a la humanidad en la creación, y continúa vigente afirmándose en las enseñanzas de los apóstoles. Mientras que Dios demanda que su pueblo sea generoso y hospitalario con los necesitados y los forasteros (2 Co. 9), también demanda que todos trabajen honestamente con sus propias manos (1 Ts. 4), y hace el cargo que los que se nieguen a trabajar, a su vez se les debería negar benevolencia, es decir, "si alguno no trabaja, que tampoco coma" (2 Ts. 3.10).

El desarrollo rechaza la noción que la riqueza es intrínsecamente mala. Tal opinión es simplista y no comprende a fondo la noción bíblica de la mayordomía cristiana. El desarrollo apunta a crear abundancia, pero nunca por causa de ganancia egoísta, avaricia o codicia. Sino que el desarrollo toma en serio el requisito bíblico que nosotros trabajamos, no meramente para satisfacer nuestras propias necesidades, sino porque de la abundancia que Dios ha provisto, podemos usar nuestros bienes y recursos para satisfacer las necesidades de otros, especialmente de nuestros hermanos y hermanas en el cuerpo de Cristo (Ef. 4; 2 Co. 8; Gál. 6). El estándar bíblico es que los que antes de entrar al Reino robaban, ya no roben más, sino que trabajen honradamente en quietud e integridad, con el fin de tener suficientes recursos para satisfacer sus propias necesidades, y tengan suficiente abundancia para encargarse de otros. El desarrollo no solamente procura honrar a los necesitados al asegurarse que ellos puedan participar en el derecho básico de trabajar, también los desafía a confiar en Dios para suplir sus necesidades por medio de un trabajo honrado que les permita ser proveedores para ellos mismos y para otros.

Capacitando al pueblo para la libertad, el bienestar y la justicia (continuación)

Implicaciones

- *Nada puede evitar a un obrero, líder, o profesional, de riesgos y del potencial de responsabilidades personales.*

  Los obreros cristianos no son inmunes a los vicios de la pereza, la negligencia, mala administración y la avaricia, y no serán librados de las consecuencias de tales hábitos y conducta.

- *Un objetivo primordial del desarrollo es que los involucrados en el proceso crezcan en madurez.*

  Se asume que las personas con madurez cada vez más se caractericen por la visión (estableciendo y poseyendo propósitos permanentes, aspiraciones y prioridades), responsabilidad (actuando sobre esos propósitos, aspiraciones y prioridades con motivación, perseverancia e integridad), y sabiduría (creciendo en capacidad, entendimiento y la habilidad de discernir y hacer lo que es correcto para ellos mismos y para otros).

  Las personas maduras deben moverse de la dependencia hacia la autonomía, de la pasividad hacia la actividad, de reducida habilidad hacia mucha habilidad, de intereses breves hacia intereses amplios, de egocentrismo hacia altruismo, de ignorancia hacia conocimientos, de autorechazo hacia autoaceptación, de la fragmentación hacia la integración, de la imitación hacia la originalidad y de la rigidez hacia una tolerancia por lo ambiguo (Klopfenstein 1993, 95-96).

- *Las decisiones se manejan mejor en el punto más cercano a los afectados.*

  Existen políticas nacionales y procedimientos para:

  » Proveer un marco para tomar decisiones eficazmente.

  » Expresar los valores y propósitos que son corporalmente compartidos.

  » Asegurar imparcialidad entre las personas y los proyectos en sitios diferentes.

  » Proveer responsabilidad para que la integridad sea resguardada.

  Tomar decisiones responsables dentro de una comunidad asume que hay personas maduras con un compromiso a estos propósitos comunes y que existe una comunicación abierta entre los involucrados. Cuando estos elementos estén presentes, la mayoría de decisiones deben hacerse por quienes son responsables de implementarlas. Toda decisión debe tomar en consideración el contexto local y la gente, las relaciones, y las condiciones del proyecto que hayan surgido.

Capacitando al pueblo para la libertad, el bienestar y la justicia (continuación)

- *El pago deber ser justo.*

  Cuando el desarrollo de la obra involucra empleo, el empleado debe ser compensado equitativamente en relación a la contribución hecha al éxito o beneficio del proyecto.

- Los programas de capacitación deben incluir enseñanza sobre la importancia de la mayordomía y la ofrenda.

  La necesidad que el pueblo le dé a Dios, a otros y a su comunidad, debe ser hecha explícita en el desarrollo del proceso. La identidad de cada persona como un contribuyente debería ser reforzada y la intrínseca conexión entre el recibir y el dar (Lc. 6.38) debería ser establecida.

6.3 El desarrollo de la obra debe disuadir la inclinación hacia la dependencia.

Explicación

El desarrollo enfatiza que cada persona debe ser capacitada y equipada para lograr el potencial de ser autosostenido y autodirigido. Crear o estimular la dependencia estorba la profunda necesidad del ser humano de ser co-creador con Dios en el uso de los dones para honrarlo a Él, y encontrar nuestra significancia y lugar en el mundo. La dependencia puede darse de cualquier lado en la relación de las personas que se ayudan; quien la desarrolle puede crear un sentido de su propia indispensabilidad lo cual conduce a la dependencia, o el que esté capacitándose fácilmente puede rechazar progresar, y así no crecer hacia la independencia y profundidad. La dependencia contamina el proceso del auténtico desarrollo al crear malas relaciones que dañan la iniciativa y la motivación de quienes estén capacitándose.

Implicaciones

- *A quienes se están capacitando se les debe requerir que demuestren iniciativa.*

  La regla fundamental es "No hagas algo por quienes lo pueden hacer por sí mismos, incluso si esto significa que el proyecto (o capacitación) se torne lento" (Hoke and Voorhies 1989, 224). Cuando se hace mucho por la gente que está siendo ayudada, quien trabaja en el desarrollo ha tomado la oportunidad del capacitado de aprender de los errores. Aun cuando la dependencia resulte de un espíritu de benevolencia y simpatía, inevitablemente estorba el crecimiento de los afectados por ello.

Capacitando al pueblo para la libertad, el bienestar y la justicia (continuación)

- *Por un lado, el desarrollo debe evitar el extremo paternalismo autoritario, y por el otro lado, debe evitarse el extremo de no interferencia.*

  Quienes trabajan en el desarrollo, por definición son líderes, y no pueden evitar la responsabilidad de ser mentores, de entrenar, enseñar y proveer dirección a quienes ellos sirven. Sin embargo, mantener un completo control sobre las decisiones no estimula las relaciones de interdependencia. Mientras que una estrecha responsabilidad es esencial en las primeras etapas de la capacitación, los obreros del desarrollo deben reconocer la necesidad de modificar estrategias y el envolvimiento basados en la competencia y progreso continuo de los aprendices.[5]

- *Los proyectos deben ayudar a los que se capacitan, a tener control de sus propios destinos.*

  Los proyectos deber ser evaluados regularmente para asegurarse que no están manteniendo a las personas dependientes en empleos a largo plazo por medio de World Impact Support, o WIS. El objetivo es que los proyectos equipen a las personas a obtener empleo en negocios en existencia o a empezar sus propios negocios.

[5] Para una discusión del modelo de capacitación de Hersey-Blanchard que provee estilos de liderazgo a las competencias y actitudes del candidato, leer Leadership Research (Klopfenstein, 1995)

7. El desarrollo de la obra de World Impact está comprometido con el bienestar integral.

Bienestar (*Shalom*) es la experiencia personal y comunal de paz, abundancia, bondad, buen criterio, y el sentido de pertenecer. El bienestar está fundamentado en la *justicia* (correctas relaciones con Dios y el hombre), la *verdad* (correctas creencias acerca de Dios y el hombre), y la *santidad* (correctas acciones delante de Dios y el hombre). *Shalom* es un don de Dios y una señal de la presencia de su Reino.

7.1 El desarrollo debería crear un ambiente donde las relaciones cooperativas puedan florecer.

Explicación

El desarrollo que conduce al bienestar reconoce que la actividad humana se da en la comunidad. La red de relaciones que ocurren en el medio ambiente de la obra (por ej., capacitador con aprendiz, colaborador con colaborador, etc.), deben reflejar nuestros valores de comunidad cristiana.

Capacitando al pueblo para la libertad, el bienestar y la justicia (continuación)

Implicaciones

- *Las personas no son un medio para un fin.*

  El desarrollo procura, sobre todo, desarrollar personas. Esto necesariamente involucrará el equiparlos (y hacer que sean responsables) para que logren las tareas. Sin embargo, el principal fin del desarrollo de la obra siempre es la madurez de la misma, no la finalización de una tarea.

- *Todas las personas en el proceso de desarrollo deberían trabajar unos para otros como si estuvieran trabajando para Cristo mismo.*

  Colosenses 3.23-24 nos recuerda que en última instancia, nuestra labor está dirigida hacia y es premiada por Cristo. Los proyectos de desarrollo deben poner en operación este principio. Esto nos anima que nuestra obra debe ser hecha con excelencia, integridad, diligencia, humildad, amor y cualquier otra virtud necesaria para un servicio apropiado a Dios.

- *Las dinámicas de las relaciones deben ser tomadas seriamente.*

  El desarrollo de un proyecto que elabora un excelente producto y equipa personas con habilidades de mercadeo, pero que se caracteriza por la falta de armonía y de unión entre sus empleados, no ha logrado su meta. El mentor debe procurar desarrollar una genuina comunidad dentro del lugar de trabajo.

7.2 Las actividades del desarrollo deben demostrar la verdad del evangelio.

Explicación

1 Juan 3.18 nos exhorta a amar no meramente de palabras o de lengua, "sino con acciones y en verdad". El amor de Cristo es dado no al "alma" sino a la persona total. Las actividades del desarrollo deben ministrar abiertamente a la persona en forma total y deben servir como ejemplos de evangelización. El desarrollo de la obra funciona como una señal del Reino al habilitar a las personas, familias y/o comunidades a experimentar el amor y el cuidado de Cristo. Esto aclara que los obreros del desarrollo conozcan a Cristo íntimamente y puedan comunicar su amor a otros.

Capacitando al pueblo para la libertad, el bienestar y la justicia (continuación)

Implicaciones

- *Los proyectos del desarrollo pueden enfatizar el desarrollo mental, físico, social o económico.*

  Todos los aspectos correspondientes a las necesidades humanas son de preocupación para el obrero del desarrollo. Al tomar forma el amor del obrero del desarrollo por medio de acciones concretas, su intención debería ser que la gente "pueda ver vuestras buenas obras y glorifiquen a vuestro Padre que está en los cielos" (Mt. 5.16).

- *Los discípulos que demuestren un continuo crecimiento espiritual, deben ser ayudados por los obreros del desarrollo a que maduren en Cristo.*

  Quiénes somos es más importante que lo que hacemos. Solamente cuando los obreros del desarrollo estén procurando vivir activamente en el amor de Cristo y a escuchar a su Espíritu, ellos comunicarán eficazmente su amor a aquellos entre quienes trabajan.

- *Los obreros del desarrollo deben cuidarse de su propio desarrollo físico, mental, emocional y salud espiritual.*

  Los obreros del desarrollo confrontan mucha presión al tratar las necesidades humanas. Ellos frecuentemente sienten presiones particulares por estar entre, e identificándose con: los intereses de la gente particular a quienes sirven como a la organización que representan (Ver Hiebert 1989, 83). El agotamiento físico, emocional o espiritual siempre está presente. Por lo tanto, es importante que los obreros del desarrollo tomen tiempo para atenderse en forma adecuada y así mantener su propia salud, de tal manera que puedan continuar ministrando eficazmente a las necesidades de otros.

- *Los obreros del desarrollo necesitan estar específicamente equipados en evangelización y en un entendimiento de las misiones.*

  Los obreros del desarrollo cristiano usualmente entienden que el desarrollo y la evangelización deben trabajar en sociedad, pero usualmente no tienen la suficiente capacitación en evangelización (Ver Hoke y Voorhies 1989). Los obreros del desarrollo también necesitan recibir capacitación general sobre las misiones y administración, además de ser capacitados para sus tareas específicas de desarrollo (Ver Pickett y Hawthorne 1992, D218-19) ya que muchas de sus tareas diarias requieren un entendimiento de estas disciplinas.

Capacitando al pueblo para la libertad, el bienestar y la justicia (continuación)

7.3 Las actividades del desarrollo deben ser sin reproche.

Explicación

La integridad y la santidad son conceptos inseparables. La manera en la que el desarrollo de la obra es conducida tendrá un profundo impacto sobre su habilidad de efectuar transformación. Para que el desarrollo de la obra contribuya al bienestar, criterio, y felicidad de las personas, debe tener cuidado especial en demostrar integridad con palabras y hechos.

Implicaciones

- *Los proyectos de desarrollo deben mantener altos estándares éticos.*

  La falta de finanzas, personal adecuado y las presiones de las necesidades humanas inmediatas, pueden tentarnos a "usar vías cortas" en la manera en que desarrollamos y administramos los proyectos. Esta tentación debe ser resistida. Nuestro producto no puede ser artificialmente separado de nuestro proceso. Los proyectos de desarrollo deben servir como testimonio al gobierno, a la sociedad en general y a las personas que ellos capacitan, con elevados estándares éticos de conducta.

- *El desarrollo de proyectos debe funcionar dentro del marco de nuestro estado legal no lucrativo 501-C3.*

  Las leyes estatales y federales limitan la capacidad de grupos no lucrativos para crear situaciones donde las personas directamente reciban dinero y recursos de la corporación. (Esto previene de personas dentro y fuera de la organización que se aprovechan del estado legal no lucrativo para beneficio personal). Al crearse programas para facultar a la gente y compartir recursos, los obreros del desarrollo deben asegurar su estructura de tal manera que encajen dentro de las condiciones legales.

- *La apelación a los donantes no debe ser motivada por culpabilidad, ni por exagerar la necesidad, prometer resultados no realistas, o denigrar la dignidad de quienes recibirán ayuda.*

  Condensar lo complejo de la necesidad y las relaciones humanas en una apelación a los donantes es una tarea difícil y complicada; pero es algo necesario e importante. Los obreros del desarrollo en el campo deben tomar responsabilidad personal de dar a conocer las necesidades y la visión en una manera precisa a quienes están involucrados en la publicación de materiales acerca de un proyecto.

Capacitando al pueblo para la libertad, el bienestar y la justicia (continuación)

8. El desarrollo de la obra de World Impact está comprometido con la justicia

La justicia resulta por reconocer que todas las cosas pertenecen a Dios y deberían ser compartidas de acuerdo con su liberalidad e imparcialidad. La justicia bíblica se preocupa tanto por un trato equitativo como por la restauración de correctas relaciones. Detesta la opresión, el prejuicio y la desigualdad porque entiende que separa a la gente de Dios y de otros. El desarrollo que está basado en la justicia es un importante paso hacia la reparación de relaciones dañadas entre los individuos, las clases y las culturas que pueden abrigar sospecha y mala voluntad entre sí. El desarrollo de la obra procura alentar a acciones correctas, las que conducirán a relaciones correctas.

8.1 El desarrollo está enraizado en un entendimiento bíblico de Dios como Creador y Gobernante del universo quien demanda que todas las cosas sean reconciliadas en Él.

Explicación

Dios ha delegado al ser humano la responsabilidad de administrar su mundo. Este entendimiento se manifiesta en la conjunción de tres amplias categorías de relaciones: relaciones con Dios, relaciones con otros y relaciones con el medio ambiente (Ver Elliston 1989, *Transformation*, 176). Aunque estas relaciones fueron quebrantadas por la entrada del pecado en el mundo, el gobierno del reino de Dios ahora demanda su restauración.

El desarrollo reconoce que hasta que se manifieste la plenitud del Reino de Cristo, inevitablemente habrá pobreza, explotación y miseria causados por la perversión del pecado en estas tres áreas de relaciones. Sin embargo, esto ni paraliza ni desanima el auténtico desarrollo cristiano. En tanto que entiende la naturaleza moral del mal en el mundo, el auténtico desarrollo procura demostrar modelos de justicia y reconciliación que reflejen la justicia del Reino de Cristo.

Implicaciones

- *El desarrollo intenta mover a la gente hacia relaciones correctas con Dios.*

  La auténtica reconciliación entre las personas está basada en su mutua reconciliación con Dios. Aunque la "gracia común" y la "imagen de Dios" proveen una base para algún grado de reconciliación entre las personas, en última instancia, es en la correcta relación con Dios por medio de Cristo, que puede ocurrir la más profunda y duradera forma de reconciliación. Por lo tanto, el desarrollo de la obra se enlista para ayudar en la preparación de personas con el

Capacitando al pueblo para la libertad, el bienestar y la justicia (continuación)

propósito que oigan el evangelio, testificando de su verdad y viviendo sus implicaciones.

- *La reconciliación entre las personas, las clases y las culturas es un valor clave.*

  Inevitablemente, el desarrollo envolverá nuevas formas de compartir el poder, del uso de los recursos, toma de decisiones, aplicación de políticas y relacionamiento con otros. Hay necesidad de una innovación más que sólo imitar los modelos existentes. Es muy importante que los puntos de vista de personas de diferentes clases y culturas estén representados en la planificación de cualquier desarrollo del proyecto.

- *El desarrollo de proyectos no debe malgastar los recursos o dañar el ambiente físico.*

  El mandato de Dios a la humanidad es que reconozcan su propiedad, y ni exploten ni destruyan su tierra, sino que la atiendan y cuiden de ella. La mayordomía involucra usar los recursos de la tierra para glorificarlo a Él, y satisfacer las necesidades de nuestros vecinos mientras se tiene en mente nuestra responsabilidad con las futuras generaciones. El desarrollo debe ser sostenible, es decir, no debe simplemente consumir los recursos sino cultivarlos también.

8.2 El desarrollo reconoce los fundamentos de las instituciones y el sistema de producir riqueza y experimentar la pobreza.

Explicación

La Biblia destaca varios vicios morales que pueden conducir a la pobreza en las vidas de las personas (por ej., la pereza, indolencia, irresponsabilidad, Pr. 6; Pr. 24, etc.). Sin embargo, está claro que la pobreza puede ser causada por grandes factores de escala social y económica que crean condiciones de necesidad, opresión y carencia (Is. 1; Is. 54, Am. 4,5, etc.). Inclusive, una lectura superficial de las Escrituras revela que a lo largo de la historia bíblica, los profetas condenaron ciertas prácticas de negocios, políticas, leyes, industria e incluso de religión, que contribuyeron al desequilibrio entre varios grupos de la sociedad, y condujo a la opresión de los pobres. El desarrollo procura ser profético afirmando que Dios está comprometido con los pobres y los necesitados, y que no va a tolerar su opresión indefinidamente. El desarrollo no es ingenuo. No atribuye toda la pobreza social a vicios inmorales individuales. Al contrario, la lucha contra la injusticia demanda que las personas reconozcan la siempre presente posibilidad de la influencia demoníaca en las estructuras humanas (1 Jn. 5.19).

Capacitando al pueblo para la libertad, el bienestar y la justicia (continuación)

Implicaciones

- *La lucha espiritual es un componente clave del proceso del desarrollo.*

  Efesios 6.12 dice: "Porque no tenemos lucha contra sangre y carne, sino contra principados, contra potestades, contra los gobernadores de las tinieblas de este siglo, contra huestes espirituales de maldad en las regiones celestes". El desarrollo de la obra que no establece tiempos intencionales para orar en forma regular, además de otras disciplinas espirituales, tendrá dificultades para efectuar cambios duraderos. Los obreros del desarrollo deben tener un plan para la guerra espiritual, y un enfoque tan significativo como el plan del desarrollo de la obra en sí.

  Los obreros del desarrollo también deberían tener en cuenta que sus proyectos experimentarán ataques espirituales. La acumulación de dinero o poder dentro de un proyecto pueden ser puntos de entrada para la perversión de ese proyecto, a pesar de sus mejores intenciones. Las relaciones entre los líderes de los proyectos de desarrollo, o entre obreros del desarrollo y quienes se estén capacitando, pueden ser torcidas por la presión de los conflictos, celos, malas comunicaciones y diferencias culturales. Tanto las relaciones personales como los programas institucionales deben ser protegidos de las fuerzas espirituales que las corromperían o destruirían. Esto requiere una continua entrega a la lucha espiritual,ya la santidad personal y corporal.[6]

- *El desarrollo de la obra debería desafiar las prácticas injustas.*

  Los obreros del desarrollo deben facultar a las personas a defenderse de prácticas injustas de tal manera que demuestren tanto el amor como la justicia de Dios. En tanto que una organización no lucrativa no es un foro de abogacía política, es responsable de capacitar a las personas a evaluar la justicia y a hacer decisiones en un contexto moral. En los lugares de mercadeo, los obreros van a ser confrontados por individuos e injusticias del sistema, por lo que deben ser capacitados para que respondan de una manera que honre a Cristo y los valores de su Reino.

- *La función de la Iglesia en el desarrollo no debe ser descuidada.*

  Efesios 2.14 dice que es "Cristo", quien es nuestra paz, el que ha "destruido la barrera, la pared intermedia de hostilidad" entre judíos y gentiles. La reconciliación está enraizada en la persona y obra de Cristo. De ahí que la importancia del cuerpo de Cristo, la Iglesia, no puede ser pasada por alto. El

*[6] Leer Thomas McAlpine, **Facing the Powers** (McAlpine, 1991) para una práctica discusión de maneras en que las perspectivas Reformada, Anabaptista, Carismática, y la Ciencia Social, comparten tanto diferentes perspectivas como un común denominador para entender y confrontar los poderes espirituales.*

Capacitando al pueblo para la libertad, el bienestar y la justicia (continuación)

desarrollo de proyectos misioneros debe fluir de ella, a la vez que dar por resultado iglesias dinámicas.

8.3 El desarrollo no procura garantizar igualdad de resultados, sino igualdad de oportunidades.

Explicación

El desarrollo se concentra en proveer un ambiente en el que la gente pueda aprender la importancia y disciplinas del trabajo, obtener habilidades que mejorarán el valor de su labor y aplicar las disciplinas y habilidades que adquieran. Sin embargo, ningún esfuerzo humano está exento de la fuerza moral de nuestra capacidad de escoger, es decir, de decidir si usar o no los dones, oportunidades y potencial que nos han sido dados. Debido a la variación de motivación, esfuerzo y preparación, las diferencias de ingresos son inevitables y deben esperarse. El desarrollo de programas debería enseñar y premiar la iniciativa.

Implicaciones

- *Cada persona que esté preparándose tiene una crítica función en su propio éxito.*

  En tanto que los desarrolladores pueden ofrecer una gran cantidad de experiencia y ayudar a crear riqueza para los que se capacitan, muchos de los más importantes y necesarios atributos para el éxito prolongado, están controlados por quienes se capacitan. Sin la visión requerida, energía y compromiso para hacer el trabajo de tal manera que las ganancias se vean, el éxito no se dará. Estas cualidades surgen del impulso y convicción de los que se capacitan, no meramente de la disponibilidad de los desarrolladores. A causa de esto, el desarrollo no puede garantizar el éxito de todos los participantes.

- *Una fiel mayordomía debe conducir a una mayor responsabilidad.*

  Todos los proyectos de desarrollo deben tener un plan para premiar la fidelidad, el desarrollo de habilidades y la diligencia. La justicia demanda que un mayor esfuerzo conduce a una mayor recompensa.

Capacitando al pueblo para la libertad, el bienestar y la justicia (continuación)

8.4 El desarrollo de obreros debe respetar las diferencias culturales y esforzarse en crear un estilo de capacitación que sea culturalmente conducente a quienes están siendo facultados para la obra.

Explicación

Cada cultura humana es "un plano que le da a las personas de una sociedad una forma de explicar y afrontar la vida. Le enseña a la gente a pensar, actuar y responder apropiadamente en una situación dada. Le permite al pueblo trabajar en forma conjunta basados en un común entendimiento de la realidad. Organiza formas de pensamiento y de acción de tal manera que puedan ser transferidos a otros" (Cornett 1991, 2). La cultura forja cada forma de actividad humana desde las conductas observables (idioma, vestuario, alimento, etc.) hasta los pensamientos y actitudes internos (estilos de pensar, definiciones de belleza y dignidad, etc.). Entender cómo una cultura percibe la realidad, lo que valora y cómo funciona, es información fundamental para el obrero del desarrollo.

Aunque toda cultura humana está afectada por perspectivas pecaminosas, actitudes y conductas que deben ser confrontadas con el evangelio, las culturas humanas mismas son celebradas en las Escrituras. Los apóstoles confirmaron que para llegar a ser cristiano no se tiene que cambiar la cultura original (Hch. 15). La visión del reino de Dios en el Antiguo Testamento (Miq. 4) hasta el Nuevo (Ap. 7.9) involucra a gente de toda nación, lengua y raza. Misioneros desde Pablo en adelante han contextualizado el evangelio, poniendo las verdades eternas en formas que podían ser entendidas y practicadas por la gente de diversas culturas (Ver Cornett 1991,6-9). Los obreros del desarrollo, similarmente, deben respetar las diferencias culturales y procurar contextualizar sus instrucciones y recursos (Ver Elliston, Hoke and Voorhies 1989).

Los obreros de desarrollo tienen un particular interés en facultar a grupos que han sido puestos a un lado, oprimidos o descuidados por la sociedad en general. Esto hará que se involucren más con grupos o individuos que son distintos de la cultura dominante. El desarrollo de la obra en una forma eficaz preparará a grupos de inmigrantes no asimilados o gente que ha sido víctima debido a sus raza o sufrido discriminación de clase, si solamente entiende y respeta los distintivos culturales de esos grupos.

Finalmente, los encargados del desarrollo deben facultar a la gente a vivir en una sociedad pluralista. Aprender a relacionarse con éxito con clientes y colaboradores de otras culturas ha llegado a ser un componente clave de la capacitación laboral. Aunque el encargado debe empezar con el contexto cultural de aquellos a quienes ayuda, también debe capacitarlos para que respeten otras culturas y trabajen exitosamente en la sociedad.

Capacitando al pueblo para la libertad, el bienestar y la justicia (continuación)

Implicaciones

- *Los obreros del desarrollo deben entender la(s) cultura(s) y sub-cultura(s) de la gente con quienes trabajan.*

  Los obreros del desarrollo deben, primero que todo, obtener un entendimiento básico de la naturaleza de la cultura humana y de las estrategias para desarrollar relaciones efectivas de capacitación intercultural.[7] Ellos deben obtener habilidades fundamentales y necesarias para trabajar en el medio ambiente intercultural (adquisición del idioma, etc.). Es muy recomendable que el obrero del desarrollo tenga un mentor, ya sea de la cultura o un experimentado observador de la misma, para que le ayude en el proceso de la capacitación.

- *El medio ambiente del trabajo debe ser funcionalmente apropiado y estéticamente agradable cuando sea visto desde la perspectiva de la(s) cultura(s) que trabaja(n) o hace(n) negocio allí.*

- Todas las culturas humanas desean medios ambientes que combinen lo funcional con la belleza. Sin embargo, hay variación significativa sobre cómo la belleza y lo funcional son definidas, se les da prioridad y son aplicadas de una cultura a otra. El ambiente físico en el que ocurre el proyecto en desarrollo, debe tener en cuenta la situación cultural.

- *Los obreros del desarrollo deben ser sensibles sobre cómo es manejado un conflicto por la cultura de la gente entre quienes ellos trabajan.*

  Los conflictos son parte inevitable del trabajo en conjunto. Pueden ser una saludable oportunidad para el crecimiento si se manejan correctamente. Sin embargo, las diferencias culturales pueden sabotear el proceso de manejo del conflicto. Los obreros de desarrollos deben tener una actitud seriamente cultural hacia lo directo/indirecto, deshonor/culpabilidad, individualidad/colectividad, etc., y adaptar sus estilos de manejo de conflictos para que reflejen esas preocupaciones. Ellos también deben tomar seriamente su responsabilidad en facultar a la gente de sub-culturas a trabajar dentro de la cultura dominante.

- *Los obreros del desarrollo deben ser sensibles a las funciones o labores que sean degradantes a la cultura.*

  Aunque toda labor honesta contiene dignidad delante de Dios, las percepciones culturales de función y estado social tienen tremendo poder para forjar actitudes. Siempre que sea posible, se debe escoger un trabajo que no sea repugnante a la cultura. Si esto no es posible, se debe hacer una cuidadosa preparación y

[7] *Los recursos básicos para entender mejor a la cultura son* **The Missionary and Culture** *(Cornett 1991),* **Beyond Culture** *(Hall 1976),* **Christianity Confronts Culture** *(Mayers 1974),* **Ministering Cross-Culturally** *(Lingenfelter and Mayers 1986) and* **Cross-Cultural Conflicts: Building Relationships for Effective Ministry** *(Elmer 1993).*

Capacitando al pueblo para la libertad, el bienestar y la justicia (continuación)

capacitación para estar seguros que cada persona entiende la necesidad y dignidad de la labor involucrada. En algunos casos puede ser necesario desafiar el sistema de valores culturales (véase Miller, 1989), pero esto debe hacerse con sensibilidad y con adecuada preparación y participación de quienes estén preparándose.

- *Los desarrolladores deben facultar a los aprendices para situaciones que tal vez puedan ser encontradas en el lugar del trabajo.*

  O sea, las personas provenientes de culturas orientadas hacia eventos, deben entender las culturas orientadas hacia el tiempo y que define las prácticas empresariales en Estados Unidos. Ayudar a los obreros a aprender habilidades y disciplinas para el éxito en la sociedad en general, es una parte importante del proceso de la capacitación.

8.5 La meta del desarrollo es glorificar a Dios por medio de la excelencia y el servicio, no meramente obtener ganancias.

Explicación

En la ética del mundo corporativo, el más alto indicador de éxito usualmente es la rentabiudad de los negocios. Sin embargo, el desarrollo de la obra que está informado por los valores del Reino involucra una visión más amplia. El desarrollo procura enfatizar la importancia del tutelaje y la capacitación, y la producción de un producto de calidad que satisfaga las necesidades humanas.

Puesto que producir modelos de liderazgo cristiano y profesional de calidad es una alta meta de los esfuerzos de nuestros desarrollos, debemos enfatizar abiertamente, tanto las ganancias externas como las internas. Por un lado, un negocio, si ha de sobrevivir, debe ser productivo y capaz de sostenerse por su propia cuenta. Por otro lado, debemos esforzarnos en producir hombres y mujeres que sean espiritualmente maduros como también profesionalmente orientados y técnicamente competentes. La creación de riquezas no es un fin en sí mismo; es un producto lateral por estar involucrado en un negocio con la mira puesta en la excelencia, en el nombre de Cristo.

Capacitando al pueblo para la libertad, el bienestar y la justicia (continuación)

Implicaciones

- *Ninguna habilidad será enseñada, ni un producto será producido simplemente porque es valioso para la sociedad o porque pudiera resultar en ganancia.*

  Toda habilidad y productos deben ser consistentes con las metas de justicia, paz y bienestar que caracterizan el gobierno del Reino de Cristo. Habilidades y modos de producción que degradan la dignidad humana y productos que promueven injusticia, iniquidad y miseria humana, no deben ser considerados adecuados para el desarrollo a pesar de su aceptación por la sociedad en general.

- *La meta del desarrollo de la obra, no solamente debe ser ayudar a que la gente obtenga y genere recursos, también ayudarles a comprometerse a que los recursos se usen a favor del Reino de Dios.*

  Ayudar a la gente a obtener educación, habilidades o riquezas, en último análisis es improductivo si esas cosas no son puestas al servicio de Dios y al servicio de otros. El desarrollo de buenos proyectos le darán a la gente la oportunidad de servirle a Él, no sólo con las ganancias de su trabajo, sino por medio del trabajo en sí. Los desarrolladores deben enseñar y modelar que el trabajo es una oportunidad para servir a Dios (Col. 3.23-24).

9. La necesidad de aplicación

Cada uno de los puntos descritos en las antenores, tiene una sección titulada "Explicación" y otra sección titulada "Implicaciones". Sin embargo, para que el ensayo esté completo es necesario un paso más. Cada implicación debe ir acompañada de una serie de *aplicaciones*. Tales aplicaciones deben ser creadas por los obreros del desarrollo en el campo, y estructuradas para las necesidades particulares de la situación local.

En la creación de estas aplicaciones, deben seguirse las siguientes directrices:

- Cada ministerio local debe revisar por completo las secciones de "Implicaciones" y decidir sobre los pasos específicos que los capacitarán a ellos a aplicar estos principios en sus proyectos particulares del desarrollo.
- Estos pasos deben ser desarrollados de tal manera que involucren a las personas más afectadas en cada proyecto en desarrollo.
- Cuando finalicen, deben escribirse los pasos de las aplicaciones.
- Estas aplicaciones deben ser regularmente enseñadas y revisadas.

Capacitando al pueblo para la libertad, el bienestar y la justicia (continuación)

- Las aplicaciones deben ser incluidas en cada evaluación hecha por el proyecto.
- Después de cada evaluación, debe hacerse una revisión y actualización de las aplicaciones basadas en lo adquirido a través de la experiencia.

Apéndice A

Citas selectas sobre la función del desarrollo de la obra dentro de la agencia misionera

La transformación social cristiana difiere de la operación de alivio y desarrollo secular, en que sirve en una relación integrada y en armonía con otros ministerios de la Iglesia, incluyendo la evangelización y la plantación de iglesias (Elliston 1989, 172).

Mi experiencia con muchos ministerios dirigidos a los pobres me ha enseñado que cuando los proyectos económicos se usan para entrar a la comunidad, no facilitan la plantación de iglesias o el crecimiento . . . las metas de alivio y plantación de iglesias son diferentes. Ambos son cristianos y a veces compatibles. Pero muchas veces no se apoyan bien entre sí. . . Tal parece que donde los obreros entran a una comunidad con la prioridad de proclamar, ocurren muchas obras de misericordia, actos de justicia y señales de poder. Por medio de esto, la iglesia será establecida. Pero cuando los obreros entran con la prioridad de tratar las necesidades económicas, ellos podrán asistir a la gente muy bien económicamente, pero raramente establecerán una iglesia. Hay un tiempo para las dos labores, y hay llamados en la vida para hacer ambas, pero deben ser diferenciadas (Grigg 1992, 163-64).

De ser posible, evite las instituciones en la fase del fortalecimiento (programas de desarrollo de la comunidad que no tengan relación con la plantación de iglesias, escuelas, clínicas, etc.); eso vendrá después. En Honduras establecimos una obra de desarrollo de la comunidad, pero creció de las iglesias, no a la inversa. Enseñamos obediencia a los grandes mandamientos de amar a nuestros prójimos en una forma práctica. Programas para la pobreza pueden ser de ayuda en la plantación de iglesias si son integrados por el Espíritu Santo. Pero iglesias dependientes en instituciones de caridad casi siempre son dominadas por el misionero extranjero y rara vez se reproducen (Patterson 1992, D-80).

Con frecuencia, los pastores y las iglesias nativas se preocupan por los ministerios que atraen dólares de Occidente (tal como los orfanatos) mientras descuidan la atención pastoral y la evangelización básica. Inclusive, si la obra del desarrollo no se administra sabiamente, puede estorbar el crecimiento de la iglesia (Ott 1993, 289).

Capacitando al pueblo para la libertad, el bienestar y la justicia (continuación)

Hay un gran peligro al reclutar misioneros-evangelistas, principalmente basados en su habilidad y experiencia. "Cualquiera que sea su interés especial, podemos usarlo en nuestra misión"— es una manera común de reclutar. Por eso, muchos obreros se frustran cuando sus habilidades especiales no son bien utilizadas, y reaccionan simplemente "haciendo su cosa" y sólo contribuyen en forma indirecta a la tarea de plantar iglesias, y sus desarrollos. Por tanto, lo que llaman ministerio secundario o de apoyo, de una forma llega a ser primario y en realidad eclipsa la tarea central (Hesselgrave 1980, 112).

Es muy desafortunado cuando el servicio y el testimonio cristiano parecen estar con frecuencia en competencia si, de hecho, ambos son bíblicos y complementarios . . . Una razón para esta tensión es que empresas de servicio tales como hospitales e instituciones educativas generalmente se apropian de las finanzas y las energías de tal manera que la evangelización y el testimonio tienden a ser desplazados (Hesselgrave 1980 p. 328).

Puesto que nosotros creemos en la unidad de la Biblia, debemos decir que 'La Gran Comisión no es un mandamiento aislado, (sino) una manifestación natural del carácter de Dios . . . El propósito y el impulso misionero de Dios . . .' Por lo tanto, no deberíamos tomar el Gran Mandamiento y la Gran Comisión como excluyentes entre sí. Debemos tomar el Gran Mandamiento—amar a otros—y la Gran Comisión—predicar—juntos, integrados en la misión de Cristo Jesús, porque es el mismo Señor, quien ordenó y comisionó a los mismos discípulos y a sus seguidores. Por lo tanto, como Di Gangi dice: 'para comunicar el evangelio eficazmente debemos obedecer el gran mandamiento como también la gran comisión' (Cho 1985, 229).

Capacitando al pueblo para la libertad, el bienestar y la justicia (continuación)

Obras citadas

Cho, J. Chongham. "The Mission of the Church". Leer Nicholls, 1985.

Cornett, Terry G., ed. "The Missionary and Culture". *World Impact Ministry Resources*. Los Angeles: World Impact Mission Studies Training Paper, 1991.

Dayton, Donald W. *Discovering an Evangelical Heritage*. 1976. Peabody, MA: Hendrickson, 1988.

Elliston, Edgar J., ed. *Christian Relief and Development: Developing Workers for Effective Ministry*. Dallas: Word Publishing, 1989.

------. "Christian Social Transformation Distinctives". Leer Elliston, 1989.

Elliston, Edgar J., Stephen J. Hoke, and Samuel Voorhies. "Issues in Contextualizing Christian Leadership". Leer Elliston, 1989.

Grigg, Viv. "Church of the Poor". *Discipling the City*. 2nd ed. Ed. Roger S. Greenway. Grand Rapids: Baker Book House, 1992.

Hall, Edward T. *Beyond Culture*. Garden City, NY: Anchor Books, 1976.

Hesselgrave, David. *Planting Churches Cross-Culturally: A Guide for Home and Foreign Missions*. Grand Rapids: Baker Book House, 1980.

Hiebert, Paul G. "Evangelism, Church, and Kingdom". Leer Van Engen, et. al., 1993.

------. "Anthropological Insights for Whole Ministries". Leer Elliston, 1989.

Hoke, Stephen J. and Samuel J. Voorhies. "Training Relief and Development Workers in the Two-Thirds World". Leer Elliston, 1989.

Klopfenstein, David E. and Dorothy A. Klopfenstein. "Leadership Research". CityGates. 1 (1995): 21-26.

Klopfenstein, David, Dotty Klopfenstein and Bud Williams. *Come Yourselves Apart: Christian Leadership in the Temporary Community*. Azusa, CA: Holysm Publishing, 1993.

Ladd, George Eldon. *A Theology of the New Testament*. Grand Rapids: Wm. B. Eerdmans, 1974.

Capacitando al pueblo para la libertad, el bienestar y la justicia (continuación)

McAlpine, Thomas H. *Facing the Powers: What are the Options?* Monrovia, CA: MARC-World Vision, 1991.

Miller, Darrow L. "The Development Ethic: Hope for a Culture of Poverty". Leer Elliston, 1989.

Nicholls, Bruce J., ed. *In Word and Deed: Evangelism and Social Responsibility.* Grand Rapids: Wm. B. Eerdmans, 1985.

Ott, Craig. "Let the Buyer Beware". *Evangelical Missions Quarterly*, 29 (1993): 286-291.

Patterson, George. "The Spontaneous Multiplication of Churches". Leer Winter and Hawthorne, 1992.

Pickett, Robert C. and Steven C. Hawthorne. "Helping Others Help Themselves: Christian Community Development". Leer Winter and Hawthorne, 1992.

Stott, John. "Twenty Years After Lausanne: Some Personal Reflections". *International Bulletin of Missionary Research.* 19 (1995): 50-55.

Van Engen, Charles, et. al., eds. *The Good News of the Kingdom: Mission Theology for the Third Millennium.* Maryknoll: Orbis Books, 1993.

Verkuyl, Johannes. *Contemporary Missiology: An Introduction.* Grand Rapids: Wm. B. Eerdmans, 1978.

------. "The Biblical Notion of Kingdom: Test of Validity for Theology of Religion".

Leer Van Engen, et. al., 1993.

Winter, Ralph D. and Steven C. Hawthorne, eds. *Perspectives on the World Christian Movement: A Reader.* Rev. ed. Pasadena: William Carey Library, 1992.

Capturando la visión de Dios para su pueblo

La "solidaridad duradera" de nuestra búsqueda por la tierra prometida

Heb. 11.13-16 (BLS) Todas las personas que hemos mencionado murieron sin recibir las cosas que Dios les había prometido. Pero como ellos confiaban en Dios, las vieron desde lejos y se alegraron, pues sabían que en este mundo ellos eran como extranjeros que estaban de paso. [14] Queda claro, entonces, que quienes reconocen esto todavía buscan un país propio. [15] Y que no están pensando en volver al país de donde salieron, pues de otra manera hubieran regresado allá. [16] Lo que desean es tener un país mejor en el cielo. Por eso Dios no tiene vergüenza de ser su Dios, porque les ha preparado una ciudad.

Una galaxia completa de imágenes auxiliares oscilan en torno a la analogía del "pueblo de Dios" para los cristianos y la iglesia cristiana. Éstas incluyen en las cartas Paulinas lo siguiente: "elegidos de Dios" (Ro. 8.33; Ef 1.4; Col. 3.12), "descendientes de Abraham" (Ro. 4.16; Gál. 3.29; 4.26-28), "la verdadera circuncisión" (Fil. 3.3; Col. 2.11), y aun "Israel de Dios" (Gál. 6.16). Todas estas imágenes representan, en alguna manera, una solidaridad duradera de la iglesia con el pueblo de Israel, cuyas historias proveen a la iglesia una cuenta autoritaria de los principios y acciones de la obra redentora de Dios en el pasado. Es la tarea de la exégesis y la teología deletrear la naturaleza de esta relación.

~ Richard Longenecker, ed.
Community Formation in the Early Church and in the Church Today.
Peabody, MA: Hendrickson Publishers, 2002. p. 75.

Christus Victor (Cristo Victorioso)

Una visión integrada para la vida cristiana y el testimonio

Rev. Dr. Don L. Davis

Para la Iglesia

- La Iglesia es la extensión principal de Jesús en el mundo
- Tesoro redimido del victorioso Cristo resucitado
- *Laos:* El pueblo de Dios
- La nueva creación de Dios: La presencia del futuro
- Lugar y agente del Reino de el YA y el TODAVÍA NO

Para la teología y la doctrina

- La palabra autoritativa de la victoria de Cristo: La tradición apostólica-Las Santas Escrituras
- La teología como comentario sobre la gran narrativa de Dios
- *Christus Victor* como el marco teológico para el sentido en el mundo
- El Credo Niceno: La historia de la triunfante gracia de Dios

Para la vida espiritual

- La presencia y el poder del Espíritu Santo en medio del pueblo de Dios
- Participar en las disciplinas del Espíritu
- Reuniones, el leccionario, liturgia y la observancia del Año Eclesiástico
- Viviendo la vida del Cristo resucitado al ritmo de nuestra vida

Christus Victor

Destructor del mal y la muerte
Restaurador de la creación
Victoria sobre el hades y el pecado
Aplastador de Satanás

Para los dones

- La gracia de Dios se dota y beneficia del *Christus Victor*
- Oficios pastorales para la Iglesia
- El Espíritu Santo da soberanamente los dones
- Administración: Diferentes dones para el bien común

Para la adoración

- El pueblo de Dios: Celebración sin fin del pueblo de Dios
- Recordar y participar del evento de Cristo en nuestra adoración
- Escuchar y responder a la Palabra
- Transformados en la Mesa del Señor
- La presencia del Padre a través del Hijo en el Espíritu

Para la evangelización y las misiones

- La evangelización como declaración y demostración de *Christus Victor* al mundo
- El evangelio como buenas noticias de la promesa del Reino
- Proclamamos que el Reino de Dios viene en la persona de Jesús de Nazaret
- La Gran Comisión: Ir a todas las personas haciendo discípulos de Cristo y Su Reino
- Proclamando a Cristo como Señor y Mesías

Para la justicia y la compasión

- Las expresiones amables y generosas de Jesús a través de la Iglesia
- La Iglesia muestra la vida misma del Reino
- La Iglesia muestra la vida misma del Reino de los cielos aquí y ahora
- Habiendo recibido de gracia, damos de gracia (sin sentido de mérito u orgullo)
- La justicia como evidencia tangible del Reino venidero

Cinco puntos acerca de la relación entre Cristo y la cultura

Basado en Cristo y la Cultura, por H. Richard Niebuhr, New York: Harper and Row, 1951

Cristo contra la cultura	Cristo y la cultura en paradoja	Cristo el transformador de la cultura	Cristo sobre la cultura	El Cristo de la cultura
Oposición	*Tensión*	*Conversión*	*Cooperación*	*Aceptación*
Por lo cual, salid de en medio de ellos, y apartaos, dice el Señor, y no toquéis lo inmundo; y yo os recibiré. - 2 Co. 6.17 (1 Jn. 2.15)	Dad a César lo que es de César, y a Dios lo que es de Dios. - Mt. 22.21 (1 Pe. 2.13-17)	Todo lo sujetaste bajo sus pies. Porque en cuanto le sujetó todas las cosas, nada dejó que no sea sujeto a él; pero todavía no vemos que todas las cosas le sean sujetas. - Heb. 2.8 (Col. 1.16-18)	Porque cuando los gentiles que no tienen ley, hacen por naturaleza lo que es de la ley, éstos, aunque no tengan ley, son ley para sí mismos. - Ro. 2.14 (Ro. 13.1, 5-6)	Toda buena dádiva y todo don perfecto desciende de lo alto, del Padre de las luces, en el cual no hay mudanza, ni sombra de variación. - Stg. 1.17 (Flp. 4.8)
La cultura es radicalmente afectada por el pecado y constantemente se opone a la voluntad de Dios. Separación y oposición es la respuesta natural de la comunidad cristiana, la cual a su vez es una cultura alterna.	La cultura es radicalmente afectada por el pecado, pero no tiene papel que jugar. Es necesaria para delinear entre esferas: La cultura como ley (restringe la maldad), el cristianismo como gracia (da justicia). Los dos son una parte importante de la vida, pero no pueden ser confundidas o mezcladas.	La cultura es radicalmente afectada por el pecado, pero puede ser redimida y tener un papel positivo que jugar en restaurar la justicia. Los cristianos deben esforzarse en que su cultura reconozca el señorío de Cristo y que sea cambiada por ello.	La cultura es un producto de la razón humana y dada en parte por Dios para descubrir la verdad. Aunque puede discernir la verdad, el pecado limita sus capacidades que deben ser ayudadas por la revelación. Utiliza la cultura como primer paso para el entendimiento de Dios y de su revelación.	La cultura es un don de Dios para ayudar al hombre a vencer su servidumbre a la naturaleza y al temor y avanzar en conocimiento y bondad. La cultura humana es lo que nos permite conservar la verdad que la humanidad ha aprendido. Ésta es mudada a un nivel más alto por la enseñanza moral de Jesús.
Tertuliano Menno Simons Anabaptistas	Martín Lutero Luteranos	San Agustín Juan Calvino Reformados	Tomás de Aquino Católicos Romanos	Pedro Abelardo Emmanuel Kant Protestantes Liberales

Círculo del calendario judío

Robert Webber, *Los fundamentos bíblicos de la adoración cristiana,* Peabody: Hendrickson, 1933. Pág. 191.

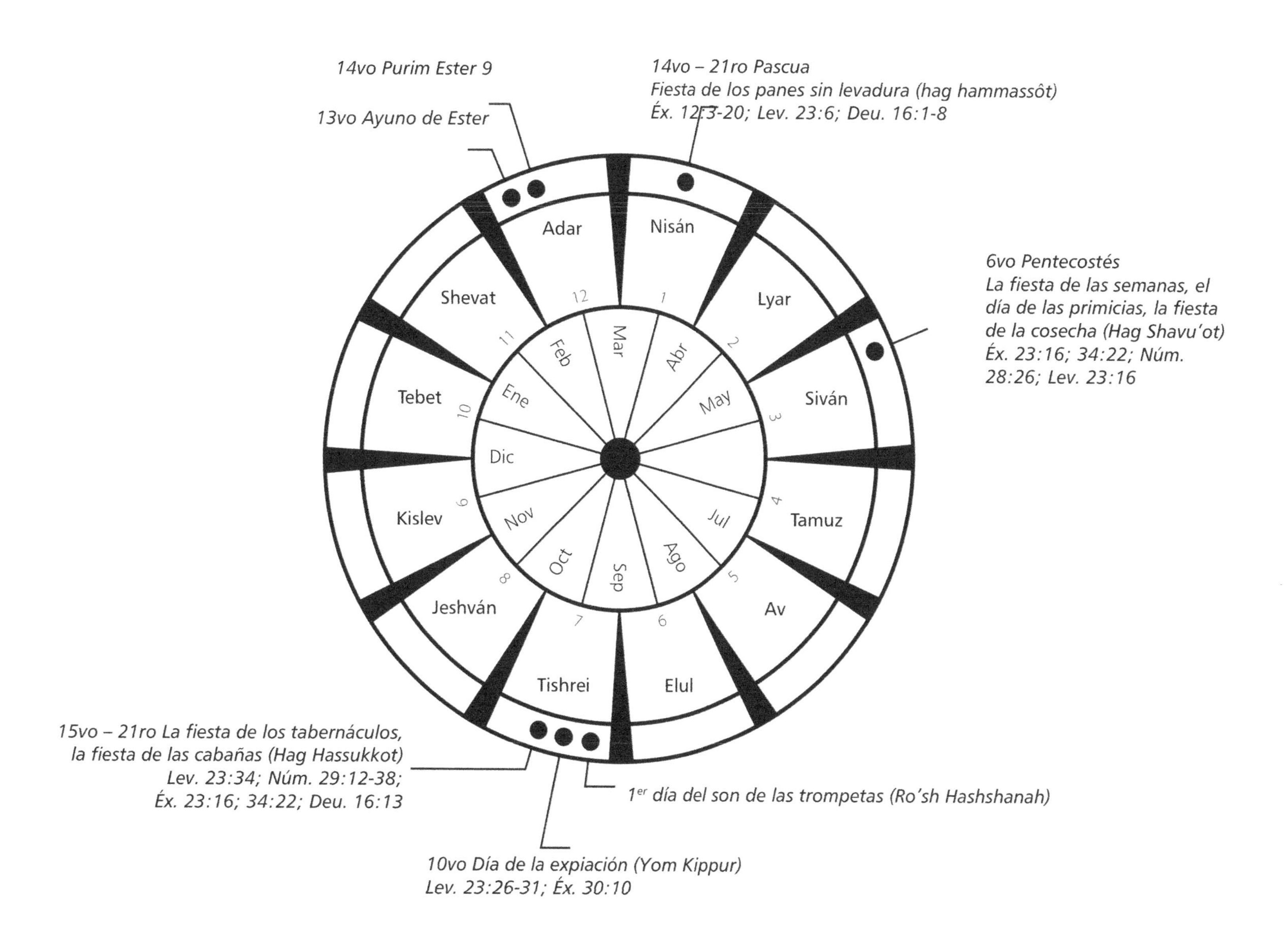

Claves para la interpretación bíblica

Algunas claves para interpretar las Escrituras acertadamente

Terry G. Cornett y Don L. Davis. Revised ed.

Principios clave

Para tener un entendimiento acertado de un libro o pasaje de la Biblia, el intérprete debe:

Presuposiciones

1. Creer que las Escrituras son inspiradas, infalibles y la regla autoritaria para la vida y la doctrina.

2. Darse cuenta que no es posible entender y aplicar completamente las Escrituras sin:
   - haber "nacido de lo alto" por fe en Cristo
   - ser lleno del Espíritu de Dios
   - ser diligente en perseguir su significado por medio de un estudio regular
   - estar dispuesto a obedecer el mensaje, una vez que ha sido revelado

3. Permitir que el proceso de interpretación comprometa a "la persona entera". El estudio de la Escritura debe cautivar sus emociones y su voluntad así como su mente. "Nosotros apuntamos a ser objetivos, pero no lectores desinteresados".

4. Entender que toda la Escritura es en alguna forma un testimonio de Cristo. Cristo es el sujeto de la Biblia; toda su doctrina, enseñanza y ética apuntan hacia él.

5. Tomar en cuenta el lado humano y divino de la Escritura.

Claves para la interpretación bíblica (continuación)

6. Buscar "extraer" o sacar el significado que está en el texto (exégesis), no leer hacia el texto sus creencias o ideas (eiségesis).

7. Buscar explicar:
   - los pasajes "no claros" por medio de los pasajes más claros
   - las porciones simbólicas por medio de las enseñanzas establecidas de la Escritura
   - el Antiguo Testamento por medio del Nuevo Testamento

8. Tomar en cuenta todo el contexto del libro y del pasaje donde se encuentra cualquier texto en particular.

Entendiendo la situación original

9. Identificar el autor humano y la audiencia a la que escribió. Comience por intentar descubrir lo que el autor estaba tratando de decir a la audiencia original. "Un pasaje no puede significar lo que nunca significó".

10. Usar información acerca de los manuscritos, idiomas, gramática, formas literarias, historia, y cultura para ayudarse a descubrir el significado intencional del autor.

11. Tomar seriamente el género y los tipos de lenguaje usados por el autor, luego interpretar las Escrituras literalmente, lo que significa que tomamos el sentido claro del lenguaje como se usa normalmente en ese género.

Encontrar principios generales

12. Buscar las ideas, valores, y verdades que una historia, orden, o profecía está intentando comunicar. Buscar declarar esos principios de tal modo que sea verdad y útil para todas las personas, en todo momento, y en todas las situaciones.

13. Usar la Escritura para interpretar la Escritura. Para entender cualquier parte individual de la Escritura, compare esa porción al mensaje de la Biblia entera. Una vez que se ha

Claves para la interpretación bíblica (continuación)

alcanzado esta comprensión, uno también debe reinterpretar lo que entiende de toda la Escritura (la teología y doctrina) a la luz de la nueva información obtenida del pasaje (El círculo hermenéutico).

14. Entender que la razón, tradición, y experiencia son factores significativos en el proceso de interpretar la Escritura. Los principios deben ser claros, lógicos y defendibles; deben ser compatibles con la manera en que los cristianos han interpretado las Escrituras a lo largo de la historia; y deben ayudar a entender el sentido de la experiencia humana.

Aplicando principios generales hoy

15. Trasladar cuidadosamente de lo que la Escritura "significó" a su audiencia original a lo que "significa" para el lector actual.

16. Aplicar las verdades generales a las situaciones específicas de las personas hoy.
    - Recuerde que el Espíritu Santo es la guía primaria en la aplicación de verdad. Pídale guía en el significado para hoy y luego medite en oración acerca del significado del pasaje.
    - Busque la guía del Espíritu, viendo cómo Él ha guiado a otros cristianos (dentro y fuera de su propia tradición denominacional) para interpretar el significado y aplicación del pasaje para hoy.

17. Poner los principios y las aplicaciones en un lenguaje que tenga sentido para los lectores modernos.

18. Mantener a la vista las "las metas final". El intento de todo el estudio de la Biblia es madurar al lector en la vida y amor de Jesucristo, para la gloria de Dios. No el conocimiento meramente, sino la transformación de la vida, esa es la meta de la interpretación de la Biblia.

Claves para la interpretación bíblica (continuación)

Perspectiva clave

*Nota: En este diagrama las categorías de Kuhatschek se refieren a los tres pasos de la interpretación bíblica bosquejados por Jack Kuhatschek en **Applying the Bible** Downer's Grove: IVP, 1990.*

Descubriendo la Palabra y obra de Dios en la vida de la gente, según las Escrituras

Aplicando los principios de la Palabra de Dios a nuestras vidas en la iglesia y en el mundo

Pasos clave para la interpretación

Paso uno: Entendiendo la situación original

El énfasis de este paso es entender el mundo de la Biblia, el autor, y el mensaje de Dios para un grupo particular de gente en un tiempo y lugar particular.

A. Pida que Dios abra sus ojos a la verdad por medio del ministerio del Espíritu Santo cuando lea Su palabra.

Dígale a Dios que quiere ser cambiado así como también informado por medio de la lectura de las Escrituras. Pídale que revele acciones específicas y actitudes en su propia vida que necesitan ser cambiadas o disciplinadas. Pídale a Dios que use la palabra para revelar a Jesús y para hacerle más semejante a su Hijo. Dele gracias a Dios por los dones de su Espíritu, su Hijo, y las Escrituras. Muchos creyentes empezaron su estudio de la Palabra de Dios orando las palabras de Salmo 119.18.

Padre celestial, abre mis ojos para ver cosas maravillosas en tu palabra. Amén.

Claves para la interpretación bíblica (continuación)

B. Identifique al autor del libro, la fecha apropiada en que fue escrito, por qué fue escrito, y a quién fue escrito.

Herramienta clave: Diccionario de la biblia, manual de la Biblia o comentario de la Biblia

C. Lea el contexto alrededor del pasaje.

Herramienta clave: Una traducción estándar (no una paráfrasis) de la Biblia

- Busque encontrar dónde están los cortes "naturales" cerca del pasaje y asegúrese que está viendo todo el pasaje durante el proceso de interpretación.
- Lea el material acerca del pasaje. Es una buena regla a seguir leer *por lo menos* un capítulo antes y un capítulo después, siguiendo el pasaje que está estudiando.
- Entre más corto sea el pasaje seleccionado para la interpretación, mayor llega a ser el peligro de ignorar el contexto. El viejo proverbio es correcto: "Un texto fuera del *con*texto es un *pre*texto".

D. Observe el pasaje cuidadosamente.

- Identifique quién está hablando y a quién se le habla.
- Observe las ideas y detalles principales.
  - Haga un bosquejo sencillo del pasaje.
  - Identifique las ideas principales.
  - Busque palabras repetidas o imágenes.
  - Busque relaciones de "causa y efecto".
  - Busque comparaciones, contrastes y conexiones.

Claves para la interpretación bíblica (continuación)

E. Lea el pasaje en otra traducción de la Escritura.

Herramienta clave: Una traducción o paráfrasis de la Escritura que usa una filosofía de traducción diferente a la versión de la Escritura que normalmente usa

- Apunte cualquier pregunta que esta nueva traducción levanta en su mente y quédese alerta para las respuestas que reciba al estudiar más.

F. Lea cualquier recuento paralelo o pasajes de otras partes de la Escritura.

Herramienta clave: Una concordancia o una Biblia que incluya referencias cruzadas

- Note qué detalles se añaden al pasaje que está estudiando de los otros recuentos de la Escritura.
- ¿Por qué escogió el autor omitir algunos detalles y enfatizar otros? ¿Qué significado tiene esto para entender la intención del autor?

G. Estudie las palabras y las estructuras gramaticales.

Herramienta clave: Léxicos griegos, hebreos y diccionarios expositivos que ayudan a profundizar nuestro entendimiento del significado de las palabras y su uso. Comentarios exegéticos que ayudan a explicar construcciones gramáticas y cómo estos afectan el significado del texto.

- Tome nota de las palabras que el escritor usa de forma única y de las formas gramaticales especiales como imperativos, verbos que muestran acción continua, etc.

H. Identifique el género (tipo de literatura) y considere cualquier regla especial que se aplica.

Herramienta clave: Diccionario bíblico y comentarios de la Biblia

- Cada tipo de literatura ha sido tomada en serio por lo que es. No debemos interpretar la poesía de la misma forma en que interpretamos la profecía, o la narrativa de la misma forma que interpretamos las órdenes.

Claves para la interpretación bíblica (continuación)

I. Busque estructuras literarias que puedan influenciar la forma en que se entiende el texto.

Herramienta clave: Comentarios exegéticos

- Las estructuras literarias incluyen las figuras del lenguaje, metáforas, tipologías, símbolos, estructuras poéticas, estructuras de quiasmos, etc.

J. Identifique los eventos históricos y los problemas culturales que pueden afectar la gente o influenciar las ideas descritas en el pasaje.

Herramienta clave: Diccionarios de la Biblia y comentarios bíblicos

- Pregúntese constantemente, "¿qué estaba sucediendo en la historia y la sociedad que afectaría la manera en que la audiencia escuchó el mensaje en este texto?"

K. Resuma lo que cree que el autor estaba tratando de decir y su importancia para la audiencia original.

- Su meta en este paso es escribir las verdades clave del pasaje de tal manera que el autor y la audiencia original estuvieran de acuerdo si ellos los escucharan.

Paso dos: Encontrando principios generales

El énfasis de este paso es identificar *el mensaje central, mandamientos, y principios en una porción de la Escritura* que enseñan los propósitos de Dios para toda la gente.

A. Haga una lista en forma de oraciones de lo que cree que son los principios generales que se aplican a toda la gente, en todo tiempo, en toda cultura.

B. Revise estos principios en comparación con otras partes de la Escritura para claridad y exactitud.

Herramienta clave: Concordancia, Biblia temática

Pregúntese:

Claves para la interpretación bíblica (continuación)

- ¿Están los principios que encontré apoyados por otros pasajes en la Biblia?
- ¿Cuál de estos principios puede ser difícil o imposible de explicar cuando se compara con otros pasajes de la Escritura?
- ¿Deben ser sacados algunos de estos principios a la luz de otros pasajes de la Escritura?
- ¿Que información nueva acerca de Dios y de su voluntad añade el pasaje a mi conocimiento general de la Escritura y doctrina?

C. Ajuste o modifique sus enunciados de los principios de Dios a la luz de los descubrimientos que ha hecho anteriormente.

- Escriba de nuevo sus principios clave para reflejar la enseñanza obtenida de otras porciones de la Escritura.

D. Lea comentarios para descubrir algunos de los principios clave y doctrinas que otros en la Iglesia han sacado de este pasaje.

- Compare y contraste la información de los comentarios con sus propias lecturas. Esté dispuesto a abandonar, cambiar, o defender sus puntos de vista cuando sea necesario al encontrar información nueva.

E. Una vez más, ajuste o modifique sus enunciados de los principios de Dios a la luz de los descubrimientos que hizo anteriormente.

Paso tres: Aplicando los principios generales hoy

El énfasis de este paso está en moverse *de lo que la Escritura "significó" hacia lo que "significa"*. ¿Cómo se ve la obediencia a Dios y a sus mandatos hoy en nuestra cultura, con nuestros amigos y familias, y con los problemas y oportunidades que encaramos en nuestras vidas?

A. Pida a Dios que le hable y le revele el significado de este pasaje en su vida.

Claves para la interpretación bíblica (continuación)

- Medite en el pasaje y en las cosas que ha aprendido de su estudio hasta ahora mientras le pide al Espíritu que le enseñe las aplicaciones específicas de las verdades descubiertas por usted mismo y los de su alrededor.

B. ¿De qué forma me trae "buenas noticias" este pasaje a mí y a otros?

- ¿Cómo revela más a Jesús y a su Reino por venir?
- ¿Cómo se relaciona con el plan general de salvación de Dios?

C. ¿Cómo debería la verdad de este pasaje:

Afectar mi relación con Dios?

- Trate de determinar cómo los principios y ejemplos de estas Escrituras le pueden ayudar a obedecer y amar a Dios más perfectamente.

Afectar mi relación con otros?

- Esto incluye la familia de mi iglesia, mi familia física, mis compañeros de trabajo, mis amigos, mis vecinos, mis enemigos, extranjeros, y los pobres oprimidos.

Desafiar mis creencias, actitudes, y acciones que mi cultura mira como normal?

- ¿Cómo debe ser diferente mi pensar y actuar de aquellos del mundo y alrededor de mí?

D. Responder mis preguntas "¿qué creo?" y "¿qué debo hacer?" ahora que he estudiado este pasaje.

- ¿Necesito arrepentirme de antiguas formas de pensar o actuar?
- ¿Cómo puedo actuar en base a esta verdad para poder llegar a ser una persona sabia?

E. ¿Cómo puedo compartir con otros lo que he aprendido en una forma que atraiga la atención a Cristo y los edifique?

Cómo empezar a leer la Biblia

Rev. Don Allsman y el Rev. Dr. Don L. Davis

1. Lea pasajes individuales, textos, e incluso los libros a la luz del contexto de toda la historia de la Biblia. ¿Cómo encajan en el plan de Dios de redención para ganar todo lo que se perdió en la caída?
2. Observe la situación. Póngase en el entorno, notando lo que está alrededor, las vistas, los olores. Imagínese cómo debe haber sido.
3. Preste atención a las instrucciones, advertencias, instrucciones y a la inspiración que da forma a cómo usted vive y piensa para que pueda buscar primeramente Su Reino.

Maneras de leer a través de la Biblia

Plan de Lectura de la Biblia # 1: Desde Génesis hasta Apocalipsis

1. Comience por leer el libro de Juan. Esto le dará una visión general de la vida Jesús y le ayudará a obtener algunos antecedentes a medida que lea el resto de la Biblia.
2. Vuelva a Génesis 1 y lea de corrido a través de la Biblia.
3. No se atasque en los detalles, pero lea a través de toda la Biblia para disfrutar de su riqueza y variedad. Escriba las preguntas que tenga acerca de las palabras que no entienda o cosas que son confusas para que pueda pedir a alguien o buscar más información de ellos más tarde.

Plan de lectura bíblica # 2: Guía de lectura cronológica

(www.tumistore.org)

También puede leer la Biblia cada año, leyendo diversos libros en el orden en que los eruditos cristianos creen que fueron escritos.

Muchos creyentes leen a través de las Escrituras juntos cada año "cronológicamente" (en el tiempo), tratando de obtener un mayor conoci- miento en toda la historia de Dios como se produjeron en orden histórico los acontecimientos

Usted puede adquirir una guía de este esquema de *www.tumistore.org*. Esta simple enumeración de los libros de la Escritura permitirá leer a través de la historia de la Biblia en el orden de cómo los sucesos ocurrieron. Esto le dará una sensación general de la Biblia como un drama que se desarrolla, y no como libros independientes desconectados

Cómo empezar a leer la Biblia (continuación)

unos de otros. También ayuda a que los que leen la Biblia cada año mantenerse en el punto principal con respecto a la verdadera materia y tema de las Escrituras: la salvación de Dios en la persona de Jesús de Nazaret, el Cristo.

Esta guía le proporcionará datos valiosos sobre los acontecimientos de la Escritura, y le ayudará a comprender mejor el significado de toda la historia de la salvación maravillosa y gracia de Dios, que culmina en el acontecimiento de Cristo, su muerte, sepultura, resurrección, ascensión y retorno.

Cómo interpretar una narrativa (historia)

Don L. Davis

Todas las historias tienen una forma particular y poseen muchos elementos que hacen posible experimentar la verdad de la historia, sea histórica o imaginaria, de una forma que sea poderosa, desafiante, y entretenida.

Los elementos del estudio de la narrativa

I. Note con cuidado especial el CONTEXTO de la historia.

A. Lugar: ¿dónde geográficamente se lleva a cabo la historia?

B. Entornos físicos: ¿cuáles son los detalles físicos?

C. Entorno temporal (tiempo): ¿cuáles son los elementos de tiempo de la historia?

D. Entorno histórico cultural: ¿qué detalles de la cultura o de la historia están presentes?

II. Identifique los PERSONAJES de la historia.

A. ¿Quiénes son los personajes primarios de la historia? ¿El "héroe" y el "villano"?

B. Note el orden preciso y los detalles de las acciones, conversaciones, y eventos de los personajes.

Cómo interpretar una narrativa (historia) (continuación)

C. ¿Cómo se nos muestran los personajes?

1. Descripciones directas

2. Caracterización indirecta

   a. Apariencia

   b. Palabras y conversación

   c. Pensamientos y actitudes

   d. Influencia y efectos

   e. Acciones y carácter

D. ¿Cómo son probados los personajes, y qué decisiones toman?

E. ¿Cómo crecen o declinan los personajes (surgen o caen) en la historia?

III. Busque el PUNTO DE VISTA y la VOZ del autor.

A. Note los comentarios del autor acerca de los personajes y eventos.

1. Actitud (positiva, negativa, o neutral)

2. Juicio (negativo o afirmativo)

3. Conclusión (¿resumen, ausente, cierre?)

Cómo interpretar una narrativa (historia) (continuación)

B. Considere en qué voz se está escribiendo la historia:

1. El narrador omnisciente (el Espíritu Santo)

2. El testimonio primera persona

3. El narrador tercera persona

IV. Detecte el DESARROLLO DEL PLAN dentro de la historia.

A. Note el orden exacto y los detalles del evento y las acciones.

B. Note cómo comienza, se desarrolla y finaliza la historia.

C. Pregunte y responda las preguntas acerca del plan actual.

1. ¿Por qué sucedieron los eventos de esa forma?

2. ¿Por qué respondieron así los personajes?

3. ¿Pudieron haber hecho cosas de una manera diferente?

D. Use los elementos de la historia de John Legget.

1. Alfombra — la introducción de la historia

Cómo interpretar una narrativa (historia) (continuación)

2. Complicaciones — Conflictos, problemas, temas, tratos

3. Clímax — Pico y punto de cambio de la acción

4. Desenlace — Cómo se resuelve la historia

5. Fin — ¡Fin temporal!

V. Note el TEMA de la historia

A. ¿Qué verdades y principios clave se pueden sacar de la historia?

B. ¿Cuál es el "comentario para la vida" dado en esta historia?

1. ¿Cuál es el punto de vista de la "realidad" en la historia? (¿cómo es el mundo, y cuál es nuestro papel en él?)

2. ¿Cuál es el punto de vista de la historia acerca de la "moralidad"? (e.d., ¿qué constituye lo bueno y lo malo en la historia?)

3. ¿Cuál es el punto de vista de la historia acerca de "valor y significado"? (e.d., ¿qué es lo que más interesa en la historia?)

C. ¿Cómo se cruzan las verdades de la historia con lo retos, oportunidades, tratos, y temas de nuestras vidas?

Cómo PLANTAR una iglesia

Don L. Davis

Evangelizar

Marcos 16.15-18 - Y les dijo: Id por todo el mundo y predicad el evangelio a toda criatura. [16] El que creyere y fuere bautizado, será salvo; mas el que no creyere, será condenado. [17] Y estas señales seguirán a los que creen: En mi nombre echarán fuera demonios; hablarán nuevas lenguas; [18] tomarán en las manos serpientes, y si bebieren cosa mortífera, no les hará daño; sobre los enfermos pondrán sus manos, y sanarán.

I. Preparar

Lucas 24.46-49 - Y les dijo: Así está escrito, y así fue necesario que el Cristo padeciese, y resucitase de los muertos al tercer día; [47] y que se predicase en su nombre el arrepentimiento y el perdón de pecados en todas las naciones, comenzando desde Jerusalén. [48]Y vosotros sois testigos de estas cosas. [49] He aquí, yo enviaré la promesa de mi Padre sobre vosotros; pero quedaos vosotros en la ciudad de Jerusalén, hasta que seáis investidos de poder desde lo alto.

A. Forme un equipo de plantación de iglesias.

B. Ore.

C. Seleccione un área y población blanco.

D. Haga estudios demográficos y etnográficos.

II. Lanzar

Gál. 2.7-10 - Antes por el contrario, como vieron que me había sido encomendado el evangelio de la incircuncisión, como a Pedro el de la circuncisión [8](pues el que actuó en Pedro para el apostolado de la circuncisión, actuó también en mí para con los gentiles), [9] y reconociendo la gracia que me había sido dada, Jacobo, Cefas y Juan, que eran considerados como columnas, nos dieron a mí y a Bernabé la diestra en señal de compañerismo, para que nosotros fuésemos a los gentiles, y ellos a la circuncisión. [10]Solamente nos pidieron que nos acordásemos de los pobres; lo cual también procuré con diligencia hacer.

A. Reclute y capacite voluntarios.

B. Lleve a cabo eventos evangelísticos y testifique de casa en casa.

Cómo PLANTAR una iglesia (continuación)

Equipar

Ef. 4.11-16 - Y él mismo constituyó a unos, apóstoles; a otros, profetas; a otros, evangelistas; a otros, pastores y maestros, [12]a fin de perfeccionar a los santos para la obra del ministerio, para la edificación del cuerpo de Cristo, [13]hasta que todos lleguemos a la unidad de la fe y del conocimiento del Hijo de Dios, a un varón perfecto, a la medida de la estatura de la plenitud de Cristo; [14]para que ya no seamos niños fluctuantes, llevados por doquiera de todo viento de doctrina, por estratagema de hombres que para engañar emplean con astucia las artimañas del error, [15]sino que siguiendo la verdad en amor, crezcamos en todo en aquel que es la cabeza, esto es, Cristo, [16]de quien todo el cuerpo, bien concertado y unido entre sí por todas las coyunturas que se ayudan mutuamente, según la actividad propia de cada miembro, recibe su crecimiento para ir edificándose en amor.

III. Asamblea

Hechos 2.41-47 - Así que, los que recibieron su palabra fueron bautizados; y se añadieron aquel día como tres mil personas. [42] Y perseveraban en la doctrina de los apóstoles, en la comunión unos con otros, en el partimiento del pan y en las oraciones. [43] Y sobrevino temor a toda persona; y muchas maravillas y señales eran hechas por los apóstoles. [44] Todos los que habían creído estaban juntos, y tenían en común todas las cosas; [45] y vendían sus propiedades y sus bienes, y lo repartían a todos según la necesidad de cada uno. [46] Y perseverando unánimes cada día en el templo, y partiendo el pan en las casas, comían juntos con alegría y sencillez de corazón, [47] alabando a Dios, y teniendo favor con todo el pueblo. Y el Señor añadía cada día a la iglesia los que habían de ser salvos.

A. Forme grupos de células, de estudio bíblico, etc. para dar seguimiento a los nuevos creyentes, para que la evangelización siga y para identificar y capacitar a los líderes que surjan.

B. Anuncie el nacimiento de una nueva iglesia en el vecindario y reúnanse regularmente para adoración pública, instrucción y compañerismo.

IV. Nutrir

1 Ts. 2.5-9 - Porque nunca usamos de palabras lisonjeras, como sabéis, ni encubrimos avaricia; Dios es testigo; [6] ni buscamos gloria de los hombres; ni de vosotros, ni de otros, aunque podíamos seros carga como apóstoles de Cristo. [7] Antes fuimos tiernos entre vosotros, como la nodriza que cuida con ternura a sus propios hijos. [8] Tan grande es nuestro afecto por vosotros, que hubiéramos querido entregaros no sólo el evangelio de Dios, sino también nuestras propias vidas; porque habéis llegado a sernos muy queridos. [9] Porque os acordáis, hermanos, de nuestro trabajo y fatiga; cómo trabajando de noche y de día, para no ser gravosos a ninguno de vosotros, os predicamos el evangelio de Dios.

Cómo PLANTAR una iglesia (continuación)

A. Desarrolle el discipulado individual y en grupo.

B. Llene las funciones claves en la iglesia: identifique y use los dones espirtituales.

Facultar

Hechos 20.28 - Por tanto, mirad por vosotros, y por todo el rebaño en que el Espíritu Santo os ha puesto por obispos, para apacentar la iglesia del Señor, la cual él ganó por su propia sangre.

Hechos 20.32 - Y ahora, hermanos, os encomiendo a Dios, y a la palabra de su gracia, que tiene poder para sobreedificaros y daros herencia con todos los santificados.

V. Transición

Tito 1.4-5 - A Tito, verdadero hijo en la común fe: Gracia, misericordia y paz, de Dios Padre y del Señor Jesucristo nuestro Salvador. [5]Por esta causa te dejé en Creta, para que corrigieses lo deficiente, y establecieses ancianos en cada ciudad, así como yo te mandé.

A. Transfiera el liderazgo a líderes autóctonos para que ellos se autogobiernen, se autosostengan y se autoreproduzcan (nombre ancianos y pastores).

B. Finalice la decisión sobre la afiliación denominacional y otras afiliaciones.

C. Comisione a la iglesia.

VI. Amistad

A. Fomente la asociación con World Impact y otras iglesias urbanas para compañerismo y nutrición[1] apostólicos[2], apoyo y ministerio misionero.

B. Alimente una amistad de cooperación, de tú-a-tú, evitando la dependencia enfermiza sobre su liderazgo, respetando la autoridad autóctona y honrando la dirección del Espíritu Santo sobre ellos.

VII. Recursos

A. Provea recursos por medio de El Instituto Ministerial Urbano (TUMI).

B. Desarrolle con ellos entrenamientos y conferencias a fin de perpetuar su crecimiento local y ampliar su visión misionera.

[1]Nutrir el "corazón apostólico" garantiza mayores y mejores posibilidades de que las iglesias plantadas abracen la visión de avanzar el Reino de Dios, bajo la dirección del Espíritu Santo y el poder de la Palabra.

[2]Apostólico: Un ambiente trans-cultural de liderazgo neo-testamentario donde se promueve y se impulsa la multiplicación y crecimiento de la iglesia como su enfoque misionero.

Cómo PLANTAR una iglesia (continuación)

Cómo PLANTAR una Iglesia

PREPARAR

Evangelizar

- Forme un equipo de plantación de iglesias.
- Ore
- Seleccione un área y población blanco.
- Haga estudios demográficos y etnográficos.

LANZAR

- Reclute y capacite voluntarios.
- Lleve a cabo eventos evangelísticos y testifique de casa en casa.

ASAMBLEA

Equipar

- Forme grupos de células, de estudio bíblico, etc. para dar seguimiento a los nuevos creyentes, para que la evangelización siga y para identificar y capacitar a los líderes que surjan.
- Anuncie el nacimiento de una nueva iglesia en el vecindario y reúnanse regularmente para adoración pública, instrucción y compañerismo.

NUTRIR

- Desarrolle el discipulado individual y en grupo.
- Llene las funciones claves en la iglesia: identifique y use los dones espirtituales.

TRANSICIÓN

Facultar

- Transfiera el liderazgo a líderes autóctonos para que ellos se autogobiernen, se autosostengan y se autoreproduzcan (nombre ancianos y pastores).
- Finalice la decisión sobre la afiliación denominacional y otras afiliaciones.
- Comisione a la iglesia.

AMISTAD

- Fomente la asociación con World Impact y otras iglesias urbanas para compañerismo *apostólico*[1], apoyo y ministerio misionero.

RECURSOS

- Provea recursos por medio de El Instituto Ministerial Urbano (TUMI) o entrenamientos a fin de perpetuar el crecimiento

[1] Ver nota "apostólico" en la página anterior para una mejor aclaración.

Cómo PLANTAR una iglesia (continuación)

Precedentes de Pablo en Hechos: El ciclo Paulino

1. Comisión de misioneros: Hehos 13.1-4; 15.39-40. Gál. 1.15-16.
2. Audiencia contactada: Hechos 13.14-16; 14.1; 16.13-15; 17.16-19.
3. Comunicación del evangelio: Hechos 13.17-41; 16.31; Ro. 10.9-14; 2 Ti. 2.8.
4. Conversión de oyentes: Hechos. 13.48; 16.14-15; 20.21; 26.20; 1 Ts. 1.9-10.
5. Creyentes congregados: Hechos 13.43; 19.9; Rom 16.4-5; 1 Co. 14.26.
6. Confirmación de la fe: Hechos 14.21-22; 15.41; Rom 16.17; Col. 1.28; 2 Ts. 2.15; 1 Ti. 1.3.
7. Consagración del liderazgo: Hechos 14.23; 2 Ti. 2.2; Tito 1.5.
8. Creyentes encomendados: Hechos 14.23; 16.40; 21.32 (2 Ti. 4.9 y Tito 3.12 por implicación).
9. Continuidad de las relaciones: Hechos 15.36; 18.23; 1 Co. 16.5; Ef. 6.21-22; Col. 4.7-8.
10. Convocación de las iglesias que los enviaron: Hechos 14.26-27; 15.1-4.

La terminología, fases, y diagrama del "Ciclo Paulino" son tomados de David J. Hesselgrave, *Planting Churches Cross-Culturally*, 2nd ed. Grand Rapids: Baker Book House, 2000.

"Evangelizar, Equipar, y Preparar" y el esquema "P.L.A.N.T". para plantar iglesias son tomados de *Crowns of Beauty: Planting Urban Churches Conference Binder* Los Angeles: World Impact Press, 1999.

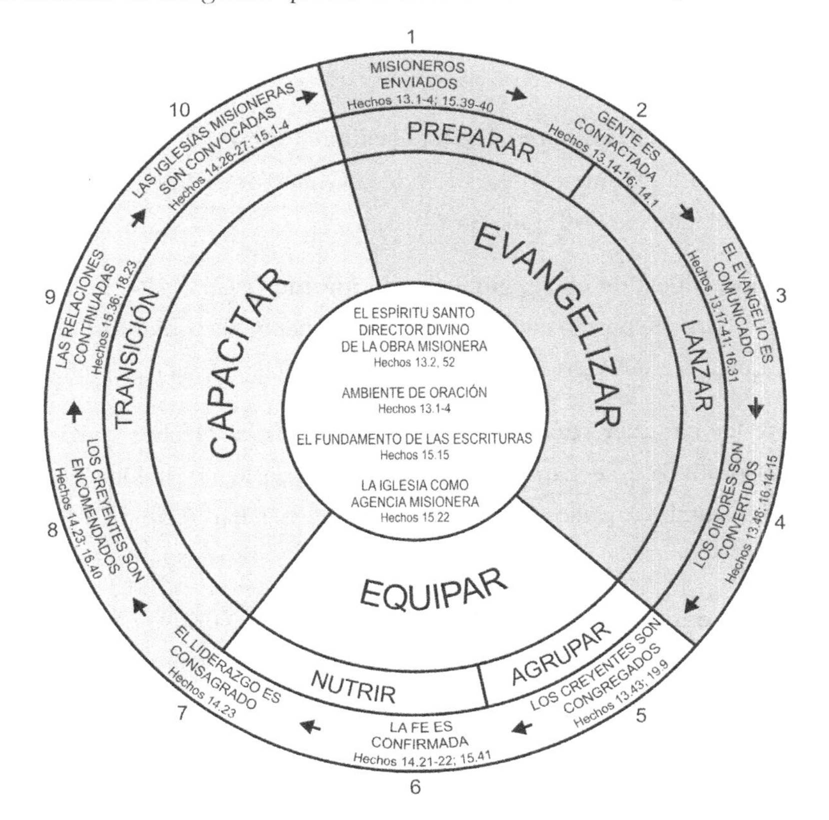

Cómo PLANTAR una iglesia (continuación)

Diez principios para plantar iglesias

1. **Jesús es Señor** (Mt. 9.37-38). Toda actividad de plantación de iglesias llega a ser efectiva y fructífera bajo la vigilancia, cuidado y poder del Señor Jesús, quien es el Señor de la mies.

2. **Evangelizar, equipar y capacitar a pueblos no alcanzados para que alcancen a otros** (1 Ts. 1.6-8). Nuestra meta de alcanzar a otros para Cristo no es solamente una sólida conversión, sino también una dinámica multiplicación; los que son alcanzados deben ser capacitados para alcanzar a otros.

3. **Sea inclusivo: cualquiera puede venir** (Ro. 10.12). Ninguna estrategia debe impedir que alguna persona o un grupo, entre al Reino por medio de la fe en Cristo Jesús.

4. **Sea culturalmente neutral: Que venga tal como es** (Col. 3.11). El evangelio no demanda que alguien que quiera ser salvo cambie su cultura como pre-requesito de venir a Jesús; se puede venir tal y como son.

5. **Evite la mentalidad de fortaleza** (Hechos 1.8). El objetivo de las misiones no es crear un impenetrable castillo en medio de una comunidad no salvada, sino un dinámico puesto de avanzada del Reino para lanzar el testimonio de Jesús dentro de y hasta el final de su área.

6. **Continúe evangelizando para evitar el estancamiento** (Ro. 1.16-17). Manténgase observando el horizonte con la visión de la Gran Comisión en mente; fomente un agresivo ambiente de testimonio por Cristo.

7. **Barreras raciales, de clase, género y de idioma** (1 Co. 9.19-22). Use su libertad en Cristo para encontrar nuevas y creíbles maneras de comunicar el mensaje del reino a quienes están lejos del perímetro cultural de la iglesia tradicional.

8. **Respete las características de la cultura receptora** (Hechos 15.23-29). Permita que el Espíritu Santo encarne la visión y la ética del Reino de Dios en las palabras, idioma, costumbres, estilos y experiencia de quienes han recibido a Jesús como su Señor.

9. **Evite la dependencia** (Ef. 4.11-16). No muestre favoritismo ni sea demasiado mezquino con las congregaciones en crecimiento; no subestime el poder del Espíritu en medio de, incluso, la más pequeña comunidad cristiana para que tenga éxito en la obra de Dios en su comunidad.

Cómo PLANTAR una iglesia (continuación)

10. **Piensa en la reproducción** (2 Ti. 2.2; Flp. 1.18). En cada actividad y proyecto que inicie, piense en términos de equipar a otros para que hagan lo mismo, manteniendo una mentalidad abierta con relación a los medios y fines de sus esfuerzos misioneros.

Recursos para estudios posteriores

Cornett, Terry G. and James D. Parker. *"Developing Urban Congregations: A Framework for World Impact Church Planters"*. World Impact Ministry Resources. Los Angeles: World Impact Press, 1991.

Davis, Don L. and Terry G. Cornett. *"An Outline for a Theology of the Church"*. Crowns of Beauty: Planting Urban Churches (Training Manual). Los Angeles: World Impact Press, 1999.

Hesselgrave, David J. *Planting Churches Cross Culturally: A Biblical Guide*. Grand Rapids: Baker Book House, 2000.

Hodges, Melvin L. *The Indigenous Church: A Handbook on How to Grow Young Churches*. Springfield, MO: Gospel Publishing House, 1976.

Shenk, David W. and Ervin R. Stutzman. *Creating Communities of the Kingdom: New Testament Models of Church Planting*. Scottsdale, PA: Herald Press, 1988.

Comprendiendo la Biblia en partes y como un todo

Rev. Don Allsman

La Biblia es la cuenta autorizada del plan de Dios para exaltar a Jesús como Señor de todo, redimir a toda la creación, y vencer a los enemigos de Dios para siempre. El tema de la Biblia es Jesucristo (Juan 5:39-40):

- El Antiguo Testamento es la anticipación y la promesa de Cristo
- El Nuevo Testamento es la culminación y cumplimiento en Cristo "En el AT el NT se esconde; en el NT el AT se revela".

Elementos de desarrollo de la trama: el comienzo, el aumento de la acción, el clímax, la caída de la acción, la resolución

1. **El comienzo:** Creación y caída del hombre (el problema y necesidad de una resolución), Génesis 1:1 al 3:15
2. **El aumento de la acción:** El plan de Dios revelado a través de Israel (Génesis 3:15 - Malaquías)
3. **El clímax:** Jesús inaugura su Reino (Mateo - Hechos 1:11)
4. **La caída de la acción:** La Iglesia continúa la obra del reino Cristo (Hechos 1:12 - Apocalipsis 3)
5. **La resolución:** Jesús regresa a consumar el reino (Apocalipsis 4-22)
6. **Comentario:** El pueblo de Dios describe sus experiencias para proporcionar sabiduría (La literatura sapiencial: Job, Salmos, Proverbios, Eclesiastés, Cantar de los Cantares)

La Biblia ordenada libro por libro:

Génesis, Éxodo, Levítico, Números, Deuteronomio, Josué, Jueces, Rut, 1-2 Samuel	Historia desde la creación hasta el Rey David
1-2 libro de Reyes	La historia de Israel desde David hasta el exilio
1-2 libro de Crónicas	Varios relatos históricos desde la creación hasta el Exilio
Esdras, Nehemías, Ester	Relatos de Israel en el exilio y su retorno
Job (contemporáneo de Abraham), Salmos (primariamente escritos por David), Proverbios, Eclesiastés, Cantares (Tiempo de Salomón)	Literatura sapiencial
Isaías, Jeremías, Lamentaciones, Ezequiel, Daniel, Oseas, Joel, Amós, Abdías, Jonás, Miqueas, Nahum, Habacuc, Sofonías, Hageo, Zacarías, Malaquías	Escritos de los profetas de Israel desde el tiempo de los reyes hasta el retorno del exilio
Mateo, Marcos, Lucas, Juan	El relato de Jesús de Nazaret (Evangelios)
Hechos, Romanos, 1-2 Corintios, Gálatas, Efesios, Filipenses, Colosenses, 1-2 Tesalonicenses, 1-2 Timoteo, Tito, Filemón, Hebreos, Santiago, 1-2 Pedro, 1-3 Juan, Judas	El relato de la Iglesia después de la ascención de incluyendo las cartas de instrucción apostólica a la Iglesia (Epístolas)
Apocalípsis	El futuro y el final del tiempo (Regreso de Jesús)

Comunicando al Mesías: La relación de los Evangelios

Adaptado de N. R. Ericson y L. M. Perry. John: A New Look at the Fourth Gospel (Juan: Una nueva mirada al cuarto evangelio).

	Mateo	Marcos	Lucas	Juan
Fecha	65 D.C.	59 D.C.	61 D.C.	90 D.C.
Capítulos	28	16	24	21
Versículos	1,071	666	1,151	879
Período	36 años	4 años	37 años	4 años
Audiencia	Los judíos	Los romanos	Los griegos	El mundo
Cristo Como	El Rey	El Siervo	El Hombre	El Hijo de Dios
Énfasis	Soberanía	Humildad	Humanidad	Deidad
Signo	El león	El buey	El hombre	El águila
Final	Resurrección	Tumba vacía	Promesa del Espíritu	Promesa de su 2da. Venida
Escrito en	¿Antioquía?	Roma	Roma	Éfeso
Versículo clave	27:37	10:45	19:10	20:30-31
Palabra clave	Reino	Servicio	Salvación	Creer
Propósito	Presentación de Jesucristo		Interpretación of Jesús el Mesías	
Tiempo de lectura	2 horas	1 1/4 horas	2 1/4 horas	1 1/2 horas

Contextualización entre los musulmanes, hindúes y budistas:

Un enfoque en los "movimientos internos"

John y Anna Travis

Este artículo fue tomado de Mission Frontiers: El Boletín del US Center for World Mission, Vol. 27, No. 5; Septiembre-Octubre 2005; ISSN 0889-9436.

John y Anna Travis, junto con sus dos hijos han vivido en una comunidad muy compacta de musulmanes en Asia por casi 20 años. Ellos están involucrados en la contextualización compartiendo las buenas nuevas, en la traducción de la Biblia y en el ministerio de oración por salud interior. También han ayudado a capacitar a obreros en varios países de Asia, el Medio Oriente y el Norte de África. Los dos están inscritos en estudios de pos-grado, y John es un candidato al Ph.D

Lo siguiente fue citado con el permiso de los autores. Una versión más extensa de este artículo aparece en el capítulo 23 de Cristianismo Apropiado (William Carey Library Publishers, 2005).

Mucho se ha escrito en los últimos 25 años sobre la aplicación del ministerio de la contextualización entre los musulmanes. En 1998 yo (John) escribí un artículo para el *Evangelical Missions Quarterly* en el cual presenté un modelo para comparar seis diferentes tipos de *ekklesía* o congregaciones (a las cuales me refiero como "comunidades Cristo-céntricas") que actualmente hay en el mundo musulmán (Travis 1998). Estos seis tipos de comunidades Cristo-céntricas se diferencian en términos de tres factores: idioma, formas culturales e identidad religiosa. Este modelo, referido como espectro C1-C6 (o continuum), ha generado mucha discusión, especialmente acerca del asunto de los compañerismos de los "musulmanes seguidores de Jesús" (la posición C5 en la escala).

Parshall (1998), quien aboga por la contextualización, piensa que el C5 cruza la línea y cae en un peligroso sincretismo. En escritos subsiguientes, muchas de las preocupaciones de Parshall han sido tratadas (véase Massey 2000, Gilliland 1998, Winter 1999, Travis 1998 y 2000). *Sin embargo, a pesar de la preocupación que alguien pudiera tener sobre el particular, la realidad es que en varios países actualmente, hay grupos de musulmanes que genuinamente han venido a la fe en Cristo Jesús, pero que han permanecido legal y socio-religiosamente dentro de la comunidad musulmana local. . . .*

No vamos a discutir si el C5 es la mejor o la única cosa que Dios está haciendo en el mundo musulmán de la actualidad; ciertamente Dios está tomando musulmanes para sí en diversas maneras, algunas de ellas sólo las vamos a entender en la eternidad. Pero de lo que vamos a hablar es que una forma en que Dios se está moviendo en este punto de la historia de la salvación, es por soberanamente traer musulmanes a sí, revolucionándolos espiritualmente y llamándolos a permanecer como sal y luz en las comunidades religiosas de su nacimiento.

En años recientes hemos tenido el privilegio de conocer a varios musulmanes C5, y aunque nuestros trasfondos religiosos y formas de adorar son muy distintos, hemos experimentado dulce compañerismo en Isa el Mesías. No hay duda en nuestras mentes que estos

Contextualización entre los musulmanes, hindúes y budistas (continuación)

musulmanes C5 han nacido de nuevo y son miembros del Reino de Dios, llamados a vivir el evangelio dentro del perímetro religioso de su nacimento. Como hemos continuado viendo los límites de C4 en nuestro contexto, y como nuestra carga por los musulmanes perdidos crece más y más, estamos convencidos que la expresión de fe C5 pudiera ser viable para nuestros apreciables vecinos musulmanes y tal vez grandes bloques del mundo musulmán. Nosotros mismos, siendo "creyentes-de-trasfondo-cristiano", mantenemos un estilo de vida C4, pero creemos que Dios nos ha llamado a contribuir en la "siembra de movimientos C5" en nuestro contexto....

Hemos asistido a muchos funerales de musulmanes. Nos duele cada vez que vemos el entierro de otro amigo musulmán, habiendo pasado a la eternidad sin la salvación en Cristo. Al haber testificado la resistencia a cambiar de religión y la gran distancia entre las comunidades musulmanas y cristianas, sentimos que pelear la batalla en pro de un cambio de religión es luchar la batalla errónea. No creemos que durante nuestro contexto cultural, político y religioso ocurra un cambio como para que los musulmanes se abran al cristianismo en gran escala.

Pero tenemos mucha esperanza, tanta como las promesas de Dios, para creer que un "movimiento interno" podría despegar – y que una vasta cantidad de ellos pudieran descubrir que la salvación en Isa el Mesías está esperando que crea cada musulmán. Nosotros sentimos el deseo de Jesús mismo de llevar la "levadura" de su evangelio a las cámaras internas de las comunidades musulmanas, llamando a hombres, mujeres y niños a caminar con Él como Señor y Salvador, a la vez que permanecen como miembros vitales de sus familias y comunidades musulmanas.

Asuntos teóricos y teológicos acerca de los movimientos C5

. . . Nuestra intención no es probar si C5 *puede* darse, como según casos de estudio indican que ya *se* están llevando a cabo. Más bien, esperamos poder ayudar a construir un marco desde el cual entender este fenómeno y contestar algunas preguntas que han surgido, como: Desde una perspectiva bíblica, ¿puede una persona ser verdaderamente salva y continuar siendo un musulmán? ¿Qué no tiene un seguidor de Cristo la necesidad de identificarse como cristiano y oficialmente unirse a la fe cristiana? ¿Puede un musulmán que es seguidor de Cristo, retener todas las prácticas musulmanas, particularmente orar en la mezquita en dirección hacia la Mecca y continuar repitiendo el credo musulmán? Esta sección está enmarcada dentro de diez premisas [elaboradas en el resto de la versión de este artículo].

Contextualización entre los musulmanes, hindúes y budistas (continuación)

"La iglesia emerge desde el interior"
Una pareja misionera laborando en Asia, reporta: "En 1990 fuimos enviados al campo como plantadores de iglesias. Pero durante el último año hemos notado que cuando el evangelio es sembrado en terreno fértil dentro de grupos sociales ya establecidos – como un círculo de amigos y vecinos cercanos, o una familia multigeneracional o extendida – la iglesia emerge desde el interior. No es tanto que nosotros estamos plantando una iglesia sino que estamos plantando el evangelio, y al crecer la semilla del evangelio, la iglesia o las iglesias se forman según la manera de las conexiones ya existentes".

- *Premisa 1*: Para los musulmanes, la cultura, la política y la religión son casi inseparables; esto hace que al cambiar de religión se rompa con la sociedad.
- *Premisa 2*: La salvación sólo es por gracia por medio de relación/lealtad a Cristo Jesús. Cambiar de religión no es requisito previo para la, ni garantía de, salvación.
- *Premisa 3*: La principal preocupación de Jesús fue el establecimiento del Reino de Dios, no fundar una nueva religión.
- *Premisa 4*: En sí, el término "cristiano" con frecuencia pudiera ser confuso – no todos los que se llaman cristianos están en Cristo y no todos los que están en Cristo son llamados cristianos.
- *Premisa 5*: Existen brechas entre lo que la gente en realidad cree y lo que la religión o algún grupo oficialmente enseña.
- *Premisa 6*: Algunas creencias y prácticas islámicas están de acuerdo con la Palabra de Dios; otras no.
- *Premisa 7*: La salvación involucra un proceso. Con frecuencia el punto exacto de transferencia del reino de las tinieblas al Reino de la luz no es conocido.
- *Premisa 8*: Un seguidor de Cristo necesita ser libertado por Jesús de cadenas espirituales para poder crecer en su vida con Él.
- *Premisa 9*: Debido a la falta de estructuras y organización de la Iglesia, los movimientos C5 deben tener una excepcionalmente alta dependencia en el Espíritu y en la Palabra como su principal fuente de instrucción.
- *Premisa 10*: Una teología contextual solamente puede ser apropiadamente desarrollada por medio de una interacción dinámica de experiencia ministerial, de la específica dirección del Espíritu y del estudio de la Palabra de Dios.

Una mirada más allá del ambiente islámico

. . . Acaba de volverse a publicar un sorprendente libro por la Biblioteca William Carey – *Churchless Christianity* (Hoefer 2001). El autor, que anteriormente enseñaba en un seminario en la India, comenzó a escuchar historias de hindúes que de hecho estaban adorando y siguiendo a Jesús en la privacidad de sus hogares. Sabiendo que hay muchos hindúes que tienen una elevada opinión de Jesús como maestro, se dispuso a determinar si

Contextualización entre los musulmanes, hindúes y budistas (continuación)

realmente ellos lo habían aceptado como Señor y Salvador o solamente como un iluminado gurú. Su búsqueda llegó a ser la base de una disertación doctoral en la que él entrevistó a 80 familias hindúes y musulmanas en la región de Madras, India.

Hoefer encontró que un gran número de esas familias, que nunca han sido bautizados ni se han unido a una iglesia, en realidad tienen una verdadera relación con Cristo y oran y estudian su Palabra fervientemente. Hoefer dice que la mayoría quieren ser bautizados, pero que nunca han visto un bautismo que no sea lo mismo con llegar a ser un miembro oficial de una iglesia particular. Su conclusión después de un extenso proceso de entrevistas y análisis estadísticos, es que en Madras hay 200,000 hindúes y musulmanes que adoran a Jesús – cantidad igual al total de cristianos en esa ciudad.

Es muy instructivo notar que hace 200 años, William Carey se refirió a los hindúes seguidores de Jesús como "hindoos (hindus) cristianos". Aparentemente esto se debió al fuerte enlace en la mentalidad de los de la India (y tal vez de William Carey) entre ser hindú y ser indio (etimológicamente la palabra India proviene de Hindia, la tierra de los hindúes). Más bien que el hinduismo siendo cercano a la fe monoteísta, es lo opuesto: sus adherentes adoran a muchos dioses y diosas. Parece que esta apertura da lugar a la adoración exclusiva del Dios de la Biblia como el único y verdadero Dios (note las palabras de Josué en Jos. 24.14-15).

Poco después del año de 1900, el evangelista de la India, Sadhu Sundar Singh, se topó con grupos escondidos entre los hindúes que eran seguidores de Jesús. Al predicar el evangelio en Benares, sus oyentes le dijeron de un santo hombre hindú que había estado predicando el mismo mensaje. Singh pasó la noche en la casa de tal hombre y escuchó lo que dijo acerca que su orden hindú había sido fundada hacía mucho tiempo por el apóstol Tomás, y que ahora tenía como 40,000 miembros. Posteriormente, Singh observó sus servicios (incluyendo la adoración, las oraciones, bautismos y la comunión) que se llevaban a cabo en lugares que parecían exactamente capillas y templos hindúes, pero sin los ídolos. "Cuando Sundar trató de persuadirlos a que abiertamente se declararan como cristianos, ellos le aseguraron a él que estaban haciendo una labor más efectiva como discípulos secretos, aceptados como *sadhus* ordinarios, pero atrayendo las mentes de los hombres hacia la verdadera fe a que estén listos para el día cuando el discipulado abierto llegara a ser posible" (Davey 1950:80) [*sic*].

Recientemente encontramos a una persona evangelizando a budistas, entre quienes hay una extremadamente elevada fusión de cultura y religión. Para mi sorpresa él había tomado el espectro C1-C6 y lo adaptó al contexto budista. Aunque parezca imposible que el evangelio progrese dentro del budismo, ¿no pudiera haber millones de ellos que son

Contextualización entre los musulmanes, hindúes y budistas (continuación)

creyentes nominales, que solamente son budistas debido a su lugar de nacimiento y de su nacionalidad? Como Kraft lo ha declarado (1996:212-213), cuando se comprende el principio de la verdadera lealtad espiritual versus la religión formal, "empezamos a descubrir entusiasmantes posibilidades para laborar dentro de, digamos, las culturas judías o islámicas o hindúes o animistas hasta el fin de sus vidas, pero cristianos en su fe y lealtad". (Nota: en su libro Kraft define al cristiano con "C" mayúscula como un seguidor de Cristo versus *cristiano* con "c" minúscula en referencia a la institución religiosa).

¿A qué nos lleva todo esto? ¿No hay una idolatría común en el hinduismo tradicional? Sí, pero no entre los hindúes que siguen a Cristo descritos por Hoefer y Davey. ¿No dice la mayoría de los musulmanes que Jesús no murió en la cruz? Sí, pero no entre los musulmanes que hemos conocido que han puesto su fe en Cristo. ¿No es verdad que los judíos enseñan que el Mesías aún ha de venir? Sí, pero miles de judíos asisten a sinagogas mesiánicas y creen, como lo hicieron miles de judíos del siglo primero, que Yeshúa en verdad es el por tanto tiempo esperado Hijo de David.

Tentativamente, estamos llegando a la convicción que Dios está haciendo una cosa nueva para alcanzar al resto de las naciones (*tá étne*) dominadas por una mega-fe. Si Bosch estaba en lo correcto que la fe en Cristo no es con el propósito de ser una religión, ¿pudiera ser que estamos siendo testigos de algunos de los primeros frutos de un vasto movimiento donde Jesús está causando que el evangelio se "suelte" del "Cristianismo", y quienes conocen a Jesús permanecen como un olor fragante dentro de la religión donde ellos nacieron, y eventualmente el número de personas nacidas de los nacidos de nuevo crezca tanto que un movimiento de reforma desde el interior de esa religión se ha iniciado?

Tal vez el proceso sea teológicamente impreciso, pero no vemos otra alternativa. Si miramos a la cultura y a la religión como la piel de una persona, podemos ver más allá, a millones de corazones humanos que anhelan por Dios a la vez que anhelan permanecer en la comunidad con su propio pueblo. Esto de ninguna manera es universalismo (la creencia que al final todos serán salvos). Más bien, esto es un llamado a tomar mucho más en serio las palabras finales de Cristo de ir a todo el mundo – hindúes, budistas, musulmanes, cristianos – y hacer discípulos de entre todas las naciones.

Referencias

Bosch, David J. 1991 *Transforming Mission.* Maryknoll, NY: Orbis Books.

Davey, Cyril J. 1980 *Sadhu Sundar Singh.* Kent, UK: STL Books.

Contextualización entre los musulmanes, hindúes y budistas (continuación)

Gilliland, Dean S. 1998 "Context is Critical in Islampur Case". *Evangelical Missions Quarterly* 34(4): 415-417.

Hoefer, Herbert E. 2001 *Churchless Christianity*. Pasadena, CA: William Carey Library.

Kraft, Charles H. 1996 *Anthropology for Christian Witness*. Maryknoll, NY: Orbis Books.

Massey, Joshua. 2000 "God's Amazing Diversity in Drawing Muslims to Christ". *International Journal of Frontier Missions* 17 (1): 5-14.

Parshall, Phil. 1998 "Danger! New Directions in Contextualization". *Evangelical Missions Quarterly*. 43(4): 404-406, 409-410.

Travis, John. 1998 "Must all Muslims Leave Islam to Follow Jesus?" *Evangelical Missions Quarterly* 34(4): 411-415.

------. 2000 "Messianic Muslim Followers of Isa: A Closer Look at C5 Believers and Congregations". *International Journal of Frontier Missions* 17 (1): 53-59.

Winter, Ralph. 1999 "Going Far Enough? Taking Some Tips from the Historical Record". In *Perspectives on the World Christian Movement*. Ralph Winter and Steven Hawthorne, eds. Pp. 666-617. Pasadena, CA: William Carey Library.

Creando movimientos coherentes de plantación de iglesias urbanas

Discerniendo los elementos de una comunidad cristiana urbana auténtica

Rev. Dr. Don L. Davis

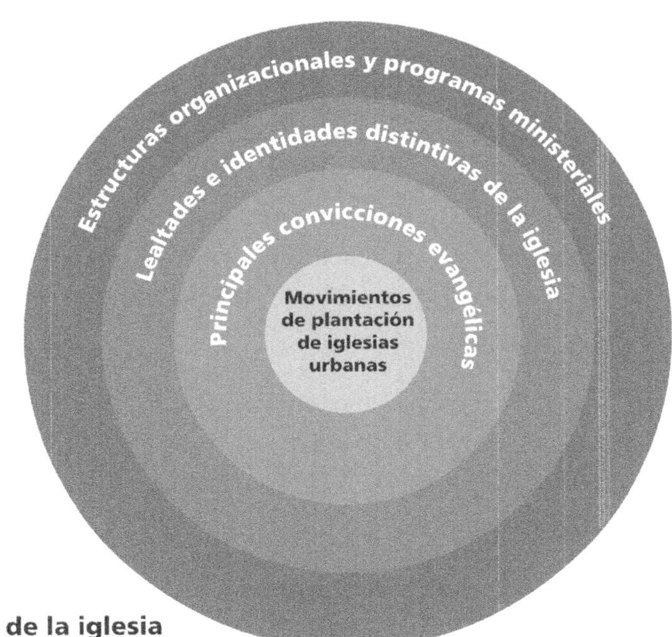

Principales convicciones evangélicas

Este círculo representa *sus convicciones y compromisos más fundamentales,* su Afirmación de Fe, su compromiso con el Evangelio y las verdades contenidas en los primeros credos cristianos (e.d., el Credo Niceno). Estas convicciones están arraigadas en su confianza en la Palabra de Dios, y representan nuestro inequívoco compromiso con la ortodoxia histórica.

Como miembros del cuerpo de Cristo único, santo, apostólico y católico (universal), los movimientos deben estar **listos y dispuestos a morir por sus principales convicciones evangélicas.** Estas convicciones conectan los movimientos con la fe cristiana histórica, y como tales, nunca pueden negociarse o alterarse.

Lealtades e identidades distintivas de la iglesia

Este círculo representa las *lealtades e identidades distintivas de la iglesia*. Los movimientos de plantación de iglesias tendrán una coalición en torno a sus propias tradiciones, supervisada por líderes que darán al movimiento la visión, instrucción y dirección a medida que avanzan en su propósito de representar a Cristo y su Reino en la ciudad.

Las tradiciones específicas procuran expresar y vivir esta lealtad hacia las Grandes Tradiciones Autoritativas a través de su adoración, enseñanza y servicio. Procuran presentar el evangelio con claridad dentro de las nuevas culturas o subculturas, hablando y dando ejemplo de la esperanza de Cristo en nuevas situaciones, conformada por sus propias preguntas y a la luz de sus propias y únicas circunstancias. Estos movimientos, por lo tanto, procuran contextualizar la Tradición Autoritativa en una forma que conduzca fielmente y efectivamente a nuevos grupos de gente que crea en Jesucristo, e incorporando aquellos que creen a la comunidad de fe que obedece sus enseñanzas y da testimonio de Él a otros.

Los Movimientos de Plantación de Iglesias urbanas deben estar **listos y dispuestos a expresar y defender sus distintivos únicos,** como la comunidad de Dios en la ciudad.

Estructuras organizacionales y programas ministeriales

Este círculo representa las formas en las cuales los movimientos coherentes de plantación expresan sus convicciones e identidad *a través de sus propias y distintivas estructuras organizacionales y programas ministeriales.* Estas estructuras y programas son diseñados y ejecutados con sus propias estrategias, políticas, decisiones y procedimientos. Las estructuras y programas representan los métodos que ellos eligieron para poner en práctica su entendimiento de la fe concerniente a su comunidad, propósito y misión. Éstos están sujetos a cambios bajo sus propios procedimientos legítimos, a medida que aplican su sabiduría acumulada en cuanto a *cómo ser más efectivos* para lograr los propósitos en la cuidad.

Como una comunidad de fe en Cristo, los movimientos de iglesias urbanas deben ser estimulados a **dialogar sobre sus estructuras y programas ministeriales** para descubrir los mejores medios posibles para contextualizar el Evangelio y hacer avanzar el reino de Dios entre sus vecinos.

Cuando la palabra "cristiano" no comunica

Frank Decker

Este artículo fue tomado de Mission Frontiers: El Boletín del US Center for World Mission, Vol. 27, No. 5; Septiembre-Octubre 2005; ISSN 0889-9436.

Frank Decker, anteriormente misionero en Ghana, en la actualidad funciona como Vice Presidente de Operaciones del Campo para la Sociedad Misionera de la Iglesia Metodista Unida.

"Yo crecí siendo una musulmán, y cuando le entregué mi vida a Jesús me hice cristiana. Luego sentí que el Señor me decía: 'Ve a tu familia y diles lo que el Señor ha hecho por ti'". Así fue el comienzo del testimonio de una querida hermana en Cristo llamada Salima. Al estar de pie frente al micrófono durante una conferencia recientemente en Asia, yo pensaba acerca de cómo esta historia hubiera sido aplaudida por mis amigos cristianos allá en mi tierra.

Pero luego dijo algo que probablemente hubiera escandalizado a la mayoría de cristianos. Ella contó que para compartir a Cristo con su familia, ahora se identifica como una musulmana en lugar de como cristiana. "Pero", añadió, "yo jamás podría volver al Islam sin Jesús a quien amo como mi Señor".

Como esta mujer, incontables personas, sobre todo en Asia, que viven en contextos musulmanes, budistas y del hinduismo le están diciendo *sí* a Jesús, pero *no* al cristianismo. Como personas de Occidente, nosotros asumimos que la palabra "cristiano" de *ipso facto* se refiere a alguien que le ha entregado su vida a Jesús, y un "no-cristiano" es un incrédulo. Sin embargo, según las palabras de un delegado de Asia, "la palabra 'cristiano' significa algo diferente aquí en el Oriente".

Considere la historia de Chai, un budista de Tailandia. "Tailandia no ha llegado a ser un país cristiano porque para los ojos del tailandés, ser cristiano significa que usted ya no es tailandés. Eso se debe a que en Tailandia 'cristiano' es lo mismo que 'extranjero'". De modo que cuando Chai le entregó su vida a Jesús, comenzó a referirse a sí mismo como un "hijo de Dios" y un "nuevo budista". Luego él contó un incidente en el que tuvo una conversación con un monje budista en un tren. "Después que escuché su historia, le dije al monje que había algo que hacía falta en su vida. Me preguntó qué le hacía falta, y le dije que era Jesús".

Chai continuó esta historia y nos dijo que el monje no solamente le entregó su vida a Cristo, sino que también lo invitó a su templo budista para que compartiera acerca de Jesús. Luego Chai dijo: "Al comienzo de nuestra conversación el monje me preguntó: '¿Eres cristiano?' y yo dije que *no*. Le expliqué que el cristianismo y Jesús son dos cosas

Cuando la palabra "cristiano" no comunica (continuación)

diferentes. La salvación está en Jesús, no en el cristianismo. Si yo hubiera dicho que era un 'cristiano', ahí se hubiera terminado la conversación". Pero no terminó; y ahora el monje camina con Jesús.

Por cierto, un misionero americano que ha estado laborando en Asia por unos veinte años dijo: "Durante los primeros cinco o siete años de nuestro ministerio en [un país musulmán] nos frustramos porque estábamos tratando que la gente cambiara su religión". Continuó diciendo que en los círculos evangélicos hablamos mucho acerca de cómo no es nuestra religión lo que nos salva, sino que es *Jesús*. "Si realmente creemos eso, ¿por qué insistimos que la gente cambie su religión?"

Asif[1] es un hermano en Cristo con quien he pasado tiempo en su villa en un país que es 90 por ciento musulmán. Las organizaciones cristianas tradicionales ahí sólo han tenido un significativo impacto sobre el otro diez por ciento que nunca han sido musulmanes. No se confunda – Asif está en fuego por Jesús, como lo están otros miembros del movimiento Creyentes de Trasfondo Musulmán (CTM). Yo nunca olvidaré las lágrimas en el rostro de Asif cuando me decía cómo él y su hermano, también creyente en Jesús, fueron golpeados en un ataque al que su hermano no sobrevivió. Estos son musulmanes que caminan con Jesús y abiertamente comparten con sus amigos musulmanes acerca del Señor, que en árabe es referido como "Isa al-Masih" (Jesús el Mesías).

Los "movimientos internos" no son con la intención de *esconder* la identidad espiritual de un creyente, sino más bien, capacitar a quienes están dentro del movimiento a *internarse más adentro* en la comunidad cultural – sea ésta islámica, hindú o budista – y ser testigos de Jesús dentro del contexto de esa cultura. En algunos países, tales movimientos apenas se han iniciado. En otros lugares, el cálculo de miembros anda en los cientos de millares.

Como Cuerpo de Cristo, debemos ser muy cuidadosos que las cosas que sostenemos como sagradas no sean vestiduras pos-bíblicas, sino que ciertamente sean trascendentes. Si no estamos abiertos a "nuevos odres", pudiéramos encontrarnos involuntariamente apegados a las tradiciones, como les sucedió a los fariseos en los días de Jesús.

[1]Los nombres en esta historia han sido cambiados. Este artículo es citado con permiso de la revista de Mayo/Junio 2005 de Good News Magazine, un ministerio de renovación de la Iglesia Metodista Unida (www.goodnewsmag.org).

Cuatro contextos del desarrollo del liderazgo cristiano urbano

Rev. Dr. Don L. Davis

1. Amistades personales, mentoría y discipulado

2. Nutrición en grupos pequeños y grupos celulares

3. Vida y gobierno congregacional

4. Cooperación y colaboración inter-congregacional

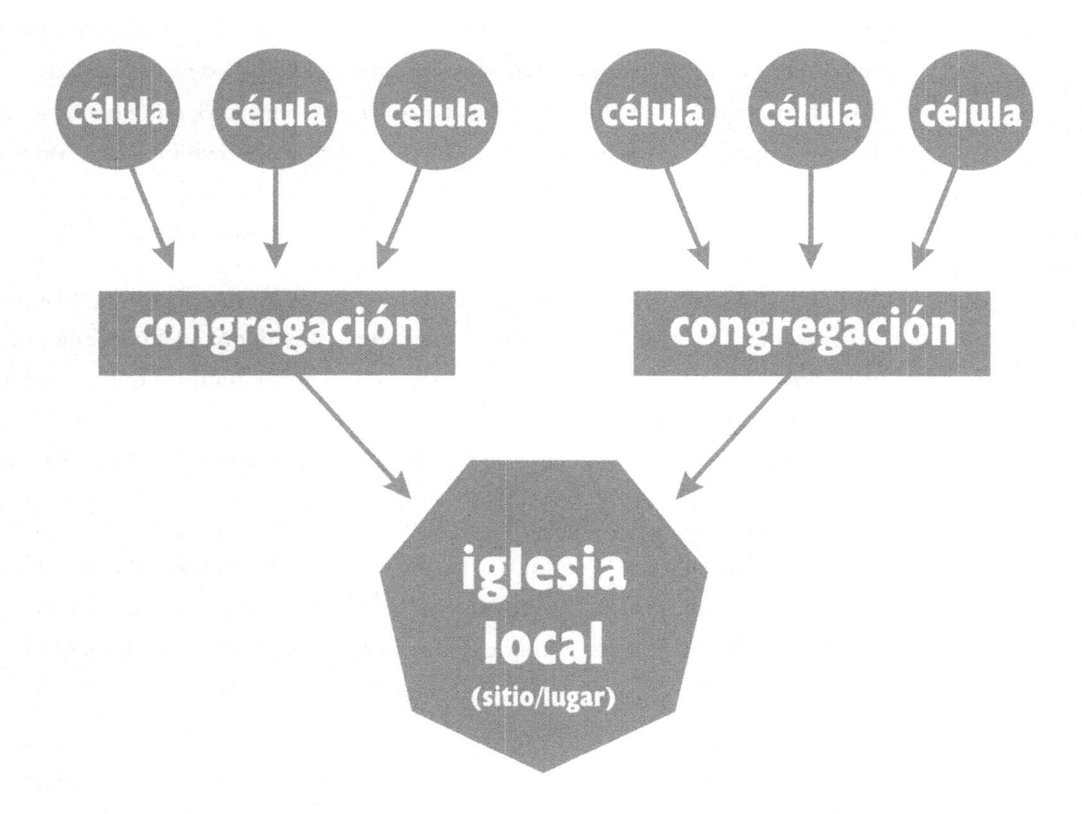

Cuidado con lo que imagina

Las imágenes son poderosas. Ellas le dan forma a lo que vemos al resaltar algunas cosas y opacar otras. Dominan nuestros parámetros de análisis y reflexión. Sugieren explicaciones del por qué nos relacionamos unos con otros de la manera que lo hacemos, o por qué existen algunas estructuras. Ofrecen una forma particular de entender tanto el pasado, como las interpretaciones del presente y los escenarios para el futuro. Promueven algunos valores y desalientan otros. Sugieren prioridades, y despiertan emociones.

La elección de enfatizar una metáfora dada y dejar otra a un lado puede establecer la dirección de una comunidad y su liderazgo. Entonces, debemos tener cuidado de las imágenes que usamos, y cómo las usamos. En particular, *debemos examinar las metáforas que usamos para desarrollar a nuestros futuros líderes.*

~ David Bennett. **Metaphors of Ministry.** p. 199.

Cultura, no color: Interacción de clases, cultura y raza

World Impact Inc.

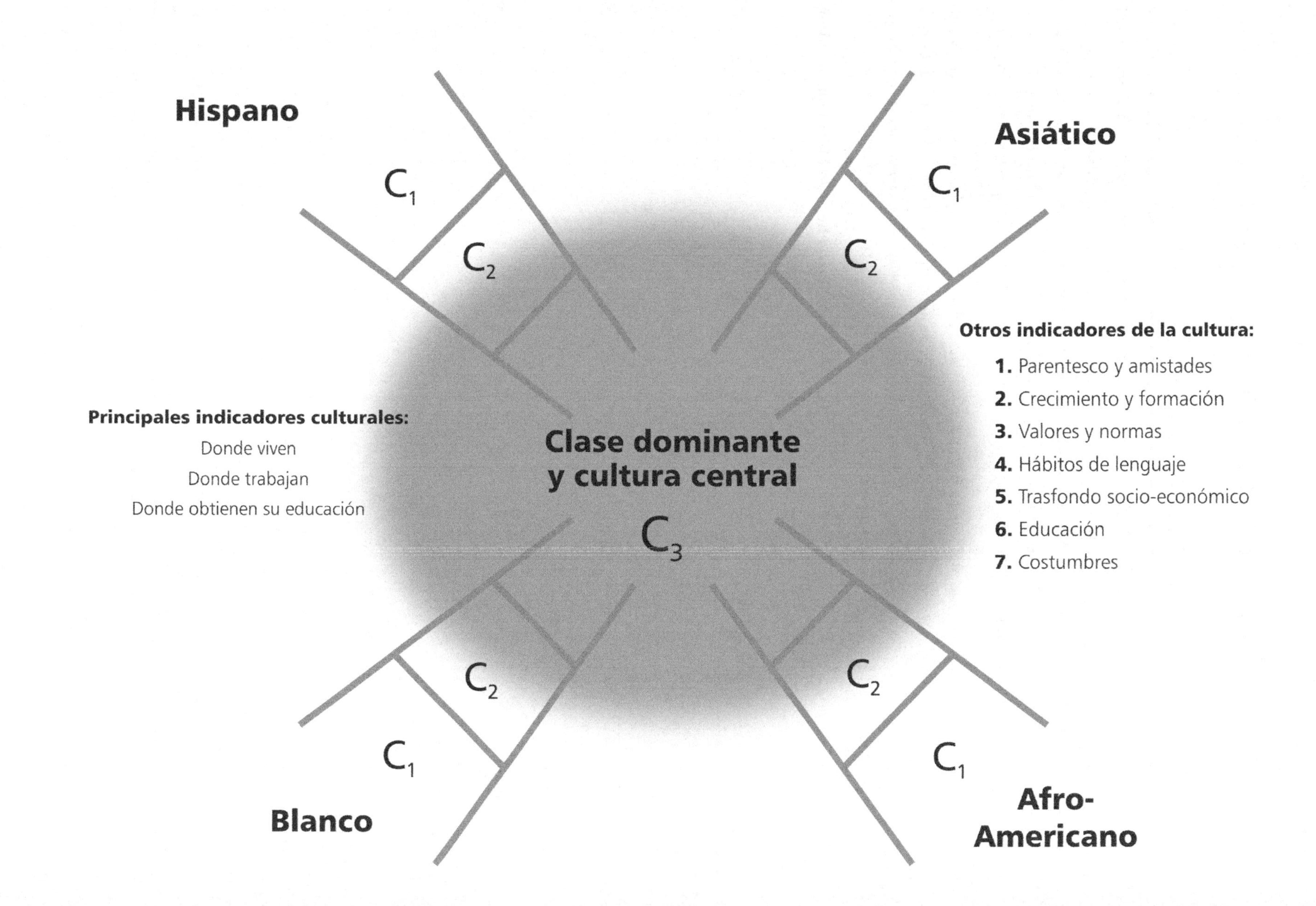

Dando la gloria a Dios

Rev. Dr. Don L. Davis

Juan 17.3-4 (RV) - Y esta es la vida eterna: que te conozcan a ti, el único Dios verdadero, y a Jesucristo, a quien has enviado. [4] Yo te he glorificado en la tierra; he acabado la obra que me diste que hiciese.

Es sorprendente cómo podemos mal interpretar las cosas. Creemos que sabemos de que se trata algo, y actuamos en nuestras erróneas suposiciones, y después nos sorprendemos de lo mal que van las cosas, o nos sorprendemos cuando descubrimos que estábamos mal en nuestro pensamiento.

> *Una noche, una pequeña niña estaba orando con su mamá antes de acostarse. "Querido Santificado, por favor bendice a mamá y papá y a todos mis amigos", oró. "Espera un minuto", interrumpió su madre, "¿quién es Santificado?" La respuesta fue: "Ese es el nombre de Dios". "¿Quién te dijo que ese era el nombre de Dios?" preguntó la madre. "Lo aprendí en la Escuela Dominical mamá. 'Padre nuestro, que estás en el cielo, Santificado sea tu nombre'"*
>
> ~ Bruce Larson

Creo que para muchos cristianos hoy, la vida cristiana está principalmente mal concebida y mal interpretada. Creen que tienen un entendimiento apropiado de las cosas, pero se equivocan como la pequeña niña, siguen con su error, no sabiendo que han mal interpretado el objetivo de toda la visión cristiana.

Esta mañana vamos a hablar sobre el objetivo final de todas las cosas, y el objetivo sublime de la religión cristiana, toda la vida de la iglesia, y nuestro raison d'etre (nuestra razón de ser). ¡Existimos para la gloria de Dios!

I. ¿Cuál es la definición de glorificar a Dios?

A. *Glorificar a Dios* significa darle lo que él merece; le damos a Dios lo que es debido en virtud a su persona y obra.

Dando la Gloria a Dios (continuación)

B. *Glorificar a Dios* significa reconocer que Él es nuestra fuente, nuestro significado, y nuestra seguridad en todo lo que somos y hacemos.

II. Todo el cielo y la tierra fueron creados a fin de dar la gloria a Dios.

Todas las cosas que tienen vida y existen, independientemente que sean conscientes de ello, fueron creadas por la mano de Dios a fin de darle la gloria. Él lo conseguirá de nosotros, si por vida, o muerte, si a través del honor o la tragedia.

A. Escrituras

1. Sal. 103.22
2. Sal. 145.10
3. Sal. 148.7-13
4. Pr. 16.4
5. Ro. 11.36
6. Fil. 2.9-11
7. Ap. 4.11

B. Ilustraciones y Principios

1. La clave para una vida eficaz es vivir para el propósito que el Señor ideó, entendiendo quién es, y por qué Dios le puso aquí.
2. El Salmista declara que todo lo que respire debe alabar al Señor, Sal. 150.6.
3. En el futuro no muy lejano, Dios declara, de hecho, todos los seres humanos en todas partes reconocerán a Dios como la fuente, y le darán la gloria que Él merece, Ap. 5.12-14.

Dando la Gloria a Dios (continuación)

III. Los redimidos del Señor fueron seleccionados por Dios a fin de darle la gloria,1 Pe. 4.11, 14

Si bien Dios quiere que todas las cosas le alaben, ha escogido especialmente a su pueblo a fin de que pudiera exaltarlo en una forma superior. Dios le salvó, le limpió, le sacó de una vida de pecado y desgracia a fin de que pudiera ser una luz ahora, un trofeo, un ejemplo brillante de su gracia y poder. Él le salvó a fin de que pudiera glorificar su nombre.

A. Escrituras

1. Is. 43.7, 21
2. 1 Pe. 2.9-10
3. 1 Co. 10.31
4. Ef. 1.5, 6, 12
5. Col. 3.16-17
6. Juan 15.8
7. Ef. 5.19-20

B. Ilustraciones

1. ¿Cuál es la gloria de una cosa? ¡Cumplir con la razón para la cual fue creada!
    a. Una motosierra
    b. El bisturí de un cirujano
    c. Una guitarra
    d. Somos su pueblo, y las ovejas de su mano, Sal. 95.6-7.
2. Al dejar brillar nuestra luz , Dios recibe más gloria, Mt. 5.14-16.
3. Glorificamos a Dios en proporción a nuestro reconocimiento de las cosas buenas que Él ha hecho por nosotros.
    a. Is. 63.7
    b. Sal. 9.13-14
4. Somos llamados a glorificar a Dios por sus obras.

Dando la Gloria a Dios (continuación)

a. Le alabamos por *lo que Él ha hecho*: Calvario.

b. Le alabamos por *lo que Él está haciendo*: Redención.

c. Le alabamos por *lo que Él va a hacer*: la Segunda Venida.

C. La gloria de Dios debe ser lo supremo en nuestras mentes.

1. Más que nuestra *seguridad*, Hechos 20.24

2. Más que nuestra *conveniencia*, Heb. 12.2-3

3. Más que nuestras *mismas vidas*, Fil 1.20

Dios quiere ser glorificado en nosotros pese a todo, ya sea que seamos pobres o ricos, felices o miserables, si estamos sanos o enfermos. ¡Sí, Dios puede ser glorificado incluso en nuestra enfermedad! La siguiente es una oración maravillosa hecha por un amado cristiano de Noruega, Ole Hallesby, que captura la actitud del cristiano en cuanto a la enfermedad: "Señor, si va a ser para tu gloria, sana inmediatamente. Si te glorifica más, sana gradualmente; si te glorifica aun más, tu siervo puede permanecer enfermo un tiempo; y si glorifica tu nombre todavía más, llévalo a tu presencia en el cielo".

IV. La esencia del pecado es dejar de dar a Dios lo que Él merece; el pecado priva a Dios de la gloria que en forma legítima le pertenece (Ro. 3.23).

Podemos robar la gloria a Dios al menos en cuatro aspectos.

A. Primero, podemos *tomar para nosotros la gloria* que es reservada sólo para Dios.

1. *Satán*, Is. 14.13-20

2. *Herodes*, Hechos 12.20-23

3. Ilustraciones y Principios

a. Una de las cosas más difíciles en la vida para nosotros es saber que Dios hace las cosas para su propio bien, y no para el nuestro, Is. 48.11.

b. El crédito de todas las cosas le pertenece a Dios y no a nosotros, Sal. 115.1.

c. ¡La tendencia de tomar el crédito por lo general ocurre cuando

Dando la Gloria a Dios (continuación)

apartamos a Dios de una pequeña parte de nuestras vidas, en vez de ver que todo lo que hacemos tiene la capacidad de honrarlo o deshonrarlo — todo!

El conocido autor cristiano, Keith Miller, marca bien este punto: "Nunca ha dejado de asombrarme que nosotros los cristianos hemos desarrollado una especie de visión selectiva que permite que estemos profundamente y sinceramente implicados en la adoración y actividades de iglesia y por otro lado seamos casi totalmente paganos [inconscientes de Dios] en las partes céntricas de nuestros negocios diarios, y nunca nos demos cuenta".

B. Segundo, podemos robarle a Dios *la alabanza y adoración que Él merece al darle la gloria a alguien o algo más*, Is. 42.8.

La garra triple del pecado que sustituye a Dios: dinero, sexo, y poder (avaricia, lujuria, y orgullo), 1 Juan 2.15-17; Ex. 20.2-3.

Es posible practicar la idolatría inconscientemente , aun como cristiano, es decir adorar temporalmente algo más dándole nuestro amor y lealtad.

1. Puede adorar al dios del placer.
2. Muchas personas hoy adoran en el altar de la avaricia y la posesión. (Vivimos en una cultura que glorifica la compra, la venta, la adquisición, como la cosa más significativa en nuestras vidas).

Entre 1983 y 1988, los estadounidenses compraron 62 millones de microondas, 88 millones de coches y camiones ligeros, 105 millones de televisores a color, 63 millones de grabadoras de video, 31 millones de teléfonos inalámbricos, y 30 millones de contestadores automáticos telefónicos.

~ Newsweek

3. No adore al dios del deporte.
4. No ofrezca sacrificios al dios del matrimonio y la familia.
5. No procure glorificar al dios de la étnica y el país.
6. No debe adorar al dios del trabajo.
7. No se incline ante el dios de las posesiones

Dando la Gloria a Dios (continuación)

8. El dios de la Religión

9. Ilustraciones

   a. Como sociedad, mostramos más pasión por *Michael Jordan y Michael Jackson* que por el Señor Jesús.

   b. Cuatro compromisos: la gente está más comprometida con el país, el color, la cultura, y al clan que a Cristo.

   c. Lo que *John Lennon dijo sobre los Beatles*

C. Tercero, podemos privar a Dios de la gloria que es debida a Él *siendo indiferentes a su alabanza* — realmente no preocupándose por ello de una u otra forma

1. Podemos ser *indiferentes y hasta despreocupados sobre lo que damos a Dios*, Mal. 1.7.

2. Podemos *descubrir que le damos la gloria a Dios desdeñablemente* (esto es una falta y un problema de muchas personas jóvenes que se sienten obligadas a creer en Dios debido a la fe de sus padres), Mal. 1.7.

¿Cuál supone sea la tarea central de uno de los demonios del diablo para con los seres humanos, que es lo que más procuran hacer?

C.S. Lewis, el autor de Cartas del diablo a su sobrino, sugiere que quiere mantenerle indiferente a las cosas de Dios. En este libro el diablo aconseja a su sobrino, Ajenjo, sobre las sutilezas y técnicas para tentar a la gente. El objetivo, él aconseja, no es la maldad, sino la indiferencia. Satán aconseja a su sobrino a que mantenga a su prospecto o paciente, cómodo a toda costa. Si él quisiera preocuparse por algo de importancia, debía animarlo a pensar en otros pequeños proyectos; y a no preocuparse. Entonces el diablo aconseja a su sobrino con esta descripción del trabajo misterioso: "Yo, el diablo, siempre procuraré que haya gente mala. Tu trabajo, mi querido Ajenjo, es procurar que la gente no se preocupe".

Lea Filipenses 2.21 en la Versión Reina Valera y Biblia de las Americas.

D. Cuarto, podemos *robarle la gloria debida a Dios dándole menos de lo que Él merece*, Mal.

1.6-8, 12-14.

1. Podemos ser *tacaños en nuestras ofrendas a Dios, dándole las migajas de nuestra cosecha y nuestros corazones*, Mal. 3.8-10.

2. Podemos *darle a Dios sacrificios que son imperfectos y llenos de manchas*, Mal. 1.8, 13.

3. Podemos *darle a Dios ofrendas que están contaminadas, manchadas por pecados no confesados en nuestras vidas, (es posible venir a la iglesia cuando las cosas están en un desorden total en el resto de nuestras vidas)*, Mal. 1.7.

4. Ilustraciones

   a. El síndrome de "Cualquier cosa vieja está bien"

   b. A Dios no le importa

   c. Hay tres tipos de personas que viven para el Señor.

Hay tres tipos de cristianos que viven para el Señor — el *pedernal*, la *esponja* y el *panal*. Para sacar algo de un pedernal debes amartillarlo. *Los cristianos pedernales* le dan a Dios poco, y sólo después de mucho martillazo. Y entonces sólo se reciben astillas y chispas. Para obtener agua de una esponja debe exprimirla, y entre más presión use, más se obtendrá. Los *cristianos esponjas* dan a Dios lo debido, pero tiene que estar constantemente exprimiéndoles para que participen. Pero el panal se desborda con su propia dulzura. Un *cristiano panal* está lleno del corazón de Dios y simplemente da de su abundante amor y compromiso con Él. ¿Qué estilo de vida de cristiano lleva usted en la actualidad?

V. El supremo llamado de cada cristiano es el de glorificar a Dios en todo lo que somos, todo lo que decimos, y todo lo que hacemos, 1 Co. 10.31.

A. Debemos glorificar a Dios *en nuestros cuerpos*, 1 Co. 3.16,17; 6.19-20.

1. Pureza Sexual

2. Salud física

Dando la Gloria a Dios (continuación)

B. Debemos glorificar a Dios *en nuestros pensamientos*, Ro. 8.5-8; 2 Co. 10.3-5.

1. Más de 19,000 pensamientos por día, se piensa entre cuatro a cinco veces más rápido de lo que se puede hablar.
2. El último campo de batalla de su vida son sus pensamientos; debe cuidar lo que piensa.
3. Pr. 23.7

C. Debemos glorificar a Dios *en las palabras de nuestra conversación*, 1 Co. 10.31; Ef. 4.29, Santiago 3.2.

1. La actitud marca la diferencia; los cristianos deshonran a Dios con sus actitudes probablemente más que en cualquier otra forma.
2. Las actitudes son contagiosas e infecciosas, ya sean buenas o malas.
3. Su lengua está conectada a su corazón.
4. No sólo profanidad y maldición
5. Negativismo y sarcasmo
6. Quejas y murmuraciones
7. Difamación y chismes

D. Debemos glorificar a Dios *en nuestra conducta y nuestro carácter*, Mt. 5.16; Ef. 2.8-10.

1. Dios puede recibir la gloria por las cosas que hace, con algo tan sencillo como sus acciones diarias.
2. Su carácter y reputación están unidos a la reputación de Cristo.
3. No importa lo que diga, no puede ir más allá del tipo de conducta y vida que esté viviendo.

E. Debemos glorificar a Dios *en todas nuestras relaciones*, 1 Pe. 2.11-12.

1. En nuestro matrimonio
2. Como padres
3. En nuestra familia
4. Con nuestros hermanos y hermanas en el cuerpo de Cristo

Dando la Gloria a Dios (continuación)

5. En nuestras amistades

6. En nuestras relaciones laborales

7. En las relaciones con nuestros vecinos

2 Tes. 1.11-12 (RV) - Por lo cual asimismo oramos siempre por vosotros, para que nuestro Dios os tenga por dignos de su llamamiento, y cumpla todo propósito de bondad y toda obra de fe con su poder, [12] para que el nombre de nuestro Señor Jesucristo sea glorificado en vosotros, y vosotros en él, por la gracia de nuestro Dios y del Señor Jesucristo.

Declaraciones denominacionales sobre "santificación"

Declaraciones de denominaciones luteranas, reformadas y bautistas

Iglesia de los Hermanos Luteranos

Iglesia de los Hermanos Luteranos

Santificación

La santificación es la obra de gracia continua por parte de Dios para la renovación espiritual y el crecimiento de cada persona justificada. A través de la gracia, el Espíritu Santo obra para producir el carácter de Cristo dentro de las vidas de todos los creyentes, instruyéndoles e impulsándoles a vivir su nueva naturaleza. El Espíritu Santo habilita a los creyentes a resistir al diablo, a vencer al mundo, y considerarse muertos al pecado pero vivos para Dios en Cristo Jesús. El Espíritu Santo produce fruto espiritual y da dones espirituales a los creyentes. Él llama, da poder y equipa para servir a Dios en la casa, en la comunidad, y como parte de la Iglesia Universal. El proceso de santificación quedará completo únicamente cuando el creyente llegue a la gloria.

La iglesia Presbiteriana en América

http://www.pcanet.org/general/cof_chapxi-xv.htm#chapxiii

La confesión de fe de Westminster

CAP. XIII. - De santificación.

1. Ellos, quienes una vez fueron llamados eficazmente, y regenerados, teniendo un corazón nuevo y un nuevo espíritu creado en ellos, son después santificados, verdaderamente y personalmente, a través de la virtud de la muerte y resurrección de Cristo, por Su Palabra y Espíritu morando en ellos, el dominio del cuerpo por parte del pecado es destruido, y las diversas lujurias se tornan cada vez más débiles y controlables; y son más y más vivificados y fortalecidos en todas las gracias salvadoras, en la práctica de la santidad verdadera, sin la cual nadie verá al Señor.

2. Esta santificación es completa, abarca la totalidad del hombre; sin embargo somos imperfectos en esta vida, y aún permanecen algunos remanentes de corrupción; por consiguiente, existe una guerra continua e irreconciliable entre los deseos de la carne y el Espíritu, y viceversa.

Declaraciones denominacionales sobre "santificación" (continuación)

3. En dicha guerra, aunque permanece la corrupción y por momentos puede prevalecer, a través de la permanente provisión y fortaleza del Espíritu santificador de Cristo, la parte regenerada triunfa, y así, los santos crecen en la gracia, perfeccionando la santidad en el temor de Dios.

Convención Bautista del Sur

http://www.sbc.net/bfm/bfm2000.asp#iv

La salvación involucra la redención del hombre completo, y es ofrecida libremente a todos los que aceptan a Jesucristo como Señor y Salvador, quien por Su propia sangre obtuvo la redención eterna para el creyente. En su sentido más amplio, la salvación incluye regeneración, justificación, y glorificación. No hay salvación fuera de la fe personal en Jesucristo como Señor.

1. La regeneración, o el nuevo nacimiento, es una obra de la gracia de Dios por medio de la cual los creyentes son nuevas criaturas en Cristo Jesús. Es un cambio de corazón obrado por el Espíritu Santo, por medio de la convicción de pecado, al cual el pecador responde en arrepentimiento hacia Dios y fe en el Señor Jesucristo. El arrepentimiento y la fe son experiencias de gracia inseparables.

   El arrepentimiento es un giro genuino, el cual da la espalda al pecado y se encamina hacia Dios. La fe es aceptar a Jesucristo e implica un compromiso de la personalidad entera a Él como Señor y Salvador.

2. La justificación es la absolución cortés y completa de Dios en base a Su justicia, ofrecida a todos los pecadores que se arrepienten y creen en Cristo. La justificación lleva al creyente a una relación de paz y favor con Dios.

3. La santificación es la experiencia, empezando con la regeneración, por la cual el creyente es apartado para los propósitos de Dios, y se le permite progresar hacia la madurez moral y espiritual a través de la presencia y poder del Espíritu Santo morando en él. El crecimiento en la gracia debe continuar durante toda la vida regenerada de la persona.

4. La glorificación es la culminación de la salvación y es el bendito y perdurable estado final del redimido.

   Gn. 3.15; Ex. 3.14-17; 6.2-8; Mt. 1.21; 4.17; 16.21-26; 27.22-28.6; Lucas 1.68-69; 2.28-32; Juan 1.11-14,29; 3.3-21,36; 5.24; 10.9,28-29; 15.1-16; 17.17; Hechos 2.21;

Declaraciones denominacionales sobre "santificación" (continuación)

4.12; 15.11; 16.30-31; 17.30-31; 20.32; Ro. 1.16-18; 2.4; 3.23-25; 4.3 y sig.; 5.8-10; 6.1-23; 8.1-18,29-39; 10.9-10,13; 13.11-14; 1 Co. 1.18,30; 6.19-20; 15.10; 2 Co. 5.17-20; Gál. 2.20; 3.13; 5.22-25; 6.15; Ef. 1.7; 2.8-22; 4.11-16; Fil. 2.12-13; Col. 1.9-22; 3.1 y sig.; 1 Ts. 5.23-24; 2 Ti. 1.12; Tito 2.11-14; Heb. 2.1-3; 5.8-9; 9.24-28; 11.1-12.8,14; Sant. 2.14-26; 1 Pe. 1.2-23; 1 Juan 1.6-2.11; Apoc. 3.20; 21.1-22.5.

Declaraciones de las denominaciones de santidad

Iglesia del Nazareno

www.nazarene.org/gensec/we_believe.html

Artículos de fe

Creemos que la santificación total es obra de Dios, posterior a la regeneración, por la cual los creyentes son hechos libres del pecado original, o depravación, y llevados a un estado de devoción total a Dios, y a la santa obediencia del amor perfeccionado. Se logra por el bautismo del Espíritu Santo, y se resume en una experiencia, la limpieza de corazón y el morar, la presencia interior del Espíritu Santo, dando poder al creyente para vivir y servir. La santificación completa es proporcionada por la sangre de Jesús, es operada al instante por la fe, precedida por la consagración entera; y el Espíritu Santo es testigo de este trabajo y estado de la gracia. Esta experiencia también es conocida por varios términos representando sus diferentes fases, tales como "perfección cristiana", "amor perfecto", "pureza de corazón", "el bautismo del Espíritu Santo", "la plenitud de la bendición", y "santidad Cristiana".

Creemos que hay una distinción marcada entre un corazón puro y un carácter maduro. El primero se obtiene en un instante, es el resultado de la santificación completa; el posterior es el resultado de un crecimiento en la gracia. Creemos que la gracia de la santificación completa incluye el impulso para crecer en la gracia. Sin embargo, este impulso debe ser nutrido conscientemente, y se debe prestar cuidadosa atención a los requisitos y procesos de desarrollo espiritual y mejora para ser similares a Cristo en carácter y personalidad. Sin tal esfuerzo resuelto, el testimonio de alguien puede ser perjudicado y la gracia misma frustrada, y por último perdida.

(Jer. 31.31-34; Ez. 36.25-27; Mal. 3.2-3; Mt. 3.11-12; Lucas 3.16-17; Juan 7.37-39; 14.15-23; 17.6-20; Hechos 1.5; 2.1-4; 15.8-9; Ro. 6.11-13, 19; 8.1-4, 8-14; 12.1-2; 2 Co. 6.14-7.1; Gál. 2.20; 5.16-25; Ef. 3.14-21; 5.17-18, 25-27; Fil. 3.10-15; Col. 3.1-17; 1 Ts. 5.23-24; Heb. 4.9-11; 10.10-17; 12.1-2; 13.12; 1 Juan 1.7, 9) ("perfección cristiana" "amor perfecto": Dt. 30.6; Mt. 5.43-48; 22.37-40; Ro. 12.9-21; 13.8-10; 1 Co. 13; Fil. 3.10-15; Heb. 6.1; 1 Juan 4.17-18 "pureza de corazón": Mt. 5.8; Hechos 15.8-9; 1 Pe. 1.22; 1 Juan

Declaraciones denominacionales sobre "santificación" (continuación)

3.3 "el bautismo con el Espíritu Santo": Jer. 31.31-34; Ez. 36.25-27; Mal. 3.2-3; Mt. 3.11-12; Lucas 3.16-17; Hechos1.5; 2.1-4; 15.8-9 "la llenura de una bendición",: Ro. 15.29 "santidad Cristiana": Mt. 5.1-7.29; Juan15.1-11; Ro. 12.1-15.3; 2 Co. 7.1; Ef. 4.17-5.20; Fil. 1.9-11; 3.12-15; Col. 2.20-3.17; 1 Ts. 3.13; 7-8; 5.23; 2 Ti. 2.19-22; Heb. 10.19-25; 12.14; 13.20-21; 1 Pe. 1.15-16; 2 Pe. 1.1-11; 3.18; Judas 20-21)

Iglesia Metodista Libre

www.fmc-canada.org/articles.htm

Artículos de religión

La santificación completa es la obra del Espíritu Santo, posterior a la regeneración, por la cual el creyente consagrado, en un ejercicio de fe en la sangre expiatoria de Cristo, es limpiado en ese momento de todo pecado interior y le es dado el poder para el servicio. El resultado de esta relación es afirmado por el Espíritu Santo y es mantenido por la fe y la obediencia. La santificación completa permite al creyente amar a Dios con todo su corazón, alma, fuerza, y mente, y a su prójimo como a sí mismo, y lo prepara para un crecimiento mayor en la gracia. (Lv. 20.7-8; Juan 14.16-17; 17.19; Hechos 1.8; 2.4; 15.8-9; Ro. 5.3-5; 8.12-17; 12.1-2; 1 Cor 6.11; 12.4-11; Gál. 5.22-25; Ef. 4.22-24; 1 Tes 4.7; 5.23-24; 2 Ts. 2.13; Heb. 10.14)

Iglesia Wesleyana

www.wesleyan.org/doctrine.htm

Los artículos de religión

Creemos que la santificación es la obra del Espíritu Santo, por la cual los hijos de Dios son apartados del pecado para Dios y les es permitido amar a Dios con todo su corazón y caminar en todos sus mandamientos sin culpa. La santificación se inicia en el momento de la justificación y la regeneración. Desde ese momento existe una santificación gradual o progresiva al caminar el creyente con Dios y crecer a diario en la gracia y en la obediencia perfecta hacia Dios. Esto prepara para la crisis de la santificación completa, la cual viene instantáneamente cuando los creyentes se presentan a sí mismos como sacrificios vivos, santos y agradables a Dios, a través de la fe en Jesucristo, lo cual es resultado del bautismo del Espíritu Santo, que nos limpia el corazón de todo pecado congénito. La crisis de la santificación completa perfecciona al creyente en amor y le da poder para un servicio

Declaraciones denominacionales sobre "santificación" (continuación)

efectivo. Es seguido por un crecimiento en la gracia y en el conocimiento de nuestro Señor y Salvador Jesucristo, el cual dura toda la vida. La vida de santidad continúa a través de la fe en la sangre santificadora de Cristo y se prueba a sí misma amando la obediencia a la voluntad revelada de Dios.

Gn. 17.1; Dt. 30.6; Sal. 130.8; Is. 6.1-6; Ez. 36.25-29; Mt. 5.8, 48; Lucas 1.74-75; 3.16-17; 24.49; Juan 17.1-26; Hechos 1.4-5, 8; 2.1-4; 15.8-9; 26.18; Ro. 8.3-4; 1 Co. 1.2; 6.11; 2 Co. 7.1; Ef. 4.13, 24; 5.25-27; 1 Ts. 3.10, 12-13; 4.3, 7-8; 5.23-24; 2 Ts. 2.13; Tito 2.11-14; Heb. 10.14; 12.14; 13.12; Sant. 3.17-18; 4.8; 1 Pe. 1.2; 2 Pe. 1.4; 1 Juan 1.7, 9; 3.8-9; 4.17-18; Judas 24.

Definiendo los líderes y los miembros de un equipo de plantación de iglesias

Rev. Dr. Don L. Davis

DC - Director de Ciudad *LE - Líder de Equipo* *LME - Líder de Múltiples Equipos*

	Miembro de equipo	Líder de equipo	Líder de múltiples equipos
Definición	Miembro de un equipo transcultural de plantación de iglesias	Líder de un equipo transcultural de plantación de iglesias	Facilitador y coordinador de múltiples equipos
Relación con World Impact	Puede ser miembro del personal o un voluntario	Puede ser miembro del personal o un voluntario	Puede ser miembro del personal o plantador
Responsabilidad	Emplear dones que potencien el ministerio del equipo para plantar una iglesia viable	Facilitar la operación efectiva del equipo	Dar consejos, recursos y apoyo a todos los equipos de una determinada área
Entrenamiento	Entrenamiento inicial y aportes continuos al equipo	Currículo de entrenamiento especializado, mentoreo personal y TUMI	Curso de TUMI, mentoreo, entrenamiento regional, aportes especializados
¿A quién le da cuentas?	Líder del Equipo	Director de la Ciudad (respaldo del LME)	VP Regional y Director de la Ciudad
Compromisos de tiempo	Asociado con el equipo para plantar por un período específico de tiempo como miembro del núcleo o miembro de apoyo	En todo el período de plantación de la iglesia	Revisión regular y evaluación ministerial sustantiva al final del tiempo CPT
Recursos	Miembros y líderes del equipo, "kit" CPT (entrega de los recursos iniciales)	Miembros del equipo, presupuesto ministerial, acceso al LME y al DC	Acceso a sitios de CPT, acceso a los líderes de equipo para entrenar y apoyar ministerios
Autoridad	Perseguir los pasos necesarios para evangelizar, discipular y plantar- reporta al líder de equipo	Liderar el equipo en sus operaciones al plantar una iglesia - reporta al DC y al LME	Apoyar al equipo durante su período, y decidir al final si la plantación justifica más tiempo y esfuerzo
Tarea	Dada por el DC y el LE para un tiempo y papel particular	Por el DC para la duración de la plantación de la iglesia	Por el VP Regional y el DC como ellos lo entiendan
Composición	Miembros primarios, miembros de apoyo y/o voluntarios	Individual o co-líderes (internos)	Seleccionado individualmente por el VP Regional y el DC

Delegación y autoridad en el liderazgo cristiano

Rev. Dr. Don L. Davis

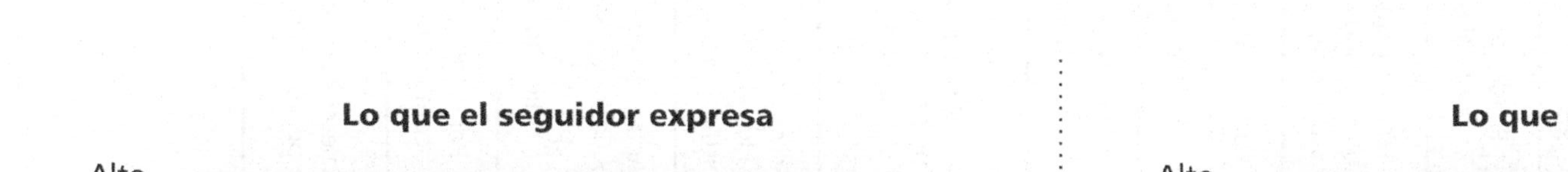

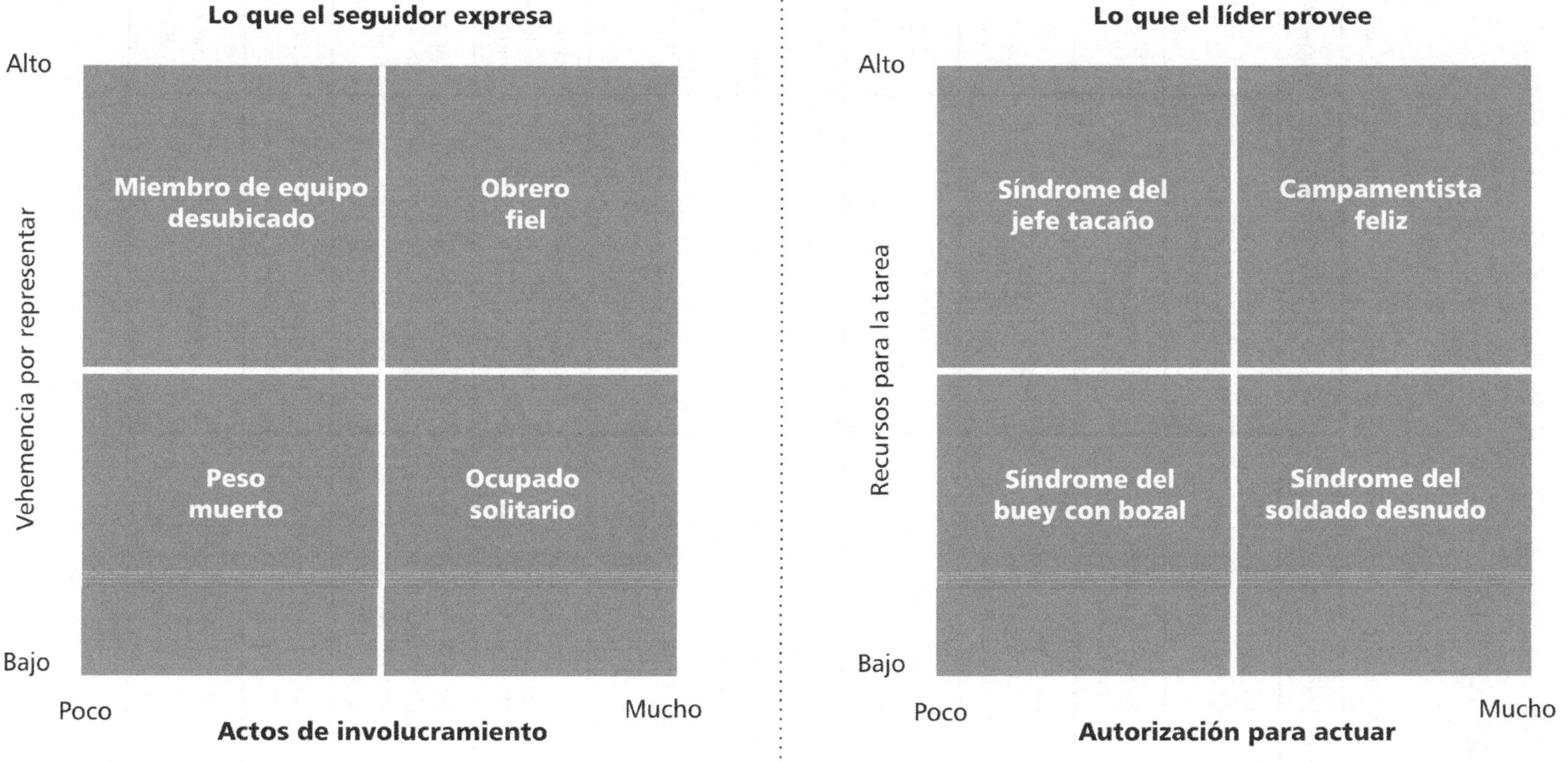

Desarrollando oídos que escuchan

Respondiendo al Espíritu y a la Palabra

Rev. Dr. Don L. Davis

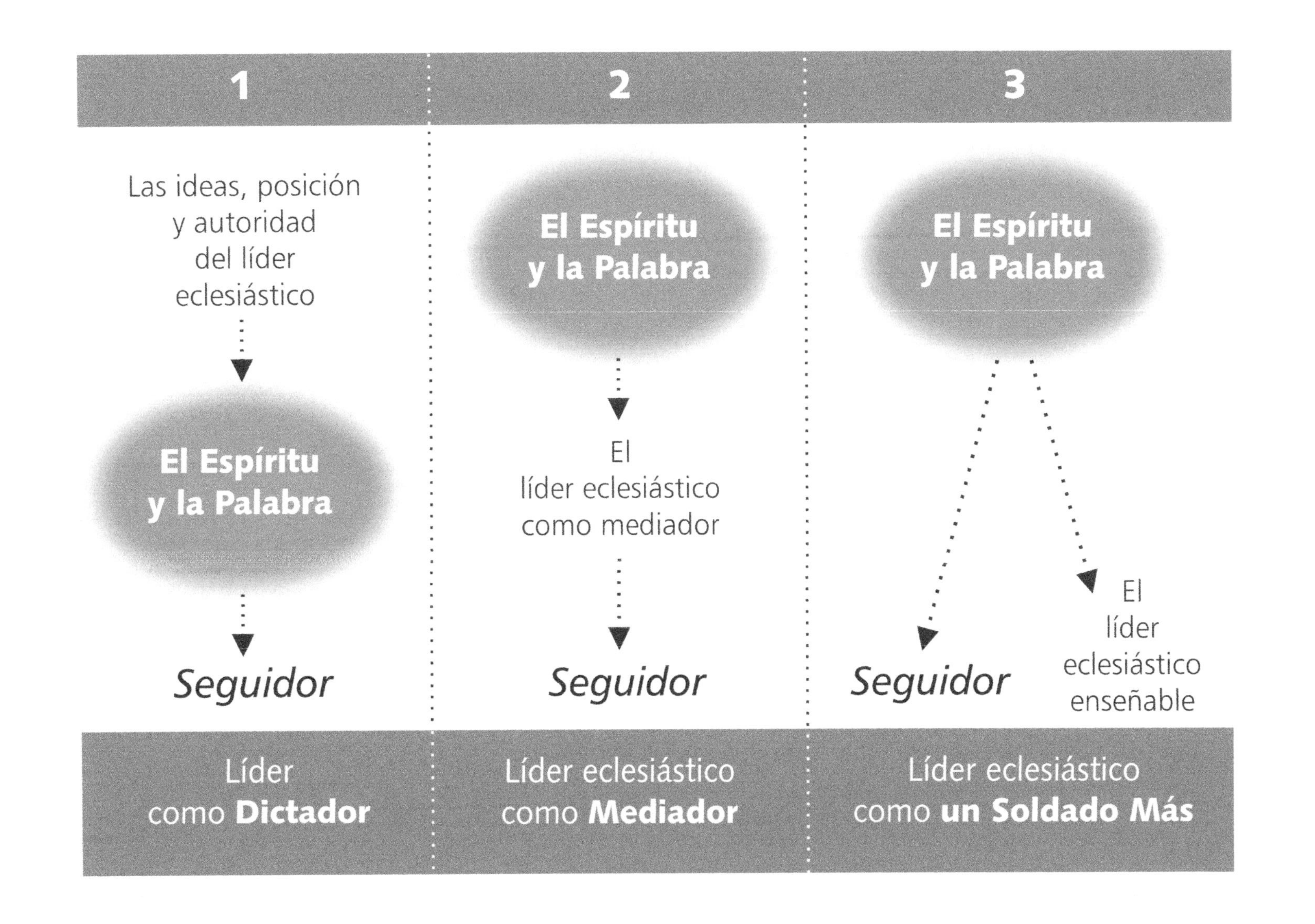

Descripción de las fases de planificación de la plantación de iglesias

Rev. Dr. Don L. Davis

	Preparar	Lanzar	Asamblea	Nutrir	Transición*
Definición	Formar un equipo de miembros con llamamiento y dispuestos a plantar una iglesia bajo la dirección del Espíritu Santo	Penetrar la comunidad elegida a través de eventos evangelísticos desarrollados en la misma	Reunir las células de los convertidos para formar una asamblea local, anunciando la nueva iglesia entre los vecinos de la comunidad	Nutrir a los miembros y discipular líderes, permitiendo que los miembros utilicen sus dones espirituales y establezcan una sólida infraestructura con la asamblea	Capacitar la iglesia para ser independiente, logrando que sus líderes sean autónomos, transfiriendo autoridad, y creando estructuras de independencia financiera
Propósito	Buscar a Dios en cuanto a la comunidad que será el objetivo, la formación del equipo de plantación, la organización de la intercesión estratégica para la comunidad, y la investigación de sus necesidades y oportunidades	Mobilizar el equipo y reclutar voluntarios para tener eventos evangelísitcos continuos y evangelizar en forma total, para ganar asociados y vecinos para Cristo	Formar grupos celulares, estudios bíblicos, o reuniones en casas para dar seguimiento, evangelizacóm continua y crecimiento permanente para lograr el nacimiento público de la iglesia	Desarrollar un discipulado individual y grupal cubriendo papeles cruciales del cuerpo en base a las cargas y los dones de los miembros	Comisionar miembros y ancianos, instalar un pastor, y promover la asociación de la iglesia
Metáfora de padre e hijo	Decisión y concepción	Cuidado pre-natal	Nacimiento	Crecimiento y Paternidad	Madurez y Adultez
Enfoque en preguntas durante el diálogo	**Preguntas sobre:** • Preparación de su equipo • La comunidad objetivo • Iniciativas estratégicas de oración • Estudios demográficos	**Preguntas sobre:** • Carácter y número de eventos evangelísticos • Comunicación y publicidad de los eventos • Reclutamiento y coordinación de los voluntarios • Identidad y nombre del evento	**Preguntas sobre:** • Seguimiento e incorporación de nuevos creyentes • Constitución de la vida de un grupo pequeño • El carácter de la adoración pública • Estructuras eclesiásticas iniciales y procedimientos • Vida corporal inicial y crecimiento • Amistad cultural eclesial	**Preguntas sobre:** • Discipulado de individuos y líderes • Ayudar a que los miembros identifiquen sus dones y cargas (equipos) • Credenciales para el liderazgo • Orden, gobierno y disciplina en la iglesia	**Preguntas sobre:** • Incorporación • Afiliaciones y asociaciones • Transferencia del liderazgo • Transición misionera • Reproducción continua
Virtudes cardinales	Apertura hacia el Señor	Valor para involucrar a la comunidad	Sabiduría para discernir el tiempo de Dios	Enfoque en el núcleo fiel	Dependencia en la habilidad del Espíritu
Vicios cardinales	Presunción y "parálisis del análisis"	Intimidación y orgullo	Impaciencia y cobardía	Negligencia y micro-administración	Paternalismo y pronta liberación
Lo fundamental	Cultivar un período para escuchar y reflexionar	Iniciar su involucramiento con valentía y confianza	Celebrar el anuncio de su cuerpo con gozo	Concentrarse en invertir en los fieles	Se pasa la batuta con confianza en la obra continua del Espíritu

* Transición incluye Amistad y Recursos

Descripción del acróstico PLANTAR

Rev. Dr. Don L. Davis

Modelo de World Impact	Etapas de plantación de iglesias comparadas con el nacimiento de un bebé	Énfasis durante una etapa particular de la maternidad
Preparar	Compromiso hacia la paternidad	Compromiso a dar a luz y a una paternidad segura de padres calificados
	Concepción	Equipo núcleo, voluntarios reunidos/preparados, iglesia madre involucrada, población y comunidad seleccionada, estudiada e investigada
Lanzar	Cuidado prenatal	evangelización continua, comunidad de grupos pequeños, estructurada al alcance del núcleo
Agrupar	Nacimiento	Anuncio de reuniones públicas, celebración de grupos que se reúnen
Nutrir	Crecimiento hacia la madurez	Construcción de fundamentos, desarrollo de ministerios vitales, sistemas de formación, se logra autonomía del liderazgo
Transición (amistad y recursos)	Reproducción	"Adultez" congregacional, nueva iglesia como puesto de avanzada del Reino: ADN espiritual para plantar nuevas congregaciones

Desde antes hasta después del tiempo:

El plan de Dios y la historia humana

Adaptado de Suzanne de Dietrich. ***Desarrollo del Propósito de Dios.*** *Philadelphia: Westminster Press, 1976.*

I. Antes del tiempo (La eternidad pasada) 1 Co. 2.7

A. El eterno Dios trino
B. El propósito eterno de Dios
C. El misterio de la iniquidad
D. Los principados y potestades

II. El inicio del tiempo (La creación y caída) Gn. 1.1

A. La Palabra creadora
B. La humanidad
C. La Caída
D. El reinado de la muerte y primeras señales de la gracia

III. El despliegue de los tiempos (El plan de Dios revelado a través de Israel) Gál. 3.8

A. La promesa (patriarcas)
B. El ÉXODO y el pacto del Sinaí
C. La Tierra prometida
D. La ciudad, el templo, y el trono (profeta, sacerdote, y rey)
E. El exilio
F. El remanente

IV. La plenitud del tiempo (La encarnación del Mesías) Gál. 4.4-5

A. El Rey viene a su Reino
B. La realidad presente de su reino
C. El secreto del Reino: Ya está aquí, pero todavía no
D. El Rey crucificado
E. El Señor resucitado

V. Los últimos tiempos (El derramamiento del Espíritu Santo) Hch. 2.16-18

A. En medio de los tiempos: La Iglesia como el anticipo del Reino
B. La Iglesia como el agente del Reino
C. El conflicto entre el Reino de la luz y el reino de las tinieblas

VI. El cumplimiento de los tiempos (El retorno de Cristo) Mt. 13.40-43

A. La Segunda Venida de Cristo
B. El juicio
C. La consumación de su Reino

VII. Después del tiempo (La eternidad futura) 1 Co. 15.24-28

A. El Reino traspasado a Dios el Padre
B. Dios como el todo en todo

Desde antes hasta después del tiempo

Bosquejo de las Escrituras sobre los puntos más importantes

I. Antes de los tiempos (El pasado eterno)

1 Cor. 2:7 - Mas hablamos sabiduría de Dios en misterio, la sabiduría oculta, la cual Dios predestinó antes de los siglos para nuestra gloria (comp. Tito 1:2).

II. El comienzo de los tiempos (Creación y caída)

Gén. 1:1 – En el principio creó Dios los cielos y la tierra.

III. Desarrollo de los tiempos (El plan de de Dios revelado por medio de Israel)

Gál. 3:8 – Y la Escritura, previendo que Dios había de justifi car por la fe a los gentiles, dio de antemano la buena nueva a Abraham, diciendo: En ti serán benditas todas las naciones (comp. Rom. 9:4-5).

IV. El cumplimiento de los tiempos (La encarnación del Mesías)

Gál. 4:4-5 – Pero cuando vino el cumplimiento del tiempo, Dios envió a su Hijo, nacido de mujer y nacido bajo la ley, para que redimiese a los que estaban bajo la ley, a fi n de que recibiésemos la adopción de hijos.

V. Los últimos tiempos (El descenso del Espíritu Santo)

Hch. 2:16-18 – Mas esto es lo dicho por el profeta Joel: Y en los postreros días, dice Dios, derramaré de mi Espíritu sobre toda carne, y vuestros hijos y vuestras hijas profetizarán; vuestros jóvenes verán visiones, y vuestros ancianos soñarán sueños; y de cierto sobre mis siervos y sobre mis siervas en aquellos días derramaré de mi Espíritu, y profetizarán.

VI. El cumplimiento de los tiempos (La segunda venida)

Mt. 13:40-43 – De manera que como se arranca la cizaña, y se quema en el fuego, así será en el fi n de este siglo. Enviará el Hijo del Hombre a sus ángeles, y recogerán de su reino a todos los que sirven de tropiezo, y a los que hacen iniquidad, y los echarán en el horno de fuego; allí será el lloro y el crujir de dientes. Entonces los justos resplandecerán como el sol en el reino de su Padre. El que tiene oídos para oír, oiga.

VII. Más allá de los tiempos (Futuro eterno)

1 Cor. 15:24-28 – Luego el fi n, cuando entregue el reino al Dios y Padre, cuando haya suprimido todo dominio, toda autoridad y potencia. Porque preciso es que él reine hasta que haya puesto a todos sus enemigos debajo de sus pies. Y el postrer enemigo que será destruido es la muerte. Porque todas las cosas las sujetó debajo de sus pies. Y cuando dice que todas las cosas han sido sujetadas a él, claramente se exceptúa aquel que sujetó a él todas las cosas. Pero luego que todas las cosas le estén sujetas, entonces también el Hijo mismo se sujetará al que le sujetó a él todas las cosas, para que Dios sea todo en todos.

Desde la ignorancia hasta el testimonio creíble

Rev. Dr. Don L. Davis

Nivel	Etapa, referencias y cita
8	**Testimonio - Habilidad para testificar y enseñar** *2. Ti. 2.2* *Mt. 28.18-20* *1 Jn. 1.1-4* *Pr. 20.6* *2 Co. 5.18-21* *Lo que has oído de mí ante muchos testigos, esto encarga a hombres fieles que sean idóneos para enseñar también a otros. - 2 Ti. 2.2*
7	**Estilo de vida - Apropiación consistente y práctica habitual, basadas en valores propios** *Heb. 5.11-6.2* *Ef. 4.11-16* *2 Pe. 3.18* *1 Ti. 4.7-10* *Y Jesús crecía en sabiduría y en estatura, y en gracia para con Dios y los hombres. - Lc. 2.52*
6	**Demostración - Expresar convicción en conducta, palabras y acciones correspondientes** *Stg. 2.14-26* *2 Co. 4.13* *2 Pe. 1.5-9* *1 Ts. 1.3-10* *Mas en tu palabra echaré la red. - Lc. 5.5*
5	**Convicción - Comprometerse a pensar, hablar y actuar a la luz de la información** *Heb. 2.3-4* *Heb. 11.1, 6* *Heb. 3.15-19* *Heb. 4.2-6* *¿Crees esto? - Jn. 11.26*
4	**Discernimiento - Comprender el significado e implicación de la información** *Jn. 16.13* *Ef. 1.15-18* *Col. 1.9-10* *Is. 6.10; 29.10* *Pero ¿entiendes lo que lees? - Hch. 8.30*
3	**Conocimiento - Tener habilidad creciente para recordar y recitar información** *2 Ti. 3.16-17* *1 Co. 2.9-16* *1 Jn. 2.20-27* *Jn. 14.26* *Porque ¿qué dice la Escritura? - Ro. 4.3*
2	**Interés - Responder a ideas o información con curiosidad, sensibilidad y franqueza** *Sal. 42.1-2* *Hch. 9.4-5* *Jn. 12.21* *1 Sam. 3.4-10* *Ya te oiremos acerca de esto otra vez. - Hch. 17.32*
1	**Conciencia - Ser expuesto de forma general a ideas e información** *Mar. 7.6-8* *Hch. 19.1-7* *Jn. 5.39-40* *Mt. 7.21-23* *En aquel tiempo Herodes el tetrarca oyó la fama de Jesús. - Mt. 14.1*
0	**Ignorancia - Comportarse con ingenuidad** *Efe. 4.17-19* *Sal. 2.1-3* *Rom. 1.21; 2.19* *1 Jn. 2.11* *¿Quién es el SEÑOR para que yo escuche su voz y deje ir a Israel? - Ex. 5.2 (LBLA)*

Diagrama de discipulado

Rev. Dr. Don L. Davis

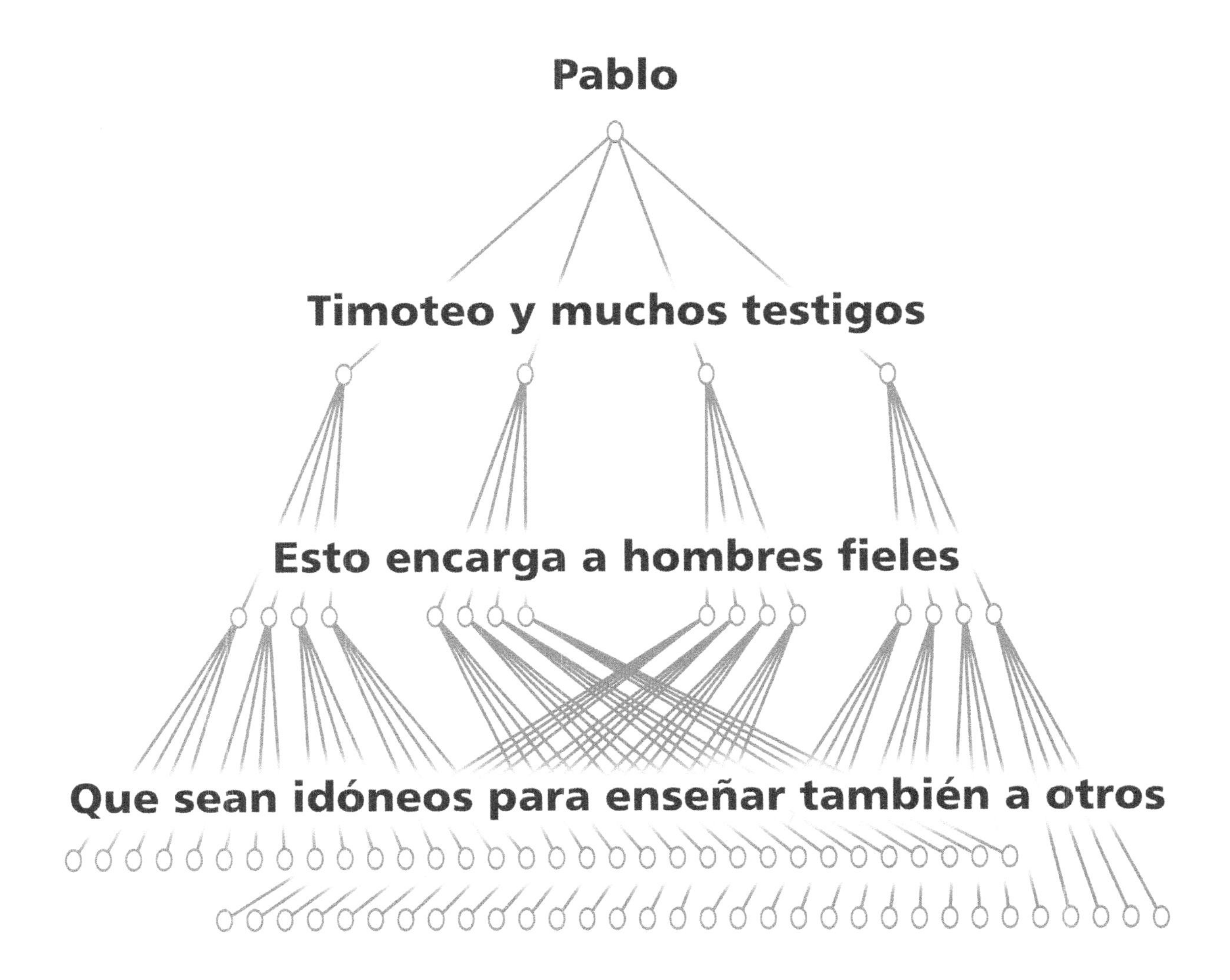

2 Ti. 2.2 (Rv60) - Lo que has oído de mí ante muchos testigos, esto encarga a hombres fieles que sean idóneos para enseñar también a otros.

Diagrama de estudios bíblicos

Rev. Dr. Don L. Davis

Tipo de crítica	La tarea en el estudio bíblico	Qué estudia	La Biblia se ve como	Nivel de la prueba	Fortalezas	Debilidades	Nivel de crítica
Crítica de forma	Se remonta a las tradiciones orales e historias más tempranas asociadas con los textos	Tradiciones orales del pueblo de Dios, juntamente con la Iglesia primitiva	Producto de la tradición humana	Bajo	Sentido de desarrollo del origen de la Biblia	Muy especulativo	Más alto
Crítica de fuente	Descubre las fuentes usadas en la creación de los libros	Compara textos en varios libros para ver similitudes y contradicciones	Producto de la ingenuidad humana	Bajo	Habilidad para identificar fuentes clave	No hay forma de probar sus demandas	Más alto
Crítica lingüística	Estudia los idiomas antiguos, sus palabras y gramática	Estudia el hebreo antiguo, el griego Koiné y el arameo	Producto de la cultura humana	Medio	Profundiza en el significado del idioma antiguo	Está muy lejos del idioma	Más alto
Crítica textual	Compara los varios manuscritos para encontrar la mejor lectura	Se enfoca en los diferentes manuscritos y sus familias de textos	Producto de investigación textual	Alto	Multitud de manuscritos confiables disponibles	Un número demasiado extenso	Más bajo
Crítica literaria	Determina el autor, estilo, recipiente y género	Diferentes tipos de literatura y trasfondo de libros	Producto del genio literario	Alto	Descubre qué tipos de literatura significan	Se tiende a leer demasiado	Más bajo

Diagrama de estudios bíblicos (continuación)

Tipo de crítica	La tarea en el estudio bíblico	Qué estudia	La Biblia se ve como	Nivel de la prueba	Fortalezas	Debilidades	Nivel de crítica
Crítica canónica	Analiza la aceptación de la Iglesia, la revisión y el uso del texto	Historia de la Biblia en el antiguo Israel y la Iglesia primitiva (concilios, convenciones)	Producto de la comunidad religiosa	Alto	Toma en cuenta la opinión de la comunidad seriamente	Tiende a hacer de la Biblia meramente un grupo de libros	Más alto
Crítica de redacción	Se enfoca en la teología de la persona que la escribió	Estudio intenso de los libros individuales para entender el significado del tema del autor y punto de vista	Producto de la personalidad creativa	Medio	Profundo análisis de una colección completa de los escritos de un autor	No correlaciona la Biblia con otros libros	Más alto
Crítica histórica	Investiga la ubicación histórica, cultural y de trasfondo	Investiga las culturas antiguas, sus costumbres e historia	Producto de fuerzas históricas	Medio	Firmeza en los asuntos históricos del texto	Está muy separado de la historia	Más alto
Estudios de traducción	Provee una traducción clara y leíble basada en los mejores manuscritos	Entiende el lenguage de la cultura recipiente con los significados del texto para la mejor traducción	Producto de interpretación dinámica	Medio	Persigue una versión de la Biblia en la lengua y pensamiento del mundo del lector	Refleja nuestras propias opiniones sobre el significado del texto	Más bajo

Diagramas de crecimiento espiritual

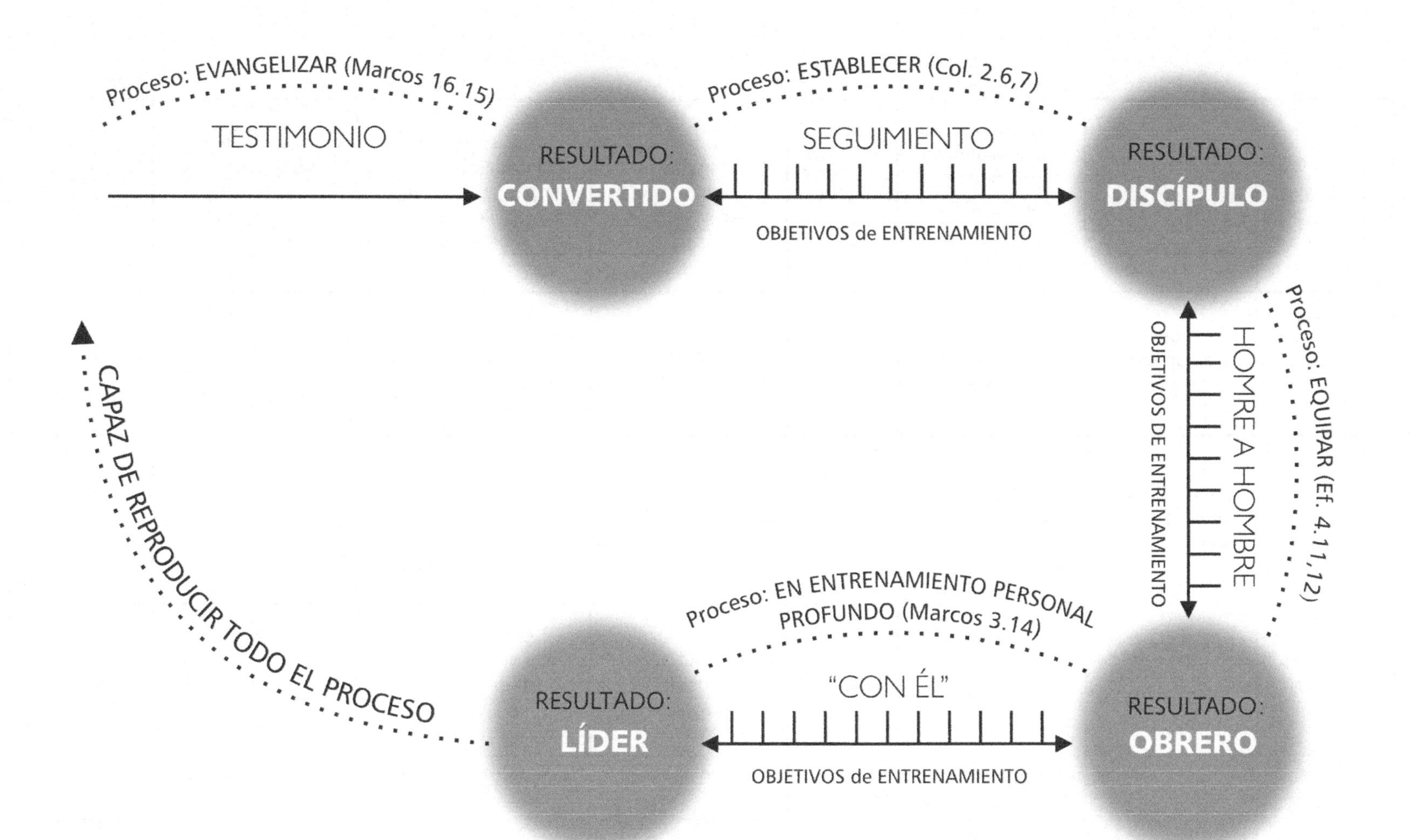

Leroy Eims, El arte perdido de discipular, El Paso, TX: Editorial Mundo Hispano, 1978, p. 141

Diagramas de crecimiento espiritual (continuación)

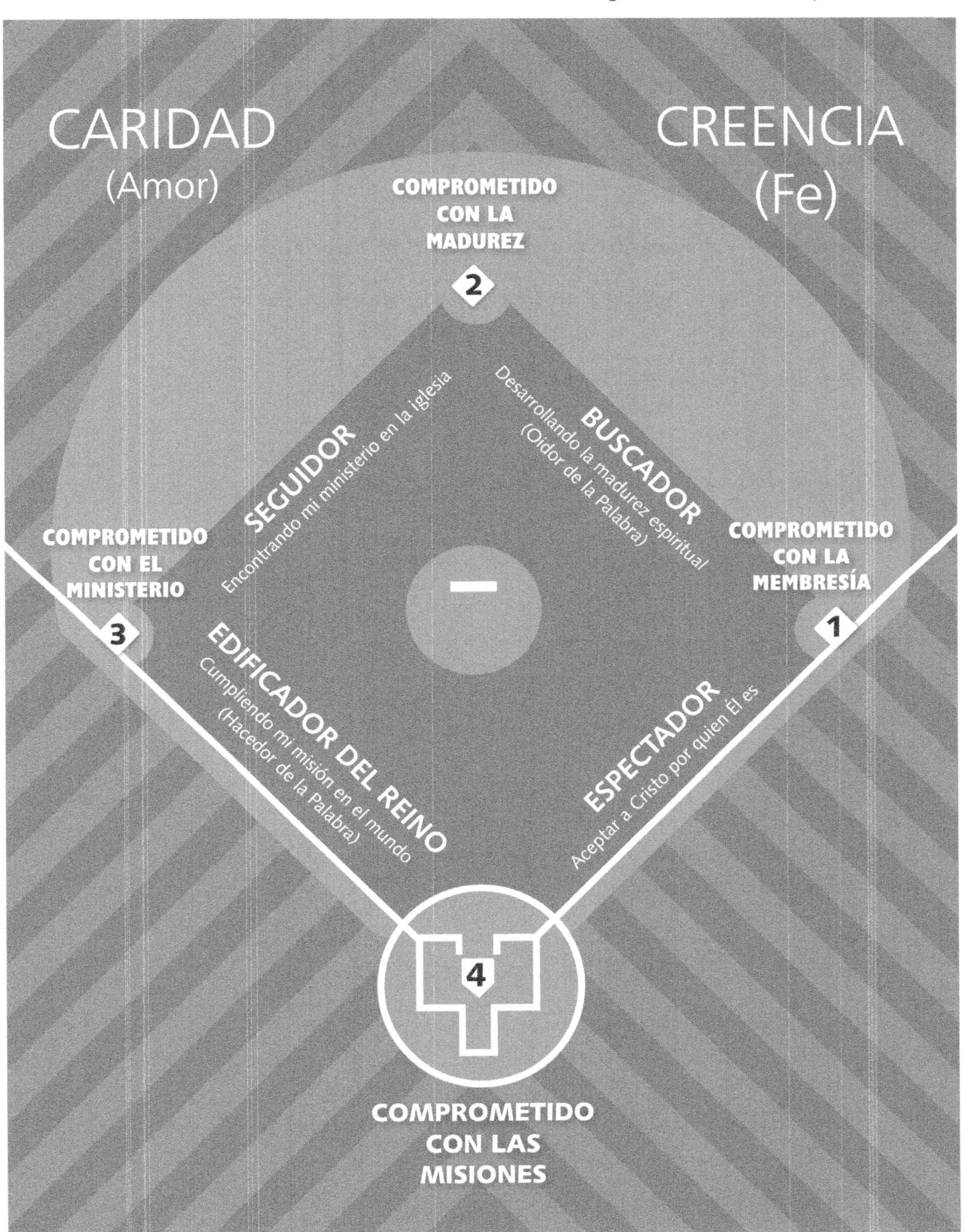

Vease Warren, Rick. *Una Iglesia con Propósito.* Miami, FL: Editorial Vida, 1998. p. 150.

Diferentes tradiciones de la respuesta afro-americana

Interpretando un legado, formando una identidad, persiguiendo un destino como persona de una minoría cultural

Adaptado e informado por Cornell West, en la Prophecy Deliverance

I. Excepcionalismo — afro-centrismo y superioridad- "por encima"

A. Definición: tendencia a responder manifestando una perspectiva superior e incluso romántica sobre las raíces raciales y culturales propias.

B. Ejemplos: Louis Farrakhan, W.E.B. DuBois

C. Temas

1. Balanceo del péndulo: misma intolerancia que el grupo opresor, sólo que a la inversa ("Mismo perro pero diferente collar")
2. Aislamiento y separación; no tiene interés en relacionarse con la gente de la cultura y/o raza mayoritaria
3. Considera la separación y la segregación como un paso esencial en el camino hacia una personalidad completa como grupo minoritario
4. Obtener la identidad propia es la principal meta, no el relacionarse con gente de otra cultura

II. Asimilacionismo: adoptar la cultura predominante como la única cultura principal - "por detrás"

A. Definición: tendencia a ignorar o pasar por alto las raíces culturales propias para identificarse con una identidad cultural mayoritaria y más aceptada

B. Ejemplos: Shelby Steele, Alan Keyes

C. Temas

1. Aboga a favor de una total adopción de la identidad cultural predominante (ej., "No soy negro, sino estadounidense")
2. Tiende a ignorar lo especiales que nos hacen las diferencias

Diferentes tradiciones de la respuesta afro-americana (continuación)

3. No necesita eliminar su cultura, sólo ignora las diferencias para poder mezclarse en una misma olla

4. Perpetuamente difiere debido a las exigencias o hábitos culturales de la cultura dominante

III. Marginalismo: inferioridad, vergüenza y odio, negación - "por fuera"

A. Definición: tendencia a negar, pasar por alto, o incluso rechazar el legado cultural propio, considerándolo patológico, insignificante y negativo para el crecimiento y la prosperidad personal

B. Ejemplos: Joseph Washington, E. Franklin Frazier

C. Temas

1. Alimenta la lucha contra sí mismo, el autodesprecio no es visto como algo negativo en referencia a la inferioridad general de la cultura

2. Ignora el papel de Dios en darle forma a la cultura

3. Simplifica al grado extremo el legado cultural propio como algo insignificante o inmoral

IV. Integracionismo: multi-culturalismo en la actualidad - "en medio"

A. Definición: tendencia a luchar por una integracion multi-cultural de pueblos dentro de la sociedad, lo cual garantiza los derechos y privilegios de los ciudadanos, su igualdad y justicia.

B. Ejemplos: Jesse Jackson, Thurgood Marshall, visión tradicional de los derechos civiles

C. Temas

1. Enfoque en obtener la justicia social entre todos los grupos dentro de la misma ("trato igualitario bajo la ley", y "cortar la torta social en partes iguales")

2. Procura un bien limitado dentro de la sociedad, de igualdad y justicia bajo la ley, y no se enfoca (en general) en amistades, sino en un trato igualitario

Diferentes tradiciones de la respuesta afro-americana (continuación)

3. Apela principalmente a temas relacionados con asuntos económicos, distribución de riquezas y beneficios generales de la sociedad

4. Puede enfocarse en establecer coaliciones de gente de diferentes culturas para poder forzar la mano del gobierno y la sociedad a favor de un trato justo e igualitario

5. Legisla su agenda, no enfatiza las relaciones

V. Celebracionismo: reconocimiento, satisfacción, crítica y relación- "al costado"

A. Definición: tendencia a ver todas las culturas como significativas y únicas, e intencionalmente celebra las diferencias entre las mismas mientras a la vez 1) critica sus elementos inmorales según una visión bíblica y 2) argumenta en contra de la exclusión y la intolerancia basadas en las diferencias.

B. Ejemplo: Martin Luther King, Jr.

C. Temas

1. Arraigado en una visión cristiana de la creación de Dios

2. Ética de una comunidad cristiana y su mensaje profético

3. Afirma la cultura como un fenómeno distintivo de la humanidad

4. No adjunta connotaciones peyorativas a la identidad o preferencia cultural

Dinámicas de una visión espiritual creíble

Rev. Dr. Don L. Davis

La visión se origina con el llamado

La visión implica que hay talentos

La visión asegura la confirmación

La visión inspira a un compromiso

La visión identifica una oportunidad

La visión demanda una estrategia

La visión requiere recursos

Llamado

+

Talentos

+

Confirmación

+

Compromiso

+

Oportunidad

+

Estrategia

+

Recursos

=

Resultados de Dios

Dios es tres en uno: La Trinidad

Rev. Dr. Don L. Davis

La Iglesia no ha dudado en enseñar la doctrina de la Trinidad. Sin pretender entenderla [por completo], ha dado testimonio a favor de ella; ha repetido lo que enseñan las Sagradas Escrituras. Algunos niegan que las Escrituras enseñen que hay una Trinidad de la Divinidad, apoyándose en que toda esta idea de una trinidad en la unidad es una contradicción de términos. Sin embargo, puesto que no somos capaces de entender la caída de una hoja de árbol junto al camino, o la incubación de un huevo [verde] de petirrojo en aquel nido lejano, ¿por qué habría de constituir la Trinidad un problema para nosotros? "Pensamos más altamente sobre Dios", dice Miguel de Molinos, "por saber que Él es incomprensible, y se halla por encima de nuestro entendimiento, que por concebirlo bajo cualquier imagen [humana, angelical, o imaginaria], y belleza de criatura, según nuestro torpe entendimiento".

~ A. W. Tozer. **El Conocimiento del Dios Santo.**
Deerfield, Florida: Editorial Vida, 1996. p. 25.

"Gloria sea al Padre", canta la iglesia, "al Hijo, y al Espíritu Santo". ¿Qué es esto? nos preguntamos- ¿alabamos a tres dioses? No; alabamos a un Dios en tres personas. Como dice el himno, "Jehová ¡Padre, Espíritu, Hijo! ¡Deidad Misteriosa! ¡Tres en Uno! Este es el Dios que los cristianos adoran — el Jehová Trino. La esencia de la fe en Dios es el misterio revelado de la Trinidad. Trinitas es una palabra latina que significa triunidad. El cristianismo descansa en la doctrina de trinitas, la triunidad, la tripersonalidad, de Dios.

~ J. I. Packer. **Knowing God.**
Downers Grove: InterVarsity Press, 1993. p. 65.

Preguntas para reflexionar

- ¿Cuál es la relación entre entender algo y dar testimonio de algo?
- ¿Por qué supone que el mejor testimonio de la Iglesia sobre la Trinidad es capturado en sus himnos y adoración así como en sus doctrinas y enseñanzas?
- ¿En qué maneras entender en profundidad la naturaleza del misterio es tan importante para estudiar la doctrina de la Trinidad?
- ¿Por qué entender a Dios como una Trinidad es tan importante tanto para nuestro propio crecimiento espiritual como para nuestro ministerio a otros?

Dios es tres en uno: La Trinidad (continuación)

Algunas dificultades iniciales al examinar a Dios como la Trinidad

- Más allá de nuestra capacidad de entender
- No existen analogías terrenales
- La modernidad, post-modernidad, y el dominio de la ciencia: el carácter de nuestra era
- El analfabetismo bíblico, principiantes teológicos, y la carencia de sermones

La necesidad de asombrarse

- Dios es completamente incomprensible como es en Sí mismo.
- Debemos quitar nuestras sandalias en la presencia de tal ser.
- La adoración, no el cálculo, es el resultado final de tal reflexión.

La necesidad de sumisión

- Las Escrituras son infalibles como nuestra regla de fe y práctica.
- La enseñanza de la Iglesia debe dirigirnos verdaderamente.
- Nuestra voluntad, no nuestro intelecto, debe en definitiva prevalecer sobre nuestra incapacidad humana de entender lo que no puede ser totalmente entendido.

> *La doctrina de la Trinidad es una verdad para el corazón. Sólo el espíritu del hombre puede entrar a través del velo y penetrar en ese Lugar Santísimo. "Que te busque anhelante", suplicaba Anselmo, "que suspire por ti al buscarte; que te encuentre en el amor, y te ame al encontrarte". El amor y la fe están en su ambiente dentro del misterio de la Divinidad. ¡Arrodíllese la razón en reverencia [y quédese afuera cuando el espíritu del hombre entra al Lugar Santísimo]!*
>
> A. W. Tozer. **El Conocimiento del Dios Santo**. p. 26.

Dios es tres en uno: La Trinidad (continuación)

*Todas las referencias a Erickson en este contorno se refieren a: Millard J. Erickson, **Introducing Christian Doctrine**. Grand Rapids: Baker Books, 1992.*

I. La base bíblica para la Trinidad (Erickson, p. 97)

A. Dios es UNO.

1. La unidad de Dios es atestiguada en el Decálogo (es decir, los Diez Mandamientos), Ex. 20.2-4.

    a. El primer mandamiento, Ex. 20.2-3.

    b. El segundo mandamiento, Ex. 20.4.

2. La unidad de Dios se testifica en el *Shema* de Deuteronomio 6, (el Gran Mandamiento de Jesús), Dt. 6.4.

3. El testimonio del AT

    a. Neh. 9.6

    b. Is. 42.8

    c. Is. 43.10

    d. Is. 44.6,8

    e. Is. 45.6,21-22

    f. Is. 46.9

    g. Zac. 14.9

4. El testimonio del NT

    a. Santiago 2.19

    b. Marcos 12.29-32

    c. Juan 5.44

    d. Juan 17.3

    e. 1 Co. 8.4,6

    f. Ef. 4.5-6

    g. 1 Ti. 2.5

Dios es tres en uno: La Trinidad (continuación)

B. Se afirma la Deidad de Tres (Erickson, p. 98).

Cada persona de la Deidad, (Padre, Hijo, y Espíritu Santo) es descrita como que posee los atributos de Dios mismo.

1. El Padre es Dios (universalmente afirmado).

2. El Hijo es Dios (Fil. 2.5-11; Juan 1.1-18; Heb. 1.1-12; Juan 8.58, etc.).

3. El Espíritu Santo es Dios (Hechos 5.3-4; Juan 16.8-11; 1 Co. 12.4-11; 3.16-17; Mt. 28.19; 2 Co. 13.14).

4. Estos tres personajes bíblicos comparten los mismos atributos.

   a. Eterno, Ro. 16.26 con Ap. 22.13; Heb. 9.14

   b. Santo, Ap. 4.8, 15.4, Hechos 3.14, 1 Juan 9.14

   c. Verdadero, Juan 7.28, Juan 17.3, Ap. 3.7

   d. Omnipresente, Jer. 23.24, Ef. 1.23; Sal. 139.7

   e. Omnipotente, Gn. 17.1 con Ap. 1.8; Ro.15.19; Jer. 32.17

   f. Omnisciente, Hechos 15.18; Juan 21.17; 1 Co. 2.10-11

   g. Creador, Gn. 1.1 con Col. 1.16; Job 33.4; Sal. 148.5 con Juan 1.3, y Job 26.13

   h. Fuente de vida eterna, Ro. 6.23; Juan 10.28; Gál. 6.8

   i. Resucita a Cristo, 1 Co. 6.14 con Juan 2.19 y 1 Pe. 3.18

C. ¿Dios como TRES?: inferencia lógica o enseñanza bíblica (Erickson, p. 99)

1. Pistas textuales: el problema de 1 Juan 5.7

2. La forma plural del sustantivo para Dios: Elohim, Gn. 1.26, Is. 6.8

3. El Imago Dei en la especie humana, Gn. 1.27 con 2.24

4. Nombramiento igual: unidad y pluralidad, Mt. 3.16-17; 28.19; 2 Co. 13.14

5. La fórmula triple del Apóstol Juan

   a. Juan 1.33-34

Dios es tres en uno: La Trinidad (continuación)

b. Juan 14.16,26

c. Juan 16.13-15

d. Juan 20.21-22

6. La declaración de la unidad de Jesús con el Padre

a. Juan 1.1-18

b. Juan 10.30

c. Juan 14.9

d. Juan 17.21

II. Modelos y argumentos históricos para la Trinidad (Erickson, p. 101)

A. La opinión "económica" de la Trinidad (Hipólito y Tertuliano)

1. Ninguna tentativa de explorar las relaciones eternas entre los tres miembros de la Trinidad

2. Enfoque en la creación y la redención: el Hijo y el Espíritu no son el Padre, pero están inseparablemente con Él en su ser eterno

3. Analogía: las funciones mentales de un ser humano

B. Monarquismo dinámico (A finales de los siglos II y III)

El Monarquismo= "única soberanía" (acentúa tanto la unicidad como la unidad de Dios); ambas opiniones del Monarquismo procuran conservar la idea de singularidad de Dios y unidad

1. Creador: Teodoto

2. Dios estuvo presente *en* la vida del hombre, Jesús de Nazaret.

3. Una fuerza trabajadora *sobre, en, o a través* de Jesús, pero no una verdadera presencia de Dios *dentro* de Jesús

4. Antes de su bautismo, Jesús era simplemente un hombre común (aunque virtuoso), comp. Mt. 3.16-17.

Dios es tres en uno: La Trinidad (continuación)

5. En el bautismo, el Espíritu descendió sobre Jesús y el poder de Dios fluyó a través de Él.

6. Esta opinión nunca se hizo popular.

C. Monarquismo modalista

1. Existe una Deidad que puede ser denominada como Padre, Hijo, o Espíritu.

2. Estos términos no significan diferencias reales de personalidades o que sean miembros diferentes, sino que son nombres apropiados para el funcionamiento de Dios en tiempos diferentes.

3. El Padre, el Hijo, y el Espíritu son revelaciones idénticas, continuas, de la misma y única persona.

4. Una persona con tres nombres, actividades, o roles diferentes

5. Esta opinión es insuficiente al considerar seriamente datos bíblicos completos

D. La formulación ortodoxa (Erickson, pp.102-103)

1. El Consejo de Constantinopla (381) y la opinión de Atanasio (293-373) "y los padres Capadocianos" (Basilio, Gregorio de Nazianzo, y Gregorio de Niza)

2. Un *ousia* [sustancia] en tres *hypostases* [personas] (una sustancia común pero personas múltiples, separadas)

   a. La Deidad existe en una sola esencia

   b. La Deidad existe al mismo tiempo en tres modos, seres o *hypostases* (personas)

3. El enfoque Capadociano

   a. *Hypostases* individual es la *ousia* de la Deidad.

   b. Cada una de las personas se distingue por las características o propiedades únicas a la misma (como la gente individual es a la humanidad universal).

Dios es tres en uno: La Trinidad (continuación)

4. No tri-teísmo: creencia en tres dioses. ¿Por qué?

    a. "Si encontramos una sola actividad del Padre, Hijo, y Espíritu Santo que no es distinta en ninguna manera a cualquiera de las tres personas, debemos concluir que hay sólo una sustancia idéntica implicada" (Erickson, p.102).

    b. Las personas de la Trinidad pueden distinguirse numéricamente como personas, pero no pueden distinguirse en su esencia o sustancia (diferente en cuanto a personas, uno en cuanto al ser).

III. Elementos esenciales, analogías, e implicaciones de la Trinidad (Erickson, 103)

A. Elementos esenciales

1. Dios es uno, no varios.

2. El Padre, Hijo, y Espíritu Santo, cada uno es divino. (Cada uno posee los atributos y cualidades del Dios verdadero.)

3. La unidad de Dios y la triunidad de Dios no son, en realidad, contradictorias.

4. La Trinidad es eterna.

5. La subordinación entre las personas no sugiere inferioridad en su esencia.

    a. El Hijo está sujeto al Padre.

    b. El Espíritu está sujeto al Padre.

    c. El Espíritu está sujeto al Hijo como también al Padre.

    d. Esta subordinación es sólo funcional ; el sometimiento nunca habla de la inferioridad.

6. La Trinidad es incomprensible.

B. La búsqueda de analogías de la Trinidad

1. Analogías de naturaleza física

   a. El huevo: la yema, la clara, y la cáscara

   b. Agua: estado sólido, líquido, y gaseoso

   c. Sugestivo, no persuasivo

2. Analogías de la personalidad humana: Agustín y *De trinitate*

   a. La analogía de la personalidad individual auto-consciente: pensamiento de auto-referencia

   b. La analogía de relaciones humanas interpersonales: gemelos

C. Implicaciones de la doctrina de la Trinidad

1. Conozca a Dios: Padre, Hijo, y Espíritu Santo

2. Adore a Dios: Padre, Hijo, y Espíritu Santo

3. Ore a Dios: Padre, Hijo, y Espíritu Santo

4. Obedezca a Dios: Padre, Hijo, y Espíritu Santo

5. Imite a Dios: Viva en amor, afecto, y comunidad

Discerniendo el llamado: El perfil de un líder cristiano piadoso

Rev. Dr. Don L. Davis

	Comisión	Carácter	Comunidad	Competencia
Definición	Reconoce el llamado de Dios y responde con pronta obediencia a su señorío y guía	Refleja el carácter de Cristo en su convicción personal, conducta y estilo de vida	Considera la multiplicación de discípulos en el cuerpo de Cristo como el papel primordial del ministerio	Responde en el poder del Espíritu con excelencia en llevar a cabo su labor y ministerio asignado
Escritura clave	2 Ti. 1.6-14; 1 Ti. 4.14; Hch. 1.8; Mt. 28.18-20	Juan 15.4-5; 2 Ti. 2.2; 1 Co. 4.2; Gál. 5.16-23	Ef. 4.9-15; 1 Co. 12.1-27	2 Ti. 2.15; 3.16-17; Ro. 15.14; 1 Co. 12
Concepto crítico	La autoridad de Dios: El líder de Dios actúa bajo el llamado y autoridad reconocida por Dios, los santos y los líderes de Dios	La humildad de Cristo: El líder de Dios demuestra la mente y estilo de vida de Cristo en sus acciones y relaciones	El crecimiento de la Iglesia: El líder de Dios utiliza todos sus recursos para equipar y facultar al cuerpo de Cristo para que cumpla su meta y labor	El poder del Espíritu: El líder de Dios opera bajo la dotación y unción del Espíritu Santo
Elementos centrales	Llamado claro de Dios Auténtico testimonio ante Dios y otros Sentido profundo de convicción personal basado en la Escritura Carga personal hacia una tarea o gente en particular Confirmación por los líderes y el cuerpo de Cristo	Pasión por el carácter de Cristo Estilo de vida radical por el Reino Busca seriamente la santidad Disciplina en su vida personal Realiza su papel en relación a ser siervo-esclavo de Cristo Provee un modelo atractivo para otros en conducta, palabra, actitud y estilo de vida (el fruto del Espíritu)	Amor y anhelo genuino en servir al pueblo de Dios Discipula individuos fieles Facilita crecimiento en los grupos pequeños Pastorea y equipa creyentes en la congregación Nutre asociaciones y redes entre cristianos e iglesias Avanza nuevos movimientos entre el pueblo de Dios localmente	Talentos y dones del Espíritu Santo Discipulado saludable bajo un mentor capaz Experiencia en las disciplinas espirituales Habilidad en la Palabra Capaz en evangelizar, dar seguimiento y discipular nuevos convertidos Estratega en el uso de recursos y gente para llevar a cabo la obra de Dios
Estrategia Satánica sobre el liderazgo	Operar basado en su personalidad o posición en lugar de la designación y llamado de Dios y la continua autoridad	Sustituir la piedad y el carácter de Cristo con la actividad ministerial y la labor industrial	Exaltar las tareas y actividades por encima de equipar a los santos y desarrollar a la comunidad cristiana	Laborar bajo dones naturales y genio personal en lugar de la guía y dones del Espíritu
Pasos importantes	Identificar el llamado Descubrir su carga Ser confirmado por el liderazgo	Está arraigado en Cristo Cultiva la disciplina devocional Busca santidad en todo	Abraza a la Iglesia de Dios Aprende contextos de liderazgo Equipa concéntricamente	Descubre dones del Espíritu Recibe entrenamiento excelente Pule su rendimiento
Resultados	Mucha confianza en Dios, que surge del llamado de Él	Provee un poderoso ejemplo cristiano para que otros lo sigan	Multiplica discípulos en la Iglesia	Dinámico obrar del Espíritu Santo

Discipulando a los fieles: Estableciendo líderes para la iglesia urbana

Conferencia Coronas de Gloria. Don Davis. Febrero 1998.

	Comisión	Carácter	Competencia	Comunidad
Definición	Reconoce el llamado de Dios y responde con pronta obediencia a su señorío y dirección	Refleja el carácter de Cristo en sus convicciones personales, conducta, y manera de vivir	Responde con excelencia en el poder del Espíritu en llevar a cabo la obra y ministerio asignado	Tiene en cuenta la multiplicación de los discípulos en el cuerpo de Cristo como lo más importante en el ministerio
Escritura Clave	2 Ti. 1.6-14; 1 Ti. 4.14; Hch 1.8; Mt. 28.18-20	Jn. 15.4-5; 2 Ti. 2.2; 1 Co. 4.2; Gál. 5.16-23	2 Ti. 2.15; 3.16-17; Ro. 15.14; 1 Co.12	Ef. 4.9-15; 1 Co. 12.1-27
Concepto Crítico	La Autoridad de Dios: El líder de Dios actúa en el reconocido llamado y autoridad de Dios, reconocido por los líderes de Dios	La Humildad de Cristo: El líder de Dios muestra la mente y manera de vivir de Cristo en sus acciones y relaciones	El Poder del Espíritu: El líder de Dios opera con los dones y la unción del Espíritu Santo	El Crecimiento de la Iglesia: El líder de Dios usa todos sus recursos para equipar y autorizar el cuerpo de Cristo para su meta y obra
Elementos Centrales	Un llamado claro de Dios Un testimonio auténtico delante de Dios y otras personas Un profundo sentido de convicción personal basada en las Escrituras Una carga personal por personas u obra en particular Confirmación por los líderes y el cuerpo	Pasión por ser como Cristo Un estilo de vida radical para el Reino Una búsqueda seria de la santidad Disciplinado en su vida personal Lleva el papel de esclavo de Cristo en sus relaciones Provee un modelo atractivo para otros en su forma de hablar, conducta y estilo de vida (el fruto del Espíritu)	Dotes y dones del Espíritu Recibe un discipulado correcto de un mentor capaz Hábil en las disciplinas espirituales Habilidad en la Palabra Hábil para evangelizar y continuar con el discipulado de los nuevos convertidos Es estratégico en usar los recursos y las personas para hacer la obra de Dios	Un amor y deseo genuino de servir al pueblo de Dios Discipula a individuos fieles Facilita el crecimiento de grupos pequeños Pastorea y equipa a los creyentes en la congregación Alimenta las asociaciones y uniones entre los cristianos y las iglesias Adelanta nuevos movimientos locales en medio del pueblo de Dios
Estrategias Satánicas a Evitarse	Opera en base a la personalidad y posición en lugar del llamado de Dios y la autoridad existente	Sustituye la santidad y el vivir como Cristo por actividad en el ministerio, el trabajo duro y la laboriosidad	En lugar de ser guiado por el Espíritu y los dones funciona en los dones naturales e ingenuidad personal	Exalta las obras y actividades por encima de equipar los santos y desarrollar la comunidad cristiana
Pasos Claves	Identifica el llamado de Dios Descubre su carga Confirmado por los líderes	Permanece en Cristo Disciplina para Santidad Desea santidad en todo	Descubre los dones del Espíritu Recibe entrenamiento excelente Mejora su función	Está unido a la Iglesia Aprende los contextos del liderazgo Concentrado en equipar
Resultados	Confianza en Dios que surge del llamado	Poderoso ejemplo para que otros lo sigan	Trabajo dinámico del Espíritu Santo	Multiplicando discípulos en la Iglesia

Diseñado para representar

Multiplicando discípulos del Reino de Dios

Rev. Dr. Don L. Davis • Lucas 10.16 (LBLA) - El que a vosotros escucha, a mí me escucha, y el que a vosotros rechaza, a mí me rechaza; y el que a mí me rechaza, rechaza al que me envió.

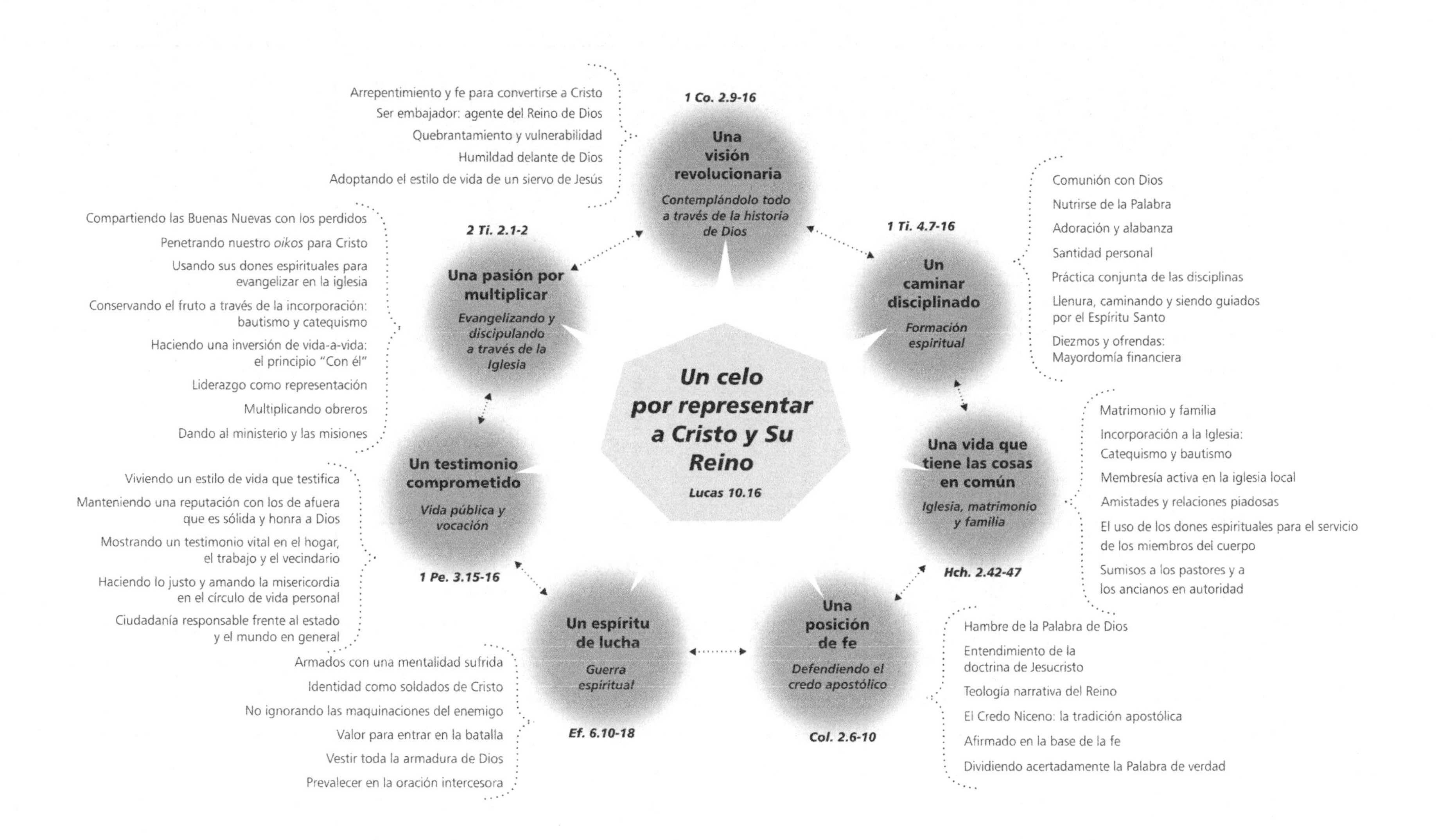

Documentando su tarea

Una regla para ayudarle a dar crédito a quien merece crédito

The Urban Ministry Institute

Cómo evitar el plagio intelectual

El *plagio intelectual*, significa usar las ideas de otra persona como si fueran suyas sin darles el crédito debido. En cualquier tarea académica, *plagiar* o usar las ideas de otro sin darle crédito, es igual que robarle su patrimonio. Estas ideas pueden venir del autor de un libro, de un artículo que usted lea, o de un compañero de clase. El *plagio* se evita archivando e incluyendo cuidadosamente sus "notas prestadas" (notas del texto, notas al pie de la hoja del texto, notas al final de un documento, etc.), y citando las "Obras" donde aparecen las "notas prestadas", para ayudar a la persona que lee su tarea, a conocer cuando una idea es de su propia innovación o cuando la idea es prestada de otra persona.

Cómo usar referencias de las citas

Se requiere que agregue una cita, cada vez que use la información o texto de la obra de otra persona.

Todas las referencias de citas, tradicionalmente se han hecho de dos formas:

- Notas en el texto del proyecto o tarea estudiantil, agregadas después de cada cita que venga de una fuente exterior.
- La página de las "Obras citadas", está en la última hoja de la tarea. Ésta da información de la fuente citada en el proyecto o tarea.

Cómo anotar las citas en sus tareas

Aprender como usar referencias de las citas, es altamente importante ya que este conocimiento lo tendrá que usar con cualquier otro curso, secular o teológico. De ser así, su tarea siempre será considerada con más credibilidad y confianza.

Hay tres formas básicas de notas: *Nota parentética, Nota al pie de la página,y Nota al final del proyecto*. En el The Urban Ministry Institute, recomendamos que los estudiantes usen notas parentéticas porque son las más fáciles de usar. Estas notas proveen: 1) el apellido del[os] autor[es]; 2) la fecha cuando el libro fue publicado; y 3) la[s] página[s] donde se encuentra la información. El siguiente es un ejemplo:

> Al tratar de entender el significado de Génesis 14.1-24, es importante reconocer que en las historias bíblicas "el lugar donde se introduce el diálogo por primera vez es un momento importante donde se revela el carácter del discursante . . ." (Kaiser y Silva 1994, 73). Esto ciertamente es evidencia del carácter de Melquisedec, quien confiesa palabras de bendición. Esta identificación de Melquisedec como una influencia positiva, es reforzada por el hecho que él es el Rey de Salén, ya que Salén significa "seguro, en paz" (Wiseman 1996, 1045).

Documentando su tarea (continuación)

Cómo crear una página de "Obras citadas" al final de su tarea

Si el estudiante no adopta nuestra recomendación, tal como lo explicamos anteriormente, entonces todas las citas pueden ser incluidas *al final de cada página*, o en *la última página del proyecto* con una página de "Obras citadas". Ambas opciones deben ser así:

- Dar una lista de cada fuente que haya sido citada en esa página o en el proyecto
- En orden alfabético de apellido del autor
- Y añadir la fecha de publicación e información del editor

La siguiente es una explicación más completa de las reglas sobre citas:

1. Título

El título "Obras Citadas", debe ser usado y estar centrado en la primera línea de la página de citas (el único espacio es el margen de la hoja, no inserte ningún espacio antes del título).

2. Contenido

Cada referencia debe incluir:

- El nombre completo (primero el apellido, una coma, luego el nombre y punto)
- La fecha de publicación (año y un punto)
- El título (tomado de la tapa del libro), y cualquier información especial como impresión editada (Ed.), segunda edición (2a Ed.), reimpresión (Reimp.), etc.
- La ciudad donde se localiza la casa editora; dos puntos, y el nombre de la editora.

3. Forma básica

- Cada pieza de información debe estar separada por un punto.
- La segunda línea de la referencia (y las siguientes líneas), debe estar tabulada una vez (una sangría).
- El título del libro debe estar subrayado (o en cursiva).
- Los títulos de artículos deben escribirse entre comillas (" ").

Por ejemplo

Fee, Gordon D. 1991. *Gospel and Spirit: Issues in New Testament Hermeneutics*. Peabody, MA: Hendrickson Publishers.

Documentando su tarea (continuación)

4. Formas especiales

Un libro con autores múltiples:

Kaiser, Walter C., y Moisés Silva. 1994. *Una Introducción a la Hermenéutica Bíblica: En Búsqueda del Significado.* Grand Rapids: Zondervan Publishing House.

Un libro editado

Greenway, Roger S., ed. 1992. *Discipulando la Ciudad: Una Propuesta Comprensiva para Misiones Urbanas.* 2a Ed. Grand Rapids: Baker Book House.

Un libro que es parte de una serie:

Morris, León. 1971. *El Evangelio Según Juan.* Grand Rapids: Wm. B. Eerdmans Publishing Co. Comentario Internacional del Nuevo Testamento. Gen. Ed. F. F. Bruce.

Un artículo en un libro de referencia:

Wiseman, D. J. "Salén". 1982. *Diccionario Nuevo de la Biblia.* Leicester, Inglaterra - Downers Grove, IL: InterVarsity Press. Eds. I. H. Marshall y otros.

(En las próximas páginas hay más ejemplos. Vea también el ejemplo llamado "Obras citadas").

Para más investigación

Las normas para documentar obras académicas en las áreas de filosofía, religión, teología, y ética incluyen:

Atchert, Walter S., y Joseph Gibaldi. 1985. *El Manual del Estilo de MLA.* New York: Modern Language Association.

El Manual de Estilo de Chicago. 1993. 14a Ed. Chicago: The University of Chicago Press.

Turabian, Kate L. 1987. *Un Manual para Escritores de Tareas Universitarias, Tesis y Disertaciones.* 5a edición. Bonnie Bertwistle Honigsblum, Ed. Chicago: The University of Chicago Press.

Documentando su tarea (continuación)

Obras citadas

Fee, Gordon D. 1991. *El Evangelio y El Espíritu: Asuntos de Hermenéutica Neo Testamentaria.* Peabody, MA: Hendrickson Publishers.

Greenway, Roger S., Ed. 1992. *Discipulando la Ciudad: Una Propuesta Comprensiva para Misiones Urbanas.* 2a Ed. Grand Rapids: Baker Book House.

Kaiser, Walter C., y Moisés Silva. 1994. *Una Introducción a la Hermenéutica Bíblica: En Búsqueda del Significado.* Grand Rapids: Zondervan Publishing House.

Morris, León. 1971. *El Evangelio Según Juan.* Grand Rapids: Wm. B. Eerdmans Publishing Co. *Comentario Internacional del Nuevo Testamento.* Gen. Ed. F. F. Bruce.

Wiseman, D. J. "Salén". 1982. En *Diccionario Nuevo de la Biblia.* Leicester, Inglaterra-Downers Grove, IL: InterVarsity Press. Eds. I. H. Marshall y otros.

Dones espirituales mencionados específicamente en el Nuevo Testamento

Rev. Terry G. Cornett

Administración	1 Co. 12.28	La habilidad para poner orden en la vida de la Iglesia
Apostolado	1 Co. 12.28; Ef. 4.11	La habilidad para establecer nuevas iglesias entre los no alcanzados, llevarlos a la madurez, y ejercitar autoridad y la sabiduría necesaria para verlos permanentemente establecidos y reproduciéndose; y/o Un don singular de la época de la fundación de la Iglesia que incluía recibir revelación especial y singular, sólida autoridad de liderazgo
Discernimiento	1 Co. 12.10	La habilidad para servir a la Iglesia a través de la capacidad que el Espíritu concede para distinguir entre la verdad de Dios (su presencia, obra y doctrina) y errores de la carne o falsificaciones satánicas
Evangelización	Ef. 4.11	La pasión y la habilidad para proclamar eficazmente el evangelio de tal manera que la gente lo entienda
Exhortación	Ro. 12.8	La habilidad para dar ánimo o reprensión que ayude a otros a obedecer a Cristo
Fe	1 Co. 12.9	La habilidad para edificar la Iglesia a través de una singular capacidad, y ver que por medio de una absoluta confianza en Dios sus propósitos no realizados, se logren
Repartir (dar, LBLA)	Ro. 12.8	La habilidad para edificar la Iglesia a través de un gozo consistente al compartir generosamente los recursos espirituales y físicos
Sanidad	1 Co. 12.9; 12.28	La habilidad para poner en práctica la fe que resulta en la restauración de la salud física, emocional y espiritual de las personas
Interpretación	1 Co. 12.10	La habilidad para explicar el significado de una declaración extática de tal modo que la Iglesia sea edificada

Dones espirituales mencionados específicamente en el Nuevo Testamento (continuación)

Conocimiento	1 Co. 12.8	La habilidad para entender verdades bíblicas por la iluminación del Espíritu Santo, y hablarlas para edificación del cuerpo; y/o La revelación sobrenatural de la existencia, o naturaleza, de una persona o cosa que no sería conocida por medios naturales
Liderazgo	Ro. 12.8	Valor, sabiduría, celo y duro trabajo inspirado por el Espíritu que motiva y guía a otros para que puedan participar eficazmente en la edificación de la Iglesia
Misericordia	Ro. 12.8	Simpatía de corazón que habilita a una persona a tener empatía con otros y servir con alegría a quienes están enfermos, sufriendo o desanimados
Ministrar (o servicio, o ayuda, u hospitalidad)	Ro. 12.7; 1 Pe. 4.9	La habilidad para hacer cualquier tarea felizmente que beneficia a otros y satisface sus necesidades prácticas y materiales (especialmente a favor de los pobres o los afligidos)
Milagros	1 Co. 12.10; 12.28	La habilidad para confrontar el mal y hacer el bien en maneras que hacen visible el maravilloso poder y la presencia de Dios
Pastor	Ef. 4.11	El deseo y la habilidad para guiar, proteger y equipar a los miembros de una congregación para el ministerio
Profecía	1 Co. 12.28; Ro. 12.6	La habilidad para recibir y proclamar abiertamente un mensaje revelado de Dios que prepara a la Iglesia para obedecerlo a Él y a las Escrituras
Enseñanza	1 Co. 12.28; Ro. 12.7; Ef. 4.11	La habilidad para explicar el significado de la Palabra de Dios y su aplicación por medio de una cuidadosa instrucción
Lenguas	1 Co. 12.10; 12.28	Emitir palabras extáticas por medio de las cuales una persona le habla a Dios (o a otros) bajo la dirección del Espíritu Santo
Sabiduría	1 Co. 12.8	Discernimiento revelado por el Espíritu que le permite a una persona hablar instrucciones piadosas para la solución de problemas; y/o Discernimiento revelado por el Espíritu que le permite a una persona explicar los misterios centrales de la fe cristiana

Editorial

Ralph D. Winter

Este artículo fue tomado de Mission Frontiers: El Boletín de US Center for World Mission, Vol. 27, No. 5; Septiembre-Octubre 2005; ISSN 0889-9436.

Ralph D. Winter fue el Editor de Mission Frontiers *y el Director General del Compañerismo Frontier Mission.*

Estimado Lector,

En esta ocasión usted debe aprender una frase nueva: Insider Movements (Movimientos Internos).

En los días de Pablo esta idea nueva fue tan sorpresiva como estrategia misionera, que casi nadie la entendía (y tampoco ahora). Por eso estamos dedicando este número a "Movimientos Internos". También por eso la reunión anual del 2005 de la Sociedad Internacional para la Misiología Frontier, se enfocó en el mismo tema. (Ver *www.ijfm.org/isfm.*)

En primer lugar una advertencia: muchos donantes y guerreros de oración de la misión, e inclusive algunos misioneros, no están de acuerdo con la idea.

Incluso, el director de una junta misionera no estuvo de acuerdo con un notable misionero, al cual al final de cuentas le pidieron que buscara otra agencia misionera con la cual laborar. ¿Por qué? El director era un excelente ex-pastor que nunca había vivido entre gente totalmente extraña. Después de dos años de correspondencia que seriamente iba subiendo de tono entre el director y la familia misionera, la relación tuvo que terminarse.

Bien, así que esto es un asunto serio. ¿Por qué razón *Movimientos Internos* es un concepto tan problemático?

Para comenzar, dondequiera que Pablo iba, los "judaizantes" lo seguían y trataban de destruir el Movimiento Interno que él había establecido.

Algunos de los judaizantes eran serios seguidores de Cristo quienes simplemente no podían imaginarse cómo un gentil – inclusive gentil en el vestuario, idioma y cultura – podría llegar a ser creyente en Cristo Jesús sin abandonar una gran cantidad de cultura griega, ser circuncidado, observar las reglas dietéticas del "kosher" y de las "lunas nuevas y días de reposos", etc.

El fuerte lenguaje de la carta de Pablo a los Gálatas es un resultado de ello. El muy serio texto de su carta a los Romanos es otro. Hace varios años que las escamas de mis ojos se

Editorial (continuación)

me cayeron cuando leí que "Israel, que iba tras una ley de justicia, la cual no la alcanzó. ¿Por qué? Porque iban tras ella no por fe, sino como por obras" (Ro. 9.31-32).

Pablo no estaba diciendo que la cultura religiosa judía era defectuosa o que la cultura gentil era superior. Él estaba enfatizando que la fe del corazón es el elemento clave en cualquier cultura, que las *formas* no eran la clave sino la fe. Los gentiles que rendían sus corazones al evangelio no tenían que llegar a ser judíos culturalmente y observar las formas judías.

Más bien, Pablo dijo: "Porque no me avergüenzo del evangelio, porque es poder de Dios para salvación a todo aquel que cree; al judío primeramente, y también al griego" (Ro. 1.16).

Pero el punto no es simplemente que la gente de cada cultura, se quede culturalmente estancada en una calle sin salida, sino que retenga su propia cultura a la vez que reconoce la validez de las versiones de la fe dentro de otras culturas, y la universalidad del Cuerpo de Cristo.

Diferentes fuentes de cristianismo europeo fluyeron hacia Estados Unidos, produciendo más de 200 diferentes "sabores" de cristianismo, y algunos nacieron aquí (Mormones, Testigos de Jehová), unos muy bíblicos, otros no tan bíblicos y otros muy extraños.

Lo mismo sucede en el campo misionero: surgen muchos movimientos diferentes. Lo ideal es que el evangelio sea eficazmente expresado dentro del idioma y cultura de un pueblo y no solamente sea un transplante de la cultura del misionero.

El famoso libro de H. Richard Niebhur, *Social Sources of Denominationalism* (Fuentes Sociales del Denominacionalismo), es notorio porque señala que las diferencias denominacionales no solamente tienen diferencias doctrinales (con frecuencia menores) sino usualmente reflejan, al menos por un tiempo, diferencias sociales que son la verdadera diferencia. Sin embargo, hace notar que la fe cristiana en muchos casos fue un "Movimiento Interno" y se expresó dentro de diferentes corrientes sociales, adquiriendo características de tales diferentes corrientes.

Pero volvamos a las misiones. La cuestión judío/gentil es mucho más y mucho "peor" que las diferencias entre los metodistas, quienes oran que sus transgresiones sean perdonadas y los presbiterianos, quienes oran que sus deudas sean perdonadas.

No, la circuncisión en los días de Pablo indudablemente fue una gran barrera para que los hombres adultos griegos llegaran a ser culturalmente seguidores judíos de Cristo. Otro punto sensible era la cuestión de comer carne que había sido ofrecida a los ídolos, y otras cosas más por el estilo.

Editorial (continuación)

Posteriormente, en el curso de la historia la tensión judío/gentil tuvo un paralelo en la tensión latina/alemana. En este útimo, hubo una profunda diferencia de actitudes hacia el matrimonio versus el celibato de los clérigos y el uso del latín en los servicios de la iglesia.

Durante siglos el latín fue *el idioma* de Europa, habilitando a ministros, abogados, doctores en medicina y oficiales públicos, a leer los libros de sus profesiones en un solo idioma. Eso duró por mucho tiempo. Durante siglos un idioma unificador de lectura hizo mucho bien. Pero la Biblia no llegó a lo suyo propio, sino hasta que fue traducida a los principales idiomas de Europa.

El profundo estruendo que modernizó a Europa fue el desatar de la Biblia.

Es una cosa excitante y tal vez perturbadora—la idea que la fe bíblica pueda ser apropiada por cualquier idioma y cultura. Note la sorprendente realidad en lo que llaman tierras misioneras actualmente. Ya sea África, India, o China, muy bien pudiera ser que el mayor número de creyentes genuinos en Cristo Jesús no se encuentren en lo que usualmente llamamos Iglesias cristianas.

¿Puedes usted creer eso? Quizás ellos todavía se consideren musulmanes o hindúes (en un sentido cultural).

Pero, el cristianismo actual está identificado con el vehículo cultural de la civilización occidental. Las personas de las tierras misioneras que no desean ser "occidentalizadas" sienten que deben mantenerse alejadas de la Iglesia cristiana, la cual en sus propios países con frecuencia es una iglesia muy occidentalizada en cultura, teología, interpretación de la Biblia, etc.

Por ejemplo, en Japón hay "iglesias" que son tan occidentalizadas que en los últimos cuarenta años no han ganado ni siquiera a un miembro. Muchos astutos observadores han llegado a la conclusión que todavía no existe "una forma japonesa de cristianismo". Cuando una surja, tal vez no vaya a querer asociarse con la tradición cristiana de occidente, excepto de una manera fraternal.

Ahora sabemos que en la India hay millones de hindúes que han decidido seguir a Cristo, leyendo la Biblia diariamente y adorándolo a nivel familiar, pero que casi no frecuentan las iglesias tipo occidental de aquellas tierras.

En algunos lugares, miles de personas que se consideran musulmanes son sin embargo seguidores de corazón y alma de Cristo Jesús y que llevan consigo el Nuevo Testamento a las mezquitas.

Editorial (continuación)

En África hay más de 50 millones de creyentes (de cierta clase) dentro de una vasta esfera llamada "Iglesias Africanas de los Iniciados". Las personas de las "iglesias cristianas" más formales tal vez no consideren a estos otros como cristianos en lo absoluto. Por cierto, algunos de ellos están mucho más alejados de la fe bíblica pura que los Mormones. Pero si ellos reverencian y estudian la Biblia, debemos dejar que la Biblia haga su obra. Estos grupos varían de un extremo herético a lo seriamente bíblico dentro de diez mil "denominaciones" que no están relacionadas con ningún cuerpo cristiano visible.

Así que no todos los movimientos "internos" son ideales. Nuestro propio cristianismo no es muy exitoso [sic] "dentro" de nuestra cultura, puesto que muchos "cristianos" lo son de nombre solamente. Inclusive, actividades de "plantación de iglesias" de la misión pueden o no pueden ser "internas" en lo absoluto, y aun en el caso que lo sean, pueden no ser ideales.

Algunos de estos movimientos alrededor del mundo, no bautizan. En otros casos sí lo hacen. A mí me han preguntado: "¿Promueve usted la idea de creyentes no bautizados?" No, al reportar la existencia de estos millones de personas, estamos reportando acerca del increíble poder de la Biblia. Nosotros no estamos promoviendo todas las ideas que ellos reflejan ni las prácticas que observan. La Biblia es como un fuego oculto saliéndose de control. En un sentido podemos estar muy contentos por ello.

Ejemplos de declaraciones denominacionales sobre el "bautismo del Espíritu Santo", las cuales ilustran las diferentes perspectivas

Perspectiva de etapa única

Iglesia Evangélica Presbiteriana

Extraído de la Monografía de la Posición sobre el Espíritu Santo, www.epc.org/about-epc/position-papers/holy-spirit.html

Como una denominación de la tradición Reformada, nos suscribimos a la afirmación antigua de la fe cristiana ortodoxa y creemos en "un Señor, una fe, un bautismo" (Efesios 4.5). Este bautismo, si bien se expresa visiblemente en el sacramento del pacto que lleva su nombre, es invisiblemente la obra del Espíritu que ocurre en el momento del nuevo nacimiento. Pablo expresa esta verdad en 1 Corintios 12.13, donde le dice a los Corintios "...por un solo Espíritu fuimos todos bautizados en un cuerpo..."

De este modo, entendemos el concepto del bautismo en o con el Espíritu Santo como el acto del Espíritu que toma a un individuo no regenerado y, a través del nuevo nacimiento, lo adopta en la familia de Dios. Entonces, todas las obras del Espíritu que siguen son por este bautismo inicial en vez de algo aparte a ello.

Debido a que los cristianos son llamados a "...ser llenos con el Espíritu..." (Efesios 5.18) todos los creyentes en Cristo, habiendo sido bautizados en Su cuerpo por el Espíritu Santo deben buscar experimentar el cumplimiento de este mandato. Creemos que los cristianos son llamados a proclamar la gracia que se extiende para perdonar, para redimir y para dar un poder espiritual nuevo a la vida a través de Cristo Jesús y la llenura del Espíritu Santo (*Book of Worship*, 1-3).

Perspectiva de etapa múltiple: santidad

Iglesia del Nazareno

Extraído de Artículos de Fe, www.nazarene.org/gensec/we_believe.html

Creemos que la santificación total es la obra de Dios, posterior a la regeneración, por la cual los creyentes son hechos libres del pecado original, o depravación, y traídos a un estado de devoción total a Dios, y a la santa obediencia del amor perfeccionado.

Esto se logra por el bautismo con el Espíritu Santo, lo cual encierra una experiencia que consiste en la limpieza del corazón y la morada del Espíritu Santo (Su presencia interior), lo cual da poder al creyente para vivir y servir.

Ejemplos de afirmaciones denominacionales sobre el "bautismo del Espíritu Santo" (continuación)

La santificación en su totalidad es proporcionada por la sangre de Jesús, se obtiene al instante por la fe, y es precedida por la consagración entera; y el Espíritu Santo es testigo de esta obra y estado de gracia.

Esta experiencia también es conocida por varios términos que representan sus diferentes fases, tales como la "perfección Cristiana", el "amor perfecto", la "pureza de corazón", el "bautismo con el Espíritu Santo" la "llenura de una bendición" y la "santidad Cristiana".

Creemos que hay una distinción marcada entre un corazón puro y un carácter maduro. El anterior se obtiene en un instante, es resultado de la santificación completa; el posterior es el resultado de un crecimiento en la gracia.

Creemos que la gracia de la santificación completa incluye el impulso para crecer en la gracia. Sin embargo, este impulso debe ser nutrido conscientemente, y se le debe dar una atención cuidadosa a los requisitos y procesos de desarrollo espiritual y mejora para ser similares a Cristo en carácter y personalidad. Sin tal esfuerzo determinado, el testimonio de alguien puede ser perjudicado, la gracia misma puede frustrarse y por último perderse.

Asambleas de Dios

Perspectiva de etapa múltiple: Pentecostal

Extraído de La Evidencia Física Inicial del bautismo en el Espíritu Santo, http://ag.org/top/position_papers/0000_index.cfm

El término bautismo en el Espíritu Santo es tomado de la Escritura. Juan el Bautista fue el primero en usarlo un poco antes que Jesús iniciara Su ministerio público. Él dijo, "Él [Jesús] os bautizará en Espíritu Santo" (Mateo 3.11). A la conclusión de Su ministerio terrenal, Jesús se refirió a la afirmación de Juan (Hechos 1.5); y Pedro, al reportar los eventos en la casa de Cornelio, también repitió la afirmación (Hechos 11.16).

El bautismo en el Espíritu (también referido como el bautismo) es posterior a y diferente al nuevo nacimiento. La Escritura aclara que hay una experiencia en la cual el Espíritu Santo bautiza a los creyentes en el cuerpo de Cristo (1 Corintios 12.13), y está la experiencia en la cual Cristo bautiza a los creyentes en el Espíritu Santo (Mateo 3.11). No pueden referirse a la misma experiencia debido a que el agente que bautiza y el elemento en el cual el candidato es bautizado son diferentes en cada caso.

La característica de las experiencias se ilustran en varios lugares. El caso de los discípulos de Éfeso es un ejemplo. Después que declararon que habían experimentado sólo el bautismo de Juan, (Hechos 19.3), Pablo explicó que tenían que creer en Cristo Jesús. Luego estos discípulos fueron bautizados en agua, y después de que Pablo puso sus manos

Ejemplos de afirmaciones denominacionales sobre el "bautismo del Espíritu Santo" (continuación)

sobre ellos les vino el Espíritu Santo. El lapso de tiempo entre creer en Cristo y la llegada sobre ellos del Espíritu Santo fue corto, pero fue lo suficientemente largo para que ellos fueran bautizados en agua. El bautismo en el Espíritu fue diferente y posterior a la salvación.

El bautismo en el Espíritu no es un fin en sí mismo, sino un medio para un fin. El ideal bíblico para el creyente es estar continuamente lleno del Espíritu. El bautismo es la experiencia crucial que introduce al creyente en el proceso de vivir una vida llena por el Espíritu.

La evidencia física inicial del bautismo se refiere a la primer señal externa de que el Espíritu Santo ha venido como un poder que llena. Un estudio de la Escritura indica que había una señal física por la cual los observadores sabían que los creyentes habían sido bautizados en el Espíritu Santo. La evidencia siempre ocurría en el momento que los creyentes eran bautizados en el Espíritu y no en una ocasión futura.

En la casa de Cornelio hubo una evidencia convincente de que el Espíritu Santo había sido derramado sobre los gentiles (Hechos 10.44-48). Después, cuando Pedro fue llamado a explicar a los líderes de la iglesia en Jerusalén su ministerio en la casa de Cornelio, él se refirió a una evidencia visible de que los creyentes fueron bautizados en el Espíritu Santo. Él citó esto como razón por la cual ordenó que los creyentes fueran bautizados en agua (Hechos 11.15-17).

Mientras que el hablar en lenguas tiene un valor inicial de evidencia, está diseñado por Dios que sea más que una evidencia de una experiencia pasada. Esto también sigue trayendo el enriquecimiento al creyente individual en su devocional personal, y a la congregación cuando es acompañado por la interpretación de lenguas.

Perspectiva combinada: Pentecostal-santidad

Iglesia de Dios en Cristo

Extraído de Las Doctrinas de la iglesia de Dios en Cristo, http://www.cogic.org/doctrnes.htm

Creemos que el bautismo del Espíritu Santo es una experiencia posterior a la conversión y santificación y que el hablar en lenguas es el resultado del bautismo en el Espíritu Santo con las manifestaciones del fruto del Espíritu (Gálatas 5.22-23; Hechos 10.46, 19.1-6). Creemos que no somos bautizados con el Espíritu Santo para poder ser salvos (Hechos 19.1-6; Juan 3.5). Cuando uno recibe la experiencia bautismal del Espíritu Santo, creemos que uno habla en una lengua desconocida a uno mismo, de acuerdo a la soberanía de Cristo. El ser lleno con el Espíritu significa ser controlado por el Espíritu como es

Ejemplos de afirmaciones denominacionales sobre el "bautismo del Espíritu Santo" (continuación)

expresado por Pablo en Efesios 5.18-19. Ya que las demostraciones carismáticas eran necesarias para ayudar a la primer iglesia a ser exitosa al implementar el mandamiento de Cristo, nosotros por tanto, creemos que la experiencia del Espíritu Santo es un mandamiento para todos los hombres hoy en día.

Asociación de Iglesias de la Viña

Perspectiva combinada: carismática

Extraído de las Declaraciones de Fe de la Viña, www.vineyardusa.org/about/beliefs/beliefs_index/faith/paragraph_07.htm

CREEMOS que el Espíritu Santo fue derramado sobre la Iglesia en Pentecostés en poder, bautizando a los creyentes en el Cuerpo de Cristo y liberando los dones del Espíritu sobre ellos. El Espíritu trae una presencia de Dios interior permanente a nosotros para adoración espiritual, santificación personal, edificación de la Iglesia, y nos otorga dones para el ministerio, atrasando el reino de Satán por medio de la evangelización del mundo al proclamar la palabra de Jesús y hacer las obras de Jesús.

CREEMOS que el Espíritu Santo mora dentro de cada creyente en Jesucristo y que Él es nuestro Ayudador interior, Maestro y Guía. Creemos en la llenura o poder del Espíritu Santo, casi siempre una experiencia consciente, para el ministerio hoy en día. Creemos en el ministerio presente del Espíritu y en el ejercitar de todos los dones bíblicos del Espíritu. Practicamos la imposición de manos para el poder del Espíritu, para sanidad, y para reconocimiento y poder de aquellos a quienes Dios ha ordenado a guiar y a servir a la Iglesia.

El año de la Iglesia (iglesia occidental)

Instituto Ministerial Urbano

El propósito del calendario litúrgico es realzar los mayores eventos de la vida de Jesús en tiempo real.

Fecha	Evento	Propósito
Comienza a fines de Nov. o comienzos de Dic.	Adviento	Una estación de anticipación y arrepentimiento que se enfoca en **la primera y Segunda Venida de Cristo**. El enfoque doble significa que en el Adviento comienza y termina el año cristiano (Is. 9.1-7, 11.1-16; Marcos 1.1-8).
Dic. 25	Navidad	Celebración del **nacimiento de Cristo** (Lucas 2.1-20).
Ene. 6	Epifanía	La fiesta de Epifanía en enero 6 conmemora la venida de los magos, lo que revela la misión de Cristo en el mundo. Toda la Epifanía enfatiza **la manera en que Cristo se revela a sí mismo al mundo como el Hijo de Dios**. (Lucas 2.32; Mateo 17.1-6; Juan 12.32).
7o. miércoles antes de la Resurrección	Miércoles de Ceniza	Un día de ayuno y arrepentimiento que nos recuerda que somos discípulos y que vamos a comenzar la **jornada con Jesús, la cual termina en la cruz** (Lucas 9.51). Miércoles de Ceniza, comienza con la Cuaresma.
40 días antes de la Resurrección (excluyendo domingos)	Cuaresma	Tiempo para reflexionar en el **sufrimiento y muerte de Jesús**. Tiempo que enfatiza "la muerte de uno mismo" para que, como Jesús, nos preparemos para obedecer a Dios, no importa qué sacrificio implique. La Cuaresma invita a las personas a ayunar como una manera de afirmar su actitud de obediencia (Lucas 5.35; 1 Co. 9.27; 2 Ti. 2.4; Heb. 11.1-3).
Movible dependiendo en la fecha del Domingo de Resurrección que ocurre en Marzo o Abril	Semana Santa	*Domingo de Ramos* El Domingo antes de la Resurrección que conmemora la **entrada triunfal de Cristo** (Juan 12.12-18). *Jueves santo** El Jueves antes de la Resurrección que conmemora el recibir el Nuevo Mandamiento y la **Cena del Señor antes de la Muerte de Cristo** (Mc. 14.12-26; Juan 13) (*Del Latin *mandatum novarum - "nuevo mandamiento"*) *Viernes santo* El Viernes antes de la Resurrección que conmemora la **crucifixión de Cristo** (Juan 18-19). *Domingo de Resurrección* El Domingo que se celebra la **resurrección** de Cristo (Juan 20).
40 días Después de Resurrección	Día de la Ascensión	Celebra la **ascensión de Cristo** al cielo cuando Dios "lo sentó a su diestra en el cielo, más allá de toda regla y autoridad, poder y dominio, y cada título que le puede ser dado, no sólo en la presente era sino también en la venidera" (Ef. 1.20b-21; 1 Pe. 3.22; Luc. 24.17-53).
7o. Domingo de Resurrección	Pentecostés	El día en que se conmemora la venida del Espíritu Santo a la Iglesia. **Jesús está ahora presente con todo su pueblo** (Juan 16; Hechos 2).
Nov. 1	El día de Todos los Santos	Un tiempo para recordar aquellos héroes de la fe que fueron antes de nosotros (especialmente aquellos que murieron por el evangelio). **Ahora el Cristo vivo es visto en el mundo a través de las palabras y los hechos de su pueblo** (Juan 14.12; Heb. 11; Ap. 7.6).

El año de la Iglesia (continuación)

El año de la Iglesia sigue el orden de los Evangelios y Hechos

- Comienza con el nacimiento de Cristo (Adviento a Epifanía).
- Luego se enfoca en la revelación de su misión al mundo (Epifanía).
- Nos recuerda que Jesús enfoca su rostro hacia Jerusalén y la cruz (Miércoles de Ceniza y Cuaresma).
- Hace una crónica de su semana final, su Crucifixión y Resurrección (Semana Santa).
- Afirma su Ascensión a la derecha del Padre en gloria (Día de la Ascensión).
- Celebra el nacimiento de su Iglesia por el ministerio de su Espíritu (Pentecostés).
- Recuerda la historia de su Iglesia a través de los años (Día de Todos los Santos).
- El adviento termina el ciclo y lo comienza nuevamente. Ve a su Segunda Venida como la conclusión del año de la iglesia, pero también prepara para recordar otra vez su primera venida y nos permite comenzar el año de la Iglesia con frescura.

Nacimiento
⇩
Ministerio
⇩
Pasión
⇩
Ascensión
⇩
Descenso del Espíritu
⇩
La Iglesia a través de los años
⇩
Segunda Venida

Colores asociados con el año de la iglesia

Estación de Navidad (Día de Navidad al comienzo de la Epifanía) - *Blanco y Dorado*

Estación de Epifanía - *Verde*

Miércoles de Ceniza y Cuaresma - *Morado*

Semana Santa

Domingo de Palmas - *Morado*

Jueves Santo - *Morado*

Viernes Santo - *Negro*

Domingo de Resurrección - *Blanco y Dorado*

Día de la Ascensión - *Blanco y Dorado*

Pentecostés - *Rojo*

Día de Todos los Santos - *Rojo*

Estación de Adviento (Cuarto Domingo antes de Navidad hasta la Noche antes de Navidad) - *Morado*

El Significado de los Colores

Negro
Luto, muerte

Oro
Majestad, gloria

Verde
Esperanza, vida

Morado Realeza, arrepentimiento

Rojo
Santo Espíritu (llama), martirio (sangre)

Blanco
Inocencia, santidad, gozo

El Antiguo Testamento testifica de Cristo y Su Reino

Rev. Dr. Don L. Davis

Cristo es visto en el AT:	*Promesa y cumplimiento del pacto*	*Ley moral*	*Cristofanías*	*Tipología*	*Tabernáculo, festival y sacerdocio Levítico*	*Profecía mesiánica*	*Promesas de salvación*
Pasaje	Gn. 12.1-3	Mt. 5.17-18	Juan 1.18	1 Co. 15.45	Heb. 8.1-6	Mi. 5.2	Is. 9.6-7
Ejemplo	La simiente prometida del pacto Abrahámico	La ley dada en el Monte Sinaí	Comandante del ejército del Señor	Jonás y el gran pez	Melquisedec, como Sumo Sacerdote y Rey	El Siervo Sufriente del Señor	El linaje Justo de David
Cristo como	La simiente de la mujer	El Profeta de Dios	La actual revelación de Dios	El antitipo del drama de Dios	Nuestro eterno Sumo Sacerdote	El Hijo de Dios que vendrá	El Redentor y Rey de Israel
Ilustrado en	Gálatas	Mateo	Juan	Mateo	Hebreos	Lucas y Hechos	Juan y Apocalipsis
Propósito exegético: ve a Cristo	Como el centro del drama sagrado divino	Como el cumplimiento de la Ley	Como quien revela a Dios	Como antitipo de tipos divinos	En el *cultus* de Templo	Como el verdadero Mesías	Como el Rey que viene
Cómo es visto en el NT	Como cumplimiento del juramento de Dios	Como *telos* de la ley	Como la revelación completa, final y superior	Como sustancia detrás de la historia	Como la realidad detrás de las normas y funciones	Como el Reino que está presente	Como el que gobernará sobre el trono de David
Nuestra respuesta en adoración	Veracidad y fidelidad de Dios	La justicia perfecta de Dios	La presencia de Dios entre nosotros	La escritura Inspirada de Dios	La ontología de Dios: su Reino como lo principal y determinante	El siervo ungido y mediador de Dios	La respuesta divina para restaurar la autoridad de Su Reino
Cómo es vindicado Dios	Dios no miente: Él cumple su palabra	Jesús cumple toda justicia	La plenitud de Dios se nos revela en Jesús de Nazaret	El Espíritu habló por los profetas	El Señor ha provisto un mediador para la humanidad	Cada jota y tilde escrita de Él se cumplirá	El mal será aplastado y la creación será restaurada bajo Su Reino

El centro y la circunferencia: El cristianismo es Jesucristo

Rev. Dr. Don L. Davis

Introducción: El mundo en que vivimos no parece ser real, sino que es uno que nosotros u otros han compuesto para que vivamos él.

Llamando algo a "algo"

Tres árbitros en una convención de árbitros se jactaban de sus proezas como árbitros de la liga mayor:

I. Arbitro uno: algunos les llaman puntos otros les llaman fallas, *¡pero yo les llamo como yo los veo!*

II. Arbitro dos: algunos les llaman puntos otros le llaman fallas, *¡pero yo las llamo lo que verdaderamente son!*

III. Arbitro tres: algunos les llaman puntos otros les llaman fallas, pero *¡no son nada hasta que yo les llame de alguna manera!*

¿Cuál es la esencia de la vida de fe cristiana, la naturaleza de la teología y la doctrina cristiana, el corazón de la ética cristiana, el centro de la esperanza cristiana?

Es la persona de Jesucristo. Él es el centro y la circunferencia de la fe y la práctica cristiana.

Todo lo que somos, todo lo que creemos, y todo lo que entendemos que Dios está haciendo en el mundo está relacionado con su singular y humilde persona:

- Del cual poco sabemos acerca de su apariencia y persona
- Quien no viajo más de 200 millas de su lugar de nacimiento
- De quien sólo tenemos pocas narraciones de su nacimiento y de su adolescencia
- De quien se guarda silencio desde los 12 años hasta los 30, incluso por parte de aquellos que más lo adoraron

El centro y la circunferencia: El Cristianismo es Jesucristo (continuación)

- Quien ministró sólo tres años, y fue rechazado por sus compañeros, compatriotas y el régimen religioso
- Quien murió en la vergüenza, fue ejecutado públicamente entre dos ladrones y colocado en una tumba prestada

Y aun así, todas estas personas, libros, filosofías, sistemas, gobiernos, artistas, educadores, líderes religiosos, conquistadores militares, personas de influencia y poder, puestos juntos no han tenido el impacto que sólo este itinerante predicador judío ha tenido en la estructura mundial.

El cristianismo es Jesucristo. La historia es acerca de su persona e influencia, llamado, visión, obra y futuro. Para entender todo lo que Dios quiere que nosotros conozcamos, seamos y hagamos, todo lo que debemos hacer es conocer la vida y persona de Cristo, quienes sus seguidores confiesan que está vivo.

El texto de hoy

Col. 1.15-20 (NVI) -Él es la imagen del Dios invisible, el primogénito de toda creación, [16] porque por medio de él fueron creadas todas las cosas en el cielo y en la tierra, visibles e invisibles, sean tronos, poderes, principados o autoridades: todo ha sido creado por medio de él y para él. [17] Él es anterior a todas las cosas, que por medio de él forman un todo coherente. [18] Él es la cabeza del cuerpo, que es la iglesia. Él es el principio, el primogénito de la resurrección, para ser en todo el primero. [19] Porque a Dios le agradó habitar en él con toda su plenitud y, [20] por medio de él, reconciliar consigo todas las cosas, tanto las que están en la tierra como las que están en el cielo, haciendo la paz mediante la sangre que derramó en la cruz.

I. Jesús la revelación final y completa de Dios. Para entender al Padre, debemos conocer la persona de Jesucristo, quien es el significado y el fin de la creación.

A. Jesús es la imagen de la persona de Dios a través de quien Dios creó el universo. Col. 1.15-16 (NVI) - Él es la imagen del Dios invisible, el primogénito de toda creación, [16] porque por medio de él fueron creadas todas las cosas en el cielo y

El centro y la circunferencia: El Cristianismo es Jesucristo (continuación)

en la tierra, visibles e invisibles, sean tronos, poderes, principados o autoridades: todo ha sido creado por medio de él y para él.

B. Jesús es la representación exacta (exacta impresión de su naturaleza) de Dios en la forma humana, Heb. 1.1-4 (NVI) - Dios, que muchas veces y de varias maneras habló a nuestros antepasados en otras épocas por medio de los profetas, [2] en estos días finales nos ha hablado por medio de su Hijo. A éste lo designó heredero de todo, y por medio de él hizo el universo. [3] El Hijo es el resplandor de la gloria de Dios, la fiel imagen de lo que él es, y el que sostiene todas las cosas con su palabra poderosa. Después de llevar a cabo la purificación de los pecados, se sentó a la derecha de la Majestad en las alturas. [4] Así llegó a ser superior a los ángeles en la misma medida en que el nombre que ha heredado supera en excelencia al de ellos

C. Jesús es la Palabra hecha carne, el revelador del esplendor y la belleza de Dios.

Juan 1.14 (NVI) - Y el Verbo se hizo hombre y habitó entre nosotros. Y hemos contemplado su gloria, la gloria que corresponde al Hijo unigénito del Padre, lleno de gracia y de verdad.

Juan 1.18 (NVI) - A Dios nadie lo ha visto nunca; el Hijo unigénito, que es Dios y que vive en unión íntima con el Padre, nos lo ha dado a conocer

D. La persona de Jesús es la figura completa y no adulterada del carácter y la belleza de Dios Padre, a quien amamos y adoramos. Conocemos a Dios a través de Él.

Muchos se contentan con poseer un conocimiento superficial de la persona de Jesús, sin reconocer ni gozarse en el misterio del significado de "Cristo en vosotros, la esperanza de gloria".

Durante un sermón un pastor preguntó a los niños, "¿Qué es algo gris, que tiene un rabo frondoso y junta nueces en el otoño?" Un niño de cinco anos levanto su mano. "Yo sé que la respuesta debe ser Jesús", dijo, "pero suena como si fuera una ardilla" (*Reader's Digest*).

El centro y la circunferencia: El Cristianismo es Jesucristo (continuación)

- Para los cristianos, no existe un conocimiento certero de Dios que no sea a través de la persona de Jesucristo, Juan 14.6.
- Para nosotros que creemos, la verdadera gloria de Dios brilla en el rostro de Jesús, 2 Co. 4.6.
- La llenura de la mente de Dios, la gloriosa belleza de Dios es vista claramente en la persona y obra de Jesucristo, Col. 2.9 (NVI) - Toda la plenitud de la divinidad habita corporalmente en Cristo.

E. El cristianismo es la persona de Cristo, el cual se relaciona con Dios, quien nosotros creemos que vivió, murió y resucitó para darnos una correcta relación con Dios.

- No es algo ético, ni siquiera es tratar de hacer el bien (vivimos correctamente después de conocer a Cristo)
- No es meramente una vida familiar (nos convertimos en lo que Dios quiere que seamos luego de conocer a Cristo)
- No se trata de estudios religiosos y liturgias (otras religiones tienen éticas finas, grandes programas de adoración, enseñanza devota y muchos libros santos)

Jesús es el único camino a Dios

Un viajero contrató a un guía para llevarle a través del desierto. Cuando los dos hombres llegaron al borde del desierto, el viajero, mirando hacia adelante sólo vio mucha arena sin una sola huella, camino, o marca de alguna clase. Volviéndose a su guía le preguntó con sorpresa, "¿Dónde está el camino?" Con una mirada de reproche, el guía replicó, "Yo soy el camino".

Las Escrituras señalan a Cristo

Cinco veces en el NT se menciona a Jesús como el propósito de las Sagradas Escrituras. Él es la razón por la cual la historia se divide en dos mitades desiguales (Gn. 1.1-3.15, y Gn. 3.16 - Ap. 21). Si analiza cualquier parte de la Biblia, lo verá a Él. En Estados Unidos existe una copia de la Declaración de la Independencia tallada en una pizarra de bronce,

El centro y la circunferencia: El Cristianismo es Jesucristo (continuación)

hecha con una meticulosidad perfecta y con espléndidos detalles. Ahora, si uno se aleja de dicha pizarra, aunque no pueda leer el texto podrá ver la imagen de George Washington emerger del mismo. Fue hecho con la apropiada sombra y relieve para revelar la persona del Sr. Washington. En mi mente, la Biblia tiene un único propósito, el de revelar la gloria de la persona de Jesucristo, de tal modo que a través de la fe en Él, ¡nos convirtamos en hijos de Dios!

Todo lo que hacemos en TUMI es encontrar formas de declarar la majestad y el poderío de la Persona y obra de Cristo, y cómo Él se relaciona con el discípulo urbano y el ministerio a través de las iglesias entre los pobres.

Cientos de nombres, tipos, imágenes y metáforas se refieren a Cristo en las Escrituras:

- Él es el *Pan de Vida* - El único alimento y fortaleza
- Él es el *Segundo Adán* - la cabeza de una nueva raza humana
- Él es la *Resurrección y la Vida* - el único que con sólo su nombre puede conquistar la muerte y la corrupción
- Él es el *Señor de todos* - el gobernador escogido por Dios para restaurar el reino de Dios
- Él es el *Príncipe de Paz* - el único que con su poder únicamente restaura la paz a nuestro mundo atribulado

Jesús es la clave para entender la persona y obra del Dios Todopoderoso.

II. Luego, vemos que este texto revela que Jesús es el final de la redención de Dios. Sólo Jesús es el Profeta Ungido de Dios y Sacerdote capaz de conducirnos a una relación con Dios.

A. Jesús es el único camino para reconciliarnos con Dios, ninguna otra persona o nombre puede darnos una nueva y redimida relación con Dios. Mira nuevamente Colosenses 1.17-20 (NVI) - Él es anterior a todas las cosas, que por medio de él forman un todo coherente. [18] Él es la cabeza del cuerpo, que es la iglesia. Él es el principio, el primogénito de la resurrección, para ser en todo el primero. [19] Porque a Dios le agradó habitar en él con toda su plenitud [20] y, por medio de él,

El centro y la circunferencia: El Cristianismo es Jesucristo (continuación)

reconciliar consigo todas las cosas, tanto las que están en la tierra como las que están en el cielo, haciendo la paz mediante la sangre que derramó en la cruz

B. De acuerdo a las Escrituras, Dios estaba en la persona de Jesucristo reconciliando al mundo consigo mismo. 2 Co. 5.18-21 (NVI) - Todo esto proviene de Dios, quien por medio de Cristo nos reconcilió consigo mismo y nos dio el ministerio de la reconciliación: [19] esto es, que en Cristo, Dios estaba reconciliando al mundo consigo mismo, no tomándole en cuenta sus pecados y encargándonos a nosotros el mensaje de la reconciliación. [20] Así que somos embajadores de Cristo, como si Dios los exhortara a ustedes por medio de nosotros: "En nombre de Cristo les rogamos que se reconcilien con Dios". [21] Al que no cometió pecado alguno, por nosotros Dios lo trató como pecador, para que en él recibiéramos la justicia de Dios.

C. Jesús es el único Libertador, Redentor y Reconciliador de la humanidad con Dios.

- Él murió por nuestras injusticias, para conducirnos a Dios, 1 Pe. 3.18.
- El único nombre debajo del cielo que nos ha sido dado para poder ser salvos, Hechos 4.12 (NVI) - De hecho, en ningún otro hay salvación, porque no hay bajo el cielo otro nombre dado a los hombres mediante el cual podamos ser salvos
- Se convirtió en el *Christus Victum* de Dios para resucitar y convertirse en nuestro *Christus Victor*, Col. 2.13-15 (NVI) - Antes de recibir la circuncisión, ustedes estaban muertos en sus pecados. Sin embargo, Dios nos dio vida en unión con Cristo, al perdonarnos todos los pecados [14] y anular la deuda que teníamos pendiente por los requisitos de la ley. Él anuló esa deuda que nos era adversa, clavándola en la cruz. [15] Desarmó a los poderes y a las potestades, y por medio de Cristo los humilló en público al exhibirlos en su desfile triunfal.

El centro y la circunferencia: El Cristianismo es Jesucristo (continuación)

El Padre sacrificó a su Hijo para redimir al mundo, para reconstruir la brecha existente a causa de nuestra desobediencia ante Dios, y nos dio un nuevo nacimiento como hijos adoptados de la familia de Dios.

> Un hombre tenía la tarea de levantar un puente para dejar que los barcos a vapor pasaran por debajo, y luego debía bajarlo nuevamente para que cruzaran los trenes. Un día, el hijo de este hombre lo visitó, deseando ver a su padre en su trabajo. Muy curioso, como la mayoría de los chicos, se asomó para ver por una puerta que su padre siempre mantenía abierta para ver la gran maquinaria que levantaba y bajaba el puente. De repente, el chico tropezó y se cayó en los engranajes. Cuando el padre trató de alcanzarlo y sacarlo, escuchó el silbido de un tren que se acercaba. ¡Sabía que los coches estarían repletos de personas y que sería imposible parar la locomotora, por lo tanto, el puente tenía que bajarse! Un dilema terrible lo confrontó; si salvaba a estas personas, su hijo sería aplastado. Frenéticamente, trató de libertar al chico, pero fue en vano. Finalmente, el padre puso su mano en la palanca que echaría a andar la maquinaria. Se detuvo entonces, y con lágrimas en los ojos jaló de la misma. Los engranajes gigantescos comenzaron a trabajar y el puente bajó justo a tiempo para salvar al tren. Los pasajeros, que no sabían lo que el padre había hecho, reían y estaban alegres. El guardián del puente había escogido salvar sus vidas a costa de perder a su hijo.

Nadie ni nada puede describir el precio que el Padre pagó para llevarnos de regreso hacia Cristo. Esto nos revela la asombrosa majestad del amor de Dios por cada uno de nosotros, que dio a su único Hijo por nuestra redención.

III. Finalmente, Jesus no sólo es la completa revelación de Dios y la redención, Él también es la regla final y la norma de la verdadera humanidad.

A. Jesus es el modelo de Dios, su gobernador, su norma final para todo lo que somos y pronto seremos. Mira nuevamente Colosenses 1.18-19 (NVI) - Él es la cabeza del cuerpo, que es la iglesia. Él es el principio, el primogénito de la resurrección, para ser en todo el primero. [19] Porque a Dios le agradó habitar en él con toda su plenitud

El centro y la circunferencia: El Cristianismo es Jesucristo (continuación)

B. El designio de Dios es que Jesús sea el primero, la cabeza, el centro, el corazón de todo lo que comunica y hace. Conocer a Dios es conocer a Cristo, para agradar a Dios debemos ser más como Cristo, obedecer a Dios es seguir el ejemplo de Cristo: Él es nuestro ejemplo.

Juan 13.13-16 (NVI) - Ustedes me llaman Maestro y Señor, y dicen bien, porque lo soy. [14] Pues si yo, el Señor y el Maestro, les he lavado los pies, también ustedes deben lavarse los pies los unos a los otros. [15] Les he puesto el ejemplo, para que hagan lo mismo que yo he hecho con ustedes. [16] Ciertamente les aseguro que ningún siervo es más que su amo, y ningún mensajero es más que el que lo envió.

C. Muchos textos del NT revelan claramente que el propósito de Dios es conformarnos a la imagen de Jesucristo, unirnos a Él y hacernos como Él. Dios intenta hacer de Jesús la cabeza de una nueva familia humana conforme a su persona y destino.

- Ro. 8.28-29 (NVI) - Ahora bien, sabemos que Dios dispone todas las cosas para el bien de quienes lo aman, los que han sido llamados de acuerdo con su propósito. [29] Porque a los que Dios conoció de antemano, también los predestinó a ser transformados según la imagen de su Hijo, para que él sea el primogénito entre muchos hermanos.
- 1 Co. 15.49 (NVI) - Y así como hemos llevado la imagen de aquel hombre terrenal, llevaremos también la imagen del celestial.
- 2 Co. 3.18 (NVI) - Así, todos nosotros, que con el rostro descubierto reflejamos como en un espejo la gloria del Señor, somos transformados a su semejanza con más y más gloria por la acción del Señor, que es el Espíritu.
- Pablo dice en Filipenses 2.5 (NVI) "La actitud de ustedes debe ser como la de Cristo Jesús".
- En Filipenses 3.20, Pablo dice que nuestra ciudadanía está en los cielos de donde anhelamos recibir a la persona de nuestro Señor Jesucristo, quien, de acuerdo a Filipenses 3.21 (NVI) "transformará nuestro cuerpo miserable para que sea como su cuerpo glorioso, mediante el poder con que somete a sí mismo todas las cosas".

El centro y la circunferencia: El Cristianismo es Jesucristo (continuación)

- Pedro dice en 2 Pedro 3.18 (NVI) que nosotros debemos crecer "en la gracia y en el conocimiento de nuestro Señor y Salvador Jesucristo. ¡A él sea la gloria ahora y para siempre!. Amen".
- El único nombre bajo el cielo dado a nosotros en el que podemos ser salvos, Hechos 4.12 (NVI)
- Juan el apóstol dice en su primera epístola, 1 Juan 3.1-3 (NVI) - ¡Fíjense qué gran amor nos ha dado el Padre, que se nos llame hijos de Dios! ¡Y lo somos! El mundo no nos conoce, precisamente porque no lo conoció a él. [2] Queridos hermanos, ahora somos hijos de Dios, pero todavía no se ha manifestado lo que habremos de ser. Sabemos, sin embargo, que cuando Cristo venga seremos semejantes a él, porque lo veremos tal como él es. [3] Todo el que tiene esta esperanza en Cristo, se purifica a sí mismo, así como él es puro.

D. Según la voluntad de Dios, hemos sido bautizados (puestos en y envueltos por) en Cristo mismo, quien es nuestra esperanza de gloria, por lo cual podemos decir que estamos "en Cristo". Nosotros, los que creemos, nos identificamos con Cristo Jesús y somos parte de la Iglesia de Dios, la cual es el "misterio" revelado: el secreto anunciado de Dios.

- Romanos 16.25-27, la "revelación del misterio"
- Efesios 3.7-10, la sabiduría de Dios desplegada a través de la Iglesia
- Colosenses 1.25-27, Cristo en nosotros, la esperanza de gloria

E. Jesús es el gobernador de Dios, el modelo de Dios, el principio de Dios de intimidad e identificación para el redimido. La intención de Dios es la de acercarnos a cada uno a la verdadera vida y perfección de Cristo. Preste atención a lo que el NT enseña sobre la conexión con nuestro Señor.

- Somos "hechos uno en Cristo", 1 Co. 6.15-17.
- Somos bautizados en Él, 1 Co. 12.13.
- Morimos con Él, Ro. 6.3-4.

El centro y la circunferencia: El Cristianismo es Jesucristo (continuación)

- Hemos sido sepultados con Él, Ro. 6.3-4.
- Hemos resucitado con Él, Ef. 2.4-7.
- Hemos ascendido con Él, Ef. 2.6.
- Nos sentamos en lugares celestiales con Él, Ef. 2.6.
- En este mundo llevamos su yugo y cargamos su carga, la cruz que Él nos ha asignado, Mt. 11.28-30.
- En este mundo, somos llamados a sufrir por Él, Ro. 8.17-18; Fil. 1.29-30.
- Sea que vivamos o que muramos, pertenecemos completamente al Señor Jesús, Ro. 14.7-9 (NVI) - Porque ninguno de nosotros vive para sí mismo, ni tampoco muere para sí. [8] Si vivimos, para el Señor vivimos; y si morimos, para el Señor morimos. Así pues, sea que vivamos o que muramos, del Señor somos. [9] Para esto mismo murió Cristo, y volvió a vivir, para ser Señor tanto de los que han muerto como de los que aún viven
- Seremos glorificados con Él, Ro. 8.17.
- Seremos resucitados en Él, 1 Co. 15.48-49.
- Seremos semejantes a Él, 1 Juan 3.2.
- Somos coherederos con Él, Ro. 8.17.
- Reinaremos con Él por siempre, Ap. 3.

El centro y la circunferencia: El Cristianismo es Jesucristo (continuación)

¿No tienes cicatrices?

¿Ninguna cicatriz escondida en el pie, ni en el lado, o en la mano?

Te oigo como un poderoso en la tierra.

Oigo que veneran las estrellas de una bandera

¿No tienes cicatrices?

¿No tienes heridas?

Yo fui herido por los arqueros,
Me recostaron contra un árbol hasta morir; fui desgarrado
por bestias voraces que me rodearon; desfallecí;

¿No tienes heridas?

¿Ninguna herida, ninguna cicatriz?

Sin embargo, el siervo debe ser como su amo,
Y los pies de los que me siguen están perforados

Pero los tuyos están sanos;

Seguramente me ha seguido de lejos
Quien no tiene heridas ni cicatrices

~ Amy Carmichael

I. Jesús es la revelación final y completa de Dios: para entender al Padre, debemos conocer la persona de Jesucristo.

II. Jesús es la redención de Dios: Es el profeta ungido de Dios y el sacerdote que nos lleva de regreso a una relación con Dios.

III. Finalmente, Jesús no es únicamente la revelación final y completa de Dios, sino que también es la regla final y la norma para la humanidad.

El compás de los elementos narrativos

Diagramando un curso hacia el significado de una historica

Rev. Dr. Don L. Davis

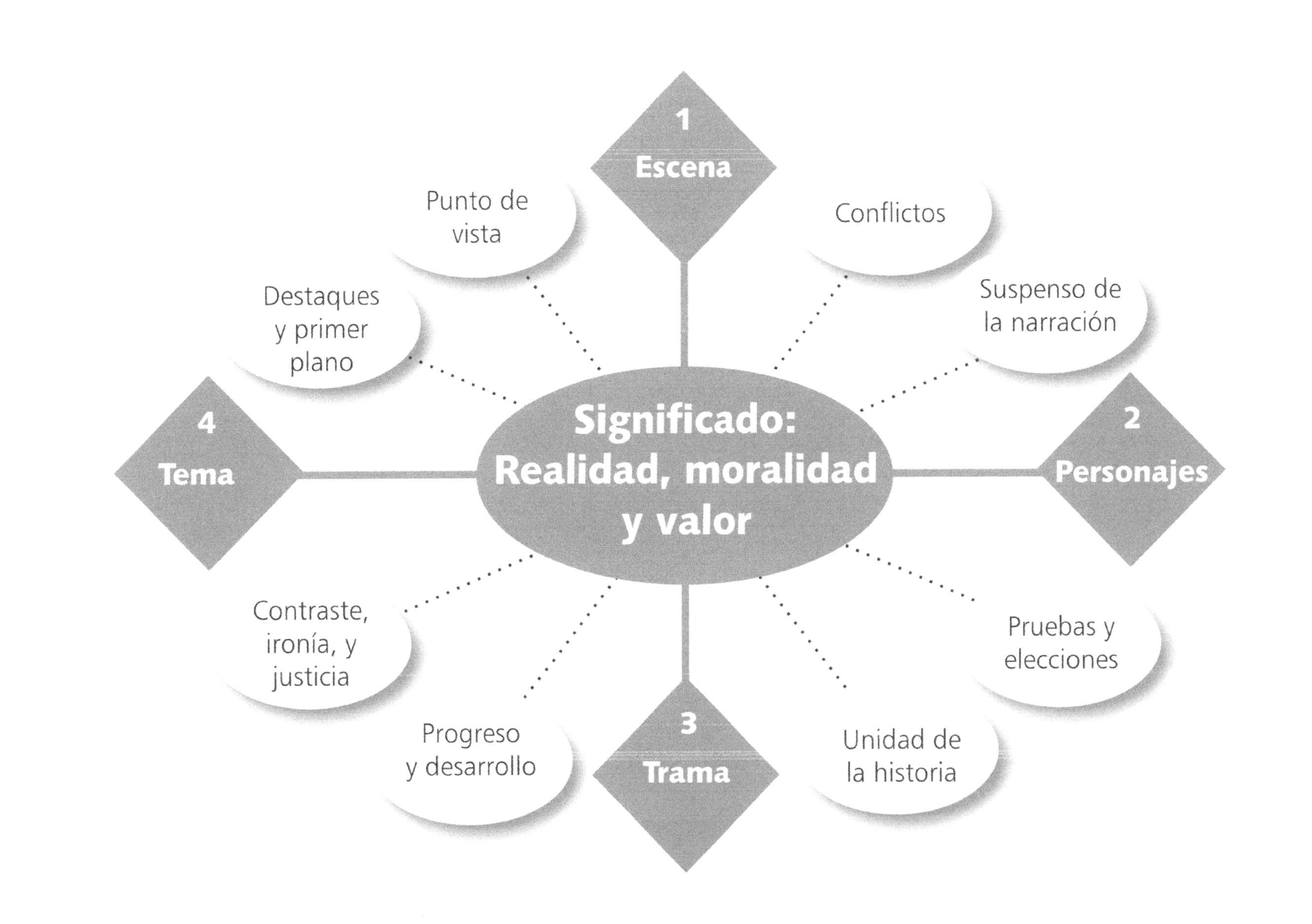

El contexto comunal del auténtico liderazgo cristiano

Rev. Dr. Don L. Davis

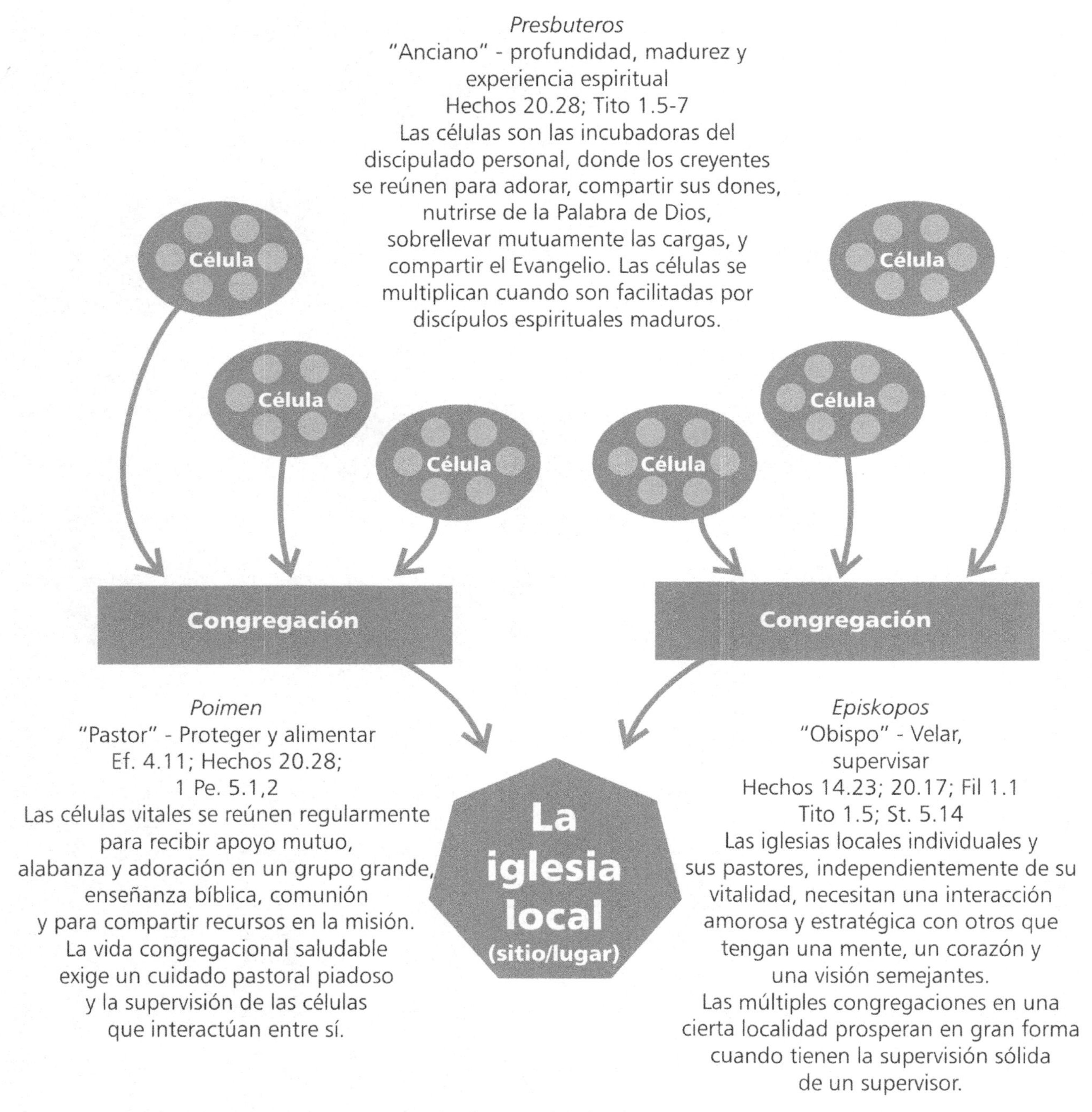

Presbuteros, "un anciano" es otro término para la misma persona, así como obispo o supervisor . . . El término "anciano" habla de la experiencia espiritual madura y del entendimiento de aquellos así descritos; el término "obispo" o "supervisor" habla del carácter de la obra emprendida. Según la voluntad divina y su elección, en el NT debía haber obispos en cada iglesia local, Hch. 14.23; 20.17; Fil 1.1; Tito 1.5; St. 5.14". - *Vines Complete Expository Dictionary*. Nashville: Thomas Nelson Publishers, 1996. p. 195

El Credo de los Apóstoles

Creo en Dios Padre, Todopoderoso creador del cielo y la tierra. Creo en Jesucristo, su Unigénito Hijo, nuestro Señor quien fue concebido por el Espíritu Santo, nacido de la virgen María; sufrió bajo Poncio Pilato; fue crucifi cado, muerto y sepultado; descendió al infi erno; al tercer día resucitó de entre los muertos; ascendió al cielo, y se sentó a la derecha de Dios Padre Todopoderoso. Desde allí vendrá a juzgar a los vivos y a los muertos.

Creo en el Espíritu Santo, la santa Iglesia católica*(universal), la comunión de los santos, el perdón de los pecados, la resurrección del cuerpo, y la vida eterna. Amén.

El Credo Niceno

Creemos en un solo Dios, Padre Todopoderoso, Creador del cielo, la tierra y de todas las cosas visibles e invisibles.

Creemos en un solo Señor, Jesucristo, el Hijo unigénito de Dios, concebido del Padre antes de todos los siglos: Dios de Dios, Luz de la Luz, Dios verdadero de Dios verdadero, Engendrado, no creado, de la misma esencia del Padre, por quien todo fue hecho.

Quien por nosotros los hombres, bajó del cielo para nuestra salvación y por obra del Espíritu Santo, se encarnó en la virgen María, y se hizo hombre. Por nuestra causa fue crucifi cado en tiempos de Poncio Pilato, padeció y fue sepultado. Resucitó al tercer día, según las Escrituras, ascendió al cielo y está sentado a la derecha del Padre. Él vendrá de nuevo con gloria, para juzgar a los vivos y a los muertos, y su Reino no tendrá fi n.

Creemos en el Espíritu Santo, Señor y dador de vida, quien procede del Padre y del Hijo, y juntamente con el Padre y el Hijo recibe la misma adoración y gloria, quien también habló por los profetas.

Creemos en la Iglesia, que es una, santa, universal y apostólica.

Reconocemos un solo bautismo para el perdón de los pecados. Esperamos la resurrección de los muertos y la vida del mundo futuro. Amén.

El Credo Niceno

Versículos para memorizar ⇩

Ap. 4.11 *"Señor, digno eres de recibir la gloria y la honra y el poder; porque tú creaste todas las cosas, y por tu voluntad existen y fueron creadas".*

Jn. 1.1 *En el principio era el Verbo, y el Verbo era con Dios, y el Verbo era Dios.*

1 Co. 15.3-5 *Porque primeramente os he enseñado lo que asimismo recibí: Que Cristo murió por nuestros pecados, conforme a las Escrituras; y que fue sepultado, y que resucitó al tercer día, conforme a las Escrituras; y que apareció a Cefas, y después a los doce.*

Ro. 8.11 *Y si el Espíritu de aquel que levantó de los muertos a Jesús mora en vosotros, el que levantó de los muertos a Cristo Jesús vivificará también vuestros cuerpos mortales por su Espíritu que mora en vosotros.*

1 Pe. 2.9 *Mas vosotros sois linaje escogido, real sacerdocio, nación santa, pueblo adquirido por Dios, para que anunciéis las virtudes de aquel que os llamó de las tinieblas a su luz admirable.*

1 Ts. 4.16-17 *Porque el Señor mismo con voz de mando, con voz de arcángel, y con trompeta de Dios, descenderá del cielo; y los muertos en Cristo resucitarán primero. Luego nosotros los que vivimos, los que hayamos quedado, seremos arrebatados juntamente con ellos en las nubes para recibir al Señor en el aire, y así estaremos siempre con el Señor.*

Creemos en un solo Dios, *(Dt. 6.4-5; Mc. 12.29; 1 Co. 8.6)*
Padre Todopoderoso, *(Gn. 17.1; Dn. 4.35; Mt. 6.9; Ef. 4.6; Ap. 1.8)*
Creador del cielo, la tierra *(Gn. 1.1; Is. 40.28; Ap. 10.6)*
y de todas las cosas visibles e invisibles. *(Sal. 148; Rom 11.36; Ap. 4.11)*

Creemos en un solo Señor Jesucristo, el Hijo unigénito de Dios,
concebido del Padre antes de todos los siglos:
Dios de Dios, Luz de la Luz, Dios verdadero de Dios verdadero,
Engendrado, no creado, de la misma esencia del Padre, *(Jn. 1.1-2; 3.18; 8.58; 14.9-10; 20.28; Col. 1.15, 17; Heb. 1.3-6)*
por quien todo fue hecho. *(Jn. 1.3; Col. 1.16)*

Quien por nosotros los hombres, bajó del cielo para nuestra salvación
y por obra del Espíritu Santo, se encarnó en la virgen María,
y se hizo hombre. *(Mt. 1.20-23; Jn. 1.14; 6.38; Lc. 19.10)*
Por nuestra causa fue crucificado en tiempos de Poncio Pilato,
padeció y fue sepultado. *(Mt. 27.1-2; Mc. 15.24-39, 43-47; Hch. 13.29; Rom 5.8; Heb. 2.10; 13.12)*
Resucitó al tercer día, según las Escrituras, *(Mc. 16.5-7; Lc. 24.6-8; Hch. 1.3; Rom 6.9; 10.9; 2 Ti. 2.8)*
ascendió al cielo y está sentado a la derecha del Padre. *(Mc. 16.19; Ef. 1.19-20)*
Él vendrá de nuevo con gloria,
para juzgar a los vivos y a los muertos,
y su Reino no tendrá fin. *(Is. 9.7; Mt. 24.30; Jn. 5.22; Hch. 1.11; 17.31; Rom 14.9; 2 Co. 5.10; 2 Ti. 4.1)*

Creemos en el Espíritu Santo, Señor y dador de vida,
(Gn. 1.1-2; Job 33.4; Sal. 104.30; 139.7-8; Lc. 4.18-19; Jn. 3.5-6; Hch. 1.1-2; 1 Co. 2.11; Ap. 3.22)
quien procede del Padre y del Hijo, *(Jn. 14.16-18, 26; 15.26; 20.22)*
y juntamente con el Padre y el Hijo
recibe la misma adoración y gloria, *(Is. 6.3; Mt. 28.19; 2 Co. 13.14; Ap. 4.8)*
quien también habló por los profetas. *(Nm. 11.29; Miq. 3.8; Hch. 2.17-18; 2 Pe. 1.21)*

Creemos en la Iglesia santa, católica* y apostólica.
(Mt. 16.18; Ef. 5.25-28; 1 Co. 1.2; 10.17; 1 Ti. 3.15; Ap. 7.9)

Confesamos que hay un sólo bautismo
y perdón de los pecados, *(Hch. 22.16; 1 Pe. 3.21; Ef. 4.4-5)*
y esperamos la resurrección de los muertos
y la vida del siglo venidero. Amén. *(Is. 11.6-10; Miq. 4.1-7; Lc. 18.29-30; Ap. 21.1-5; 21.22-22.5)*

*El término "católica" se refiere a la universalidad de la Iglesia, a través de todos los tiempos y edades, de todas las lenguas y grupos de personas. Se refiere no a una tradición en particular o expresión denominacional (ej. como en la Católica Romana).

El Credo Niceno en métrica común

Adaptado por Don L. Davis ©2007. Todos los derechos reservados

Esta canción es adaptada de El Credo Niceno, y preparada en métrica común (8.6.8.6), lo que significa que pueda ser cantada con la métrica de cantos tales como: Sublime gracia, Hay un precioso manantial, Al mundo paz.

Dios el Padre gobierna, Creador de la tierra y los cielos.
¡Sí, todas las cosas vistas y no vistas, por Él fueron hechas y dadas!

Nos adherimos a Jesucristo Señor, El único y solo Hijo de Dios
¡Unigénito, no creado, también, Él y nuestro Señor son uno!

Unigénito del Padre, el mismo, en esencia, Dios y Luz;
A través de Él todas las cosas fueron hechas por Dios, en Él fue dada la vida.

Quien es por todos, para salvación, bajó del cielo a la tierra,
Fue encarnado por el poder del Espíritu, y nace de la virgen María.

Quien por nosotros también, fue crucificado, por la mano de Poncio Pilato,
Sufrió, fue enterrado en la tumba, pero al tercer día resucitó otra vez.

De acuerdo al texto sagrado todo esto trató de decir.
Ascendió a los cielos, a la derecha de Dios, ahora sentado está en alto en gloria.

Vendrá de nuevo en gloria a juzgar a los vivos y a los muertos.
El gobierno de Su Reino no tendrá fin, porque reinará como Cabeza.

Adoramos a Dios, el Espíritu Santo, nuestro Señor, conocido como Dador de vida,
Con el Padre y el Hijo es glorificado, Quien por los profetas habló.

Y creemos en una Iglesia verdadera, el pueblo de Dios para todos los tiempos,
Universal en alcance, y edificada sobre la línea apostólica.

Reconociendo un bautismo, para perdón de nuestro pecado,
Esperamos por el día de la resurreción de los muertos que vivirán de nuevo.

Esperamos esos días sin fin, vida en la Era por venir,
¡Cuando el gran e.d.,de Cristo vendrá a la tierra, y la voluntad de Dios será hecha!

El cristiano obediente en acción

Los Navegantes

El cuadro y el drama

Imagen e historia en la recuperación del mito bíblico

Don L. Davis

El equipo de plantación de iglesias

Formando una banda apostólica

World Impact, Inc.

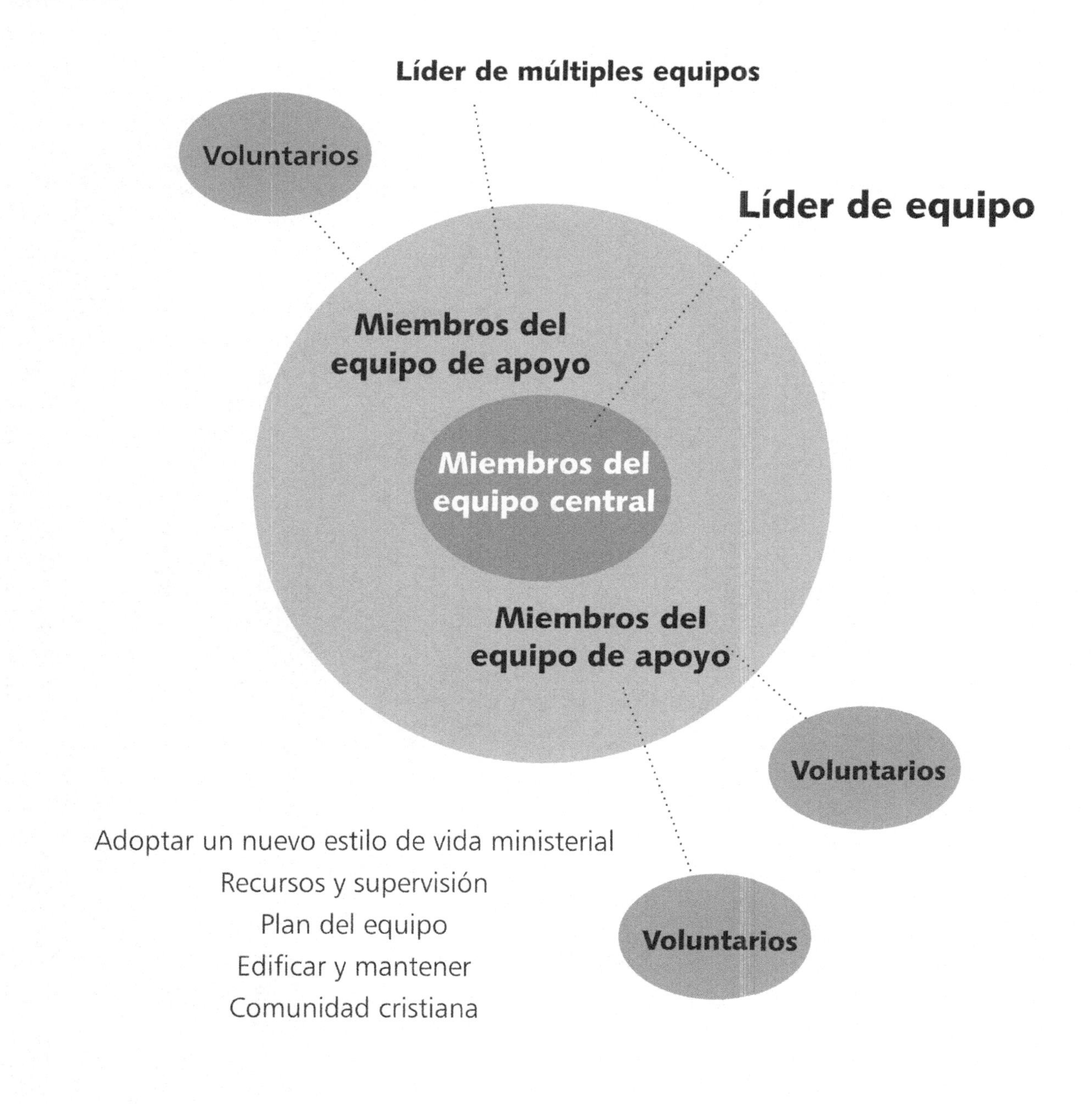

El Factor Oikos

Esferas de relaciones e influencia

Rev. Dr. Don L. Davis

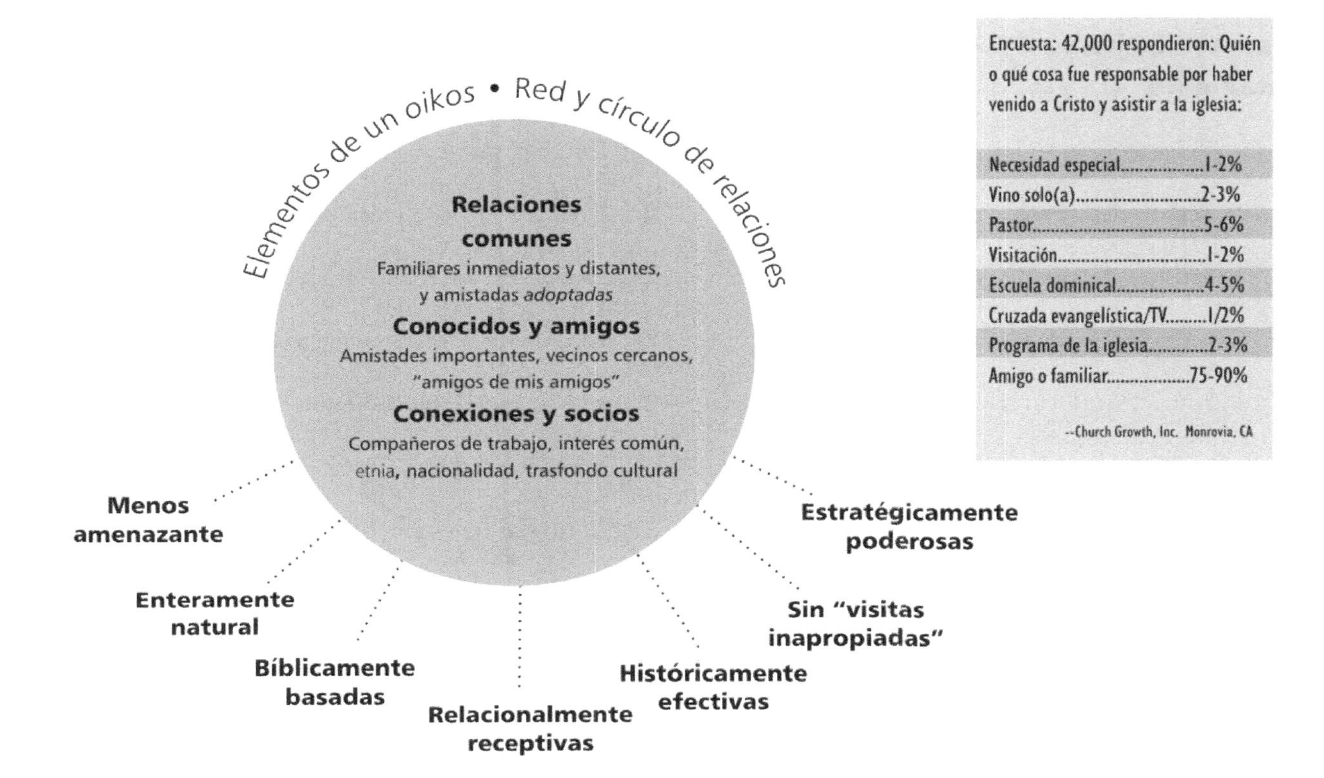

Encuesta: 42,000 respondieron: Quién o qué cosa fue responsable por haber venido a Cristo y asistir a la iglesia:

Necesidad especial	1-2%
Vino solo(a)	2-3%
Pastor	5-6%
Visitación	1-2%
Escuela dominical	4-5%
Cruzada evangelística/TV	1/2%
Programa de la iglesia	2-3%
Amigo o familiar	75-90%

--Church Growth, Inc. Monrovia, CA

Oikos (hogar) en el AT

"Un hogar usualmente tenía cuatro generaciones, incluyendo hombres, mujeres casadas, hijas solteras, esclavos de ambos sexos, personas sin ciudadanía y "peregrinos" (obreros extranjeros con residencia)". – *Hans Walter Wolff, Anthology of the Old Testament*

Oikos (hogar) en el NT

La evangelización y discipulado en las narrativas del NT a menudo rastreaba las redes relacionales de una multiplicidad de gente dentro de un *oikoi* (hogar), es decir, las líneas naturales de conexión donde residían y vivían (veáse Marcos 5.19; Lucas 19.9; Juan 4.53; 1.41-45, etc.). De Andrés a Simón (Juan 1.41-45), el hogar de Cornelio (Hechos 10-11), y el carcelero de Filipos (Hechos 16) son casos notables de evangelización y discipulado a través de los *oikoi* (plural de oikos).

Oikos (hogar) entre pobres urbanos

Mientras que existen grandes diferencias entre las culturas, las relaciones sanguíneas, grupos de especial interés, y estructuras familiares en la población urbana, es claro que los residentes de los barrios urbanos se conectan más con otros por medio de relaciones, amistades y familia que por la proximidad geográfica y vecindad donde viven. A menudo las amistades más cercanas de los residentes urbanos no son los cercanos en términos de vecindad, sino familias y amistades que viven a algunos kilómetros de distancia. Tomar tiempo para estudiar las conexiones precisas de tales relaciones en un área dada, puede probar ser extremadamente valioso en determinar las estrategias más efectivas para la evangelización y discipulado en el corazón de la ciudad.

El Mesías Yeshúa en cada libro de la Biblia

*Adaptado por Norman L. Geisler, **A Popular Survey of the Old Testament***

Cristo en los libros del Antiguo Testamento

1. La Simiente de la Mujer (Gén. 3.15)
2. El Cordero de la Pascua (Éxo. 12.3-4)
3. El Sacrificio de Expiación (Lev. 17.11)
4. La Piedra Golpeada (Nah. 20.8, 11)
5. El Profeta Fiel (Deut. 18.18)
6. El Capitán de las Huestes del Señor (Jos. 5.15)
7. El Liberador Divino (Jue. 2.18)
8. El Pariente Redentor (Rut 3.12)
9. El Ungido (1 Sam. 2.10)
10. El Hijo de David (2 Sam. 7.14)
11. El Rey que Viene (1 Re.)
12. El Rey que Viene (2 Re.)
13. El Edificador del Templo (1 Crón. 28.20)
14. El Edificador del Templo (2 Crón.)
15. El Restaurador del Templo (Esd. 6.14, 15)
16. El Restaurador de la Nación (Neh. 6.15)
17. El Conservador de la Nación (Est. 4.14)
18. El Redentor Viviente (Job 19.25)
19. La Alabanza de Israel (Sal. 150.6)
20. La Sabiduría de Dios (Prov. 8.22, 23)
21. El Gran Maestro (Ecl. 12.11)
22. El Más Hermoso entre Diez Mil (Cant. 5.10)
23. El Siervo Sufriente (Isa. 53.11)
24. El Creador del Nuevo Pacto (Jer. 31.31)
25. El Varón de Dolores (Lam. 3.28-30)
26. La Gloria de Dios (Ezeq. 43.2)
27. El Mesías que Viene (Dan. 9.25)
28. Aquel que Ama a la que es Infiel (Ose. 3.1)
29. La Esperanza de Israel (Joel 3.16)
30. El Labrador (Amós 9.13)
31. El Salvador (Abd. 21)
32. El Resucitado (Juan. 2.10)
33. El Gobernador en Israel (Miq. 5.2)
34. El Vengador (Nah. 2.1)
35. El Dios Santo (Hab. 1.13)
36. El Rey de Israel (Sof. 3.15)
37. El Deseo de las Naciones (Hag. 2.7)
38. El Renuevo Justo (Zac. 3.8)
39. El Sol de Justicia (Mal. 4.2)

El Mesías Yeshua en cada libro de la Biblia (continuación)

Cristo en los libros del Nuevo Testamento

1. El Rey de los Judíos (Mat. 2.2)
2. El Siervo del Señor (Mar. 10.45)
3. El Hijo del Hombre (Luc. 19.10)
4. El Hijo de Dios (Juan1.1)
5. El Señor que Ascendió (Hch. 1.10)
6. La Justicia del Creyente (Rom 1.17)
7. Nuestra Santificación (1 Cor. 1.30)
8. Nuestra Suficiencia (2 Cor. 12.9)
9. Nuestra Libertad (Gál. 2.4)
10. La Cabeza Exaltada de la Iglesia (Efe. 1.22)
11. El Gozo del Cristiano (Fil. 1.26)
12. La Plenitud de la Deidad (Col. 2.9)
13. El Consuelo del Creyente (1 Tes. 4.16, 17)
14. La Gloria del Creyente (2 Tes. 1.12)
15. El Preservador del Cristiano (1 Tim. 4.10)
16. El Recompensador del Cristiano (2 Tim. 4.8)
17. La Esperanza Bienaventurada (Tito 2.13)
18. Nuestro Suplente (Flm. 17)
19. El Gran Sumo Sacerdote (Heb. 4.15)
20. El Dador de Sabiduría (Sant. 1.5)
21. La Roca (1 Pe. 2.6)
22. La Promesa Preciosa (2 Pe. 1.4)
23. La Vida (1 Juan)
24. La Verdad (2 Juan)
25. El Camino (3 Juan)
26. El Abogado (Judas)
27. El Rey de reyes y Señor de señores (Ap. 19.16)

El método del Maestro

Representando a siervos fieles

No se preocupó por programas con los cuales llegar a las multitudes, sino por los hombres a quienes las multitudes habrían de seguir. Por extraño que parezca, Jesús comenzó a reunir a estos hombres aún antes de organizar una campaña de evangelización o de siquiera predicar un sermón en público. Los hombres constituirían su método para ganar al mundo para Dios . . . Jesús dedicó la mayor parte de la vida que le quedaba en la tierra a estos pocos discípulos. Literalmente consagró todo su ministerio a ellos. El mundo podría mostrarse indiferente hacia él y, con todo, no hacer fracasar su estrategia. Ni siquiera le preocupó gran cosa el que sus seguidores marginales lo abandonaran cuando se les propuso el verdadero significado del reino (Juan 6.66). Pero no pudo soportar que sus discípulos íntimos no comprendieran su propósito. Tenían que entender la verdad y ser santificados por ella (Juan 17.17) o, de lo contrario, todo se perdería. Por esto oró no "por el mundo" sino por los selectos que Dios le dio (Juan 17.6, 9). De la fidelidad de ellos dependía todo, si es que el mundo habría de creer en él "por la palabra de ellos" (Juan 17.20).

~ Robert Coleman, **Plan supremo de evangelización.** pp. 15, 20.

El ministerio de alabanza y adoración

Rev. Dr. Don L. Davis

El llamado especial al ministerio de alabanza y adoración

La alabanza que vence no es simplemente la alabanza ocasional que fluctúa según el humor a las circunstancias. Es una alabanza continua, una vocación, un estilo de vida. "Bendeciré al Señor en todo tiempo; su alabanza estará de continuo en mi boca" (Salmos 34.1). Bienaventurados los que habitan en tu casa; perpetuamente te alabarán". (Salmos 84.4). Se ha dicho que es tan importante la alabanza en el cielo, que ciertos seres espirituales se dedican totalmente a la misma (Apocalipsis 4.8). Dios le dio al rey David tal revelación de la importancia y el poder de la alabanza sobre la tierra, que siguiendo el modelo divino, separó y dedicó un ejército de cuatro mil levitas cuya única ocupación era alabar a Dios (1 Crónicas 23.5). No hacían nada más. Uno de los actos oficiales del rey David antes de su muerte fue la organización de un programa formal de adoración. Cada mañana y cada noche un contingente de esos cuatro mil levitas se unía en este servicio: "y para asistir cada mañana todos los días a dar gracias y tributar alabanzas a Jehová, y asimismo por la tarde" (1 Crónicas 23.30). Para vergüenza y fracaso de la iglesia, la importancia del contenido de la alabanza masiva en la Palabra ha sido largamente pasada por alto. La alabanza más efectiva debe ser masiva, continua, un hábito fijo, una ocupación de tiempo completo, una vocación diligentemente perseguida, un estilo total de vida. Este principio se enfatiza en Salmos 57.7: "Pronto está mi corazón, oh Dios, mi corazón está dispuesto; cantaré, y trovaré salmos". Esto sugiere un hábito premeditado y predeterminado de alabanza. "Mi corazón esta DISPUESTO". Esta clase de alabanza depende de algo más que de una euforia temporal.

~ Paul Billheimer, **Destined for the Throne**, pp. 121-22.

I. Objetivo centrado en exaltar a Dios, Sal. 150.5; Ap. 4.11; Sal. 29.1-2

A. "Por eso es que lo alabamos, por eso es que cantamos"

1. Para expresar nuestro gozo en Dios en el Espíritu Santo
2. Para reconocer la gracia de Dios en la persona de Jesucristo
3. Para experimentar la presencia de Dios
4. Para ver la belleza de Dios en medio de su pueblo

B. Adorar no es

1. Sólo buena música
2. Liturgias realizadas profesionalmente

El ministerio de alabanza y adoración (continuación)

3. Instrumentos y equipos extraordinarios

C. La adoración representa la expresión del corazón salvado que se acerca al Padre a través del Hijo en el poder del Espíritu Santo sólo para su alabanza y gloria (Juan 4.24)

D. La dirección de la adoración es como una lámpara de luz GE

1. Cuando es más efectiva, no se nota, sólo los efectos de su trabajo

2. Sólo le presta atención cuando no funciona

II. La meta: Reconocer y alabar la excelencia de Dios en cada dimensión de nuestra vida, nuestra alabanza a Dios, 1 Pe. 2.8-9

Principios de una dirección efectiva de adoración

I. Para ser un líder efectivo de adoración uno debe entender la naturaleza, diseño, e importancia de la misma.

A. Adoración como una búsqueda espiritual (*darash*), Esdras 4.2, 6.21

B. Adoración como una obediencia reverente (*yare*), Ex.14.31; Dt.31.12-13

C. Adoración como un servicio leal (*abad*), Ex. 5.18; Nm. 8.25

D. Adoración como un ministerio personal (*sharat*), Dt. 10.8, 18.5-7

E. Adoración como una genuina humildad (*shaha*), mas común, Is. 49.7; Gn. 47.31; Ex. 34.8 comp. Is. 66.2

El ministerio de alabanza y adoración (continuación)

F. Adoración como postrarse en oración (*segid*), Dn. 3.5-7, 10-12, 14-18, 28

G. Adoración como una cercanía a Dios (*nagash*), Sal. 69.18; Is. 58.2

II. Para ser un líder efectivo de adoración por sobre todo se debe ser un adorador efectivo

A. Modelo: el principio cardinal del discipulado Cristiano

1. Lucas 6.40
2. 1 Ti. 4.6-16
3. 1 Co. 11.1
4. 1 Co. 15.1-4
5. Fil. 3.12-15
6. Fil. 4.6-9
7. 1 Pe. 5.1-4

B. Dios desea que le adoremos en espíritu y en verdad (Juan 4.34)

C. Con pasión incondicional: el árbol grande

1. Moisés, Éxodo 33-34
2. David, Sal. 27.1ff; 34.1-3; 104
3. Pablo, Fil.1.18-21

III. Para ser un líder efectivo de adoración uno debe entender los principios y prácticas de la adoración en la manera que se han mostrado en la historia de los santos

A. Teología litúrgica

El ministerio de alabanza y adoración (continuación)

1. La teología litúrgica no se enfoca primordialmente en los datos de la Biblia
2. Se concentra en la historia de la Iglesia, esto es, lo que la Iglesia ha hecho en su práctica en la historia para dar gloria y honor a Dios
3. Uso de la razón y sociología

B. Tendencias hacia la falta de profundidad: el problema de ignorar la práctica de la adoración histórica en la Iglesia

1. Ignorar todo lo que ha pasado antes, concentrándonos en lo que nos gusta y en lo que hemos hecho
2. Ignorar el poder del Espíritu Santo y su obra en el pasado
3. Negar la unción que Dios ha dado a su pueblo a lo largo de cada era
4. Decepcionar a los que dirige aislándolos de sus hermanos y hermanas de tiempos pretéritos

C. Puntos de vista en relación a la teología litúrgica

1. *Punto de vista Anabaptista*: reproduce la práctica inmutable del NT
2. *Punto de vista Luterano, Anglicano, Reformado*: principios bíblicos y condiciones cambiables
3. *Práctica de la sinagoga judía*: innovación (cosas incluidas en la práctica de la Sinagoga Judía que no estaban en el AT)
4. *Práctica de la historia cristiana*: cultural, fluida, de acuerdo a la Escritura

D. Teología doxológica (según Robert Webber)

1. Cómo la adoración judía y cristiana puede informar la teología
2. Explicar en forma precisa cuál es la unión entre la teología y la adoración, Fil. 2.5-11
3. Bosquejo histórico de la teología a través de un estudio detallado de la adoración.

El ministerio de alabanza y adoración (continuación)

E. Asunto clave de la teología litúrgica: el calendario litúrgico (la historia de Dios en el servicio de la Iglesia)

1. Judaísmo

a. Elabora un calendario anual de días santos en el judaísmo (similar en alguna manera al calendario católico)

b. Uno semanal (Sabático), uno mensual (la nueva luna)

c. Levítico 23 como descripción bíblica de algunos festivales y fiestas claves

d. Todos los días festivos incluían fiestas, con la excepción del Día de Expiación (de ayuno)

e. Fiesta de Purim añadida después, junto con la Dedicación (comp. John 10.22)

f. Adoración como una actuación ritual (recordatorio y re-promulgación)

2. Cristiandad Gentil (después del primer siglo)

a. Eximida literalmente de obedecer la ley (*Concilio de Jerusalén*, Hechos 15)

b. Destrucción del templo en 70 AC, prominencia de forma gentil

c. Calendario cristiano consistió en breves días-santos cristianos de ahí en adelante

d. Domingo, El Día del Señor

e. Ayunos los miércoles y viernes (contrariamente a los Judíos de lunes y jueves)

f. Prestado del judaísmo – Cuaresma (*Pascha*, e.d., la Pascua)

g. Día de la Ascensión, Epifanía, y Navidad

h. Domingo de la Trinidad (10th c., occidente)

F. Resumen de la teología litúrgica: celebra el curso de la historia de la Revelación, la cual culmina con la vida, muerte, exaltación, y regreso de Cristo

El ministerio de alabanza y adoración (continuación)

IV. Para ser un líder efectivo de adoración se debe entender específicamente y bíblicamente el poder y la importancia de la música

A. El poder de la música

1. Como una fuerza espiritual
2. Como un fenómeno cultural
3. Como una respuesta emocional
4. Como una forma de comunicación
5. Como una expresión artística

B. Amar la música como expresión de su corazón al Señor: Salmo 150 (la adoración debe ser libre, no diluída, de gran energía, entusiasta, y no se la debe negociar)

C. Aprender a ser miembro de una banda: el poder de la contribución

1. Banda vs. individuo
2. Elementos de contribución
   a. Desarrollar un oído para "nuestro sonido": cumplir un rol en el equipo
   b. Cosas a corregir: una contribución demasiado floja
   c. Aprender a frenar: fomentar un sonido sólo cuando contribuye
   d. Su meta: "Procuro tocar mi instrumento según lo que cada canción requiera, de modo que se pueda cumplir con el objetivo que perseguimos en unidad".

D. Dominar y emplear los *bloques básicos de construcción* de la música.

1. Ritmo
2. Tiempo
3. Melodía

El ministerio de alabanza y adoración (continuación)

4. Armonía

5. Letras

6. Dinámicas

E. La importancia de ensayar regularmente

1. Solo

2. Juntos

F. Familiaridad: que su instrumento sea su mejor "amigo"

V. Para ser un líder efectivo de adoración debemos concentrarnos en dominar la música e identificarnos con los dones y pasiones de la adoración

A. El dominio viene con la disciplina: 1 Ti. 4.7-8

B. Identifique cuáles son sus mejores dones (bajo escrutinio de la crítica amorosa)

1. ¿Es mi voz?

2. ¿Es la ejecución de un instrumento?

3. ¿Son ambas? ¿No es ninguna? ¿Hay algo más?

C. Diseñe sus temas de adoración y grupos de música de acuerdo al culto.

1. En conjunción con el tema: formando relaciones, conexiones, y asociaciones.

   a. Alabanza de invocación y apertura: invitar a los santos a la adoración ("Ven, es tiempo de adorarle")

   b. Celebración gozosa en la presencia del Señor ("Traemos sacrificio de alabanza")

El ministerio de alabanza y adoración (continuación)

c. Alabanza y adoración ("Declaramos tu majestad")

d. Compromiso y Bendición ("Arriba los corazones")

2. En conjunción con la proclamación de la Palabra del Señor

3. En conjunción con los estilos

4. En conjunción con la variación del tiempo

D. Déle forma a cada canción dentro de su programa

1. La canción como una historia: introducción, intermedio, transición y final.

2. El arte de la transposición, cambiar de tiempos, salida de las voces, etc.

3. Desde un arroyito, a un río, a los rápidos, y al océano

4. Evitando el problema de la "pared de sonido" asociado con los músicos jóvenes

E. Aprenda a asistir a cada miembro del equipo de adoración para que haga su propia contribución a la misma según lo que ellos son y hacen

1. No cante o toque simplemente, escúchese y contribuya

2. El ciclo interminable del ruido

a. Estamos tocando fuerte, no puedo escucharme a mí mismo

b. Subo mi volumen; otros no pueden escucharse; ellos también lo suben

c. Todos tocamos aun más fuerte ahora, nuevamente no me escucho

d. Etc.

F. Note la diferencia entre tocar vs. realzar la adoración del cuerpo

1. Entre conducir un concierto o dirigir la adoración

2. Entre resaltar su forma de tocar o el contribuir al sentimiento y modo de la canción

El ministerio de alabanza y adoración (continuación)

3. Entre embellecer nuestra canción juntos o tocar su instrumento

G. Obtenga y use el instrumento apropiado

1. Haga la inversión financiera y emocional

    a. De parte de la iglesia: llegando a ser parte del presupuesto de la iglesia

    b. De parte del músico: invertir sabiamente en los materiales correctos

2. Calidad

    a. Evitar los instrumentos más baratos

    b. Tampoco termine en la bancarrota

    c. Lo moderado no es malo hoy: las inversiones modestas pueden producir una buena calidad de CDs

3. Darle sabor: el arte de mejorar el sonido

4. “Menos es más”: si tiene dudas, mejor enmudazca para un mayor impacto

VI. Para ser un líder de adoración efectivo se debe saber cómo construir y sostener un equipo de alabanza que esté enfocado

A. Las muchas voces, contribuciones, y talentos en coordinación = una mejor experiencia de adoración en la congregación

B. La importancia de la adoración como un evento comunitario

C. El principio Trinitario aplicado a la adoración: unidad, diversidad, e igualdad

1. La sinfonía como un modelo de adoración en la Iglesia de Jesucristo

2. Los estilos europeos dominan en iglesias estadounidenses

3. El Credo Niceno: la Iglesia es una, santa, apostólico y católica (universal)

    a. Cientos de estilos de alabanza

El ministerio de alabanza y adoración (continuación)

b. Ofrecida a Dios en diversos lenguajes

c. Etno-musicología - la ciencia del aprendizaje de la música humana

d. Ninguna forma es superior; todas las formas son aceptables si son hechas en conjunción con los edictos bíblicos

4. Peligro de ignorar este principio: hegemonía de estilos y poder europeo

D. Tener normas y pólizas claras para todos los involucrados

E. Ser cuidadoso de no ser demasiado profesional; enfatizar la calidad de permitir una completa participación para el cuerpo

F. Ofrecer un liderazgo claro y alentador en todo tiempo

G. Reclutar a partir de una amplia base de personas

H. Organizarse para un máximo éxito y efectividad

VII. Para ser un líder efectivo de adoración uno debe usar los recursos en forma creativa, mezclando lo antiguo y lo nuevo (la ancestral y lo moderno) en adoración y alabanza

A. La amplitud de expresiones en la Iglesia de Jesucristo

1. La plétora bíblica: Apocalipsis 5 (de cada tribu, lengua, raza y nación)

2. En estos diversos estilos somos reflejados, expresados y deleitados

a. Las diferencias de acuerdo al tiempo: estilos tradicionales versus estilos contemporáneos

b. Diferencias de acuerdo a la cultura: música del sur con hip-hop

c. Diferencias de acuerdo al volumen

El ministerio de alabanza y adoración (continuación)

d. Diferencias de acuerdo a los significados de la música

3. La "pelea" es real y significativa

4. No "una cosa u otra" sino "ambas"

B. ¿Por qué es importante una adoración matizada?

1. La variedad es el sabor de la vida, y la naturaleza de la persona de Dios y su obra

2. Para escuchar la fresca voz del Señor: es la envoltura de lo contemporáneo

3. Para recordar el trabajo del Señor en el pasado: en el caso de lo tradicional

C. Los desperdicios de una persona son la riqueza de otra: la tiranía y las fases del etnocentrismo (ver Hechos 10: Pedro y la reacción del grupo judío en el caso de Cornelio)

1. Fase uno: la nuestra es *preferida* por sobre la de ellos

2. Fase dos: la nuestra es *mejor* que la de ellos

3. Fase tres: la nuestra es la *correcta*, la suya es algo dudosa

4. Fase cuatro: la mía es ordenada por Dios y *superior*, y la de todos los demás es rara y está equivocada

D. Entremezclar: afirma la importancia de las diferentes expresiones y el mantener la tradición en nuestra experiencia de adoración a Dios. ¿Cómo entremezcla usted?

1. En las canciones que elige

2. En los estilos que toca

3. En la instrumentación que elige

4. En los arreglos vocales que escoge

El ministerio de alabanza y adoración (continuación)

E. Respetar las diferencias al permitir preferencias y auto-expresiones: el desafío constante del líder de adoración

1. Integrar el servicio con una genuina apreciación de estilos

2. Acercar estilos al tocar la misma música en diferentes maneras

VIII. El resumen de la adoración: glorificar a Dios en una placentera armonía con Él

A. Miembros de la casa de Dios: la adoración es la expresión de las almas salvadas.

B. Se edifica sobre el fundamento de los apóstoles y profetas, con Jesucristo como el Jefe y la Piedra Angular: la adoración es una respuesta a la auto-revelación histórica de Dios a través de su Palabra

C. Unidos como un templo santo en el Señor: adoramos como el pueblo de Dios, convirtiéndonos en un santo santuario donde moran Sus alabanzas

D. Somos edificados como una morada para Dios por el Espíritu: somos el lugar donde se originan las alabanzas a Dios, que es donde Él mora

E. Todo lo que somos y hacemos puede armonizar como líderes, congregación, y equipo de adoración, para ser una ofrenda dulce y pura en la cual more nuestro Dios.

Ef. 2.19-22 (BLS)
Por eso, para Dios ustedes ya no son extranjeros. Al contrario, ahora forman parte del pueblo de Dios y tienen todos los derechos; ahora son de la familia de Dios. [20] Todos los de la iglesia son como un edificio construido sobre la enseñanza de los apóstoles y los profetas, y en ese edificio Jesucristo es la piedra principal. [21] Es él quien mantiene firme todo el edificio y lo hace crecer, hasta formar un templo dedicado al Señor. [22] Por su unión con Jesucristo, ustedes también forman parte de ese edificio, donde Dios habita por medio de su Espíritu.

El modelo de los tres pasos

Don L. Davis y Terry G. Cornett

El papel de la mujer en el ministerio

Dr. Don L. Davis

Si bien es cierto que Dios ha establecido dentro del hogar un orden claramente diseñado, es igualmente claro que las mujeres son llamadas y dotadas por Dios, dirigidas por su Espíritu para dar fruto digno de su llamamiento en Cristo. A través del NT, hay mandamientos para las mujeres a someterse, con el verbo griego *jupotásso*, que ocurre con frecuencia con el significado de "colocarse bajo" o "someterse" (comp. 1 Ti. 2.11). La palabra traducida al español como "sujeción" proviene de la misma raíz. En tales contextos estas expresiones griegas no deben entenderse en ninguna otra forma que una positiva amonestación acerca del diseño de Dios para el hogar, donde las mujeres son amonestadas a aprender en silencio y sumisamente, confiando y laborando dentro del propio plan de Dios.

Sin embargo, esta orden a la mujer de sumisión en el hogar, no debe ser malinterpretada como que a las mujeres no se les permite ministrar sus dones bajo la dirección del Espíritu. Ciertamente, es el Espíritu Santo por medio del otorgamiento lleno de gracia de Cristo quien asigna los dones según su voluntad para la edificación de la Iglesia (1 Co. 12.1-27; Ef. 4.1-16). Los dones no son otorgados a los creyentes bajo el criterio del género; en otras palabras, no hay indicios en las Escrituras que algunos dones son solamente para los varones y otros reservados para las mujeres. Por el contrario, Pablo afirma que Cristo proveyó dones como un directo resultado de su propia victoria personal sobre el diablo y sus esbirros (comp. Ef. 4.6ss.). Esa fue su decisión personal, dados por su Espíritu a quienquiera que Él lo desee (comp. 1 Co. 12.1-11). En la afirmación del ministerio de las mujeres, nosotros afirmamos el derecho del Espíritu de ser creativo en todos los santos para el bienestar de todos y la expansión de su Reino, según le parezca a Él, y no necesariamente como lo determinemos nosotros (Ro. 12.4-8; 1 Pe. 4.10-11).

Además, un cuidadoso estudio de la totalidad de las Escrituras, indica que la orden de Dios para el hogar de ninguna manera debilita su intención para que el hombre y la mujer le sirvan juntos a Cristo como discípulos y obreros, bajo la dirección de Cristo. La clara enseñanza del NT de Cristo como cabeza del hombre y el hombre de la mujer (véase 1 Co. 11.4) muestra el aprecio de Dios de una representación espiritual piadosa dentro del hogar. La aparente prohibición a las mujeres de tener posición de enseñanza/ de gobierno parece ser una amonestación para proteger las líneas designadas por Dios de responsabilidad y autoridad dentro del hogar. Por ejemplo, el término griego particular en el muy debatido pasaje de 1 Timoteo 2.12, *andrós*, que con frecuencia ha sido traducido

El papel de la mujer en el ministerio (continuación)

"hombre", también puede ser traducido "esposo". Con tal traducción, entonces la enseñanza sería que una esposa no debe tener dominio sobre su esposo.

La doctrina de una mujer que al escoger casarse, voluntariamente se predispone a someterse a "estar bajo" su esposo, está en total acuerdo con el punto esencial de la enseñanza del NT sobre la función de la autoridad en el hogar cristiano. La palabra griega *jupotásso*, que significa "estar bajo de" se refiere a la voluntaria sumisión de una esposa a su esposo (comp. Ef. 5.22, 23; Col. 3.18; Tito 2.5; 1 Pe. 3.1). Esto no tiene nada que ver con la suposición de un estado superior o capacidad del esposo; más bien, se refiere al diseño de dirigente, autoridad que le es dada para confortación, protección y cuidado, no para destrucción o dominio (comp. Gn. 2.15-17; 3.16; 1 Co. 11.3). Ciertamente, la cuestión de ser la cabeza es interpretada a la luz de Cristo como cabeza sobre la Iglesia y significa la clase de jefatura piadosa que debe ser exhibida, el sentido de un incansable cuidado, servicio y protección requerido de un liderazgo piadoso.

Por supuesto, la amonestación a una esposa de someterse a un esposo de ninguna manera impediría que las mujeres participaran en un ministerio de enseñanza (por ej., Tito 2.4), sino más bien, que en el caso particular de las mujeres casadas, significa que sus propios ministerios estarían bajo la protección y dirección de sus respectivos esposos (Hechos 18.26). Esto confirmaría que el ministerio en la Iglesia de una mujer casada sería el de servir bajo la protectora vigilancia de su esposo, no debido a ninguna noción de capacidad inferior o espiritualidad defectuosa, sino para, como un comentarista lo ha dicho, "evitar confusión y mantener el orden correcto" (comp. 1 Co. 14.40).

Tanto en Corinto como en Éfeso (que representan los cuestionados comentarios epistolares en Corintios y 1 Timoteo), parece que la restricción de Pablo acerca de la participación de las mujeres fue causada por sucesos ocasionales, asuntos que se desarrollaron particularmente de esos contextos, y por lo tanto, se supone que deben ser entendidos bajo esa luz. Por ejemplo, el caso de los muy debatidos textos sobre el "silencio" de la mujer en la iglesia (ver 1 Co. 14 y 1 Ti. 2) en ninguna manera parecen debilitar la prominente función que las mujeres tuvieron en la expansión del Reino y el desarrollo de la Iglesia en el primer siglo. Las mujeres estaban envueltas en los ministerios de profecía y oración (1 Co. 11.5), instrucción personal (Hechos 18.26), enseñanza (Tito 2.4,5), dando testimonio (Juan 4.28, 29), ofreciendo hospitalidad (Hechos 12.12) y sirviendo como colaboradoras con los apóstoles en la causa del evangelio (Flp. 4.2-3). Pablo no relegó a las mujeres a una función inferior o estado escondido, sino que sirvieron lado-a-lado con los hombres por la causa de Cristo: "Ruego a Evodia y a Síntique, que sean de un mismo sentir en el Señor. Asimismo te ruego también a ti, compañero fiel, que ayudes a éstas que combatieron juntamente conmigo en *la causa* del evangelio, con

El papel de la mujer en el ministerio (continuación)

Clemente también y los demás colaboradores míos, cuyos nombres están en el libro de la vida" (Flp. 4.2-3).

Aún más, debemos tener cuidado en subordinar la persona de la mujer *per se* (es decir, su naturaleza de mujer) versus su función de subordinada en la relación matrimonial. No obstante la clara descripción de la función de las mujers como coherederas de la gracia de la vida en la relación matrimonial (1 Pe. 3.7), también es claro que el Reino de Dios ha traído un dramático cambio sobre cómo las mujeres deben ser vistas, entendidas y aceptadas en la comunidad del Reino. Es obvio que ahora en Cristo no hay diferencia entre el rico y el pobre, judíos y gentiles, bárbaros y escitas, siervos y libres, como tampoco entre hombres y mujeres (comp. Gál. 3.28; Col. 3.11). A las mujeres se les permitió ser discípulas de un Rabí (quien era extranjero y rechazado al tiempo de Jesús), y tuvieron prominentes papeles en la iglesia del NT, como ser colaboradoras lado a lado con los apóstoles en el ministerio (por ej., Evodia y Síntique en Fil 4.1ss), como también teniendo una iglesia en sus casas (comp. Febe en Ro. 16.1-2 y Apia in Filem. 1.2).

En relación al asunto de la autoridad pastoral, yo estoy convencido que el entendimiento de Pablo de la función de equipar (de lo cual la función de pastor-maestro es uno de ellos, comp. Ef. 4.9-15) nada tiene que ver con el género. En otras palabras, el texto primario y decisivo para mí sobre la operación de los dones y el estado y función del oficio, son los textos del NT que tratan sobre los dones (1 Co. 12.1-27; Ro. 12.4-8; 1 Pe. 4.10-11 y Ef. 4.9-15). No hay indicación en ninguno de estos textos formativos que los dones son de acuerdo al género. En otras palabras, para que el argumento pruebe que las mujeres nunca deberían tener funciones de naturaleza pastoral o de equipar, el argumento más simple y efectivo sería mostrar que el Espíritu simplemente nunca habría considerado darle a las mujeres un don que no fuera adecuado para el radio de llamamientos hacia los cuales ellas se sintieran llamadas. Las mujeres tendrían prohibido servir en el liderazgo porque el Espíritu Santo nunca le otorgaría a una mujer un llamado y los dones requeridos porque ella era una mujer. Algunos dones estarían reservados para los hombres, y las mujeres nunca recibirían esos dones.

Una cuidadosa lectura de esos y otros textos relacionados, no muestran tal prohibición. Parece que le corresponde al Espíritu darle a una persona, hombre o mujer, cualquier don que los capacite para cualquier ministerio que Él desea que ellos desarrollen, según su voluntad (1 Co. 12.11: "Pero todas estas cosas las hace uno y el mismo Espíritu, repartiendo a cada uno en particular como él quiere"). Basándose en este punto, Terry Cornett ha escrito un magnífico ensayo teológico que muestra cómo la palabra griega del

El papel de la mujer en el ministerio (continuación)

NT para "apóstol" sin equivocación alguna es aplicada a las mujeres, mostrado claramente en la interpretación del sustantivo femenino "Junias" aplicado como "apóstol" en Romanos 16.7, como también alusiones a colaborar, por ejemplo, con las gemelas Trifena y Trifosa, quienes "colaboraron" con Pablo en el Señor (16.12).

Creer que todo cristiano llamado por Dios, dotado por Cristo y dotado y dirigido por el Espíritu debe cumplir su función en el cuerpo, nosotros afirmamos la función de las mujeres para dirigir e instruir bajo autoridad piadosa que se someta al Espíritu Santo, a la Palabra de Dios y que esté informada por la tradición de la Iglesia y el razonamiento espiritual. Debemos esperar que Dios les dé a las mujeres una dotación sobrenatural de la gracia para llevar a cabo sus órdenes a favor de su Iglesia y su reinado en el Reino de Dios. Puesto que tanto los hombres como las mujeres reflejan el *Imago Dei* (es decir, la imagen de Dios), y que los dos son herederos de la gracia de Dios (comp. Gn. 1.27; 5.2; Mt. 19.4; Gál. 3.28; 1 Pe. 3.7), se les da el alto privilegio de representar a Cristo juntos como sus embajadores (2 Co. 5.20), y por medio de su asociación completar nuestra obediencia a la Gran Comisión de Cristo de hacer discípulos de todas las naciones (Mt. 28.18-20).

El papel del Espíritu Santo en la guía espiritual

Terry G. Cornett

A través del Espíritu Santo, Dios ha quedado a disposición de los creyentes para que puedan tener una relación constante y amistosa con Él, recibiendo la guía y dirección continua de lo que Él quiere de ellos.

I. Versículos claves

A. Ro. 8.14 (RV) - Porque todos los que son guiados por el Espíritu de Dios, éstos son hijos de Dios.

B. Is. 63.10-14 (RV) - Mas ellos fueron rebeldes, e hicieron enojar su santo espíritu; por lo cual se les volvió enemigo, y él mismo peleó contra ellos. [11] Pero se acordó de los días antiguos, de Moiseas y de su pueblo, diciendo: ¿Dónde está el que les hizo subir del mar con el pastor de su rebaño? ¿dónde el que puso en medio de él su santo espíritu, [12] el que los guió por la diestra de Moiseas con el brazo de su gloria; el que dividió las aguas delante de ellos, haciéndose así nombre perpetuo, [13] el que los condujo por los abismos, como un caballo por el desierto, sin que tropezaran? [14] El Espíritu de Jehová los pastoreó, como a una bestia que desciende al valle; así pastoreaste a tu pueblo, para hacerte nombre glorioso.

C. Juan 10.1-5 (RV) - De cierto, de cierto os digo: El que no entra por la puerta en el redil de las ovejas, sino que sube por otra parte, ése es ladrón y salteador. [2] Mas el que entra por la puerta, el pastor de las ovejas es. [3] A éste abre el portero, y las ovejas oyen su voz; y a sus ovejas llama por nombre, y las saca. [4] Y cuando ha sacado fuera todas las propias, va delante de ellas; y las ovejas le siguen, porque conocen su voz. [5] Mas al extraño no seguirán, sino huirán de él, porque no conocen la voz de los extraños.

El papel del Espíritu Santo en la guía espiritual (continuación)

D. Juan 14.25-26 (RV) - Os he dicho estas cosas estando con vosotros. [26] Mas el Consolador, el Espíritu Santo, a quien el Padre enviará en mi nombre, él os enseñará todas las cosas, y os recordará todo lo que yo os he dicho.

E. Juan 16.13 (RV) - Pero cuando venga el Espíritu de verdad, él os guiará a toda la verdad; porque no hablará por su propia cuenta, sino que hablará todo lo que oyere, y os hará saber las cosas que habrán de venir.

F. Hechos 16.7-8 (RV) - y cuando llegaron a Misia, intentaron ir a Bitinia, pero el Espíritu no se lo permitió. [8] Y pasando junto a Misia, descendieron a Troas (compárese con Hechos 20.22-23).

II. ¿Por qué es tan importante la guía del Espíritu Santo?

El cristiano entonces reconoce que cuando es enfrentado con las alternativas del bien y el mal, no hay alternativa; uno debe hacer el bien. Pero el reto más grande viene cuando somo enfrentados con múltiples alternativas que son todas moralmente buenas. La pregunta entonce es, ¿cuál es el bien al cual Dios me está llamando? Lo bueno, entonces, puede ser el enemigo de lo mejor, ya que nos es posible llenar nuestros días haciendo cosas buenas pero descuidar de hacer lo que debemos hacer y a lo que somos llamados... Cada opción es un sí y un no... Si yo tomo esta asignación o este trabajo, significa decir no a otras oportunidades. Si opto por pasar mi día de esta manera, significa que estoy diciendo no a otras actividades que pueden haberlo llenado. Y seguramente esto es lo que hace que las decisiones sean un reto: no podemos estar en todas partes y no podemos hacer todo. Hay muchas cosas buenas que podemos hacer, y no podemos hacerlas todas. De nuevo, esto sería una carga aterradora e imposible si no fuera por el cuidado providencial de Dios. Él es el Dios que está presente y que vive en todo lo que hay–la tierra, el mar, el cielo–pero también un Dios que está personalmente presente en cada uno de nosotros. ¡No estamos solos! Estas son noticias extremadamente buenas. . . Cuando hacemos una elección, el Espíritu está con nosotros. Efectivamente, hablamos de Dios como Pastor, eso es, como aquel que guía (Sal. 23). Y experimentamos esta guía más claramente en nuestros tiempos de elección. Aún así, es nuestra responsabilidad decidir; es nuestro acto de escoger en respuesta a las opciones, problemas, y oportunidades el que está frente a nosotros. Dios no escoge por nosotros, y no podemos esperar que otros elijan por nosotros, no si queremos ser adultos que se responsabilizan

El papel del Espíritu Santo en la guía espiritual (continuación)

por sus vidas. Ciertamente, la capacidad de discernir correctamente y hacer sabias decisiones es una señal crucial de madurez. Y además, es algo que aprendemos al madurar en la fe y al crecer en sabiduría.

~ Gordon T. Smith.
The Voice of Jesus: Discernment, Prayer, and the Witness of the Spirit. pp 130-132.

III. ¿Cómo escuchamos la voz de Dios?

A. Conoce lo que Dios el Espíritu ya ha hablado: La Palabra Escrita de Dios

1. Las Escrituras son el registro de la guía del Espíritu. Las Escrituras no solamente son el juez infalible de la guía o la profecía, también son nuestro entrenamiento para reconocer la voz de Dios.

2. Juan 5.46-47 (RV) - Porque si creyeseis a Moisés, me creerías a mí, porque de mí escribió él [47] Pero si no creéis a sus escritos, ¿cómo creeréis a mis palabras?

B. Haga que su corazón se disponga a obedecer

1. Usualmente, ¡el problema NO está en nuestro oído!

   a. Sal. 119.10 (RV) - Con todo mi corazón te he buscado; no me dejes desviarme de sus mandamientos.

   b. La pregunta fundamental en relación a la guía no es si voy a poder escuchar a Dios, sino si voy a intentar obedecer lo que Él dice.

El papel del Espíritu Santo en la guía espiritual (continuación)

2. Dios es una guía competente y que habla claro.

   a. Juan 10.2-5, 27 (RV) - Mas el que entra por la puerta, el pastor de las ovejas es. [3] A éste abre el portero, y las ovejas oyen su voz; y a sus ovejas llama por nombre, y las saca. [4] Y cuando ha sacado fuera todas las propias, va delante de ellas; y las ovejas le siguen, porque conocen su voz. [5] Mas al extraño no seguirán, sino huirán de él, porque no conocen la voz de los extraños . . . [27] Mis ovejas oyen mi voz, y yo las conozco, y me siguen.

   b. Las metáforas de la Escritura describen a un Dios que será escuchado

      (1) Las imágenes dadas por Dios para describir su liderazgo son de mucha ayuda. Dios es un rey, un padre, un pastor. La pregunta bíblica raramente es "¿cómo escuchamos?". Jesús dice con total seguridad que sus ovejas conocen su voz. Como todos los reyes, padres o pastores, Dios no tiene dificultad en comunicarse con nosotros en maneras que podamos entender.

      (2) ¿Cuántos de nosotros, por ejemplo, pensamos que el gobierno tiene dificultad en comunicarnos que necesitamos pagar nuestros impuestos? En Estados Unidos, por ejemplo, ¿cuántos se vuelven a recordar del evento anual del 15 de abril una vez que pasa tal día?

      (3) ¿Cuántos de ustedes cuando eran niños se sentaban y les aterraba la interrogante de si reconocerían la voz de sus padres? ¿Qué iniciativa tomó de niño para asegurarse que pudiera escuchar y entender a sus padres?

      (4) De la misma manera, Dios toma la iniciativa para comunicar su voluntad a su gente.

El papel del Espíritu Santo en la guía espiritual (continuación)

c. Si Dios está en silencio, usualmente significa que somo libres para escoger entre las buenas opciones que ha puesto a nuestra disposición, o de otra manera, que estamos operando bajo un mandamiento que ya existe.

(1) Si Dios quiere que hagamos algo, lo va a aclarar al corazón que escucha.

(2) Cuando Dios ya ha comunicado su voluntad a través de las Escrituras, la cuestión no está en escuchar, sino en obedecer.

d. La importancia de un corazón que escucha.

La regla fundamental: No podemos ignorar a Dios o rechazar obedecer y después reclamar que Dios no está diciendo nada.

(1) La Iglesia de Dios como un ambiente natural para escuchar.

(a) La analogía de la familia es muy pertinente. Mis niños venían a casa cada día después de la escuela, comían en mi mesa, vivían en mi casa, y participaban en nuestra vida familiar. Debido a que eso era cierto, podrían estar confiados en que oían lo que yo quería de ellos. Debemos hacer lo mismo en nuestro caminar espiritual.

(b) Si ignoramos nuestra relación con la familia de Dios y no pasamos tiempo en Su presencia y escuchando su Palabra, Él va a hablar, pero no atenderemos su voz. Por otro lado, la participación activa en la vida familiar es una parte importante de saber escuchar.

(c) En mi propia experiencia, Dios me habla a menudo en la iglesia. A veces a través del sermón y a veces a través de una vía completamente diferente al sermón o énfasis de la reunión. El punto es que estoy en su mesa familiar. Él puede hablar a través del predicador o sencillamente puede llamar mi atención y hablar directamente a mi corazón, pero yo debo participar en la familia para tener una expectativa razonable de recibir dirección. Si huimos del tiempo con la familia de Dios (como el

El papel del Espíritu Santo en la guía espiritual (continuación)

hijo pródigo) no podemos entonces presentar la excusa que no lo escuchamos decir nada.

(d) Escuchar la voz de Dios no es una función privada. Se lleva a cabo en la comunidad. Escuchamos mejor la voz de Dios cuando la escuchamos juntamente con otros.

(e) Nuestros pastores y líderes espirituales tienen un papel único que representar en este proceso.

(f) Heb. 13.17 (RV) - Obedeced a vuestros pastores, y sujetaos a ellos; porque ellos velan por vuestras almas, como quienes han de dar cuenta; para que lo hagan con alegría, y no quejándose, porque esto no es provechoso.

(g) Consultar a nuestro liderazgo pastoral por su conocimiento y consejo es un punto natural de partida en cuanto a decisiones en las que la voluntad de Dios no es clara.

(h) Nuestros hermanos y hermanas en Cristo también son un recurso para escuchar la mente de Cristo.

(i) 1 Co. 12.7 (RV) - Pero a cada uno le es dada la manifestación del Espíritu para provecho.

(j) 1 Co. 14.26 (RV) - ¿Qué hay, pues, hermanos? Cuando os reunís, cada uno de vosotros tiene salmo, tiene doctrina, tiene lengua, tiene revelación, tiene interpretación. Hágase todo para edificación.

(k) Pr. 27.17 (RV) - Hierro con hierro se aguza; y así el hombre aguza el rostro de su amigo.

(l) Pr. 11.14 (RV) - Donde no hay dirección sabia, caerá el pueblo; mas en la multitud de consejeros hay seguridad.

(m) Escuchar la voz del Espíritu necesariamente significa que debemos escuchar al consejo de la comunidad de la iglesia y a sus líderes.

El papel del Espíritu Santo en la guía espiritual (continuación)

(2) El papel de la atención.

Es mi responsabilidad perseverar en su presencia santa, en donde me mantengo sencillamente al atender y respetar a Dios, a lo cual denomino una PRESENCIA REAL de Dios; o, para expresarlo mejor, una conversación habitual, silenciosa y secreta del alma con Dios, la cual frecuentemente me brinda gozo y éxtasis interior, y a veces también exterior, tan grande que soy forzado a usar medios para moderarlos y prevenir su apariencia a otros.

~ Brother Lawrence quoted in Dallas Willard. **Hearing God**.

(3) Una Oración de San Anselmo de Canterbury (1033-1109).

Enséñame a buscarte

Y al yo buscarte, muéstrate a mí,

Porque no puedo buscarte a menos que me enseñes cómo,

Y nunca te voy a encontrar a menos que te me muestres.

Déjame buscarte deseándote,

Y desearte buscándote;

Déjame encontrarte amándote,

Y amarte encontrándote.

Amén.

IV. Para lectura adicional:

Richard J. Foster. Capítulo 11. "La disciplina de la busqueda de asesoramiento". *Alabanza por la disciplina.* Eugene, OR: Wipf & Stock Publishers, 2005.

Gordon T. Smith. *The Voice of Jesus: Discernment, Prayer and the Witness of the Spirit.* Downers Grove, IL: InterVarsity Press, 2003.

Charles Stanley. *How to Listen to God.* Nashville, TN: Thomas Nelson, 1985.

Mark Water. *Knowing God's Will Made Easier.* Peabody, MA: Hendrickson, 1998.

El paradigma del liderazgo de la Iglesia

El caso para el liderazgo bíblico

Rev. Dr. Don L. Davis

1. El *Reino de Dios* ha venido en la persona de *Jesús de Nazaret*, y ahora se manifiesta a través del Espíritu en la Iglesia.

2. Las ciudades del mundo, como fortalezas del demonio, desesperadamente necesitan la *presencia* y *el testimonio* de la Iglesia.

3. La Iglesia no puede prosperar y dar testimonio sin *liderazgo*.

4. El liderazgo auténtico en la Iglesia debe *ser llamado por Dios, representar a Jesucristo, tener los dones del Espíritu, y debe ser confirmado por otros* en el cuerpo.

5. A los líderes llamados, dotados y confirmados se les debe dar *autoridad, recursos, y oportunidades* para promover su madurez y equipar así a los santos para el ministerio.

El perfil de un discípulo de Jesús en el siglo 21

Rev. Dr. Don L. Davis

1. Goza de una comunión íntima con el Señor. (Juan 10.1-6; 15.12-14).

a. Está incondicionalmente disponible para Cristo, como su Señor (lleno del Espíritu Santo).

b. Anhela llegar a ser más y más como Cristo, en visión, carácter y servicio.

c. Mantiene una vida devocional sólida de adoración personal, meditación y oración.

d. Tiene una forma de vida en alabanza, adoración y celebración.

e. Conserva su confianza en la guía y provisión de Dios a través de Cristo.

f. Glorifica a Dios en el templo de su cuerpo, en su mente y en su espíritu.

2. Mantiene una postura de fe arraigada en una visión bíblica de Cristo y su Reino. (Juan 8.31-32).

a. Busca comprender el contexto, los temas, la historia y los principios de las Santas Escrituras.

b. Mantiene una posición Cristo-céntrica, que le permite ver la vida desde el punto de vista de Dios.

c. Se afinca sólidamente sobre los fundamentos de la fe; es diestro(a) en compartirlos y reproducirlos.

d. Posee una habilidad progresiva para escuchar, leer, estudiar, memorizar y meditar en la Palabra verdadera.

e. Competencia creciente para pelear por la fe contra toda oposición.

3. Despliega un comportamiento con ferviente dedicación, manifestado en su hogar, en su trabajo y en su comunidad. (Juan 17.14-23).

a. Camina evidenciando al Señor en su carácter y conducta.

El Perfil de un discípulo de Jesús en el siglo 21 (continuación)

b. Cumple con sacrificio varias funciones, como un miembro compasivo de la iglesia y la familia.

c. Representa a Cristo en excelencia, servicio, respeto y determinación en su empleo.

d. Mantiene una reputación genuina de caridad con sus amigos, vecinos y comunidad.

4. Retiene su fiel *membresía* en el Cuerpo, expresada en la participación activa de una iglesia local de creyentes. (Juan 13.34-35).

a. Ha sido bautizado(a) en la fe, cimentada en su confesión de fe en Jesucristo.

b. Participa activamente en la adoración corporal y celebración del Cuerpo en alabanza, adoración y la Cena del Señor.

c. Se reúne regularmente con otros miembros del Cuerpo, para edificar la Iglesia a través del compañerismo, oración, servicio y celebración.

d. Usa sus dones en el ministerio para servir con otros miembros del Cuerpo.

e. Se comunica regularmente en una forma edificante con el Cuerpo.

5. Implementa una estrategia convincente para hacer discípulos de Jesús en su ciudad y fuera de ella (Juan 20.21).

a. Ora consistentemente y fervientemente, que el Señor envíe obreros a la cosecha donde Cristo aun no es conocido, adorado, y glorificado.

b. Da generosamente de su tiempo y recursos, para aumentar la evangelización y propagar las misiones, como Dios dirija.

c. Busca oportunidades para compartir su testimonio personal con las demás personas a fin de ganar a otros para Cristo.

d. Invierte tiempo, estableciendo al nuevo convertido en la fe e incorporándolo a la iglesia.

e. Le pide oportunidades al Espíritu para discipular cristianos fieles que puedan llegar a ser obreros con el/ella.

El punto de vista de Cristo acerca de la Biblia

Paul P. Enns. The Moody Handbook of Theology (electronic ed.). Chicago: Moody Press, 1997.

Para determinar la naturaleza de la inspiración bíblica, nada podría ser más significativo que determinar el punto de vista de Cristo con respecto a las Escrituras. Ciertamente nadie debe tener un punto de vista inferior sobre la Escritura que el que Él tuvo; su punto de vista de las Escrituras debe ser el determinante y la norma para el punto de vista de otras personas. Ése es el argumento fundamental de R. Laird Harris. Al defender la inspiración de las Escrituras, él no usa 2 Timoteo 3.16 o 2 Pedro 1.21 como argumento primario (aunque reconoce su validez); él defiende desde el punto de vista de Cristo de las Escrituras.

(1) La inspiración del todo. En su uso del Antiguo Testamento Cristo dio crédito a la inspiración total del Antiguo Testamento. En Mateo 5.17–18 Cristo afirmó que ni la letra más pequeña o tilde pasaría de la ley hasta que se cumpliera. En el v. 17 se refirió a la ley o los profetas, una frase común que habla del Antiguo Testamento entero. En esta declaración bastante fuerte, Jesús afirmó la inviolabilidad del todo el Antiguo Testamento y así afirmó la inspiración del mismo.

En Lucas 24.44 Jesús recordó a los discípulos que todas las cosas escritas sobre él en la ley de Moisés, los profetas, y los Salmos, deben cumplirse. Los discípulos fallaron en entender las enseñanzas acerca de la muerte y resurrección de Cristo en el Antiguo Testamento, pero debido a la inspiración del Antiguo Testamento, esos eventos profetizados tenían que suceder. Al referirse al Antiguo Testamento usando estas tres cosas, Cristo estaba afirmando la inspiración y autoridad de todo el Antiguo Testamento.

Cuando Jesús debatió con los incrédulos judíos concerniente a su derecho de ser llamado Hijo de Dios, él los refirió al Salmo 82.6 y les recordó "la Escritura no puede ser quebrantada" (Juan 10.35). "Significa que la Escritura no puede ser vaciada de su fuerza al decir que es errónea". Es válido notar que Jesús se refirió a un pasaje casi insignificante del Antiguo Testamento e indicó que la Escritura no podía ser puesta a un lado o anulada.

(2) La inspiración de las partes. Cristo citó profusa y frecuentemente del Antiguo Testamento. Sus argumentos probaron la integridad del pasaje del Antiguo Testamento que estaba citando. Por medio de este método de argumentación, Cristo estaba afirmando la inspiración de los textos individuales o libros del Antiguo

El punto de vista de Cristo acerca de la Biblia (continuación)

Testamento. Unos ejemplos bastarán. En el encuentro de Jesús con Satanás en el momento de su tentación, él refutó los argumentos de Satanás por una referencia a Deuteronomio. En Mateo 4.4, 7, 10 Jesús citó de Deuteronomio 8.3; 6.13, 16, indicando que Satanás estaba equivocado y dando énfasis a que estas palabras escritas en Deuteronomio tenían que ser cumplidas. En Mateo 21.42 Jesús citó de Salmo 118.22 que enseña que el Mesías sería rechazado. En Mateo 12.18–21 Jesús citó de Isaías 42.1–4, mostrando su disposición pacífica, mansa y que su inclusión de los gentiles había sido predicha en las Escrituras proféticas. Estos sólo son ejemplos seleccionados, para revelar que Cristo citó de las varias partes del Antiguo Testamento, mientras afirmaba su inspiración y autoridad.

(3) La inspiración de las palabras. Al defender la doctrina de la resurrección frente a los Saduceos, Jesús citó de Éxodo 3.6 (significativo porque los saduceos solamente se apegaban al Pentateuco), "Yo soy el Dios de Abraham". En esta contestación todo el argumento de Jesús fue puesto sobre las palabras "yo soy". Jesús estaba poniendo el verbo que el texto hebreo únicamente implica. Así apoyó la versión de la septuaginta (griego) que incluye el verbo. Esa versión era considerada tan buena por muchos de los contemporáneos del Señor que prácticamente se la igualaba con las Escrituras originales.

Al afirmar la resurrección, Jesús recordó a los saduceos que Éxodo 3.6 dice "yo soy". Él continuó: "Dios no es Dios de muertos sino de vivos". Si las palabras del Antiguo Testamento no estuvieran inspiradas, su argumento habría sido inútil; pero si las mismas palabras del Antiguo Testamento estuvieran realmente inspiradas, entonces su argumento llevaría un enorme peso. De hecho, el argumento de Jesús se enfoca en el tiempo presente de la declaración. Porque estaba escrito en Éxodo 3.6, "yo soy....", la doctrina de la resurrección podría afirmarse; Dios es el Dios de los patriarcas vivientes.

Un ejemplo similar se encuentra en Mateo 22.44 donde Jesús, debatiendo con los fariseos, explicó que su concepto del Mesías estaba equivocado. Los fariseos pensaban en el Mesías como un redentor político, pero Jesús les muestra la cita del Salmo 110.1, donde David, el rey más grande de Israel, vio al Mesías como mayor que él, llamándolo Señor. Todo el argumento de Cristo descansa en la frase "mi Señor", citando al Salmo 110.1, Jesús fundó su argumento en la inspiración de las palabras precisas "mi Señor". Si el Salmo 110.1 no dijera exactamente "mi Señor" entonces el argumento de Cristo sería en vano. Un ejemplo adicional es el uso de Cristo del Salmo 82.6 en Juan 10.34 donde todo su argumento descansa en la palabra "dioses".

El punto de vista de Cristo acerca de la Biblia (continuación)

(4) La inspiración de las cartas. En varias de sus declaraciones Cristo revela que él creyó que las cartas de la Escritura estaban inspiradas. En Mateo 5.18 Jesús declaró, "ni una jota ni una tilde pasará de la ley, hasta que todo se haya cumplido". El término "ni una jota ni una tilde" se refiere la letra hebrea yodh que parece un apóstrofe ('). La "tilde" se refiere a la distinción diminuta entre dos letras hebreas. Un equivalente sería la distinción entre la Q y la O. Sólo la pequeña "cola" distingue la Q de la O. Jesús enfatizó que todos los detalles de los escritos del Nuevo Testamento se cumplirían hasta en lo más mínimo.

(5) La inspiración del Nuevo Testamento. En el discurso del aposento alto Cristo hizo una declaración significativa que parece apuntar al registro exacto y final de los escritos del Nuevo Testamento. En Juan 14.26 Jesús indicó que el Espíritu Santo recordaría a los apóstoles cuando escribieran las palabras de la Escritura, garantizando de esta forma su exactitud (comp. Juan 16.12–15). Esto puede explicar cómo un hombre viejo como Juan, al escribir la vida de Cristo, pudo describir los detalles de los eventos que ocurrieron años antes con precisión. El Espíritu Santo dio a Juan y a los otros escritores un recuento exacto de los eventos. Por lo tanto, Jesús no sólo afirmó la inspiración del Antiguo Testamento sino también la del Nuevo Testamento.

Una conclusión obvia es que Jesucristo sostuvo una muy alta apreciación de las Escrituras, afirmando su inspiración en todo el Antiguo Testamento -los varios libros del Antiguo Testamento, las palabras precisas, las cartas reales y él apuntó a la inspiración del Nuevo Testamento. Ciertamente, aquellos que sostienen sólo a la inspiración conceptual u otras variantes, deben considerar la actitud de Jesús hacia las Escrituras. ¿Acaso la norma no debería ser el punto de vista de Jesús acerca de la Biblia? ¿Es legítimo sostener un punto de vista sobre la Escritura inferior al que Él tuvo?

El sufrimiento: El costo del discipulado y el liderazgo de servicio

Don L. Davis

Ser un discípulo es cargar con el estigma y reproche de Aquel que lo llamó a su servicio (2 Ti. 3.12). Prácticamente, esto podría significar perder las comodidades, conveniencias, y hasta la vida misma (Jn. 12.24-25).

Todos los apóstoles de Cristo sufrieron insultos, reprensiones, latigazos y rechazos por los enemigos del Maestro. Cada uno de ellos selló su doctrina con su sangre en el exilio, la tortura y el martirio. A continuación presentaremos una lista del destino doloroso de los apóstoles de acuerdo a los recuentos tradicionales.

- Mateo sufrió el martirio siendo decapitado por la espada en una ciudad distante de Etiopía.
- Marcos murió en Alejandría (Egipto) después de ser cruelmente arrastrado en medio de las calles de tal ciudad.
- Lucas fue colgado de un árbol de olivo en la tierra clásica de Grecia.
- Juan fue puesto en una olla enorme que hervía con aceite, no obstante escapó de la muerte milagrosamente, y luego fue enviado a la Isla de Patmos, donde vivió sus últimos días.
- Pedro fue crucificado de cabeza en Roma.
- Santiago, el Grande, fue decapitado en Jerusalén.
- Santiago, el Pequeño, fue arrojado desde el pináculo del templo, y luego azotado con bastones hasta la muerte.
- Bartolomé fue despellejado vivo.
- Andrés fue amarrado a una cruz, de donde predicó a sus perseguidores hasta morir.
- Tomás fue traspasado con una lanza en Coromandel en las Indias Orientales.
- Judas fue muerto a flechazos.
- Matías fue apedreado y luego decapitado.
- Bernabé de los gentiles fue apedreado en hasta morir Salónica.
- Pablo, después de varias torturas y persecuciones, por último fue decapitado en Roma por el emperador Nerón.

El tabernáculo de Moisés

Vern Poythress, The Shadow of Christ in the Law of Moses, p. 17.

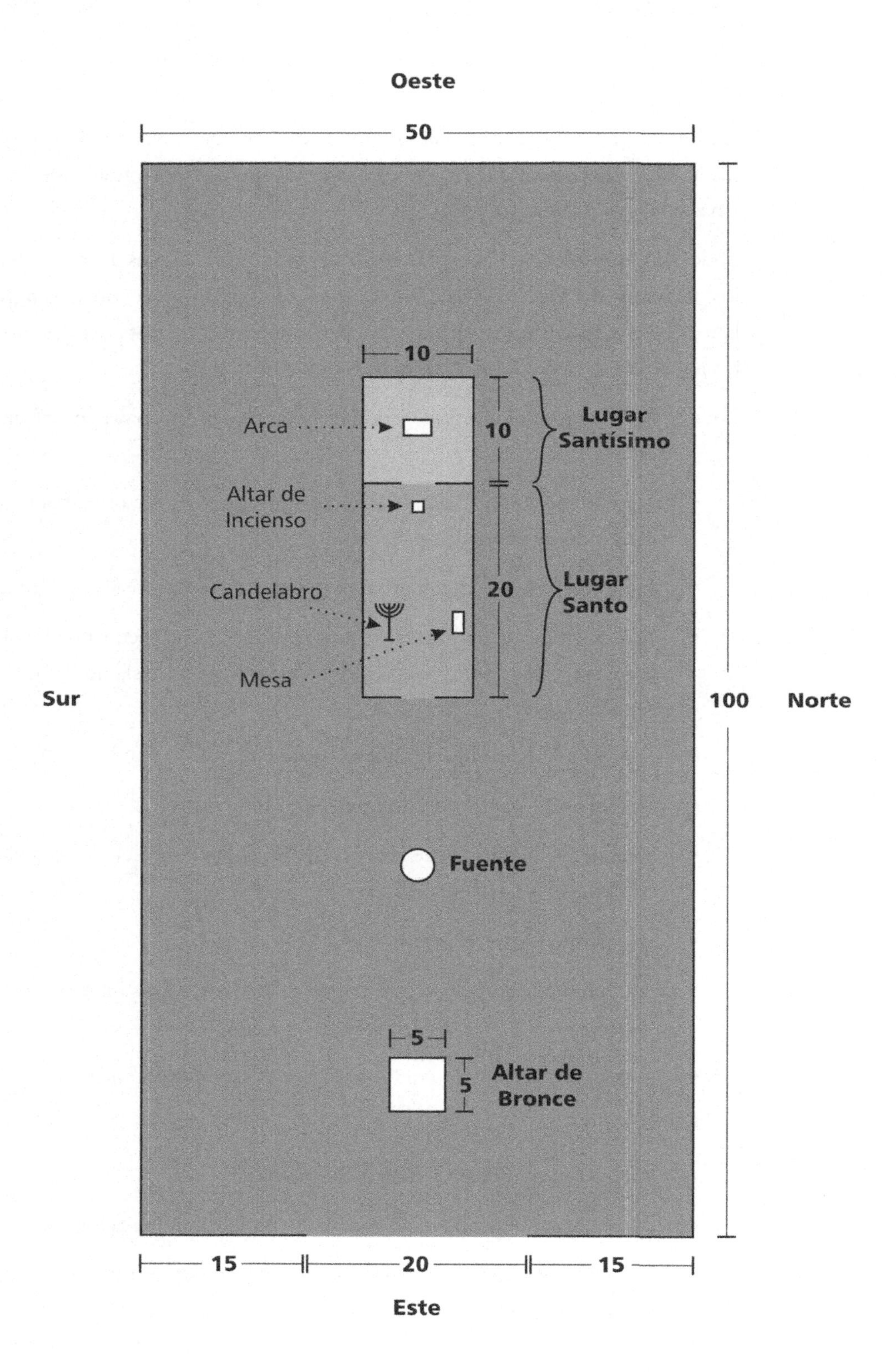

En Cristo

Rev. Dr. Don L. Davis

En pos de la fe, no de la religión

La búsqueda liberadora para la contextualización

Charles Kraft

Este artículo fue tomado de Mission Frontiers: El Boletín del US Center for World Mission,
Vol. 27, No. 5; Septiembre-Octubre 2005; ISSN 0889-9436.

Lo que sigue ha sido tomado de los capítulos 5 y 6 de ***Appropriate Christianity*** *[Cristianismo Apropiado] (William Carey Library Publishers, 2005).*

La intención acerca de nuestra fe es que sea diferente de las religiones en su relación a la cultura de la gente que la practica. Esto no es muy entendido ni dentro del cristianismo ni fuera de él. Mientras que las religiones como el islamismo, el budismo y el hinduismo, requieren una buena porción de la cultura en la cual fueron desarrolladas, el cristianismo bien entendido no lo hace así. Jesús trajo vida (Jn. 10.10), no una religión. La gente ha reducido nuestra fe a una religión y la han exportado como si estuviera en competencia con otras religiones. Por eso los que oyen el mensaje tienden a interpretar el cristianismo como si nada más fuera otra religión—una religión culturalmente-encapsulada—en lugar de una fe que puede ser expresada en términos de cualquier cultura.

Pero el cristianismo correctamente entendido es compromiso - y está basado-en significados, no está basado-en formas. Un compromiso a Cristo Jesús y a los significados asociados con ese compromiso pueden, por lo tanto, ser practicados en una amplia variedad de formas culturales. Esto es todo de lo que se trata la contextualización. Y ésta es una importante característica del cristianismo que con frecuencia se malentiende tanto por quienes abogan por ella como por sus potenciales receptores, también.

Otra parte de la reputación del cristianismo en el ámbito mundial es que es más un asunto de pensamiento que práctico. Para muchos, nuestra fe tiene poco o nada que ver con asuntos de la vida real, tales como obtener protección de los espíritus malos, cómo obtener y mantener la salud física y cómo mantener buenas relaciones familiares. Y cuando el asunto es una necesidad de poder y protección espiritual, aun los cristianos necesitan mantenerse en buenos términos con un shamán, un sacerdote o con un hombre o mujer medicinal, porque a pesar de las promesas bíblicas, los pastores cristianos solamente pueden recomendar acercamientos seculares de salud y protección.

Un cristianismo que está apropiado tanto a la Biblia como a la cultura receptora confrontará estas percepciones erróneas y, esperamos que las cambiará.

El Dr. Charles H. Kraft ha servido como misionero en Nigeria, enseñó idiomas Africanos y Lingüística en Michigan State University y en UCLA por diez años, y enseñó Antropología y Comunicación Intercultural en la School of Intercultural Studies, del Seminario Fuller durante los últimos 35 años. Él viaja extensamente, y ha sido pionero en el campo de la Contextualización. Es ampliamente usado en el ministerio de sanidad interna. Es autor o editor de muchos libros, incluyendo Cristianismo Apropiado (William Carey Library Publishers, 2005)

En pos de la fe, no de la religión (continuación)

Las tradiciones mueren luchando

Cualquier discusión de este tópico necesita tomar en cuenta que las situaciones en las que la mayoría de los obreros están laborando en la actualidad, raramente son situaciones pioneras. Así que, los que enseñamos la contextualización, tratamos principalmente con aquellos cuyos mayores intereses tendrán que ser sobre cómo lograr cambios en situaciones que ya existen, en lugar de cómo plantar iglesias culturalmente apropiadas.

Típicamente entonces, quienes aprenden lo que es la contextualización resultan trabajando con iglesias que están muy comprometidas a su perspectiva occidental del cristianismo. Esto ha llegado a ser su tradición y no están dispuestas a cambiarla.

Los dirigentes de muchas iglesias así, tal vez nunca hayan visto un cristianismo culturalmente apropiado y probablemene les falte la habilidad para imaginarlo. Y si pudieran imaginar tal abordaje, es poco probable que vayan a querer arriesgar lo que están familiarizados con la esperanza de obtener mayor apropiación cultural. Para muchos, el riesgo de perder su posición puede ser muy real ya que sus colegas, comprometidos a preservar la "sagrada" tradición, pueden volverse contra ellos y echarlos de sus lugares.

Entonces, necesitamos aprender no solamente los principios de la apropiación cultural, sino también los de una comunicación eficaz. Y esto debe ir junto con la paciencia y la oración, además de una disposición a hacer la correcta clase de sugerencias si se les pide.

Temor al sincretismo

Una gran dificultad para muchos, especialmente quienes han recibido instrucción teológica, es el temor a que puedan abrir las puertas a una forma aberrante de cristianismo. Ellos ven a América Latina como "cristo-pagana" y que se aleja de lo que se llama cristiano, pero que en realidad no lo es. Temiendo que si se desvían del cristianismo occidental que ellos han recibido, estarían en el peligro que la gente llevara las cosas a un extremo, por lo que retornan a lo familiar y no hacen nada para cambiarlo, no importa cuánto malentendido pueda haber en la comunidad de los no creyentes con relación al verdadero significado del cristianismo.

Sin embargo, hay a lo menos dos caminos al sincretismo: un acercamiento que es muy propio de los nativos y otro que está demasiado dominado por extranjeros. Respecto a este último, es fácil no darse cuenta que el cristianismo occidental es muy sincretista cuando es muy intelectualizado, organizado de acuerdo a patrones extranjeros, débil en el Espíritu Santo y en poder espiritual, fuerte en formas occidentales de comunicación (por

En pos de la fe, no de la religión (continuación)

ej., la predicación) y patrones de adoración occidental e impuestas sobre personas no occidentales como si esto fuera escritural. Usualmente es más fácil concluir que una forma de expresión cristiana es sincretista cuando se parece demasiado a la cultura receptora que cuando parece "normal", es decir, Occidental.

Pero los patrones occidentales con frecuencia están más alejados de la Biblia que los no occidentales. Y la cantidad de comunicación errónea de lo que el evangelio realmente es puede ser mucha cuando la gente obtiene la impresión que la nuestra es una religión en lugar de una fe y que, por tanto, formas extranjeras son un requisito. Dejar esa impresión seguramente que es sincrético y herético. Yo a esto le llamo "herejía de comunicación".

Pero, ¿qué acerca del concepto del sincretismo? ¿Es algo que puede evitarse o es un factor de limitaciones humanas y pecaminosidad? Yo digo que es lo último y sugiero que no hay manera de evitarlo. Dondequiera que haya entendimientos imperfectos hechos por gente imperfecta, habrá sincretismo. El sincretismo que existe en todas las iglesias, no es el problema. Ayudar a la gente a moverse de donde están a una expresión más ideal de fe cristiana es lo que necesitamos tratar.

Pero, mientras le temamos a algo que es inevitable, estamos esclavizados. Recuerdo las palabras de un misionero del campo que estaba estudiando con nosotros: "Cuando dejé de preocuparme por el sincretismo, pude pensar más apropiadamente acerca de la contextualización". Entonces, nuestro consejo a los líderes nacionales (y a los misioneros) es que dejen de temerle al sincretismo. Traten con ello en sus varias formas como punto de partida, ya sea que éste haya venido de la sociedad receptora o de la sociedad que envía y ayuden a la gente a moverse hacia una expresión más ideal de su fe ....

Domesticación y "cristianismo cultural"

A través de los siglos, los que han venido a Cristo han tenido la tendencia a "domesticar" su cristianismo. Tal como los primeros cristianos judíos que no estuvieron de acuerdo con Pablo y que requerían de los gentiles que aceptaran a Cristo dentro de un paquete cultural judío, así los romanos y alemanes y americanos, han presionado a quienes se convierten a Cristo a también convertirse a la cultura de aquellos que anuncian el mensaje.

De modo que nuestra fe ha llegado a ser conocida como primariamente una cosa cultural, una religión envuelta en formas culturales del grupo en poder. Y como desde el siglo cuarto en adelante, ha sido más bien vista como una cosa cultural europea—capturada por nuestros ancestros europeos y domesticada en culturas muy diferentes de aquella en

En pos de la fe, no de la religión (continuación)

la cual la fe originalmente fue plantada. Entonces, los convertidos al cristianismo son vistos como quienes han abandonado su propia religión cultural y han escogido adoptar la religión, y usualmente, muchas formas de la cultura europea. Con frecuencia tales convertidos son considerados como traidores a su propio pueblo y a sus costumbres.

Si la nuestra simplemente es una "forma de religión", . . . puede ser *adaptada pero no contextualizada*, puede estar en *competencia con otras formas de religión* pero no fluir a través de esas formas, porque por definición procura reemplazar a esas formas. Pero el cristianismo bíblico no es simplemente un conjunto de formas culturales. Sin embargo, el cristianismo cultural sí lo es. Y nos confunde en nuestras discusiones porque con frecuencia no es claro si estamos hablando de cristianismo bíblico esencial o de la religión tradicional de las sociedades occidentales que también es llamada cristianismo. En uno de mis libros intenté hacer esta distinción al deletrear el cristianismo bíblico con C mayúscula y el cristianismo cultural con c minúscula....

Voy a ... llamar a la religión una forma de algo, la expresión a través de formas culturales de suposiciones y significados de profundo nivel (punto de vista del mundo). Las formas de la religión son de una cultura específica, y si la religión ha sido tomada prestada de otro contexto cultural, requiere de ciertas formas de esa otra cultura para ser tomada prestada. Por ejemplo, el islam requiere ciertas formas de oración, un peregrinaje específico, un libro árabe intraducible, inclusive estilos de vestuarios. Similarmente, el judaísmo, el hinduismo, el budismo y el cristianismo cultural. Éstas son religiones.

Sin embargo, el cristianismo bíblico no requiere de ninguna forma de la cultura original. Por eso es que puede ser "capturado" por el Occidente y ser considerado occidental aunque su origen no sea occidental. *El cristianismo esencial es una lealtad, una relación de la cual fluye una serie de significados cuya intención es ser expresada a través de las formas culturales de cualquier cultura.* Entonces, estas formas son con la intención de ser escogidas para que su propósito comunique significados bíblicos apropiados en los contextos receptores.

Yo creo que el cristianismo tiene la intención de ser "una fe", no un conjunto de formas culturales y por lo tanto diferente en esencia de las religiones. Debido a que las religiones son cosas culturales, pueden ser *adaptadas* a nuevas culturas. La adaptación es una cosa externa que da por resultado cambios pequeños o grandes en las formas de la religión. Pero, el cristianismo puede ser *contextualizado*, proceso en el cual pueden darse significados apropiados por formas muy diferentes en varias culturas. Lamentablemente, debido a la interferencia del cristianismo cultural, no hemos visto toda la variedad posible.

Encuentro a mi Señor en el libro

Autor desconocido

Encuentro a mi Señor en la Biblia, cuando tengo la oportunidad de leerla,
Él es el tema de la Biblia, el centro y el corazón del Libro;
Él es la rosa de Sarón, Él es el lirio de los valles,
En donde sea que yo abra mi Biblia, el Señor del Libro está allí.

Él, al principio del Libro, dio forma a la tierra,
Él es el arca de refugio, el que calma la feroz tormenta
La zarza ardiente del desierto, el renuevo de la vara de Aarón
En donde sea que mire en la Biblia, veo al Hijo de Dios.

El cordero sobre el Monte Moriah, la escalera de la tierra al cielo,
La cuerda escarlata en la ventana y la serpiente levantada en alto,
La piedra golpeada en el desierto, el pastor con el cuervo,
El rostro del Señor yo descubro, en donde sea que abro el Libro.

Él es la simiente de la mujer, el Salvador nacido de una virgen
Él es el Hijo de David, a quien los hombres rechazaron con desprecio,
Sus vestiduras de gracia y belleza de la majestuosidad de Aarón,
Él es el sacerdote eterno, porque Él es Melquisedec.

Señor de gloria eternal a quien Juan, el apóstol, vio,
La luz de la ciudad dorada, oveja sin mancha ni imperfección,
El novio que viene a la medianoche, a quien las vírgenes esperan.
Donde sea que abro mi Biblia, encuentro a mi Señor en el Libro.

Enfoque analítico vrs. Cristo-céntrico del Antiguo Testamento

Rev. Dr. Don L. Davis

Un enfoque analítico	Un enfoque Cristo-céntrico
Se enfoca en versículos individuales, capítulos, libros, y secciones en y de ellos mismos	Se enfoca en cómo el contenido del libro señala y da testimonio de Jesús el Mesías
Fragmenta el Antiguo Testamento en muchas piezas para el análisis	Mira el Antiguo Testamento como un todo que da testimonio único de Jesús
Se concentra en estudiar cada libro como una unidad	Se concentra en estudiar cada libro al contribuir a la venida de Cristo
Exige la maestría lingüística y socio-cultural	Demanda sabiduría y discernimiento espiritual
Sólo puede ser legítimamente llevado a cabo por expertos	Puede ser llevado a cabo por todos los santos de Dios
Difícil para dar una descripción del Antiguo Testamento	Usa a Cristo como la clave para la descripción del Antiguo Testamento
Se enfoca en el conocimiento o contenido	Se enfoca en la relación con Cristo
Difícil para discipular a otros con el conocimiento del Antiguo Testamento y sus contenidos	Diseñado para ayudar a maestros a cimentar a los creyentes en el conocimiento de Cristo a través del Antiguo Testamento
Puede ser notablemente aburrido y seco	Mueve el corazón hacia el amor y deseo por Jesús

Enfoques que sustituyen la visión Cristo-céntrica

Cosas buenas y efectos que nuestra cultura sustituye como la meta máxima del cristianismo

Rev. Dr. Don L. Davis

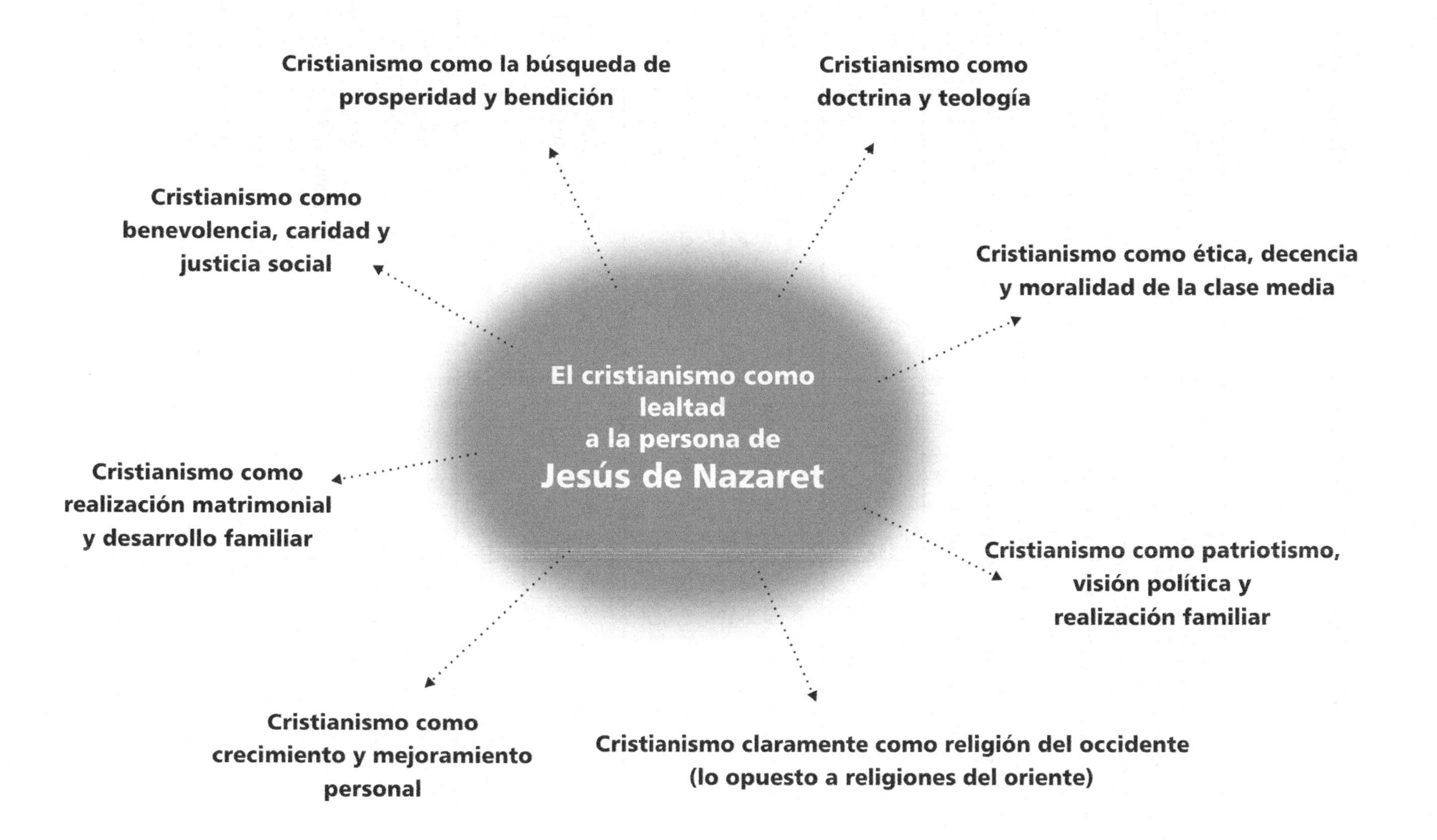

Entendiendo el liderazgo como una representación

Las seis etapas del poder formal

Rev. Dr. Don L. Davis

Lucas 10.1 Después de estas cosas, designó el Señor también a otros setenta, a quienes envió de dos en dos delante de él a toda ciudad y lugar adonde él había de ir. . .

Lucas 10.16 "El que a vosotros oye, a mí me oye; y el que a vosotros desecha, a mí me desecha; y el que me desecha a mí, desecha al que me envió".

Juan 20.21 Entonces Jesús les dijo otra vez: "Paz a vosotros. Como me envió el Padre, así también yo os envío".

Comisión (1)

Selección formal y llamamiento a representar

- Elegido para ser un emisario, enviado o delegado
- Confirmado por alguien adecuado que reconoce el llamamiento
- Es un miembro reconocido de una comunidad fiel
- Llamamiento de un grupo a un papel particular de representación
- Llamamiento a una tarea o misión particular
- Delegación de posición o responsabilidad

Preparación (2)

Recursos y entrenamiento adecuados para cumplir el llamamiento

- Asignación a un supervisor, superior, mentor o instructor
- Instrucción disciplinada de principios del llamamiento
- Simulacros constantes, prácticas y exposiciones a las habilidades adecuadas
- Reconocimiento de dones y fortalezas
- Tutoría experta y retroalimentación constante

Encomendación (3)

Autoridad correspondiente y facultad para actuar

- Delegación de autoridad para obrar y hablar en representación de quien encomienda
- Amplitud y límites del poder provisto para representar
- Derecho formal para representar y hacer cumplir algo
- Permiso otorgado para ser un emisario (estar en lugar de)
- Libertad para cumplir la comisión y tarea recibidas

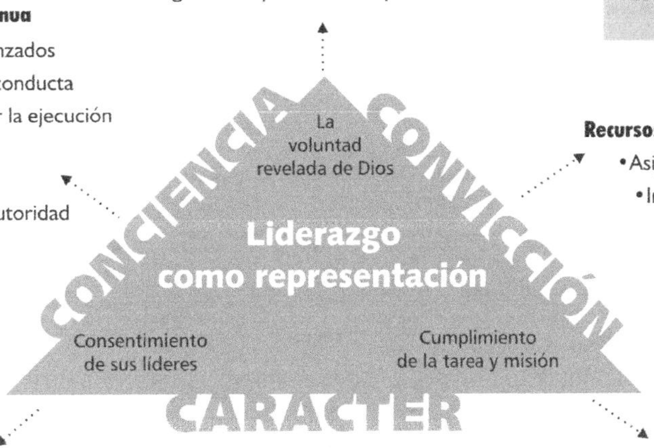

Misión (4)

Involucramiento fiel y disciplinado en la tarea

- Subordinación de la voluntad personal para cumplir la tarea
- Obediencia: implementar las órdenes de quienes le enviaron
- Cumplir la tarea que le fue dada
- Actuar con libertad dentro de la autoridad delegada para cumplir la tarea
- Permanecer leales a aquellos que le enviaron
- Usar todos los medios disponibles para cumplir la tarea, sea cual sea el costo
- Reconocimiento total de responder a quien(es) lo comisionó(aron)

Reconocimiento (5)

Evaluación oficial y repaso de la ejecución personal

- Informar a la autoridad que envía para que se evalúe
- Evaluación formal y entendible de la ejecución personal y los resultados
- Evaluación de la fidelidad personal
- Análisis sensible de lo que se logró
- Prontitud para asegurar que nuestras actividades y esfuerzos producen resultados

Recompensa (6)

Reconocimiento público y respuesta continua

- Publicación formal de los resultados alcanzados
- Reconocimiento del comportamiento y la conducta
- Recompensa o reprensión correspondiente por la ejecución
- Repaso sirve de base para nueva tarea o comisión
- Establecer nuevos proyectos con mayor autoridad

Equipando al miembro del equipo de plantación de iglesias

Desarrollo de estrategias funcionales de entrenamiento

Rev. Dr. Don L. Davis

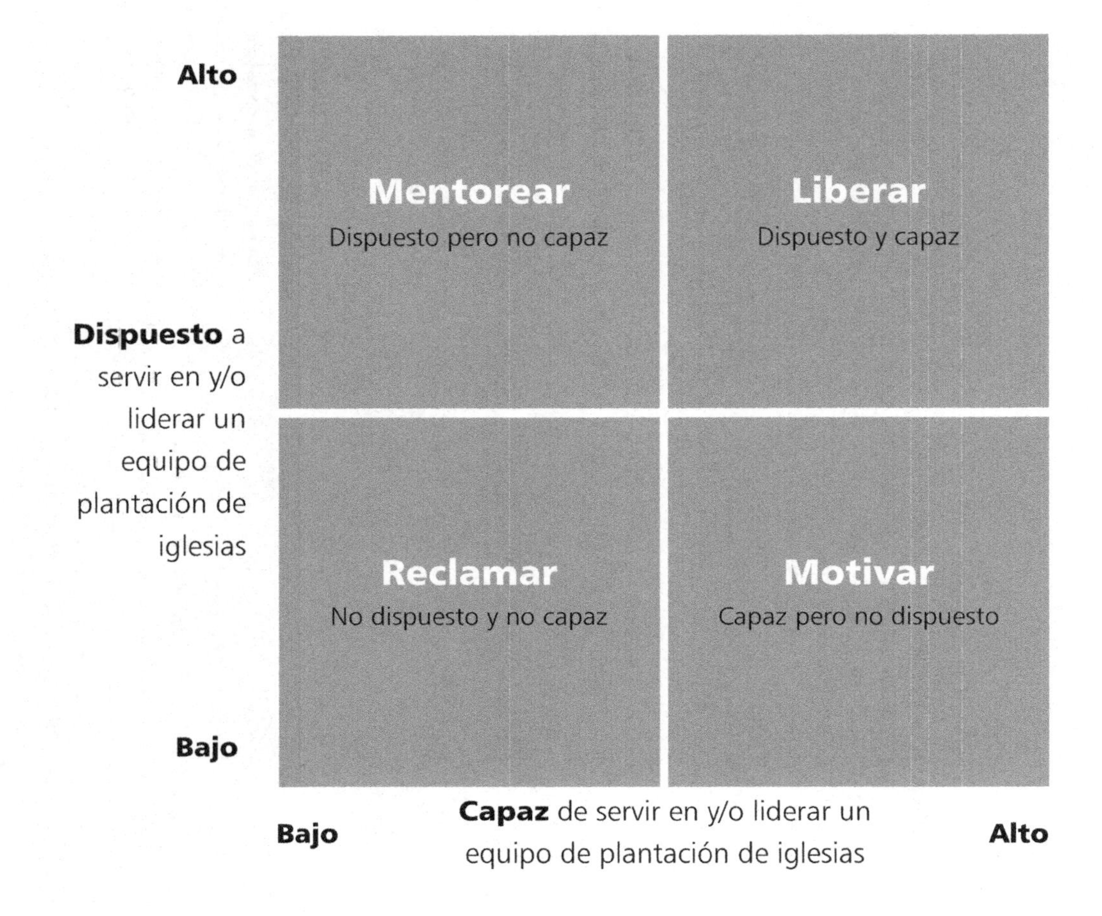

Escala de receptividad

La Escala de Reajuste Social de Holmes-Rahe indica diferentes eventos, en un orden aproximado de importancia, que tiene el efecto de producir períodos de transición personal o familiar. Los números que están a la derecha indican la importancia del evento con relación a otros eventos de transición-producción. Varios elementos pueden darse cuando un individuo experimenta más de un incidente en un período de tiempo relativamente corto. Cuanto más alto es el número, más receptiva es la persona al evangelio. Por ejemplo, alguien que se acaba de casar y que a la vez está teniendo problemas con su jefe, será más receptivo que si estos eventos hubieran ocurrido por separado. Además, cuanto más grande es el número o la acumulación de estos hechos, más largo e intenso es el período de transición.

*~ Win Arn and Charles Arn. **The Master's Plan for Making Disciples**. 2nd ed. Grand Rapids: Baker Books, 1998. pp. 88-89*

Escala de reajuste social de Holmes-Rahe

Evento	Valor
Muerte del cónyuge	100
Divorcio	73
Separación marital	65
Tiempo en prisión	63
Muerte de un familiar cercano	63
Daño personal o enfermedad	53
Matrimonio	50
Pérdida del empleo	47
Reconciliación marital	45
Jubilación	45
Cambio de salud de un familiar	44
Embarazo	40
Dificultades sexuales	39
Se agranda la familia	39
Reajuste en los negocios	39
Cambio de estatus financiero	38
Muerte de un amigo cercano	37
Cambio del número de discusiones maritales	35
Hipoteca o préstamo de más de $75,000	31
Privación de hipoteca o préstamo	30
Cambio de responsabilidades laborales	29
Hijo o hija saliendo del hogar	29
Problemas con familiares	29
Logro personal superlativo	28
Cónyuge comienza a trabajar	26
Comienzo o término de la escuela	26
Cambio de condiciones de vida	25
Revisión de hábitos personales	24
Problemas con el jefe	23
Cambio de horario o condiciones laborales	20
Cambio de residencia	20
Cambio de escuelas	20
Cambio de hábitos recreativos	19
Cambio de actividades sociales	18
Hipoteca o préstamo debajo de $75,000	18
Época de Semana Santa	17
Cambio de hábitos para dormir	16
Cambio en número de reuniones familiares	15
Vacaciones	13
Época navideña	12
Violación menor a la ley	11

Esquema para una teología del Reino y la Iglesia

Instituto Ministerial Urbano

El reinado del único, verdadero, soberano, y trino Dios, el SEÑOR Dios, YHWH (Jehová), Dios Padre, Hijo y Espíritu Santo		
El Padre Amor - 1 Juan 4.8 Creador del cielo y la tierra y todas las cosas visibles e invisibles	**El Hijo** Fe - Heb. 12.2 Profeta, Sacerdote, y Rey	**El Espíritu** Esperanza - Rom. 15.13 Señor de la Iglesia
Creación Todo lo que existe a través de la acción creadora de Dios.	**Reino** El reino de Dios expresado en el gobierno del Mesías, su Hijo Jesús.	**Iglesia** La comunidad santa y apostólica que sirve como testigo (Hech. 28.31) y anticipo (Col. 1.12; Sant. 1.18; 1 Ped. 2.9; Apoc. 1.6) del reino de Dios.
Rom. 8.18-21 → El eterno Dios, soberano en poder, infinito en sabiduría, perfecto en santidad y amor incondicional, es la fuente y fin de todas las cosas.	**Libertad** (Esclavitud) Jesús les respondió: De cierto, de cierto os digo, que todo aquel que hace pecado, esclavo es del pecado. Y el esclavo no queda en la casa para siempre; el hijo sí queda para siempre. Así que, si el Hijo os libertare, seréis verdaderamente libres. - Juan 8.34-36	*La Iglesia es una comunidad apostólica donde la Palabra es predicada correctamente, por consiguiente es una comunidad de:* **Llamado** - Estad, pues, firmes en la libertad con que Cristo nos hizo libres, y no estéis otra vez sujetos al yugo de esclavitud. - Gál. 5.1 (comparar con Rom. 8.28-30; 1 Cor. 1.26-31; Ef. 1.18; 2 Tes. 2.13-14; Jud. 1.1) **Fe** - «Porque si no creéis que yo soy, en vuestros pecados moriréis». . . . Dijo entonces Jesús a los judíos que habían creído en él: Si vosotros permaneciereis en mi palabra, seréis verdaderamente mis discípulos; y conoceréis la verdad, y la verdad os hará libres. - Juan 8.24b, 31-32 (comparar con Sal. 119.45; Rom. 1.17; 5.1-2; Ef. 2.8-9; 2 Tim. 1.13-14; Hech. 2.14-15; Sant. 1.25) **Testimonio** -El Espíritu del Señor está sobre mí, por cuanto me ha ungido para dar buenas nuevas a los pobres; me ha enviado a sanar a los quebrantados de corazón; a pregonar libertad a los cautivos, y vista a los ciegos; a poner en libertad a los oprimidos; a predicar el año agradable del Señor. - Luc. 4.18-19 (Ver Lev. 25.10; Prov. 31.8; Mat. 4.17; 28.18-20; Mar. 13.10; Hech. 1.8; 8.4, 12; 13.1-3; 25.20; 28.30-31)
Apoc. 21.1-5 → ¡Oh profundidad de las riquezas de la sabiduría y de la ciencia de Dios! ¡Cuán insondables son sus juicios, e inescrutables sus caminos! Porque ¿quién entendió la mente del Señor? ¿O quién fue su consejero? ¿O quién le dio a él primero, para que le fuese recompensado? Porque de él, y por él, y para él, son todas las cosas. A él sea la gloria por los siglos. Amén. - Rom. 11.33-36 (comparar con 1 Cor. 15.23-28.)	**Entereza (física y emocional)** (Enfermedad) Mas él herido fue por nuestras rebeliones, molido por nuestros pecados; el castigo de nuestra paz fue sobre él, y por su llaga fuimos nosotros curados. - Isa. 53.5	*La Iglesia es la comunidad donde las ordenanzas son administradas correctamente, por lo tanto es una comunidad de:* **Adoración** - Mas a Jehová vuestro Dios serviréis, y él bendecirá tu pan y tus aguas; y yo quitaré toda enfermedad de en medio de ti. - Ex. 23.25 (comparar con Sal. 147.1-3; Hech. 12.28; Col. 3.16; Apoc. 15.3-4; 19.5) **Pacto** - Y nos atestigua lo mismo el Espíritu Santo; porque después de haber dicho: Este es el pacto que haré con ellos después de aquellos días, dice el Señor: Pondré mis leyes en sus corazones, y en sus mentes las escribiré, añade: Y nunca más me acordaré de sus pecados y transgresiones. - Hech. 10.15-17 (comparar con Isa. 54.10-17; Ezeq. 34.25-31; 37.26-27; Mal. 2.4-5; Luc. 22.20; 2 Cor. 3.6; Col. 3.15; Heb. 8.7-13; 12.22-24; 13.20-21) **Presencia** - En quien vosotros también sois juntamente edificados para morada de Dios en el Espíritu. - Ef. 2.22 (comparar con Ex. 40.34-38; Ezeq. 48.35; Mat. 18.18-20)
Isa. 11.6-9 → Morará el lobo con el cordero, y el leopardo con el cabrito se acostará; el becerro y el león y la bestia doméstica andarán juntos, y un niño los pastoreará. La vaca y la osa pacerán, sus crías se echarán juntas; y el león como el buey comerá paja. Y el niño de pecho jugará sobre la cueva del áspid, y el recién destetado extenderá su mano sobre la caverna de la víbora. No harán mal ni dañarán en todo mi santo monte; porque la tierra será llena del conocimiento de Jehová, como las aguas cubren el mar.	**Justicia** (Egoísmo) He aquí mi siervo, a quien he escogido; mi Amado, en quien se agrada mi alma; pondré mi Espíritu sobre él, y a los gentiles anunciará juicio. No contenderá, ni voceará, ni nadie oirá en las calles su voz. La caña cascada no quebrará, y el pábilo que humea no apagará, hasta que saque a victoria el juicio. - Mat. 12.18-20	*La Iglesia es una comunidad santa donde la disciplina es aplicada, por lo tanto es una comunidad de:* **Reconciliación** - Porque él es nuestra paz, que de ambos pueblos hizo uno, derribando la pared intermedia de separación, aboliendo en su carne las enemistades, la ley de los mandamientos expresados en ordenanzas, para crear en sí mismo de los dos un solo y nuevo hombre, haciendo la paz, y mediante la cruz reconciliar con Dios a ambos en un solo cuerpo, matando en ella las enemistades. Y vino y anunció las buenas nuevas de paz a vosotros que estabais lejos, y a los que estaban cerca; porque por medio de él los unos y los otros tenemos entrada por un mismo Espíritu al Padre. - Ef. 2.14-18 (comparar con Ex. 23.4-9; Lev. 19.34; Deut. 10.18-19; Ezeq. 22.29; Miq. 6.8; 2 Cor. 5.16-21) **Padecimientos** - Puesto que Cristo ha padecido por nosotros en la carne, vosotros también armaos del mismo pensamiento; pues quien ha padecido en la carne, terminó con el pecado, para no vivir el tiempo que resta en la carne, conforme a las concupiscencias de los hombres, sino conforme a la voluntad de Dios. - 1 Ped. 4.1-2 (comparar con Luc. 6.22; 10.3; Rom. 8.17; 2 Tim. 2.3; 3.12; 1 Ped. 2.20-24; Heb. 5.8; 13.11-14) **Servicio** - Entonces Jesús, llamándolos, dijo: Sabéis que los gobernantes de las naciones se enseñorean de ellas, y los que son grandes ejercen sobre ellas potestad. Mas entre vosotros no será así, sino que el que quiera hacerse grande entre vosotros será vuestro servidor, y el que quiera ser el primero entre vosotros será vuestro siervo. - Mat. 20.25-27 (comparar con 1 Juan 4.16-18; Gál. 2.10)

Figuras de lenguaje

Bob Smith. Basics of Bible Interpretation. Waco: Word Publishers, 1978. pp. 113-120.

Uno de los aspectos más iluminadores del idioma es el estudio de expresiones figurativas. Milton Terry nos presenta este asunto con una visión perspicaz:

Las operaciones naturales de la mente humana animan a los hombres a rastrear analogías y hacer comparaciones. Las emociones agradables son emocionantes y la imaginación se satisface por el uso de metáforas y símiles. Si tuviéramos un idioma suficientemente copioso en palabras para expresar todas las posibles concepciones, la mente humana todavía nos exigiría comparar y contrastar nuestros conceptos, y tal procedimiento haría necesario muy pronto una variedad de figuras del habla. Gran parte de nuestro conocimiento se adquiere a través de los sentidos, ya que todas nuestras ideas abstractas y nuestro idioma espiritual tienen una base material. "No es mucho decir", observa Max Muller, "que todo el diccionario de religión ancestral está formado por metáforas. Para nosotros todas estas metáforas están olvidadas. Hablamos del *espíritu* sin pensar en *aliento*, del *cielo* sin pensar en el *cielo*, del *perdón* sin pensar en *dejar ir*, de *la revelación* sin pensar en un *velo*. Pero en el lenguaje antiguo, cada palabra que no se refiera a un objeto sensorial, está todavía en la etapa crisálida, mitad material y mitad espiritual, elevándose o cayendo en su personaje de acuerdo a las capacidades de sus parlantes y escuchas".[1]

[1] *Milton S. Terry.* ***Biblical Hermeneutics.*** *Grand Rapids: Zondervan Publishing House, n.d. p. 244.*

¡Qué posibilidades tan potentes, entonces, quedan en los conceptos dados por el idioma figurativo! Así que, moviéndonos a lo específico, exploremos las varias figuras del lenguaje. Yo enlistaré algunas de ellas, junto con las ilustraciones de su uso en las páginas siguientes.

Figuras de lenguaje

SÍMIL (*similis* = como)	Una comparación formal usando "como . . . así" para expresar un parecido. "*Así también* los maridos deben amar a sus mujeres como a sus mismos cuerpos . . ." (Ef. 5.28).
METÁFORA (*Meta+phero* = llevar algo más allá)	Una comparación implicada, una palabra aplicada a algo que no lo es, para sugerir un parecido. "*Benjamín es lobo arrebatador* . . ." (Gn. 49.27).

Figuras de lenguaje (continuación)

IRONÍA (*Eiron* = un parlante disimulado)	El que habla o escribe dice lo opuesto a lo que está tratando de comunicar. " . . . *ciertamente vosotros sois el pueblo y con vosotros morirá la sabiduría*" (Job 12.1).
METONIMIA (*Meta+onoma* = un cambio de nombre)	Una palabra usada en lugar de otra para dar una cierta relación entre las cosas relacionadas. "*sacrificad la pascua* . . ." (Ex. 12.21) donde se menciona el cordero pascual.
HIPÉRBOLE (*Huper+bole*) = ir más allá	Exageración intencional con el propósito de hacer énfasis o magnificar más allá de la realidad. "*si tu ojo derecho te es ocasión de caer, sácalo, y échalo de ti* . . ." (Mt. 5.29).
PERSONIFICACIÓN (hacer como una persona)	Se habla de objetos inanimados como si fueran personas vivas. "El mar lo vio y huyó . . . " (Sal. 114.3).
APÓSTROFE (*apo+strepho* = girar de)	Apartarse de los escuchas inmediatos para hablar con una persona o cosa imaginaria. "*Oh espada de Jehová, ¿hasta cuándo reposarás?*" (Jer. 47.6).
SINÉCDOQUE (*sun+ekdechomai* = recibir de y asociar con)	Cuando el todo se pone por una parte, o una parte por el todo, un individuo por una clase o viceversa. "*Y éramos todos 276 almas* . . . *" en Hechos 27.37, donde* *alma* se usa para toda la persona.

Símil

Primero, comparemos el símil y la metáfora. Efesios 5.22-27 es un símil, haciendo una comparación formal entre Cristo y la iglesia por un lado, y maridos y esposas por el otro. Las palabras "como . . . así" o "aun así" dejan esto muy en claro. Y esta figura eleva nuestro interés y dignifica la relación del matrimonio, sobre todo si nosotros lo vemos en forma de bosquejo, así:

Figuras de lenguaje (continuación)

COMO con CRISTO Y LA IGLESIA	ASÍ con ESPOSOS Y ESPOSAS
CRISTO AMÓ A LA IGLESIA y se dio a sí mismo por ella (Ef. 5.25)	*ESPOSOS; AMEN a sus ESPOSAS como CRISTO AMÓ a la IGLESIA* (Ef. 5.25)
"PARA santificarla" (Ef. 5.26) e.d., para que seamos puestos para el uso con que se nos creó: a) como una expresión de su propia VIDA y CARÁCTER b) para cumplir nuestro llamado, disfrutar los ministerios que Dios nos ha dado c) y mucho más (tú añades el resto)	PARA que el marido pueda santificar a su esposa. e.d., para que ella pueda COMPARTIR SU VIDA, ser su ayuda, etc. a) expresando su propia personalidad y vida en Cristo b) empleando sus dones en un ministerio espiritual. c) ser la que manda en su casa, en todo lo que significa para su esposo e hijos
"A FIN de presentársela a sí mismo una iglesia gloriosa" (Ef. 5.27) e.d., que él disfrute de los beneficios que surgen de su amor sin egoísmo, al disfrutar su esposa. Y nos guía al cumplimiento de nuestra hombría y la de ella por su amor.	QUE los esposos busquen la llenura de la esposa, y que la disfruten, e.d., que él pueda disfrutar la belleza y gloria de ella como mujer, al él tomar la responsabilidad de ser cabeza, guiándola con liderazgo de amor hacia la completa realización
"SINO que fuese santa y sin mancha" (Ef. 5.27). e.d., que su obra en nosotros pueda ser completa, para que nosotros la completemos.	QUE el esposo sea fiel, estando allí, e.d., que su compromiso sea firme y permanente, a pesar de los problemas.
"Habiéndola purificado en el lavamiento del agua por la palabra" (Ef. 5.26) Basado en la COMUNICACIÓN que inicia su corazón amante - para mantenernos cerca, disfrutando mutuamente nuestra relación de amor.	Los esposos deben mantener los canales de comunicación abiertos, recodando que el AMOR *busca la forma de COMUNICARSE, y es la iniciativa de él* si va a amar como CRISTO AMÓ.

Figuras de lenguaje (continuación)

Metáfora

Por contraste, una metáfora no es tan sincera. Comunica una impresión más por la implicación. En las expresiones, "Ustedes son la sal de la tierra ..." (Mt. 5.13) y "Ustedes son la luz del mundo" (Mt. 5.14), nuestro Señor Jesús está multiplicando las metáforas para comunicar la verdad gráfica sobre el papel determinante que los cristianos deben tener en el mundo. En esos días tempranos, la sal era el mejor medio de detener la corrupción en la carne o el pescado, para que la figura no se pierda en aquellos que escucharon a Jesús. La luz, en cualquier era, nos permite funcionar con cualquier grado de confianza. Dispersa la oscuridad. ¡Cuando no podemos ver, estamos en problemas! Las palabras "sal" y "luz" se usan como una comparación implícita. Estas metáforas hablan con fuerza penetrante, aunque están implícitas en la naturaleza.

Ironía

El uso de la ironía como una figura del lenguaje, aunque tiene un lado interesante, a menudo tiene su lado cómico. Nuestro Señor estaba usando ambos efectos cuando dijo,"... ¿cómo puedes decir a tu hermano: 'Hermano déjame sacar la paja que está en tu ojo,' no mirando tú la viga que está en el ojo tuyo?" (Lucas 6.42).

En 1 Corintios 4.8 el apóstol Pablo usa la ironía con la gran fuerza, "Ya estáis saciados, ya estáis ricos, sin nosotros reináis. Ojalá reinaseis, para que nosotros reinásemos también juntamente con vosotros". Al continuar la lectura, vemos que Pablo procede a contrastar el estado de los apóstoles como el último—no el primero, como necios. Entonces usa la ironía de nuevo, "Nosotros somos insensatos por amor de Cristo, mas vosotros prudentes en Cristo; nosotros débiles, mas vosotros fuertes; vosotros honorables, mas nosotros despreciados" (1 Co. 4.10). ¿Puede imaginarse cómo los cristianos de Corinto sintieron la vergüenza de sus sistemas de valores extraviados, cómo estas palabras de sarcasmo deben de haber punzado su hinchado orgullo? ¿Deberíamos revisar nuestros sistemas de valores, hoy, y descubrir la única fuente de orgullo—el Señor Jesús y su vida en nosotros?

Metonimia

Luego está la metonimia (cambio de nombre). Hablando a los fariseos referente a Herodes, Cristo dice "Id y decid a aquella zorra . . . " (Lucas 13.32) y con una palabra

Figuras de lenguaje (continuación)

el caracterizó al rey caracterizado políticamente como astuto. Y, "El camino del necio es derecho en su opinión ..." (Pr. 12.15) donde opinión representa la forma en que él ve las cosas, o su perspectiva mental. Y, " . . . *la lengua* de los sabios trae sanidad" (Pr. 12.18) en la cual *lengua* es lo que el sabio dice, sus palabras de sabiduría.

En el Nuevo Testamento, "Y salía a él toda Jerusalén, y toda Judea y toda la provincia de alrededor del Jordán . . . " (Mt. 3.5) es obvio que quiere decir personas, no lugares, al mencionar estas varias regiones. Entonces, vemos a "No podéis beber la copa del Señor, y la copa de los demonios; no podéis participar de la mesa del Señor y de la mesa de demonios" (1 Co. 10.21). Aquí se usan copa y mesa para hablar de lo que contienen y lo que ofrecen. De nuevo, en Romanos 3.30 la circuncisión se usa para representar a los judíos, mientras que la incircuncisión se refiere a los gentiles.

Estoy seguro que en estos ejemplos puede ver cómo se usa comúnmente la metonimia en la Biblia. Usamos la misma figura hoy cuando llamamos a una persona "tigre" o "gatito".

Hipérbole

El pintar un cuadro más grande que la vida por exageración intencional, yendo más allá de la realidad es algo común en nuestro propio lenguaje, así que la hipérbole (un *tirar más allá*) debería ser muy familiar para nosotros.

En la angustia de su tormento Job se deja enredar en esto tipo de lenguaje. Más gráficamente que cualquier otra forma de discurso, expresa lo abominable de su sentimiento de aflicción.

> Y ahora mi alma está derramada en mí;
>
> Días de aflicción se apoderan de mí. La noche taladra mis huesos, y los dolores que me roen no reposan.
>
> La violencia deforma mi vestidura; me ciñe como el cuello de mi túnica.
>
> El me derribó en el lodo, y soy semejante al polvo y a la ceniza.
>
> Clamo a ti, y no me oyes; me presento, y no me atiendes.
>
> Te has vuelto cruel para mí; con el poder de tu mano me persigues.

Figuras de lenguaje (continuación)

> Me alzaste sobre el viento, me hiciste cabalgar en él, y disolviste mi sustancia.
>
> Porque yo sé que me conduces a la muerte, y a la casa determinada a todo viviente.
>
> ~ Job 30.16-23

Ciertamente recibimos el sentido perspicaz de su desesperación absoluta a través de este lenguaje muy expresivo, pero extravagante.

El apóstol Juan en el Nuevo Testamento usa el idioma hiperbólico en esta declaración: "Y hay también otras muchas cosas que hizo Jesús, las cuales si se escribieran una por una, pienso que ni aún en el mundo cabrían los libros que se habrían de escribir" (Juan 21.25). Si nosotros consideráramos la existencia eterna de Cristo, quizás esta declaración pudo haber sido tomada literalmente, pero si lo limitamos a los hechos del Señor Jesús en su humanidad (lo que yo creo que Juan tiene en mente) entonces es claramente un uso de una hipérbole.

Personificación

Referirse a los objetos inanimados como si poseyeran vida y personalidad es especialmente evidente en el idioma de la imaginación y el sentimiento. En Números 16.32, " ... la tierra abrió su boca y los tragó . . . " habla de Coré y sus hombres. Aquí la tierra se personifica, como si tuviera una boca para devorar a estos hombres.

El Señor Jesús usa la personificación en, "¡Jerusalén, Jerusalén, que matas a los profetas, y apedreas a los que te son enviados! ¡Cuántas veces quise juntar a tus hijos, como la gallina junta sus polluelos debajo de las alas, y no quisiste!" (Mt. 23.37). La ciudad de Jerusalén es personificada aquí. La preocupación de nuestro Señor era por su pueblo, ya que se dirige a la ciudad como si se tratara de ellos.

De nuevo, nuestro Señor personifica el mañana en estas palabras: "Así que, no os afanéis por el día de mañana, porque el día de mañana traerá su afán. Basta a cada día su propio mal". (Mt. 6.34). Aquí el mañana se viste con características de personalidad humana, cuando se junta con los afanes.

Figuras de lenguaje (continuación)

Apóstrofe

Ésta es una figura extraña pero gráfica y parece como si el que habla lo hiciera consigo mismo en un tipo de soliloquio externalizado. Por ejemplo, David dice a su hijo muerto, "¡Hijo mío Absalón, hijo mío, hijo mío Absalón! ¡Quién me diera que muriera yo en lugar de ti, Absalón, hijo mío, hijo mío!" (2 Sm. 18.33). ¡Qué expresión más conmovedora del pesar de David; ningún otro modo de expresión podría ser tan expresivo en este caso!

Luego está el uso de esta figura en la que los reyes de la tierra se refieren a la ciudad caída, "¡Ay, ay, de la gran ciudad de Babilonia, la ciudad fuerte; porque en una hora vino tu juicio!" (Ap. 18.10).

Esta figura del lenguaje parece adaptarse mejor a la expresión de profunda emoción. Como tal, llama nuestra atención y captura nuestro interés.

Sinécdoque

Aquí esta una de la que la mayoría de nosotros nunca escuchó, pero que frecuentemente usamos en el discurso cotidiano. Decimos, "Ésta es su hora" cuando realmente no queremos decir una hora de sesenta minutos. Queremos decir éste es su tiempo de gloria, o sufrimiento, o cualquier cosa que asociamos con su experiencia actual. Hemos sustituido una parte por el todo. En la Escritura ocurre en pasajes como: en Jueces 12.7 nos dicen que Jefté fue enterrado "en las ciudades de Galaad" (hebreo) aunque realmente sólo se quiera referir a una de esas ciudades; en Lucas 2.1 "todo el mundo" se usa para significar el mundo del imperio romano; en Deuteronomio 32.41 "si yo afilo el relámpago de mi espada" la palabra relámpago se usa para el borde brillante de la brillante hoja.

Quizás ahora hemos visto lo suficiente del predominio y valor expresivo de las figuras del lenguaje para ayudarnos a apreciar el color y realismo que prestan al lenguaje de la Biblia. También, interpretativamente, nuestra revisión debería sacar algo del misterio de nuestros encuentros con estas formas en el estudio de la Biblia.

Funciones del liderazgo representativo

Rev. Dr. Don L. Davis

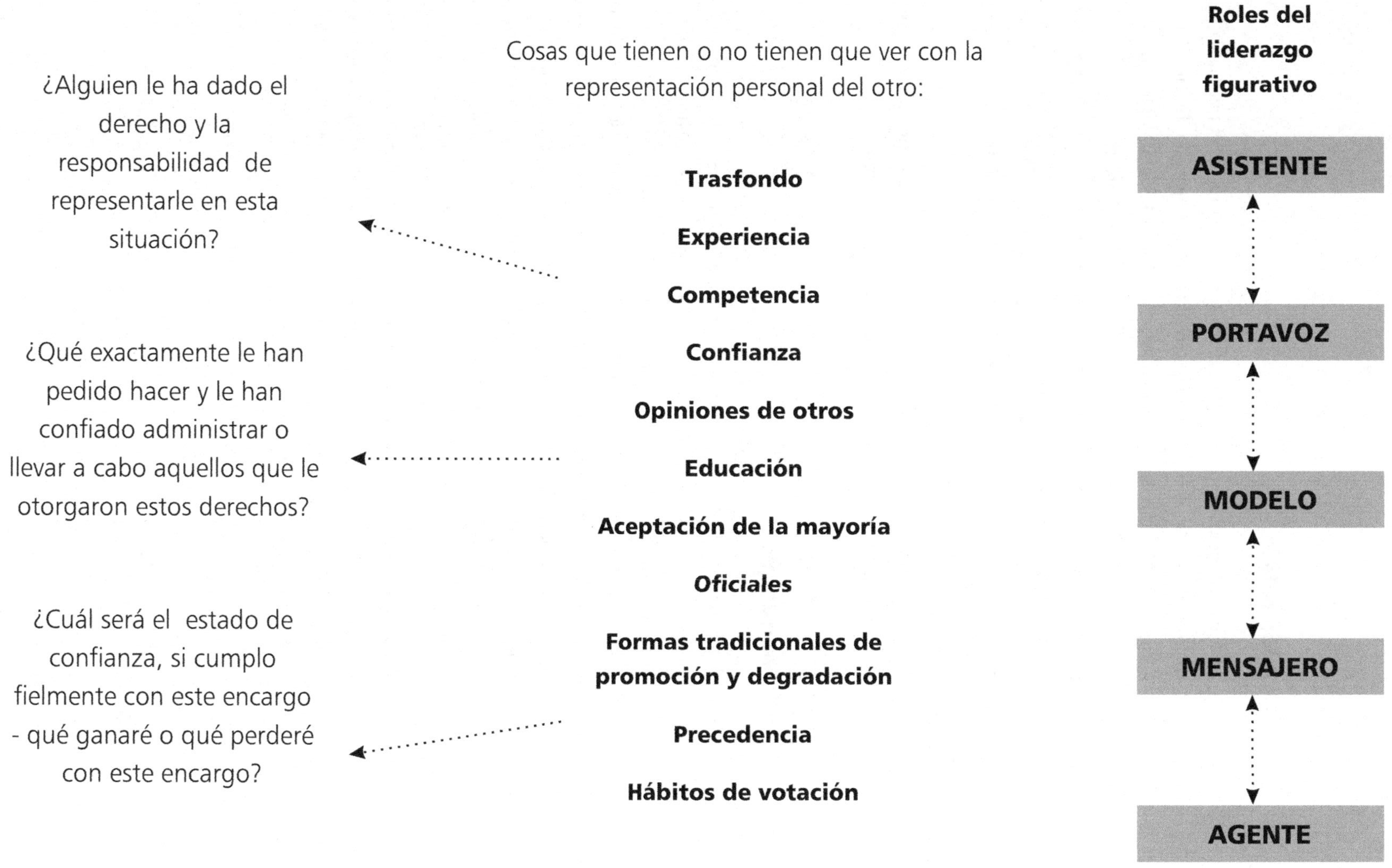

Cosas que tienen o no tienen que ver con la representación personal del otro:

Trasfondo

Experiencia

Competencia

Confianza

Opiniones de otros

Educación

Aceptación de la mayoría

Oficiales

Formas tradicionales de promoción y degradación

Precedencia

Hábitos de votación

¿Alguien le ha dado el derecho y la responsabilidad de representarle en esta situación?

¿Qué exactamente le han pedido hacer y le han confiado administrar o llevar a cabo aquellos que le otorgaron estos derechos?

¿Cuál será el estado de confianza, si cumplo fielmente con este encargo - qué ganaré o qué perderé con este encargo?

Roles del liderazgo figurativo

ASISTENTE ↔ **PORTAVOZ** ↔ **MODELO** ↔ **MENSAJERO** ↔ **AGENTE**

Gobernando sobre versus sirviendo entre

Diferentes estilos y modelos de liderazgo

*Adaptado de George Mallone, **Furnace of Renewal**.*

Autoridad secular	Autoridad de siervo
Funciones en base al poder	Funciones en base al amor y la obediencia
Gobierna primordialmente dando órdenes	Sirve como si estuviera bajo las órdenes de otro
No está dispuesto a fallar	Sin temor al fracaso, recibe responsabilidades
Se ve a sí mismo como absolutamente necesario	Dispuesto a ser utilizado y a desgastarse para el cuerpo
Maneja a otros (mentalidad de arriero)	Dirige a otros (mentalidad de pastor)
Sujeta a otros con amenazas de pérdidas y dolor	Edifica a otros con estímulo y desafío
Consolida el poder para un máximo impacto	Administra la autoridad para un bien mayor
Tiene oro, hace las reglas	Sigue la Regla de Oro
Usa su posición para su avance personal	Ejercita la autoridad para agradar al Maestro
Espera beneficios de su servicio	Espera entregarse al servicio de los demás
Fuerza, no carácter, es decisivo	Carácter, no fuerza, lleva la mayor parte del peso

Grados de autoridad dados al fruto del uso Cristo-céntrico del AT

Rev. Dr. Don L. Davis

El Antiguo Testamento guarda correlación con el Nuevo Testamento, y por la ayuda del Espíritu Santo y la prueba de la Escritura podemos explorar estas uniones a través de los personajes, y acontecimientos del Antiguo Testamento para entender cómo ellos declaran y presagian al Mesías, Jesús de Nazaret.

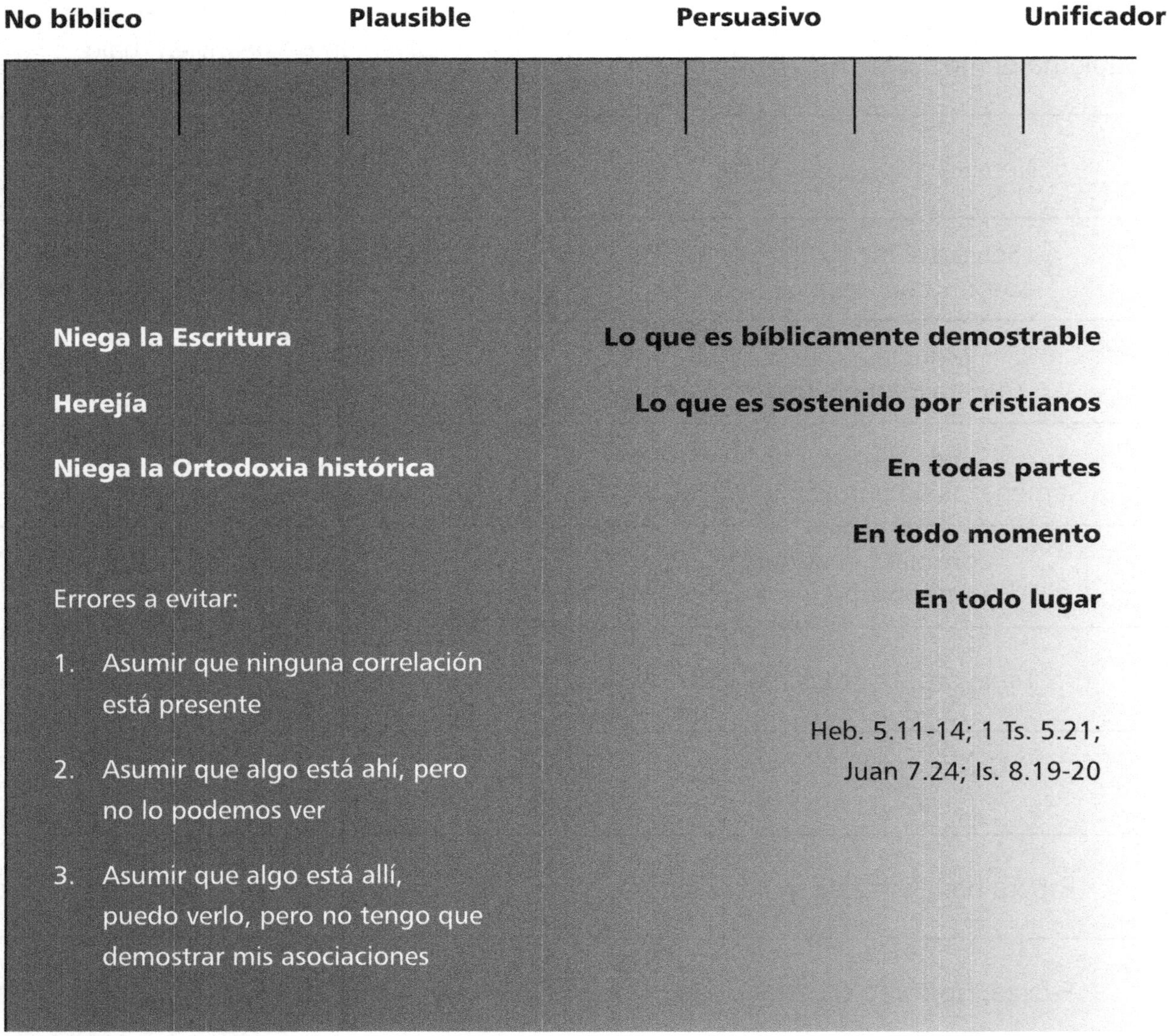

No bíblico | **Plausible** | **Persuasivo** | **Unificador**

Niega la Escritura

Herejía

Niega la Ortodoxia histórica

Errores a evitar:

1. Asumir que ninguna correlación está presente
2. Asumir que algo está ahí, pero no lo podemos ver
3. Asumir que algo está allí, puedo verlo, pero no tengo que demostrar mis asociaciones

Lo que es bíblicamente demostrable

Lo que es sostenido por cristianos

En todas partes

En todo momento

En todo lugar

Heb. 5.11-14; 1 Ts. 5.21; Juan 7.24; Is. 8.19-20

Había una vez

El drama cósmico a través de una narración bíblica del mundo

Rev. Dr. Don L. Davis

De la eternidad y hasta la eternidad, nuestro Señor es Dios

Desde la eternidad, en ese misterio incomparable de la existencia, antes del comienzo de los tiempos, nuestro Dios Trino moraba en perfecto esplendor en comunión eterna como Padre, Hijo y Espíritu Santo, el YO SOY, mostrando sus atributos perfectos en relación eterna, sin necesidad de nada, en santidad, gozo y hermosura ilimitados. De acuerdo con su voluntad soberana, nuestro Dios se propuso en amor crear un universo donde su esplendor pudiese revelarse, y un mundo donde su gloria pudiera mostrarse y donde un pueblo hecho a su propia imagen pudiera habitar, compartiendo en comunión con Él y disfrutando de una relación de unión con Él, y todo para Su gloria.

Quien, como Dios Soberano, creó un mundo que al final se rebelaría contra Su gobierno

Inflamados por la lujuria, la codicia y el orgullo, la primera pareja de humanos se rebeló contra Su voluntad, engañados por el gran príncipe, Satanás, cuyo plan diabólico para suplantar a Dios como gobernador de todo resultó en incontables seres angelicales rebelados contra la voluntad divina en los cielos. Por medio de la desobediencia de Adán y Eva, se expusieron a sí mismos y a su descendencia a la miseria y la muerte, y a través de su rebelión llevaron la creación al caos, el sufrimiento, y el mal. Por causa del pecado y la rebelión, la unión entre Dios y la creación se perdió, y ahora todas las cosas están sujetas a los efectos de esta gran caída—alienación, separación, y condenación se volvieron las realidades principales de todas las cosas. Ningún ángel, ser humano o criatura podría resolver este dilema, y sin la intervención directa de Dios, todo el universo, el mundo y todas sus criaturas estarían perdidos.

Aun así, en misericordia y amor, el Señor Dios prometió enviar un Salvador para redimir a Su creación

Con un amor soberano, Dios se determinó remediar los efectos de la rebelión del universo enviando un Campeón, su único Hijo, quien tomaría la forma de la naturaleza caída, tomaría y derrocaría la separación que tenía de Dios, y sufriría en lugar de toda la humanidad por su pecado y desobediencia. Por fidelidad a su pacto, Dios se involucró directamente en la historia de la humanidad por causa de su salvación. El Señor apareció para ser parte de su creación con el propósito de restaurarla, para derrotar el mal de una vez y para siempre, y para levantar un pueblo mediante el que Su Campeón vendría a establecer su reino en este mundo una vez más.

Por tanto, levantó un pueblo de cual provendría ese Gobernador

Entonces, a través de Noé, salvó al mundo de su propia maldad, a través de Abraham, seleccionó el clan del cual vendría su simiente. A través de Isaac continuó la promesa hecha a Abraham, y a través de Jacob (Israel) estableció su nación, identificando a la tribu de la cual saldría (Judá). Por medio de Moisés liberó a los suyos de la opresión y les entregó las leyes del pacto, y por medio de Josué llevó a su pueblo a la tierra de la promesa. Por medio de jueces y líderes dirigió a su pueblo, y en David hace un pacto de levantar un Rey de su clan que reinaría por siempre. A pesar de su promesa, su pueblo faltó a su pacto una y otra vez. Su constante y terco rechazo por el Señor finalmente les llevó al juicio, la invasión, derrota y cautiverio de la nación. Con toda misericordia, Él recuerda Su pacto y permite que un remanente regrese – pues la promesa y la historia no habían sido consumadas.

Quien descendió del cielo como un campeón, en el cumplimiento del tiempo, y ganó en la cruz

Hubo unos cuatrocientos años de silencio. Aun así, en el cumplimiento de los tiempos, Dios cumplió su promesa al entrar en este reino de maldad, sufrimiento, y separación por medio de la encarnación. En la persona de Jesús de Nazaret, Dios descendió del cielo y vivió entre nosotros, mostrando la gloria del Padre, cumpliendo con los requisitos de la ley moral de Dios, y demostrando el poder del Reino de Dios en sus palabras, sus obras, y expulsión de demonios. En la cruz tomó nuestra rebelión, destruyó la muerte, derrotó al diablo, y resucitó al tercer día para restaurar a la creación de la caída, para ponerle fin al pecado, a la enfermedad y a la guerra, y para otorgar vida eterna a todo aquel que crea en su salvación.

Y pronto, muy pronto, volverá a este mundo y hará nuevas todas las cosas

Luego de ascender a la diestra del Padre, el Señor Jesucristo envió al Espíritu Santo al mundo, formando un nuevo pueblo hecho tanto de judíos como de gentiles, la Iglesia. Enviados bajo su autoridad, testifican en palabras y en hechos del evangelio de reconciliación a toda la creación y sus criaturas. Pronto, Él raerá el pecado, la maldad, la muerte y los efectos de la maldición para siempre, y restaurará a toda la creación que estuvo bajo su gobierno, refrescando todas las cosas en cielos nuevos y tierra nueva, donde todos los seres vivientes y toda la creación disfrutarán el *shalom* del Dios Trino para siempre, para su gloria y honra.

Y los redimidos vivirán felices para siempre . . .

Fin

Hacia una hermenéutica de compromiso crucial

Rev. Dr. Don L. Davis

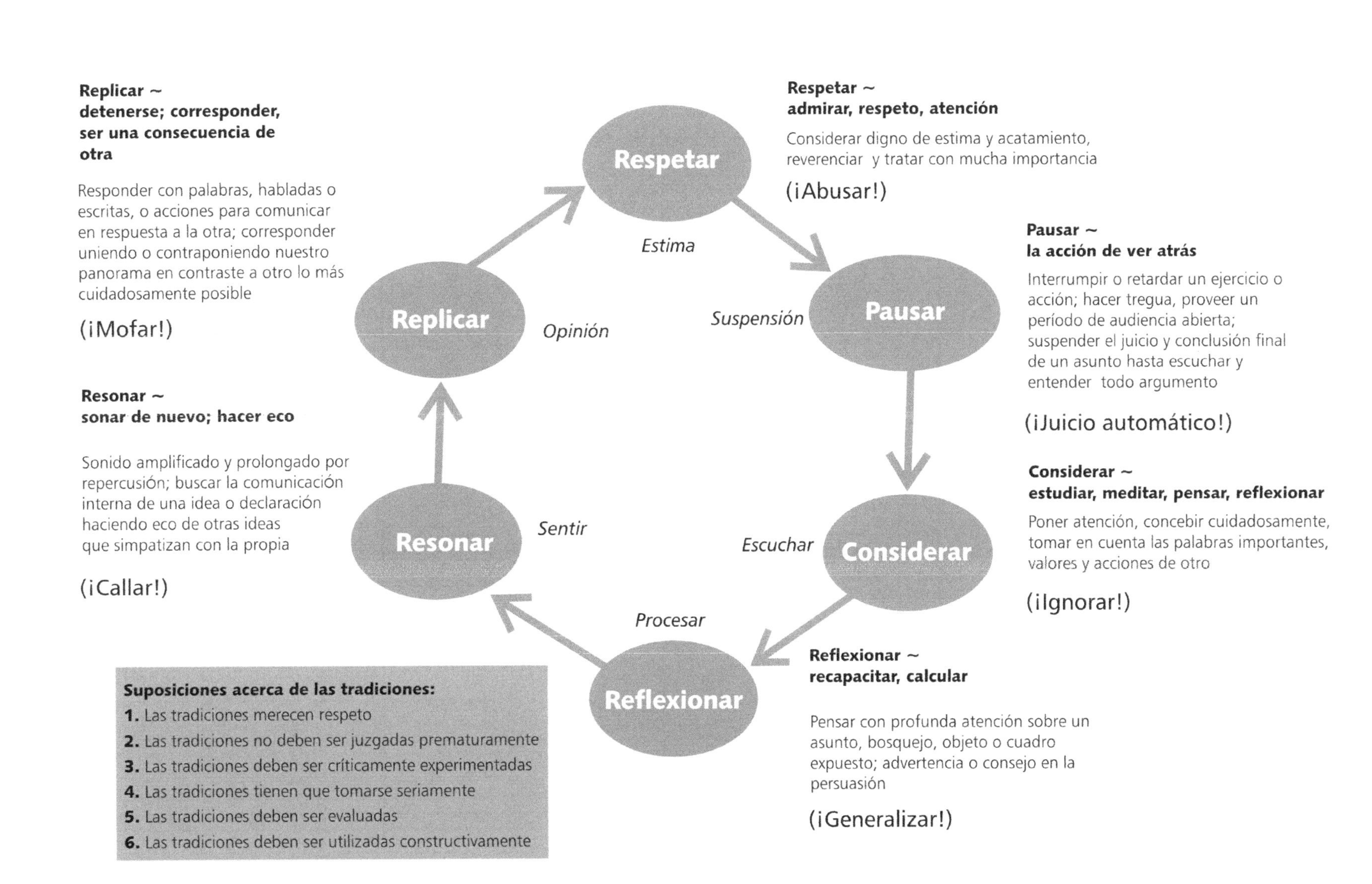

Replicar ~
detenerse; corresponder, ser una consecuencia de otra

Responder con palabras, habladas o escritas, o acciones para comunicar en respuesta a la otra; corresponder uniendo o contraponiendo nuestro panorama en contraste a otro lo más cuidadosamente posible

(¡Mofar!)

Respetar ~
admirar, respeto, atención

Considerar digno de estima y acatamiento, reverenciar y tratar con mucha importancia

(¡Abusar!)

Pausar ~
la acción de ver atrás

Interrumpir o retardar un ejercicio o acción; hacer tregua, proveer un período de audiencia abierta; suspender el juicio y conclusión final de un asunto hasta escuchar y entender todo argumento

(¡Juicio automático!)

Considerar ~
estudiar, meditar, pensar, reflexionar

Poner atención, concebir cuidadosamente, tomar en cuenta las palabras importantes, valores y acciones de otro

(¡Ignorar!)

Reflexionar ~
recapacitar, calcular

Pensar con profunda atención sobre un asunto, bosquejo, objeto o cuadro expuesto; advertencia o consejo en la persuasión

(¡Generalizar!)

Resonar ~
sonar de nuevo; hacer eco

Sonido amplificado y prolongado por repercusión; buscar la comunicación interna de una idea o declaración haciendo eco de otras ideas que simpatizan con la propia

(¡Callar!)

Suposiciones acerca de las tradiciones:

1. Las tradiciones merecen respeto
2. Las tradiciones no deben ser juzgadas prematuramente
3. Las tradiciones deben ser críticamente experimentadas
4. Las tradiciones tienen que tomarse seriamente
5. Las tradiciones deben ser evaluadas
6. Las tradiciones deben ser utilizadas constructivamente

"Hay un río"

Identificando las corrientes del auténtico re-avivamiento de la comunidad cristiana en la ciudad[1]

Rev. Dr. Don L. Davis • Salmo 46.4 - Del río sus corrientes alegran la ciudad de Dios, el santuario de las moradas del Altísimo.

Contribuyentes de la historia auténtica de la fe bíblica			
Identidad bíblica reafirmada	*Espiritualidad urbana reavivada*	*Legado histórico restaurado*	*Ministerio del Reino re-enfocado*
La Iglesia es una	La Iglesia es santa	La Iglesia es católica (universal)	La Iglesia es apostólica
Un llamado a la fidelidad bíblica *reconociendo las Escrituras como la raíz y el cimiento de la visión cristiana*	**Un llamado a vivir como peregrinos y extranjeros como pueblo de Dios** *definiendo el discipulado cristiano auténtico como la membresía fiel entre el pueblo de Dios*	**Un llamado a nuestras raíces históricas y a la comunidad** *confesando la histórica identidad común y la continuidad de la auténtica fe cristiana*	**Un llamado a afirmar y expresar la comunión global de los santos** *expresando cooperación local y colaboración global con otros creyentes*
Un llamado a una identidad mesiánica del Reino *re-descubriendo la historia del Mesías prometido y su e.d.,en Jesús de Nazaret*	**Un llamado a la libertad, poder y plenitud del Espíritu Santo** *caminando en santidad, poder, dones, y libertad del Espíritu Santo en el cuerpo de Cristo*	**Un llamado a una afinidad de credo** *teniendo El Credo Niceno como la regla de fe de la ortodoxia histórica*	**Un llamado a la hospitalidad radical y las buenas obras** *demostrando la ética del e.d.,con obras de servicio, amor y justicia*
Un llamado a la fe de los apóstoles *afirmando la tradición apostólica como la base autoritaria de la esperanza cristiana*	**Un llamado a una vitalidad litúrgica, sacramental y doctrinal** *experimentando la presencia de Dios en el contexto de la adoración, ordenanzas y enseñanza*	**Un llamado a la autoridad eclesiástica** *sometiéndonos a los dotados siervos de Dios en la Iglesia como co-pastores con Cristo en la fe verdadera*	**Un llamado al testimonio profético y completo** *proclamando a Cristo y su Reino en palabra y hechos a nuestros vecinos y toda gente*

[1] *Este esquema es una adaptación y está basado en la introspección de la declaración* **El Llamado a Chicago** *en mayo de 1977, donde varios líderes académicos evangélicos y pastores se reunieron para discutir la relación entre la iglesia evangélica moderna y la fe del cristianismo histórico.*

Hechos generales referentes al Nuevo Testamento

Una tabla comparativa de los cuatro Evangelios

Robert H. Gundry. Una Encuesta del Nuevo Testamento. Grand Rapids: Zondervan, 1981.

	Fecha probable de la Escritura	Lugar probable de la Escritura	Primera audiencia proyectada	Tema de enfoque
Marcos	Década del 50	Roma	Gentiles en Roma	Actividad redentora de Jesús
Mateo	Década del 50 o 60	Antioquía en Siria	Judíos en Palestina	Jesús el Mesías Judío, y los discípulos como el pueblo nuevo de Dios
Lucas	Década del 60	Roma	Gentiles interesados en la búsqueda	La verdad histórica del informe evangélico
Juan	Décadas del 89 o 90	Éfeso	Población general en Asia Menor	Creer en Jesús como el Mesías para la vida eterna

Antiguo Testamento apócrifo

Walter A. Elwell and Robert W. Yarbrough. Encuentro con el Nuevo Testamento. Grand Rapids: Libros Baker, 1998.

Los católicos romanos y algunas iglesias ortodoxas orientales reconocen los informes a continuación como Escrituras bíblicas. Los protestantes admiten su valor literario y significancia histórica pero no los ven como que poseen autoridad espiritual		
Adiciones a Ester Baruc Bel y el Dragón Eclesiástico (Sabiduría de Jesús Hijo de Sirac) 1 Esdras 2 Esdras	Judith Carta de Jeremías 1 Macabeos 2 Macabeos 3 Macabeos 4 Macabeos Oración de Azarías	Oración de Manasés Salmo 151 Canción de los Tres Judíos Susana Tobías La Sabiduría de Salomón

Hechos generales referentes al Nuevo Testamento (continuación)

Hechos generales acerca del Nuevo Testamento

1. El NT es el testamento de la obra salvadora en tiempos más recientes y anuncia al Salvador que el AT espera.

2. El NT contiene 27 libros, cuatro tratan con la vida y ministerio de Jesús llamados *Evangelios*, uno trata con la historia de la Iglesia, Hechos, y 21 *Epístolas* o cartas, y un libro de *profecía*.

3. La colección de libros en el NT incluye el *canon*, una colección autorizada que se juntó a través de más de 3 siglos.

4. Los manuscritos del NT primero fueron escritos en papiro (un papel hecho de junco, y después en piel). Casi 300 otros están escritos en *unciales*, que significa letras mayúsculas, usualmente en piel. Las *minúsculas* representan el grupo más grande y demuestran un tipo de escritura cursiva desarrollada en *Bizancio* alrededor del siglo noveno. *Leccionarios*, libros que se usan en adoración eclesiástica, incluyen porciones de las Escrituras también.

5. El NT es confiable porque 1) la evidencia extensiva que lo apoya; 2) los autores lo escribieron dentro de la primera o segunda generación de la historia cristiana; 3) versiones antiguas fueron ampliamente distribuidas.

6. El tono personal del NT se ve en el hecho que de los 27 libros, 24 son cartas personales, y 3 son informes personalizados sobre la vida y obra de Cristo.

7. El apócrifo incluye 14 libros *no canónico* escritos entre el año 200 A.C. y 100 D.C.

8. Jesús fue visto por los judíos como una amenaza porque hizo declaraciones controversiales acerca de sí mismo y tomó libertades con las costumbres judías.

9. Jesús apareció en un tiempo cuando las tradiciones del judaísmo dictaba mucho de la vida y de la práctica judía. El conocimiento de estas costumbres pueden ayudar grandemente en el entendimiento del NT.

Historia, teología e iglesia

*William J. Bausch. **Storytelling: Imagination and Faith**. Mystic, CT: 23rd Publications, 1984. pp. 195-199.*

A estas alturas en nuestro libro, llegando al final, podría ser bueno por el momento apartar la historia directa y la ilustración (para ser resumido, sin embargo, en los dos capítulos finales) y brevemente enlistar diez proposiciones de una naturaleza teológica. Este ejercicio, espero, no será pesado u obtuso. Servirá como medio para extraer, por causa de la claridad y reflexión, las implicaciones teológicas de lo que se ha declarado aquí y allí en los capítulos anteriores. Así que éste es un capítulo muy breve, un interludio realmente y está hecho a manera de resumen teológico, una vista global de cómo las historias se relacionan con la teología y las estructuras de la iglesia.

Primera proposición: Las historias nos introducen a las presencias sacramentales.

Las historias se diseñan para obligarnos a considerar las posibilidades. Hasta ese punto están basadas en la esperanza. Incluso los cuentos de hadas más foráneos, por ejemplo, aumentan las posibilidades y animan nuestras esperanzas. Las historias bíblicas hacen lo mismo, sólo que más públicamente. Su punto es estimularnos para que veamos más allá de nuestros límites y experiencias de limitación y sugerir, a través de lo maravilloso, la maravilla misma. Las historias sugieren que la realidad que se toma por sentado puede, de hecho, estar cargada de sorpresas. Hay "rumores de ángeles" y gracia que abunda en nuestro mundo. Si una rana pudiera ser un príncipe, un marinero perdido un ángel, un peregrino el Cristo, entonces toda la creación puede ser una presencia sacramental que apunta a "algo más". Las historias declaran que éste podría ser el caso.

Segunda proposición: Las historias son siempre más importantes que los hechos.

Los hechos, respecto a la historia, están inertes. Es el genio de la historia el colocar los hechos y proclamar las buenas nuevas sobre ellos. Por ejemplo, el "hecho" cardinal de la resurrección es fundamentalmente menos importante en su descripción y comprobación que como una proposición central de esperanza. Lo que cuenta son las implicaciones que la historia de la resurrección tiene para nosotros en nuestra vida y en sostener nuestra perspectiva de la vida y la muerte. De no ser así tendríamos un reportaje, no un evangelio.

Historia, teología e iglesia (continuación)

Tercera proposición: las historias siguen siendo normativas.

Hemos visto en el primer capítulo de este libro que toda teología es un reflejo de la historia original. Para probar una teología, debemos regresar siempre al material prístino (y su desenvolvimiento subsecuente). En cuanto a esta magnitud, las historias bíblicas permanecerán siempre normativas. Sin embargo, existe una advertencia. Algunos pueden regresar a la historia original y pueden hacer un ídolo de ella; es decir, tomarla como un documento rígido y acabado, quitándole su historia contemporánea y subsecuente, y le obligarán a que permanezca comprimida y restringida. Ésta es la falta de los literalistas o fundamentalistas.

Cuarta proposición: Las tradiciones evolucionan por medio de las historias.

Las tradiciones evolucionan a través de las historias: ésa es la naturaleza de las historias importantes y cruciales. Las personas "tomadas" por la historia, su héroe o heroína y su mensaje, no sólo quieren compartir una experiencia sino que comparten una experiencia fiel a la historia original. La tradición se levanta y tiene dos funciones: conservar y proteger. Conservar es "pasar", que es lo que la palabra tradición significa literalmente. Proteger puede necesitar más explicación.

Debido a que las historias son realmente metáforas extendidas, tienen finales abiertos. Son muy adaptables y pueden reformarse fácilmente y ser contadas de nuevo. Se acomodan fácilmente. Los detalles, nombres, y sitios fácilmente se acomodan a las audiencias y lugares diferentes. Descubrimos esto incluso en el corto relato de la Escritura de los cuatro evangelios. Incluso se fija un límite implícito más allá del cual no irá la flexibilidad y todavía se puede ser fiel a la historia del principio. Tomemos un ejemplo secular: Santa Claus puede ser cambiado fácilmente a lo largo de los siglos. Él puede ser alto o puede ser pequeño, de cara lisa o barbado, vestido de púrpura o verde, redondo o muy delgado. Pero Santa nunca puede ser un abusador de niños. Después de todo, él viene de San Nicolás, quien proviene del niño Cristo, quien proviene del Padre de todos los regalos. La tradición no permitiría una conexión entre Santa y un perjuicio, cuando su punto central es la benevolencia y la bondad. Por algún lugar del camino, la tradición protegería la imagen de la contradicción intrínseca. Las historias bíblicas sobre Jesús evocan el mismo proceso de protección. Aquí es donde la tradición de la iglesia encaja. Y ya que las historias de Jesús son variadas, las tradiciones variadas no sólo se levantarán sino que serán bastante legítimas.

Historia, teología e iglesia (continuación)

Quinta proposición: las historias preceden y producen la iglesia.

Esto lo notamos muy temprano. La historia existe primero, entonces las personas son atrapadas por ella, la saborean, reflexionan en ella, la cuentan otra vez, la conservan, y la pasan (tradición). Cuando muchas personas son atrapadas, creen, y celebran la misma historia, entonces tiene una iglesia.

Sexta proposición: las historias implican censura.

Esta proposición es un resultado lógico de las dos anteriores. Si tiene una tradición dedicada a conservar y pasar la historia central, y si tiene una iglesia que vive y celebra la historia central, entonces aquellos del grupo que en cualquier momento quieran radicalmente contradecir la historia esencial van a ser censurados. Esto es bastante común en todos los caminos de la vida. Aquí es donde (en cualquier religión, gobierno, o universidad) existe la censura, la reprimenda, o la excomunión. Se puede permitir cierta amplitud, pero no si llega a contradecir lo que la historia representa. Un grupo de libertades civiles no podría, por ejemplo, tolerar a un fanático. Claro, como la historia ha mostrado, las personas tienden a ser mucho más restrictivas de lo que perciben que es la "verdadera" tradición. La ortodoxia de una persona puede ser la herejía de otro, dependiendo de quién maneja el poder. Pero eso está lejos del punto aquí. El punto es que cuando la historia da lugar a la tradición, y la tradición a una iglesia, entonces tarde o temprano aparece la censura (muy pronto, de hecho, como aprendemos de las epístolas de Pablo). En nuestra tradición católica éste es el origen de las penalidades y excomulgaciones.

Séptima proposición: las historias producen teología.

El reflejo y las conclusiones de las historias de Jesús empezaron temprano en la iglesia. Vemos esto en los escritos más tempranos de la iglesia, las epístolas de Pablo. Cuando reflexiona en la historia, hace asociaciones, y saca conclusiones, tiene una teología. Podemos ver esto fácilmente, por ejemplo, en la trayectoria de fe concerniente a la naturaleza de Jesús. De una manera muy especial la historia nos dice que Él es el hombre de Dios. Si Él es el hombre de Dios, entonces tal vez sea su vocero. Si es su portavoz, entonces quizá sea su misma palabra. Si es su palabra, entonces quizá tenga una relación especial con el Padre. Si tiene una relación especial con el Padre, quizá es su Hijo - y de una manera única. Si el es el Hijo de Dios, entonces quizá es su igual. Si es igual, quizá

Historia, teología e iglesia (continuación)

es Dios en la carne. La teología es unir las piezas y descubrir ricas conclusiones que se podrían asir primero.

O podríamos ponerlo de esta manera. La teología surge porque siempre hay más en la historia de lo que los escritores comprenden o incluso piensan. Tenemos un ejemplo clásico en el Evangelio de Juan (11.49-52): "Entonces Caifás, uno de ellos, sumo sacerdote aquel año, les dijo: Vosotros no sabéis nada; ni pensáis que nos conviene que un hombre muera por el pueblo, y no que toda la nación perezca". Juan continúa con su reflexión y expansión concerniente a estas palabras (teología): "Esto no lo dijo por sí mismo, sino que como era el sumo sacerdote aquel año, profetizó que Jesús había de morir por la nación; y no solamente por la nación, sino también para congregar en uno a los hijos de Dios que estaban dispersos". El tiempo y la percepción retrospectivas revelan a menudo motivos más ricos y profundos en las historias. La teología toma esto y lo saca a luz. La teología está arraigada en y fluye de la historia.

Octava proposición: las historias producen muchas teologías.

Las historias mismas de Jesús son variadas y obviamente reflejan tradiciones diferentes. Incluso una lectura casual de los cuatro Evangelios demuestra esto. Ya que esto es así, esperamos que tales tradiciones variadas en las historias den lugar a las teologías variadas. Ningún sistema es absoluto ni lo debe ser. Las historias normativas mismas, después de todo, no sólo tienen finales abiertos sino que están condicionadas por las presuposiciones y los marcos de referencia de los tiempos. Hubo y continuará habiendo muchos sistemas de teología en la iglesia. Aunque ha habido una tendencia en los tiempos modernos de reducir todos los sistemas a uno, en la historia de la iglesia hubo una amplia tolerancia hacia la diversidad.

Novena proposición: las historias producen rituales y sacramentos.

Debemos recordar que la experiencia de Jesús vino antes de las reflexiones acerca de Él. Esta es una manera de decir que la vida vino antes del pensamiento, y que la historia vino antes de la teología. La experiencia de Jesús estuvo verdaderamente, como hemos visto, involucrada en historias, pero también se debe notar que estaba simultáneamente involucrada en rituales y celebraciones. Las señales, acciones, gestos, y símbolos también se volvieron parte de la historia global. El ritual mismo es una línea de la historia en la acción. Así que en seguida se levantaron rituales reactuando la muerte, sepultura, y

Historia, teología e iglesia (continuación)

resurrección de Jesús. Pablo denomina esto bautismo. Luego hubo un ritual de comida, partiendo el pan y compartiendo la copa, las señales que Jesús mismo da. Para abreviar, hubo también historias vividas y compartidas que celebran los misterios de Dios o que hemos llegado a llamar simplemente los sacramentos. La historia (palabra), la celebración (festividad), y el ritual (sacramento) todos van de la mano.

Claro, puede pasar (y ha pasado) que un ritual pierda su conexión con la historia por causa de la rutina, el fastidio, y la repetición. Cuando esto pasa, las personas continúan a menudo el ritual por repetición, pero ya no recuerdan la historia a la que estaba ligado o que expresaba. Para revivir o reformar el ritual debemos regresar y recordar la historia. Las renovaciones de la iglesia son básicamente un ejercicio de esto mismo.

Décima proposición: las historias son historia.

Ya que las historias tienen finales abiertos, no pueden ser o no deben ser literalizadas. Las historias tienen vida propia y cada edad extrae y agrega a la historia un tipo de relación simbiótica. El resultado es un enriquecimiento profundo. La historia es el puente por el que vemos la historia en todas sus formas y en todos sus aspectos verdaderos. Idealmente, la historia salva a la historia de los peligros gemelos de idolatría e irrelevancia.

Historia: La cruz de la revelación

Rev. Ryan Carter

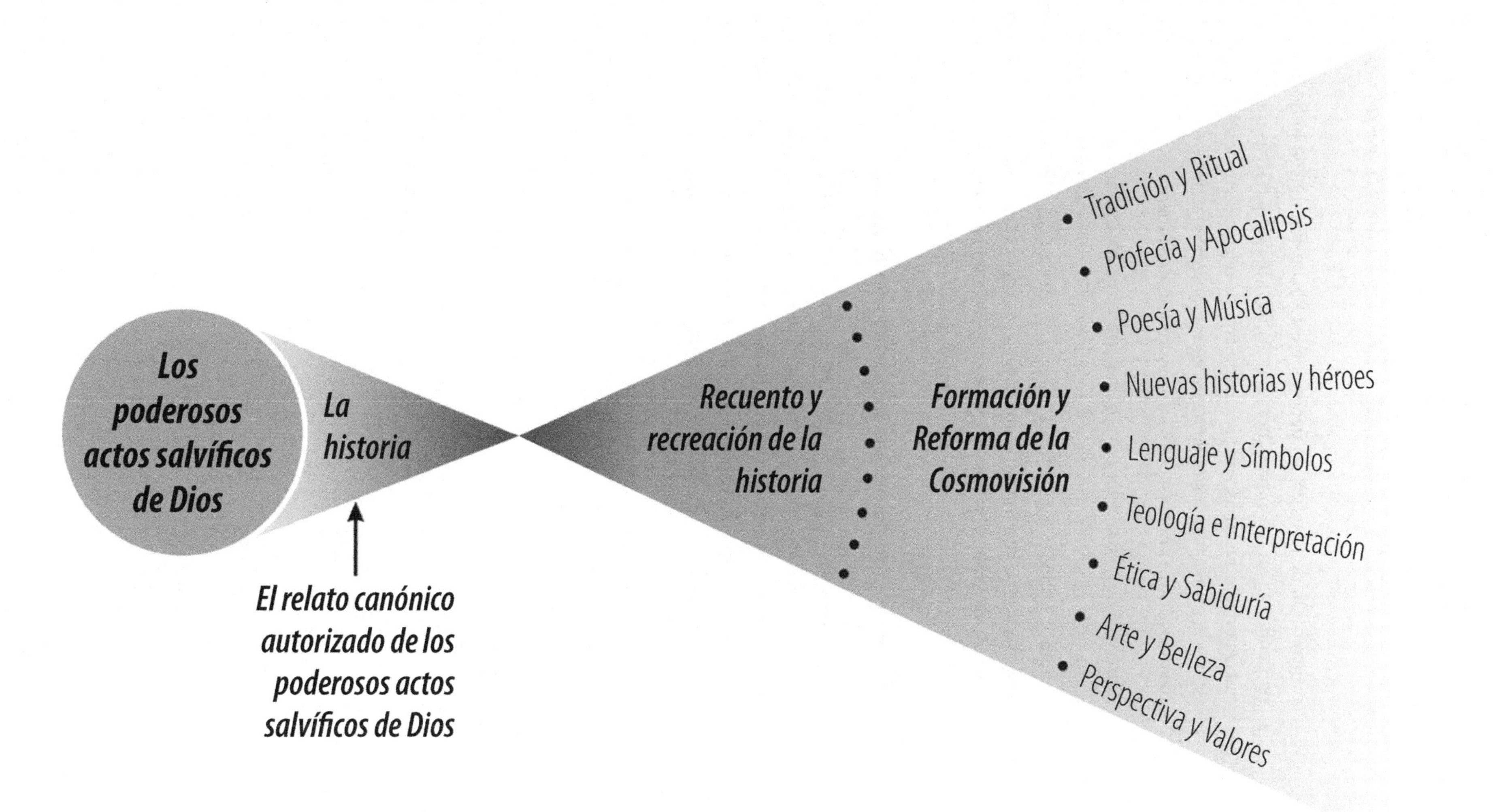

Hoja de trabajo de las herramientas del estudio bíblico

Lea los siguientes pasajes y luego responda las preguntas usando la Concordancia de Strong, el Diccionario expositivo de palabras del Antiguo Testamento de Vine, y el Nuevo Diccionario de la Biblia.

Romanos 4

¿Qué, pues, diremos que halló Abraham, nuestro padre según la carne? [2] Porque si Abraham fue **justificado** por las obras, tiene de qué gloriarse, pero no para con Dios. [3] Porque ¿qué dice la Escritura? Creyó Abraham a Dios, y le fue contado por justicia. [4] Pero al que obra, no se le cuenta el salario como gracia, sino como deuda; [5] mas al que no obra, sino cree en aquel que justifica al impío, su fe le es contada por justicia. [6] Como también David habla de la bienaventuranza del hombre a quien Dios atribuye justicia sin obras, [7] diciendo: Bienaventurados aquellos cuyas iniquidades son perdonadas, Y cuyos pecados son cubiertos. [8] Bienaventurado el varón a quien el Señor no inculpa de pecado. [9] ¿Es, pues, esta bienaventuranza solamente para los de la circuncisión, o también para los de la incircuncisión? Porque decimos que a Abraham le fue contada la fe por justicia. [10] ¿Cómo, pues, le fue contada? ¿Estando en la circuncisión, o en la incircuncisión? No en la circuncisión, sino en la incircuncisión. [11] Y recibió la circuncisión como señal, como sello de la justicia de la fe que tuvo estando aún incircunciso; para que fuese padre de todos los creyentes no circuncidados, a fin de que también a ellos la fe les sea contada por justicia; [12] y padre de la circuncisión, para los que no solamente son de la circuncisión, sino que también siguen las **pisadas** de la fe que tuvo nuestro padre Abraham antes de ser circuncidado. [13] Porque no por la ley fue dada a Abraham o a su descendencia la promesa de que sería heredero del mundo, sino por la justicia de la fe.

1. Use su concordancia para identificar la palabra que es traducida "justificado" en el verso 2 y luego escriba la palabra y su número de Strong en el espacio abajo:

   Palabra griega ____________________ Número de Strong ____________________

Hoja de trabajo de las herramientas del estudio bíblico (continuación)

2. Busque esta palabra en su *Diccionario Expositivo de Vine* y lea lo que dice para esta palabra. ¿Qué entendimiento añade esta información a la palabra y al pasaje?

   ____

   ____

   ____

3. Use su concordancia para identificar la palabra que se traduce "pisadas" en verso 12 y luego escriba la palabra y su número de Strong en el espacio abajo.

   Palabra griega ______________ Número de Strong ______________

4. Busque la palabra en el *Diccionario Expositivo de Vine* y lea lo que dice.

   ¿Por qué cree que el apóstol Pablo escogió ésta palabra en vez de usar otras palabras griegas para caminar? ¿Qué añade a su entendimiento del pasaje el conocer la definición de la palabra "pisadas"?

   ____

   ____

   ____

   ____

5. Usando el *Nuevo Diccionario de la Biblia*, busque y lea el artículo acerca de "Abraham". ¿De qué forma profundiza esto su entendimiento del pasaje?

   ____

   ____

   ____

   ____

Impedimentos para un servicio semejante al de Cristo

Don L. Davis

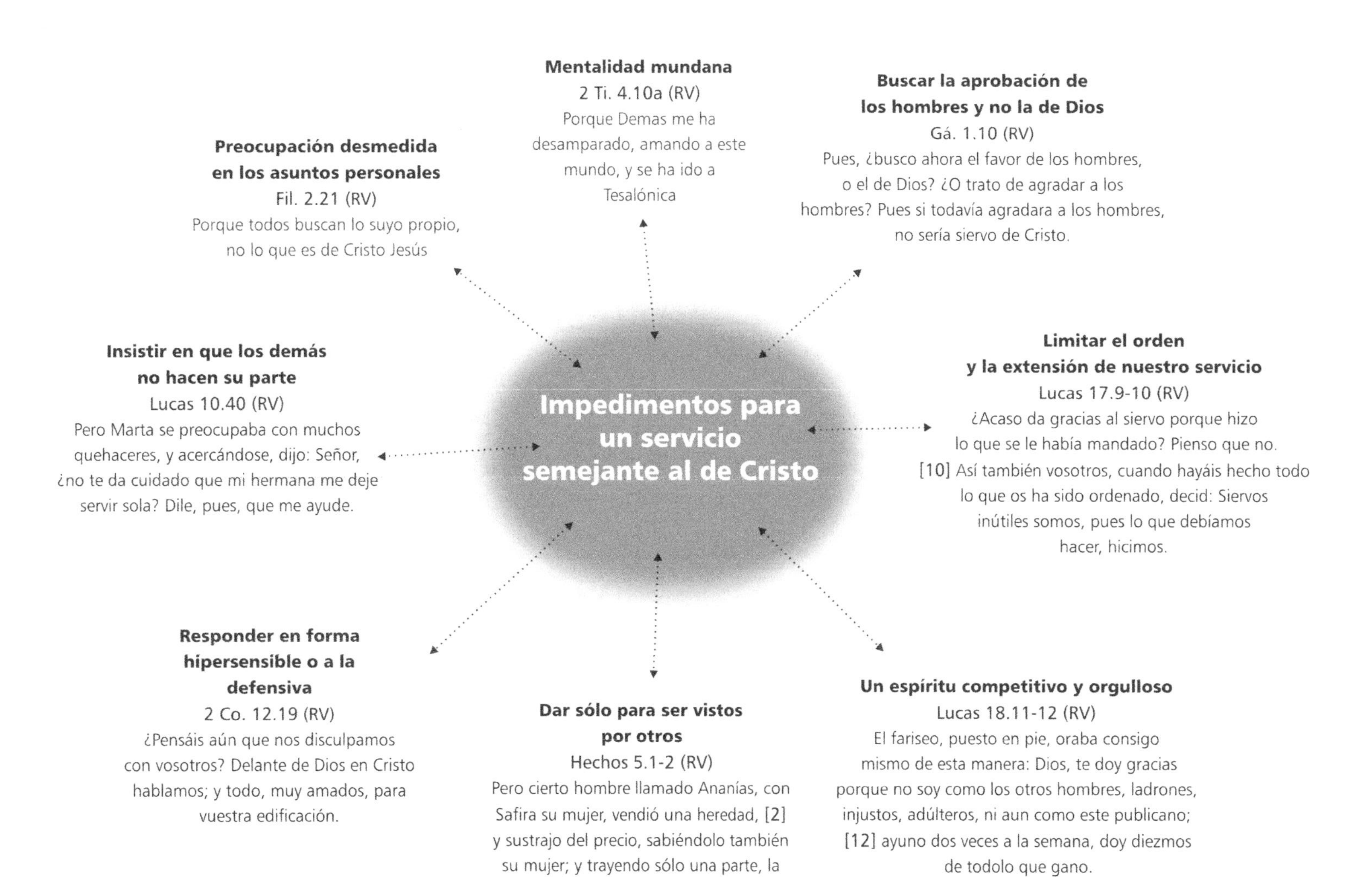

Invertir, facultar y evaluar

La forma en que el liderazgo como representación provee libertad para innovar

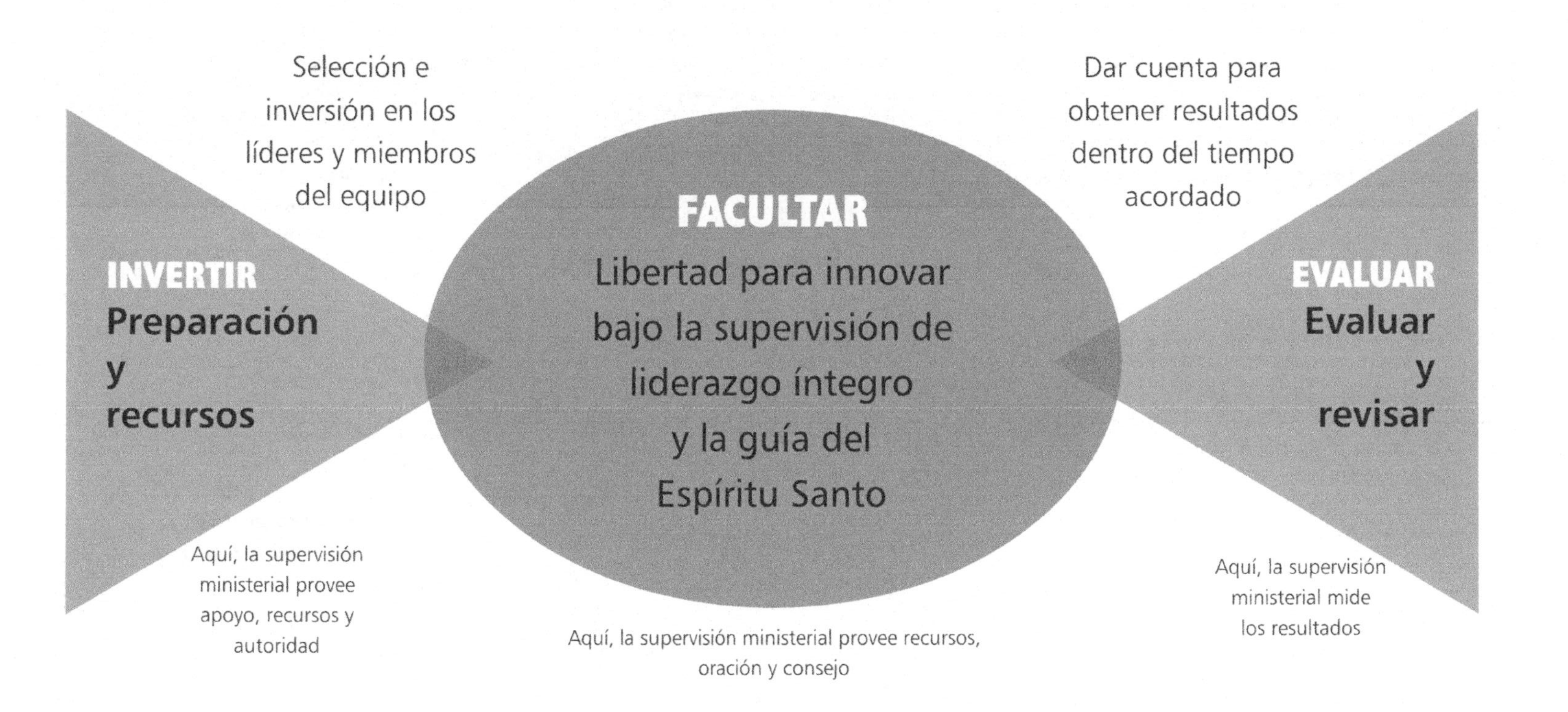

Selección formal de liderazgo
Reconocimiento del llamado personal
Determinación de tareas y asignaciones
Entrenamiento para la guerra espiritual
Autorización para actuar definida y dada
Recursos necesarios dados y logísticas planeadas
Comisión: cargo formalmente reconocido

Evaluación al enviar representantes
Revisar resultados a la luz de la tarea antes asignada
Fidelidad y lealtad evaluada
Evaluación general del plan y estrategia
Evaluación crucial de rendimiento del liderazgo
Determinación formal del "éxito" de la operación
Reasignación a la luz de la evaluación

Jesucristo, el personaje y tema de la Biblia

Rev. Dr. Don L. Davis

Adaptado de Norman Geisler, *A Popular Survey of the Old Testament (Un resumen de estudio del Antiguo Testamento).* Grand Rapids, MI: Baker Books, 1977, pp. 11ff

Jesucristo, el personaje y tema de la Biblia
Lucas 24:27, 44; Hebreos 10:7; Mateo 5:17; Juan 5:39

Estructura de la Biblia dividida en dos	*Estructura de la Biblia dividida en cuatro*	*Estructura de la Biblia dividida en ocho*
Antiguo Testamento: ***Anticipación*** Oculto Contenido El precepto En sombra En ritual En imagen Predicho En profecía En pre-encarnaciones	**La Ley** ***Fundamento para Cristo***	***La Ley:*** Fundamento para Cristo (Génesis-Deuteronomio)
		Historia: Preparación para Cristo (Josué-Ester)
	Los Profetas ***Expectativa de Cristo***	***Poesía:*** Aspiración por Cristo (Job-Cantar de los Cantares)
		Profetas: Expectativa de Cristo (Isaías-Malaquías)
Nuevo Testamento: ***Realización*** Revelado Explicado Su perfección En substancia En realidad En persona Como cumplido En historia En la encarnación	**Los Evangelios** ***Manifestación de Cristo***	***Evangelios:*** Manifestación de Cristo (Mateo-Juan)
		Hechos: Propagación de Cristo (Los Hechos de los Apóstoles)
	Las Epístolas ***Interpretación de Cristo***	***Epístolas:*** Interpretación de Cristo (Romanos-Judas)
		Apocalipsis: Consumación en Cristo (La revelación de Juan)

Jesús como el representante escogido de Dios

Rev. Dr. Don L. Davis

Jesús cumple las obligaciones de ser un emisario

1. La *tarea* es recibida, **Juan 10.17-18**
2. La *encomienda es conferida*, **Juan 3.34; Lucas 4.18**
3. Es lanzado a la *lucha*, **Juan 5.30**
4. Es respondido con una *evaluación*, **Mateo 3.16-17**
5. Nueva tarea luego de la *evaluación*, **Filipenses 2.9-11**

La tentación de Jesucristo

El desafío y la oposición del representante de Dios

Marcos 1.12-13
"Y luego el Espíritu le impulsó al desierto. **[13]** *Y estuvo allí en el desierto cuarenta días, y era tentado por Satanás, y estaba con las fieras; y los ángeles le servían"*.

Para representar a otro

Es elegido para estar en lugar de otro, y así cumplir con las tareas asignadas, ejerciendo derechos y sirviendo como representante, así como para hablar y actuar con la autoridad de otro a favor de sus intereses y reputación.

El bautismo de Jesucristo

Comisión y confirmación del representante de Dios

Marcos 1.9-11 "Aconteció en aquellos días, que Jesús vino de Nazaret de Galilea, y fue bautizado por Juan en el Jordán. **[10]** Y luego, cuando subía del agua, vio abrirse los cielos, y al Espíritu como paloma que descendía sobre él. **[11]** Y vino una voz de los cielos que decía: Tú eres mi Hijo amado; en ti tengo complacencia**"**.

El ministerio público de predicación de Jesucristo

Comunicación del representante de Dios

Marcos 1.14-15 "Después que Juan fue encarcelado, Jesús vino a Galilea predicando el evangelio del reino de Dios**,** **[15]** diciendo: El tiempo se ha cumplido, y el reino de Dios se ha acercado; arrepentíos, y creed en el evangelio**"**.

Jesús de Nazaret: La presencia del futuro

Rev. Dr. Don L. Davis

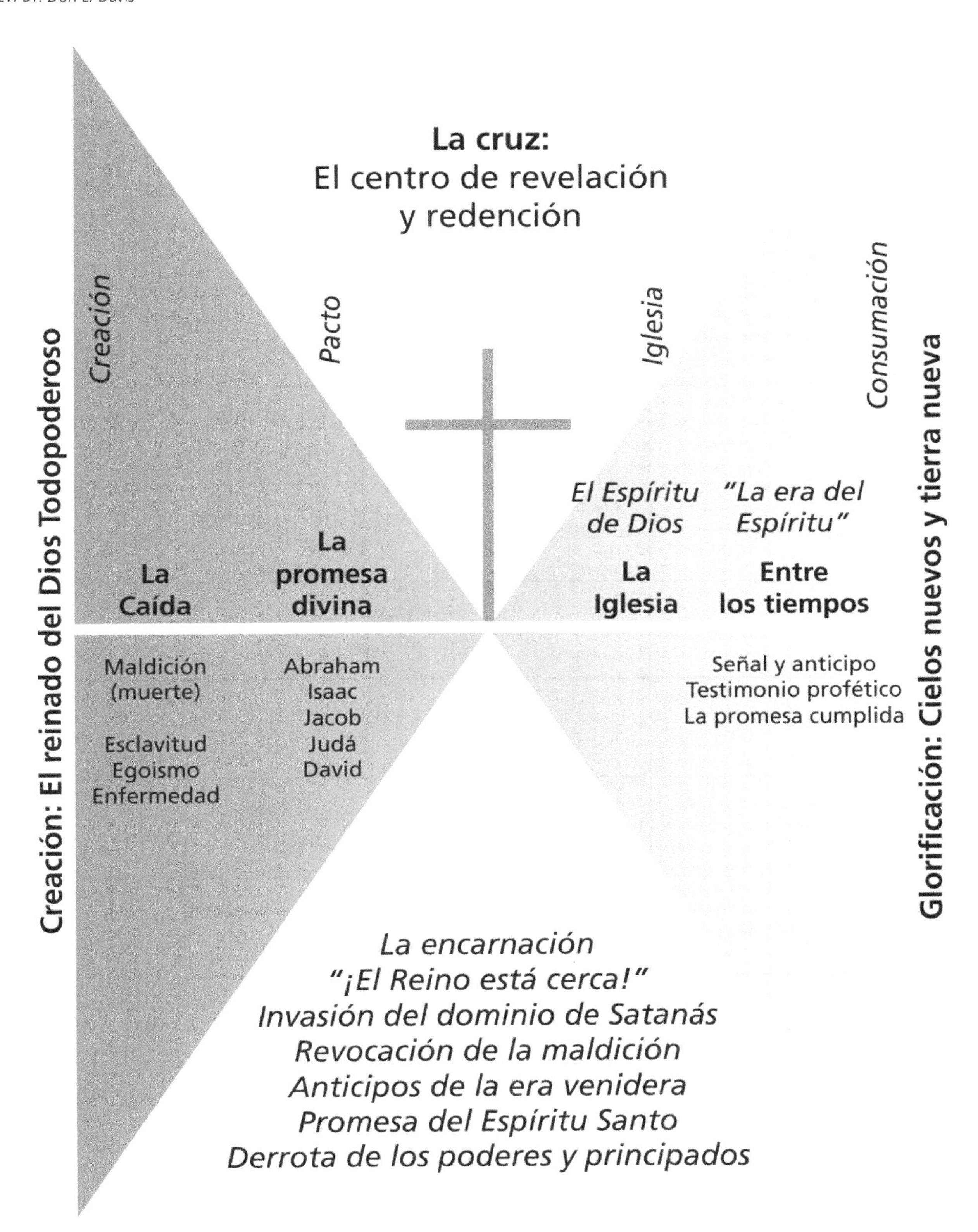

Jesús el Mesías: Cumplimiento de los símbolos del Antiguo Testamento

*Adaptado por Norman Geisler, **To Understand the Bible, Look for Jesus,** Pág. 38-41.*

Jesús el Mesías cumple con los símbolos (tipos) del tabernáculo

Tipos de tabernáculo	Jesús de Nazaret como el antitipo
La puerta	Yo soy la puerta Juan 10.9
El altar de bronce	Dio su vida en rescate por muchos Mc.10.45
El lavacro	Si no dejas que te lave, no tienes parte conmigo Juan 13.8, 10; 1 Juan 1.7
El candelabro	Yo soy la luz del mundo Juan 8.12
La mesa de los panes	Yo soy el pan de vida Juan 6.48
El altar del incienso	Yo estoy orando por ellos Juan 17.9
El velo	Éste es mi cuerpo Mt. 26.26
El propiciatorio	Yo doy mi vida por las ovejas Juan 10.15

Jesús el Mesías: Cumplimiento de los símbolos del Antiguo Testamento (continuación)

Contraste entre el sacerdocio de Aarón y el de Melquisedec

Naturaleza del orden	El orden del sacerdocio levítico de Aarón	El orden del sacerdocio de Jesús Mesías (sacerdocio de Melquisedec)
Consagración	Temporal y perecedero	Sacerdocio eterno Heb. 7.21-23
Sacerdote	Falible, vulnerable al pecado	Sin pecado y perfecto Heb. 7.26
Sacerdocio	Cambiable	Sacerdocio inmutable Heb. 7.24
Ministerio	Contínua ofrenda de sacrificio	Aseguraba una redención eterna de una vez por todas Heb. 9.12, 26
Mediación	Representación imperfecta	Representación perfecta entre Dios y la humanidad Heb. 2.14-18
Sacrificio	Incapaz e insuficiente para quitar el pecado del ofensor	Ofreció un sólo sacrificio por el pecado y para siempre Heb. 10.11-12
Intercesión	Era interrumpida por debilidad y muerte	Siempre vive para interceder por nosotros Heb. 7.25

Jesús el Mesías: Cumplimiento de los símbolos del Antiguo Testamento (continuación)

Jesús el Mesías cumple los sacrificios y los ofrendas levíticas

La ofrenda levítica	Cómo se cumple la ofrenda en Jesús de Nazaret
El holocausto	La perfección de su vida Heb. 9.14
La ofrenda de grano	La dedicación y presentación de su vida Heb. 5.7; Juan 4.34
La ofrenda de paz	Él es la paz para nuestras almas y nuestras relaciones Heb. 4.1-2; Ef. 2.14
La ofrenda por el pecado	Él llevó la pena por nuestra ofensa Heb. 10.12; 1 Juan 2.2
La ofrenda de expiación	Provisión para el delincuente Heb. 10.20-21; 1 Juan 1.7

Jesús el Mesías: Cumplimiento de los símbolos del Antiguo Testamento (continuación)

Jesús Mesías cumple las fiestas y festividades levíticas

Fiesta levítica (Lv. 23)	El cumplimiento en Jesús de Nazaret
La Pascua (Abril)	La muerte de Jesucristo 2 Co. 5.17
Panes sin levadura (Abril)	Caminar en santidad y humildad delante de Jesús 1 Co. 5.8
Primeros frutos (Abril)	La resurrección de Jesús el Mesías 1 Co. 15.23
La fiesta de Pentecostés (Junio)	Derramamiento del Espíritu por el Padre y el Hijo Hch. 1.5; 2.4
Trompetas (Septiembre)	Reagrupamiento de la nación de Israel por medio de Jesús el Mesías Mt. 24.31
El Día de Expiación (Septiembre)	Propiciación y purificación a través de Jesús Ro. 11.26
Tabernáculos (Septiembre)	Descanso y reunión con Jesús el Mesías Zac. 14.16-18

Jesús y los pobres

Rev. Dr. Don L. Davis

Tesis: El corazón del ministerio del Reino de Jesús fue la transformación y renovación de los que estaban en el lado carenciado de la vida, los pobres. Él demostró la visión de su corazón al inaugurar su ministerio, autenticar su ministerio, definir el corazón y el alma del ministerio y al identificarse él mismo directamente con los pobres.

I. Jesús inauguró su ministerio alcanzando a los pobres.

A. El sermón inaugural en Nazaret, Lc. 4.16-21

Lucas 4.16-21 - "Vino a Nazaret, donde se había criado; y en el día de reposo entró en la sinagoga, conforme a su costumbre, y se levantó a leer. [17] Y se le dio el libro del profeta Isaías; y habiendo abierto el libro, halló el lugar donde estaba escrito: [18] "El Espíritu del Señor está sobre mí, por cuanto me ha ungido para dar buenas nuevas a los pobres; me ha enviado a sanar a los quebrantados de corazón; a pregonar libertad a los cautivos, y vista a los ciegos; a poner en libertad a los oprimidos; [19] a predicar el año agradable del Señor". [20] Y enrollando el libro, lo dio al ministro, y se sentó; y los ojos de todos en la sinagoga estaban fijos en él. [21] Y comenzó a decirles: "Hoy se ha cumplido esta Escritura delante de vosotros".

B. El significado de esta inauguración

1. El objetivo de su atención: su elección de los textos
2. El objetivo de su llamado: su unción por el Espíritu

Jesús y los pobres (continuación)

3. El objetivo de su amor:

   a. Buenas nuevas a los pobres

   b. Libertad a los cautivos

   c. Recuperación de la vista a los ciegos

   d. Poner en libertad a los oprimidos

4. El objetivo de su ministerio: el año agradable del Señor

C. *El Ministerio a los pobres como la piedra angular de la inauguración de su ministerio*

II. Jesús autenticó su ministerio por sus acciones a favor de los pobres.

A. Las preguntas de Juan acerca de la autenticidad de Jesús, Lc. 7.18-23

Lucas 7.18-23 (LBLA) - Los discípulos de Juan le dieron las nuevas a todas estas cosas. Y llamó Juan a dos de sus discípulos, [19] y los envió a Jesús, para preguntarle: ¿Eres tú el que había de venir, o esperaremos a otro? [20] Cuando, pues, los hombres vinieron a él, dijeron: Juan el Bautista nos ha enviado a ti, para preguntarte: ¿Eres tú el que había de venir, o esperaremos a otro? [21] En esa misma hora sanó a muchos de enfermedades y plagas, y de espíritus malos, y a muchos ciegos les dio la vista. [22] Y respondiendo Jesús, les dijo: Id, haced saber a Juan lo que habéis visto y oído: LOS CIEGOS VEN, los cojos andan, los leprosos son limpiados, los sordos oyen, los muertos son resucitados, y A LOS POBRES ES ANUNCIADO EL EVANGELIO; [23] y bienaventurado es aquel que no halle tropiezo en mí.

B. Que el verdadero Mesías "se ponga de pie"

1. Las preguntas de Juan, vv. 19-20

2. Las acciones de Jesús, v. 21 (la exhibición "mostrar y contar")

Jesús y los pobres (continuación)

3. La explicación de su identidad, vv. 22-23

   a. Vayan y díganle a Juan lo que han visto y oído

   b. Los ciegos ven, los cojos andan, los leprosos son sanados, los sordos oyen, los muertos son resucitados, los pobres oyen el evangelio

C. *El Ministerio a los pobres es prueba innegable de la identidad del Mesías.*

III. Jesús verificó la salvación de alguien según trataba a los pobres.

A. La historia de Zaqueo, Lc. 19.1-9

Lucas 19.1-9 - Habiendo entrado Jesús en Jericó, iba pasando por la ciudad. [2] Y sucedió que un varón llamado Zaqueo, que era jefe de los publicanos, y rico, [3] procuraba ver quién era Jesús; pero no podía a causa de la multitud, pues era pequeño de estatura. [4] Y corriendo delante, subió a un árbol sicómoro para verle; porque había de pasar por allí. [5] Cuando Jesús llegó a aquel lugar, mirando hacia arriba, le vio, y le dijo: Zaqueo, date prisa, desciende, porque hoy es necesario que pose yo en tu casa. [6] Entonces él descendió aprisa, y le recibió gozoso. [7] Al ver esto, todos murmuraban, diciendo que había entrado a posar con un hombre pecador. [8] Entonces Zaqueo, puesto en pie, dijo al Señor: He aquí, Señor, la mitad de mis bienes doy a los pobres; y si en algo he defraudado a alguno, se lo devuelvo cuadruplicado. [9] Jesús le dijo: Hoy ha venido la salvación a esta casa; por cuanto él también es hijo de Abraham.

1. Las palpitaciones de Zaqueo

2. El saludo de Zaqueo (a Jesús)

3. La declaración de Zaqueo

   a. La mitad de mis bienes doy a los pobres.

   b. Si he defraudado a alguien se lo devuelvo cuadriplicado.

Jesús y los pobres (continuación)

4. La salvación de Zaqueo, vv. 9-10

B. Arrancando espigas el día sábado, Mt.12.1-8

Mateo 12.1-8 (LBLA) - En aquel tiempo iba Jesús por los sembrados en un día de reposo; y sus discípulos tuvieron hambre, y comenzaron a arrancar espigas y a comer. [2] Viéndolo los fariseos, le dijeron: He aquí tus discípulos hacen lo que no es lícito hacer en el día de reposo. [3] Pero él les dijo: ¿No habéis leído lo que hizo David, cuando él y los que con él estaban tuvieron hambre; [4] cómo entró en la casa de Dios, y comió los panes de la proposición, que no les era lícito comer ni a él ni a los que con él estaban, sino solamente a los sacerdotes? [5] ¿O no habéis leído en la ley, cómo en el día de reposo los sacerdotes en el templo profanan el día de reposo, y son sin culpa? [6] Pues os digo que uno mayor que el templo está aquí. [7] Y si supieseis qué significa: MISERICORDIA QUIERO, Y NO SACRIFICIO, no condenaríais a los inocentes; [8] porque el Hijo del Hombre es Señor del día de reposo.

1. Los discípulos comiendo granos el día sábado
2. Las disputas de los fariseos: "He aquí tus discípulos hacen lo que no es lícito hacer en el día de reposo".
3. La respuesta de Jesús: "Misericordia quiero y no sacrificio".
   a. Misericordia por los pobres y destituidos, no la fidelidad al ritual
   b. Compasión por los destituidos, no disciplinas religiosas

C. *El ministerio a los pobres es la prueba de la auténtica salvación.*

IV. Jesús se identificó sin reservas con los pobres.

A. Aquellos que no pueden pagarle, Lc. 14.11-15

Jesús y los pobres (continuación)

Lucas 14.11-14 - Porque cualquiera que se enaltece, será humillado; y el que se humilla, será enaltecido. [12] Dijo también al que le había convidado: Cuando hagas comida o cena, no llames a tus amigos, ni a tus hermanos, ni a tus parientes, ni a vecinos ricos; no sea que ellos a su vez te vuelvan a convidar, y seas recompensado. [13] Mas cuando hagas banquete, llama a los pobres, los mancos, los cojos y los ciegos; [14] y serás bienaventurado; porque ellos no te pueden recompensar, pero te será recompensado en la resurrección de los justos.

B. El Tribunal del Rey, Mt. 25.31-45

Mateo 25.34-40 - Entonces el Rey dirá a los de su derecha: Venid, benditos de mi Padre, heredad el reino preparado para vosotros desde la fundación del mundo. [35] Porque tuve hambre, y me disteis de comer; tuve sed, y me disteis de beber; fui forastero, y me recogisteis; [36] estuve desnudo, y me cubristeis; enfermo, y me visitasteis; en la cárcel, y vinisteis a mí. [37] Entonces los justos le responderán diciendo: Señor, ¿cuándo te vimos hambriento, y te sustentamos, o sediento, y te dimos de beber? [38] ¿Y cuándo te vimos forastero, y te recogimos, o desnudo, y te cubrimos? [39] ¿O cuándo te vimos enfermo, o en la cárcel, y vinimos a ti? [40]Y respondiendo el Rey, les dirá: De cierto os digo que en cuanto lo hicisteis a uno de estos mis hermanos más pequeños, a mí lo hicisteis.

1. Dos clases de personas: ovejas y cabritos.
2. Dos respuestas: unos bendecidos y aceptados, otros juzgados y rechazados.
3. Dos destinos: las ovejas heredan el Reino, preparado desde la fundación del mundo, los cabritos al lago de fuego preparado para el diablo y sus ángeles.
4. Dos reacciones: unos fueron hospitalarios, caritativos, generosos; los otros indiferentes, sin sentimientos, negligentes.

Jesús y los pobres (continuación)

5. El mismo grupo de personas: los hambrientos, sedientos, extranjeros, desnudos, enfermos y prisioneros.
6. *El mismo estándar: de la manera que trataste o maltrataste a estas personas, los que no tienen abundancia en la vida, así me respondiste a mí.*

C. Jesús da a entender que quienes son menos merecedores, pero que se arrepienten, serán herederos del Reino.

Mt. 21.31 - ¿Cuál de los dos hizo la voluntad de su padre? Dijeron ellos: El primero. Jesús les dijo: De cierto os digo, que los publicanos y las rameras van delante de vosotros al reino de Dios.

Mc. 2.15-17 - Aconteció que estando Jesús a la mesa en casa de él, muchos publicanos y pecadores estaban también a la mesa juntamente con Jesús y sus discípulos; porque había muchos que le habían seguido. [16] Y los escribas y los fariseos, viéndole comer con los publicanos y con los pecadores, dijeron a los discípulos: ¿Qué es esto, que él come y bebe con los publicanos y pecadores? [17]Al oír esto Jesús, les dijo: Los sanos no tienen necesidad de médico, sino los enfermos. No he venido a llamar a justos, sino a pecadores.

D. Ministrar a los pobres es ministrar al Señor Jesús, su identificación con ellos es total.

Conclusión: El corazón y alma del ministerio de Jesús estuvo orientado a la transformación y liberación de quienes eran más vulnerables, más olvidados y más descuidados. Como discípulos, demostremos lo mismo.

Justificación bíblica de la resurrección de Jesús el Mesías

Rev. Dr. Don L. Davis

	Razones para su resurrección	Textos bíblicos
1	Para cumplir la profecía de las sagradas Escrituras	Sal. 16.9-10; 22.22; 118.22'24
2	Para demostrar su verdadera identidad	Hch 2.24; Rom 1.1-4
3	Para realizar la promesa del pacto davidico	2 Sam. 7.12-16; Sal. 89.20-37; Isa. 9.6-7; Luc. 1.31-33;Hch.2.25-31
4	Para ser el origen de vida eterna para todos los que creen en él	Juan 10.10-11; 11.25-26; Efe. 2.6; Col. 3.1-4; 1 Juan 5.11-12
5	Para ser el origen del poder de la resurrección para que otros resuciten	Mat. 28.18; Efe. 1.19-21; Fil. 4.13
6	Para ser exaltado como Cabeza de la Iglesia	Efe. 1.20-2
7	Para demostrar que la imputación de Dios de nuestra justicia ha sido completada	Rom 4.25
8	Para reinar hasta que todos sus enemigos sean puestos debajo de sus pies	1 Cor. 15.20-28
9	Para llegar a ser las primicias de la resurrección futura	1 Cor. 15.20-23
10	Para afirmar la autoridad que Dios le dio de volver a tomar su vida	Juan 10.18

La auto-consciencia de Jesucristo

Rev. Dr. Don L. Davis

Juan 17.25-26 (RV) - Padre justo, el mundo no te ha conocido, pero yo te he conocido, y éstos han conocido que tú me enviaste.[26]Y les he dado a conocer tu nombre, y lo daré a conocer aún, para que el amor con que me has amado, esté en ellos, y yo en ellos.

La auto-conciencia de Jesucristo

Conciencia de Dios

Juan 5.17 (RV) - Y Jesús les respondió: Mi Padre hasta ahora trabaja, y yo trabajo.

John 5.19-20 (RV) - Respondió entonces Jesús, y les dijo: De cierto, de cierto os digo: No puede el Hijo hacer nada por sí mismo, sino lo que ve hacer al Padre; porque todo lo que el Padre hace, también lo hace el Hijo igualmente. [20] Porque el Padre ama al Hijo, y le muestra todas las cosas que él hace; y mayores obras que estas le mostrará, de modo que vosotros os maravilléis.

Juan 8.26 (RV) - Muchas cosas tengo que decir y juzgar de vosotros; pero el que me envió es verdadero; y yo, lo que he oído de él, esto hablo al mundo.

Juan 8.42 (RV) - Jesús entonces les dijo: Si vuestro padre fuese Dios, ciertamente me amaríais; porque yo de Dios he salido, y he venido; pues no he venido de mí mismo, sino que él me envió.

Juan 14.10 (RV) - ¿No crees que yo soy en el Padre, y el Padre en mí? Las palabras que yo os hablo, no las hablo por mi propia cuenta, sino que el Padre que mora en mí, él hace las obras.

Orientación profética

Juan 5.34 (RV) - Pero yo no recibo testimonio de hombre alguno; mas digo esto, para que vosotros seáis salvos.

Juan 3.11 (RV) - De cierto, de cierto te digo, que lo que sabemos hablamos, y lo que hemos visto, testificamos; y no recibís nuestro testimonio.

Juan 5.30 (RV) - No puedo yo hacer nada por mí mismo; según oigo, así juzgo; y mi juicio es justo, porque no busco mi voluntad, sino la voluntad del que me envió, la del Padre.

Juan 8.26 (RV) - Muchas cosas tengo que decir y juzgar de vosotros; pero el que me envió es verdadero; y yo, lo que he oído de él, esto hablo al mundo.

Juan 12.47-49 (RV) - Al que oye mis palabras, y no las guarda, yo no le juzgo; porque no he venido a juzgar al mundo, sino a salvar al mundo. [48] El que me rechaza, y no recibe mis palabras, tiene quien le juzgue; la palabra que he hablado, ella le juzgará en el día postrero. [49] Porque yo no he hablado por mi propia cuenta; el Padre que me envió, él me dio mandamiento de lo que he de decir, y de lo que he de hablar.

Representación divina

Juan 5.30 (RV) - No puedo yo hacer nada por mí mismo; según oigo, así juzgo; y mi juicio es justo, porque no busco mi voluntad, sino la voluntad del que me envió.

Juan 6.38 (RV) - Porque he descendido del cielo, no para hacer mi voluntad, sino la voluntad del que me envió.

Juan 14.10 (RV) - ¿No crees que yo soy en el Padre, y el Padre en mí? Las palabras que yo os hablo, no las hablo por mi propia cuenta, sino que el Padre que mora en mí, él hace las obras.

Juan 17.8 (RV) - porque las palabras que me diste, les he dado; y ellos las recibieron, y han conocido verdaderamente que salí de ti, y han creído que tú me enviaste.

Imaginación apocalíptica

Juan 5.21-22 (RV) - Porque como el Padre levanta a los muertos, y les da vida, así también el Hijo a los que quiere da vida. [22] Porque el Padre a nadie juzga, sino que todo el juicio dio al Hijo.

Juan 11.23-26 (RV) - Jesús le dijo: Tu hermano resucitará. [24] Marta le dijo: Yo sé que resucitará en la resurrección, en el día postrero. [25] Le dijo Jesús: Yo soy la resurrección y la vida; el que cree en mí, aunque esté muerto, vivirá. [26] Y todo aquel que vive y cree en mí, no morirá eternamente. ¿Crees esto?

Juan 4.25-26 (RV) - Le dijo la mujer: Sé que ha de venir el Mesías, llamado el Cristo; cuando él venga nos declarará todas las cosas. [26] Jesús le dijo: Yo soy, el que habla contigo.

Mark 14.61-62 (RV) - Mas él callaba, y nada respondía. El sumo sacerdote le volvió a preguntar, y le dijo: ¿Eres tú el Cristo, el Hijo del Bendito? [62] Y Jesús le dijo: Yo soy; y veréis al Hijo del Hombre sentado a la diestra del poder de Dios, y viniendo en las nubes del cielo.

La búsqueda del peregrino

Rev. Don L. Davis

Viajando como peregrinos, buscando al Gran Rey
Compartiendo el mismo corazón, la misma esperanza, la misma grey

Hombro con hombro caminando, cada carga paciente llevando
Con gran cuidado y amor, con convicción y fervor

En amistad con Cristo, en Él nuestra gloria y corona ha sido hallada
Que en Él solamente nuestro vida gozosa sea forjada

Para ver con nuevos ojos el valor de cada ser viviente
Acariciando al menor como el de más valor en esta tierra doliente
Con tanto anhelo, hasta nuestra alabanza fluir
Y que por nuestra dulce unidad, Su belleza emitir

Sí, esta es la meta, nuestra gloria, nuestro fin
Que Cristo sea visto en la tierra otra vez
Que Su gloria y Reino lo demos a conocer poderosamente
Que más de Su imagen por nosotros se demuestre ardientemente
Por amor a nuestros amigos, nuestra vida ofrendamos
Que su fruto al florecer, su gracia compartamos

Que al compartir nuestra luz comúnmente, nuestra luz brille más
Un corazón a la vez, que el mundo sea atraído a Su faz
Y que cada vasija sencilla, humilde, o quebrantada
Pueda saborear las misericordias del Señor, sea sanada y libertada

Consideramos como basura todo dulce placer de este mundo
Proseguimos hacia la meta del tesoro verdadero del Reino

Le invitamos a unirse a nosotros, en este viaje alegre y de celebración gloriosa
Viajando con nosotros como invitado a Su coronación esplendorosa
Dando todo lo que somos y lo que tenemos a una cosa:
Para cenar pronto en el banquete ante Cristo, el humilde y Gran Rey.

La Cena del Señor: Cuatro puntos de vista

Rev. Terry G. Cornett

	Transubstanciación	Consubstanciación	Reforma	Conmemoración
Grupos	Católicos Romanos	Luteranos	Presbiterianos y otras iglesias Reformadas Episcopales	Bautistas, Menonitas, Pentecostales
Personaje Clave	Tomás de Aquino	Martin Lutero	Juan Calvino	Ulrich Zwinglio
La Presencia de Cristo	Después de ser consagrados por el sacerdote, el pan se transforma en el cuerpo de Cristo y el vino se transforma en la sangre de Cristo, de manera que Cristo está presente en los elementos mismos.	Los elementos no cambian pero Cristo está presente actualmente en, con, y bajo los elementos del pan y el vino.	Cristo no está presente literalmente en los elementos dado que el cuerpo de Cristo está en el cielo. Cristo está presente espiritualmente y operando en la participación de los elementos a través del Espíritu Santo cuando son recibidos en fe.	Cristo no está presente en los elementos ni espiritual ni literalmente.
Lo que toma lugar	Alimento espiritual es dado al alma que fortalece al participante espiritualmente y lo limpia de pecados veniales. El sacrificio de Cristo en la cruz se hace presente otra vez en cada misa.	Los pecados son perdonados y las promesas del nuevo pacto son confirmadas. El sacramento no tiene beneficio, a menos que los elementos sean recibidos en fe.	Cuando los elementos son recibidos en fe, el participante recibe alimento espiritual que fortalece el alma, se acerca a la presencia de Cristo y obtiene una experiencia renovada en la gracia de Dios.	El mandamiento de Cristo es obedecido y la muerte de Cristo es conmemorada para que el participante recuerde los beneficios de la salvación alcanzados por Su muerte sacrificial. El amor hacia Dios es renovado a través de la conmemoración de Su amor por nosotros.
Versos claves	Jn 6.53-58 Mt. 26.26 1Co. 10.16	Mt. 26.26 1Co. 10.16	Jn 6.63; 16.7 Col. 3.1	Lc 22.19 1Co. 11.24-25
Términos usados	Sacramento	Sacramento	Sacramento	Ordenanza
Preside	Sacerdote	Ministro ordenado	Líder de la Iglesia (Clérigo o laico)	Líder de la Iglesia (Clérigo o laico)

La complejidad de la diferencia: raza, cultura, clase

Don L. Davis and Terry Cornett

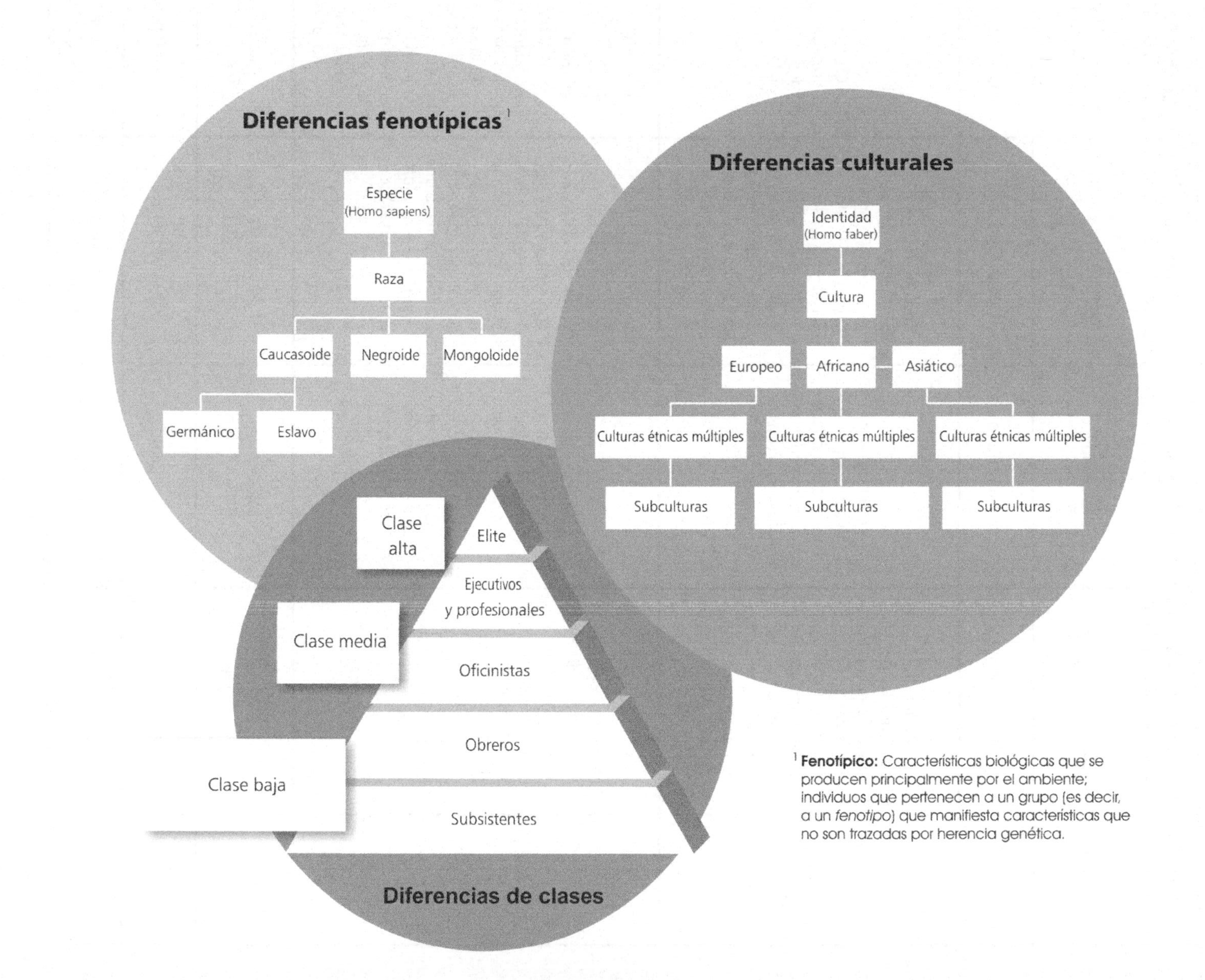

[1] **Fenotípico:** Características biológicas que se producen principalmente por el ambiente; individuos que pertenecen a un grupo (es decir, a un *fenotipo*) que manifiesta características que no son trazadas por herencia genética.

La ética del Nuevo Testamento

Viviendo lo opuesto del Reino de Dios

Rev. Dr. Don L. Davis

El principio de lo opuesto

El principio expresado	Escritura
Los pobres serán ricos, y los ricos serán pobres	Lucas 6.20-26
El que quebranta la ley y los indignos son salvos	Mateo 21.31-32
Los que se humillan serán exaltados	1 Pedro 5.5-6
Los que se exaltan serán humillados	Lucas 18.14
El ciego recibirá la vista	Juan 9.39
Quienes dicen que ven quedarán ciegos	Juan 9.40-41
Llegamos a ser libres al ser esclavos de Cristo	Romanos 12.1-2
Dios ha escogido lo necio del mundo para avergonzar a los sabios	1 Corintios 1.27
Dios ha escogido lo débil del mundo para avergonzar a los fuertes	1 Corintios 1.27
Dios ha escogido lo vil y menospreciado para deshacer las cosas que son	1 Corintios 1.28
Obtenemos el mundo por venir, al perder el mundo actual	1 Timoteo 6.7
Si ama esta vida, la perderá; odie esta vida, y obtendrá la siguiente	Juan 12.25
Se convierte en el más grande de todos al ser el siervo de ellos	Mateo 10.42-45
Al hacer tesoros aquí, uno se priva del galardón celestial	Mateo 6.19
Al hacer tesoros en lo alto, se obtiene la riqueza del cielo	Mateo 6.20
Acepte su propia muerte a fin de vivir en plenitud	Juan 12.24
Libérese de toda reputación terrenal para ganar el favor celestial	Filipenses 3.3-7
Los primeros serán los últimos, y los últimos serán primeros	Marcos 9.35
La gracia de Jesús se perfecciona en su debilidad, no en su fortaleza	2 Corintios 12.9
El más elevado sacrificio para Dios es la contrición y el quebrantamiento	Salmo 51.17
Es mejor darle a otros que recibir algo de ellos	Hechos 20.35
Dé todo lo que tenga para que pueda recibir lo mejor de Dios	Lucas 6.38

La historia de Dios: Nuestras Raíces Sagradas

Rev. Dr. Don L. Davis

El Alfa y el Omega	Christus Victor	Ven, Espíritu Santo	Tu Palabra es Verdad	La Gran Confesión	Su vida en nosotros	Viviendo en el camino	Renacido para servir
El Señor Dios es la fuente, sostén y fin de todas las cosas en los cielos y en la tierra. Porque de él, y por él, y para él, son todas las cosas. A él sea la gloria por los siglos. Amén. Rom. 11:36.							
EL DRAMA DESPLAYADO DEL TRINO DIOS La auto-revelación de Dios en la creación, Israel y Cristo				LA PARTICIPACIÓN DE LA IGLESIA EN EL DRAMA DESPLAYADO DE DIOS Fidelidad al testimonio apostólico de Cristo y Su Reino			
El fundamento objetivo: El amor soberano de Dios ***La narración de Dios sobre su obra de salvación en Cristo***				**La práctica subjetiva: Salvación por gracia mediante la fe** ***La respuesta gozosa de los redimidos por la obra salvadora de Dios en Cristo***			
El Autor de la historia	*El Campeón* de la historia	*El Intérprete* de la historia	*El Testimonio* de la historia	*El Pueblo* de la historia	*La Re-creación* de la historia	*La Encarnación* de la historia	*La Continuación* de la historia
El Padre como el *Director*	Jesús como el *Actor Principal*	El Espíritu como el *Narrador*	La Escritura como el *Guión*	Como santos, *Confesores*	Como adoradores, *Ministros*	Como seguidores, *Peregrinos*	Como siervos, *Embajadores*
Cosmovisión Cristiana	***Identidad*** Común	***Experiencia*** espiritual	***Autoridad*** Bíblica	***Teología*** Ortodoxa	***Adoración*** Sacerdotal	***Discipulado*** Congregacional	***Testigo*** del Reino
Visión teísta y trinitaria	Fundamento Cristo-céntrico	Comunidad habitada y llena del Espíritu	Testimonio canónico apostólico	Afirmación del credo antiguo de fe	Reunión semanal en la asamblea cristiana	Formación espiritual colectiva contínua	Agentes activos del Reino de Dios
Voluntad Soberana	Representación mesiánica	Consolador Divino	Testimonio Inspirado	Repetición verdadera	Gozo sobresaliente	Residencia fiel	Esperanza Irresistible
Creador Verdadero hacedor del cosmos	**Recapitulación** *Tipos* y cumplimiento del pacto	**Dador de vida** Regeneración y adopción	**Inspiración Divina** La Palabra inspirada de Dios	**La confesión de fe** Unión con Cristo	**Canto y celebración** Recitación histórica	**Supervisión pastoral** Pastoreo del rebaño	**Unidad explícita** Amor para los santos
Dueño Soberano de toda la creación	**Revelador** Encarnación de la Palabra	**Maestro** Iluminador de la verdad	**Historia sagrada** Registro histórico	**Bautismo en Cristo** Comunión de los santos	**Homilías y Enseñanzas** Proclamación profética	**Espiritualidad compartida** Viaje común a través de las disciplinas espirituales	**Hospitalidad radical** Evidencia del reinado del Reino de Dios
Gobernador Controlador bendito de todas las cosas	**Redentor** Reconciliador de todas las cosas	**Ayudador** Dotación y poder	**Teología bíblica** Comentario divino	**La regla de fe** El Credo Apostólico y El Credo Niceno	**La Cena del Señor** Re-creación dramática	**Encarnación** *Anamnesis y Prolepsis* a través del año litúrgico	**Generosidad excesiva** Buenas obras
Cumplidor del pacto Fiel prometedor	**Restaurador** Cristo, el vencedor sobre los poderes del mal	**Guía** Presencia Divina y gloria de Dios	**Alimento espiritual** Sustento para El viaje	**El Canon Vicentino** Ubicuidad, antigüedad, universalidad	**Presagio escatológico** El YA y El Todavía No	**Discipulado efectivo** Formación espiritual en la asamblea de creyentes	**Testimonio evangélico** Haciendo discípulos a todo grupo de personas

La historia que Dios está contando

Rev. Don Allsman

Título del capítulo	Resumen del capítulo	Tema del versículo
Un intento de golpe (Antes del tiempo) Génesis 1:1a	Dios existe en perfecta armonía antes de la creación. El diablo y sus seguidores se rebelan y traen el mal a existir	En el principio era el Verbo, y el Verbo era con Dios, y el Verbo era Dios. Este era en el principio con Dios. Todas las cosas por él fueron hechas, y sin él nada de lo que ha sido hecho, fue hecho (Juan 1:1-3).
Insurrección (Creación y la Caída) Génesis 1:1b – 3:13	Dios crea al hombre a su imagen, quien después se une a Satanás en rebelión	Por tanto, como el pecado entró en el mundo por un hombre, y por el pecado la muerte, así la muerte pasó a todos los hombres, por cuanto todos pecaron (Rom. 5:12).
Preparándose para la invasión (Patriarcas, reyes y profetas) Génesis 3:14 – Malaquías	Dios lucha por apartar un pueblo propio, de donde saldría un rey para librar a la humanidad, incluyendo los gentiles. Los indicios de sus planes de batalla se insinúan en el camino	Que son israelitas, de los cuales son la adopción, la gloria, el pacto, la promulgación de la ley, el culto y las promesas; de quienes son los patriarcas, y de los cuales, según la carne, vino Cristo, el cual es Dios sobre todas las cosas, bendito por los siglos. Amén. (Rom. 9:4-5).
Victoria y Rescate (Encarnación, tentación, milagros, resurrección) Mateo – Hechos 1:11	El Salvador viene a dar un golpe para desarmar a su enemigo.	Para esto apareció el Hijo de Dios, para deshacer las obras del diablo (1 Juan 3:8b).
El ejército avanza (La Iglesia) Hechos 1:12 – Apocalipsis 3	El Salvador revela su plan de un pueblo asignado a tomar posesión progresiva del enemigo al disfrutar de un anticipo del Reino por venir.	para que la multiforme sabiduría de Dios sea ahora dada a conocer por medio de la iglesia a los principados y potestades en los lugares celestiales, conforme al propósito eterno que hizo en Cristo Jesús nuestro Señor (Ef. 3:10-11).
El conflicto final (La Segunda Venida) Apocalipsis 4 – 22	El Salvador vuelve a destruir a su enemigo, casarse con su novia, y reanuda su legítimo lugar en el trono	Luego el fin, cuando entregue el reino al Dios y Padre, cuando haya suprimido todo dominio, toda autoridad y potencia. Porque preciso es que él reine hasta que haya puesto a todos sus enemigos debajo de sus pies. Y el postrer enemigo que será destruido es la muerte (1 Cor. 15:24-26).
La guerra entre los reinos	El hilo conductor de la narración de la Biblia es la guerra	Los reinos del mundo han venido a ser de nuestro Señor y de su Cristo; y él reinará por los siglos de los siglos. (Ap. 11:15b).

Es un mundo en el que suceden cosas terribles y cosas maravillosas también. Es un mundo en el que la bondad se enfrenta contra el mal, el amor contra el odio, el orden contra el caos, en una gran lucha donde a menudo es difícil estar seguro de quién pertenece a qué lado porque las apariencias engañan. Sin embargo, a pesar de su confusión y lo salvaje, es un mundo en el que la batalla continúa en última instancia hacia el bien, donde se vive para siempre feliz, y donde a largo plazo a todos, buenos y malos por igual, se dan a conocer por su verdadero nombre.

~ Frederick Buechner. *Telling the Truth (Decir la Verdad).*

La joroba

Rev. Dr. Don L. Davis • 1 Timoteo 4:9-16; Hebreos 5:11-14

El/La cristiano/a bebé El/La nuevo/a creyente y las disciplinas espirituales		**El/La cristiano/a maduro/a** El/La creyente maduro/a y las disciplinas espirituales
Se siente raro/a	Deseo del corazón	Aplicación fiel
Falta de habilidad	Una meta clara	Gracia
Errores	Plan realizable	Respuesta automática
Rudeza	Apoyo sólido	Comodidad
Comportamiento esporádico	Conocimiento correcto	Satisfacción personal
Inconformidad	Esfuerzo fiel	Excelencia
Ineficiencia	Buenos ejemplos	Pericia
Rendimiento de novato/a	Período extendido de tiempo	Entrena a otros
	Paciencia	
	Aplicación correcta de las disciplinas espirituales	

La salvación significa unirse al pueblo de Dios

Terry Cornett

I. La manera más significativa para definir la salvación en el contexto bíblico es describirla como estar unido al pueblo de Dios.

A. Antiguo Testamento

1. El prototipo de la imagen de la salvación en el Antiguo Testamento es el Éxodo, en el cual Dios "salvó" a su pueblo del dominio y esclavitud en Egipto.

   a. El ser salvo significó estar unido al pueblo de Dios, que estaban siendo libertados de la esclavitud y colocados directamente bajo el señorío, leyes, protección, provisión y presencia de Dios.

   b. Éx. 6.7 - Y *os tomaré por mi pueblo* y seré vuestro Dios; y vosotros sabréis que yo soy Jehová vuestro Dios, que os sacó de debajo de las tareas pesadas de Egipto. (comp. Lv. 26.12; Dt. 4.20, Os. 13.4).

2. La elección de Dios de Israel como "su pueblo" les dio una singular posición entre todos los pueblos de la tierra.

   a. Dt. 7.6 - Porque tú eres pueblo santo para JEHOVÁ tu Dios; *Jehová tu Dios te ha escogido para serle un pueblo especial, más que todos los pueblos que están sobre la tierra* (comp. Dt. 14.2, 26.18, 33.29).

   b. Dt. 27.9 - Moisés, con los sacerdotes levitas, habló a todo Israel, diciendo: Guarda silencio y escucha, oh Israel; *hoy has venido a ser pueblo de Jehová tu Dios.*

3. La manera de la salvación para cualquiera que no fuera israelita, era unirse al pueblo de Dios.

   a. Éx. 12.37-38, 48 - Partieron los hijos de Israel de Ramesés a Sucot, como seiscientos mil hombres de a pie, sin contar los niños. [38] *También subió con ellos grande multitud de toda clase de gentes*, y ovejas, y muchísimo ganado.... *Mas si algún extranjero morare contigo, y quisiere celebrar la pascua para JEHOVÁ, séale circuncidado todo varón, y entonces la celebrará, y será como uno de vuestra nación.*

La salvación significa unirse al pueblo de Dios (continuación)

b. Is. 56.3-8 - *Y el extranjero que sigue a JEHOVÁ no hable diciendo: Me apartará totalmente JEHOVÁ de su pueblo.* Ni diga el eunuco: He aquí yo soy árbol seco. [4] Porque así dijo JEHOVÁ: A los eunucos que guarden mis días de reposo, y escojan lo que yo quiero, y abracen mi pacto, [5] yo les daré lugar en mi casa y dentro de mis muros, y nombre mejor que el de hijos e hijas; nombre perpetuo les daré, que nunca perecerá. [6] Y a los hijos de los extranjeros que sigan a JEHOVÁ para servirle, y que amen el nombre de JEHOVÁ para ser sus siervos; *a todos los que guarden el día de reposo para no profanarlo, y abracen mi pacto, [7] yo los llevaré a mi santo monte, y los recrearé en mi casa de oración; sus holocaustos y sus sacrificios serán aceptos sobre mi altar*; porque mi casa será llamada casa de oración para todos los pueblos. [8] *Dice JEHOVÁ el Señor, el que reúne a los dispersos de Israel: Aún juntaré sobre él a sus congregados.*

4. El Nuevo Testamento sugiere que aun Moisés (de raza hebrea, pero culturalmente criado como egipcio, por lo tanto, un extranjero) tuvo que tomar una decisión consciente de unirse al pueblo de Dios, en fe, para poder experimentar la salvación.

   Heb. 11.25 - *Escogiendo* [Moisés] *antes ser maltratado con el pueblo de Dios*, que gozar de los deleites temporales del pecado.

5. Resumen: [En el Antiguo Testamento] la salvación vino, no por el mérito del hombre, sino porque el hombre pertenecía a una nación peculiarmente escogida por Dios ("Salvación", *International Standard Bible Encyclopedia* [Electronic ed.]. Cedar Rapids: Parsons Technology, 1998).

B. Nuevo Testamento

" . . . quien se dio a sí mismo por nosotros para redimirnos de toda iniquidad *y purificar para sí un pueblo propio, celoso de buenas obras* (Tito 2.14).

1. Tanto Pedro como Pablo sugieren que el punto de vista de la salvación en el Nuevo Testamento también está centrado, así como en el Antiguo Testamento, en que Dios llama y separa a un pueblo, pero que el pueblo "llamado fuera" está ligado a Cristo y su Iglesia, más que a una "nación" política o étnica.

La salvación significa unirse al pueblo de Dios (continuación)

a. 1 Pe. 2.9-10 - *Mas vosotros sois linaje escogido, real sacerdocio, nación santa, pueblo adquirido por Dios*, para que anunciéis las virtudes de aquel que os llamó de las tinieblas a su luz admirable; [10] *vosotros que en otro tiempo no erais pueblo, pero que ahora sois pueblo de Dios; que en otro tiempo no habíais alcanzado misericordia, pero ahora habéis alcanzado misericordia.*

b. Hch. 15.14 - Simón ha contado cómo Dios visitó por primera vez a los gentiles, *para tomar de ellos pueblo para su nombre.*

c. Ef. 2.13, 19 - Pero ahora en Cristo Jesús, vosotros que en otro tiempo estabais lejos, habéis sido hechos cercanos por la sangre de Cristo . . . Así que ya no sois extranjeros ni advenedizos, *sino conciudadanos de los santos*, y miembros de la familia de Dios.

d. Ro. 9.24-26 - A los cuales también ha llamado, esto es, a nosotros, *no sólo de los judíos, sino también de los gentiles?* [25] Como también en Oseas dice: *Llamaré pueblo mío al que no era mi pueblo,* Y a la no amada, amada. [26] Y *en el lugar donde se les dijo: Vosotros no sois pueblo mío, Allí serán llamados hijos del Dios viviente.*

2. "Por otra parte, aunque el mensaje del [evangelio] en cada caso implica una estricta decisión personal, la persona que lo acepta entra a tener relaciones sociales con los otros que ya lo habían aceptado. *De modo que la salvación involucra la admisión en una nueva comunidad de servicio* (Mc. 9.35, etc.)" (*International Standard Bible Encyclopedia* [Electronic Edition]).

II. Las metáforas de la salvación: Unidos a un pueblo.

En la sociedad humana, se logra pertenecer a un "pueblo" (familia, clan, nación) por los siguientes métodos:

- nacimiento,
- adopción, o
- matrimonio en un grupo familiar

Así que el lenguaje del Nuevo Testamento sobre la salvación se apoya en estas tres metáforas principales para describir lo que sucede al momento de la salvación.

La salvación significa unirse al pueblo de Dios (continuación)

A. Nacimiento

1. Juan 1.12-13 - Mas a todos los que le recibieron, a los que creen en su nombre, les dio potestad de ser hechos hijos de Dios; [13] *los cuales no son engendrados de sangre*, ni de voluntad de carne, ni de voluntad de varón, *sino de Dios.*

2. Juan 3.3 - Respondió Jesús y le dijo: De cierto, de cierto te digo, *que el que no naciere de nuevo, no puede ver el reino de Dios.*

3. 1 Pe. 1.23 - *Siendo renacidos*, no de simiente corruptible, sino de incorruptible, por la palabra de Dios que vive y permanece para siempre.

4. 1 Pe. 1.3 - Bendito el Dios y Padre de nuestro Señor Jesucristo, *que según su grande misericordia nos hizo renacer* para una esperanza viva, por la resurrección de Jesucristo de los muertos.

B. Adopción

1. Ro. 8.23 - No sólo ella, sino que también nosotros mismos, que tenemos las primicias del Espíritu, nosotros también gemimos dentro de nosotros mismos, *esperando la adopción*, la redención de nuestro cuerpo.

2. Ef. 1.4-6 - Según nos escogió en él antes de la fundación del mundo, para que fuésemos santos y sin mancha delante de él, [5] *en amor habiéndonos predestinado para ser adoptados hijos suyos por medio de Jesucristo*, según el puro afecto de su voluntad, [6] para alabanza de la gloria de su gracia, con la cual nos hizo aceptos en el Amado.

3. Gál. 4.4-7 - Pero cuando vino el cumplimiento del tiempo, Dios envió a su Hijo, nacido de mujer y nacido bajo la ley, [5] para que redimiese a los que estaban bajo la ley, *a fin de que recibiésemos la adopción de hijos.* [6] Y por cuanto sois hijos, Dios envió a vuestros corazones el Espíritu de su Hijo, el cual clama: ¡Abba, Padre! [7] *Así que ya no eres esclavo, sino hijo; y si hijo, también heredero de Dios por medio de Cristo.*

La salvación significa unirse al pueblo de Dios (continuación)

C. Matrimonio

1. Juan 3.29 - *El que tiene la esposa, es el esposo*; mas el amigo del esposo, que está a su lado y le oye, se goza grandemente de la voz del esposo; así pues, este mi gozo está cumplido. *[Dicho por Juan el Bautista en referencia a Cristo.]*

2. Ef. 5.31-32 - Por esto *dejará el hombre a su padre y a su madre, y se unirá a su mujer, y los dos serán una sola carne.* [32] Grande es este misterio; *mas yo digo esto respecto de Cristo y de la Iglesia.*

3. Ap. 19.7 - Gocémonos y alegrémonos y démosle gloria; *porque han llegado las bodas del Cordero, y su esposa se ha preparado.*

La senda de la sabiduría

Rev. Dr. Don L. Davis

La senda de la sabiduría {Proverbios 2.1-9; 8.1-9; 9.1-6; 1.7; 8.13}

Sembrando y cosechando {Gá. 6.7-8}

Sembrarás	Lo que piensas
Cosecharás lo que siembras	Cómo te vistes
Cosecharás más de lo que sembraste	Cómo hablas
Cosecharás en proporción a lo que siembras	Con quién te juntas
Cosecharás las cosas que siembras	Lo que escuchas y miras
Cosecharás en una época distinta a la que siembras	Lo que lees
Tú determinas lo que siembras	Dónde vas
Tu siembra puede ser diferente a la del último año	Cómo tomas decisiones
Cosechas más si cultivas y fertilizas	Tus metas
Tu siembra puede afectar lo que otros también cosechan	Lo que te resulta importante

La meta

Ser como Jesús
1 Co. 11.2
Ro. 8.29
Fil. 3.8-12

Amar a Dios con todo nuestro corazón
Dt. 6.4-6
Mt. 22.34-40

Amar al prójimo como a nosotros mismos
Lv. 19.18
Mt. 7.12

La senda de la vida { Proverbios 1.7-8; 4.13; 8.10; 9.9; 10.17; 13.18; 15.32-33; 23.23}

Doctrina (la forma)
2 Timoteo 3.16-17; Juan 8.31-32; I Juan 4.6

La senda estrecha {Mt. 7.13-14}

Instrucción en justicia (en la senda)
Sal. 3.3; 48.14; Is. 42.16; Sal. 125.4-5; 25.5; 27.11

Reprender (la forma de)
Proverbios 9.9; 11.14; 12.15; 15.22; 19.20; 20.18; 24.6; 13.10; 15.10

Is. 26.1-9

Corrección (la senda de retorno)
Proverbios 13.1; 19.20; He. 5.8; Mt. 26.39; Sal. 31.3; 119.35; 143.10; Pr. 6.20-23; Jer. 42.1-3

La senda que conduce a la muerte
Pr. 14.12; 16.25; 1.24-33; 2.10-22; 15.9; 15.19, 24, 29; 13.15; Job 15.20; Sal. 107.17; Ro. 2.9

La soberanía de Dios y la revelación universal

Teorías contrarias sobre Dios y el universo

Rev. Dr. Don L. Davis

No intento, Señor, penetrar Tu sublimidad, ya que mi entendimiento no está a esa altura. Pero anhelo hasta cierto punto entender tu verdad, la cual mi corazón cree y ama. No procuro entender a fin de creer, pero creo a fin de poder entender. Esto también creo: que a menos que crea, no entenderé.

~ Anselm. **Proslogion 1.**
Anselm of Canterbury, Volume 1:
Monologion, Proslogion, Debate with Gaunilo, and a Meditation on Human Redemption.
Edited and translated by Jasper Hopkins and Herbert W. Richardson.
New York: The Edwin Mellen Press, 1975. p. 93.

Primeramente se deben creer las cosas profundas de la fe cristiana antes de procurar hablar de ellas por medio de la razón. Pero somos negligentes si habiendo llegado a una fe firme, no procuramos entender lo que creemos. Por la gracia de Dios, considero que he guardado la fe de nuestra redención, de modo que aunque fuera totalmente incapaz de entenderla, nada podría sacudir la firmeza de mi creencia. Por favor muéstrame lo que, como sabes, muchos también procuran saber: ¿Por qué Dios, que es omnipotente, tuvo que asumir la pequeñez y debilidad de la naturaleza humana a fin de renovarla?

~ Anselm. **Cur Deus Homo** (Boso to Anselm) 1:2.
Why God Became Man and The Virgin Conception and Original Sin,
by Anselm of Canterbury. Albany, NY: Magi Books, 1969. p. 65.

Preguntas para reflexionar

- Según Anselmo, ¿cuál es la relación entre creer y entender las verdades de la fe cristiana?
- ¿Por qué cree Anselmo que está equivocado el no llevar las verdades de nuestra creencia cristiana a los niveles más profundos de la razón y la argumentación?
- ¿Qué es más crucial para el entendimiento teológico: nuestra reflexión sobre la verdad que entendemos o nuestro compromiso por entender la verdad que no entendemos? Explique su respuesta.

La soberanía de Dios y la revelación universal (continuación)

*Todas las referencias a Erickson en este bosquejo se refieren a: Millard J. Erickson, **Introducing Christian Doctrine**. Grand Rapids: Baker Books, 1992.*

I. La soberanía y revelación de Dios

A. Definición de revelación (Erickson, p. 33)

1. Dios no puede ser conocido a menos que se nos revele a sí mismo, Juan 6.44.

a. Somos finitos, mientras que Dios es infinito.

b. Somos pecadores, mientras que Dios es santo.

c. Somos humanos, mientras que Dios es divino.

2. Revelación general

3. Revelación especial

B. ¿Cuáles son "*los modos*" (es decir, *los medios por los cuales*) Dios se da a conocer a la humanidad en la revelación general? (Erickson, p. 34)

1. El orden físico creado (comp. Erickson, pp. 38-39)

a. Sal. 19

b. Ro. 1-2

c. Hechos 14.15-17

d. Hechos 17.22-31

2. Historia

a. Hechos 2.22-24

b. Preservación histórica de Israel

3. Seres humanos (capacidades y cualidades) *Imago Dei*

a. Persona Divina: personalidad

b. Intelecto: razón

c. Moralidad: conciencia

d. Espiritualidad: naturalezas religiosas

La soberanía de Dios y la revelación universal (continuación)

C. Preguntas acerca de la revelación general

1. ¿Es accesible a cada uno?

2. ¿Podemos entender las implicaciones de la misma?

3. ¿Realmente su contenido nos revela los propósitos de Dios?

4. ¿Podemos responderle con una fe salvífica?

II. La realidad y eficacia de la revelación general: ¿Es legítima y eficaz?

A. "Teología natural"

1. Suposición básica #1: Dios se ha dado a conocer en la naturaleza.

   a. Es objetivamente verificable.

   b. Está básicamente intacta.

2. Suposición básica #2: Los efectos de la caída o las limitaciones humanas naturales impiden que la humanidad perciba esta revelación.

3. Suposición básica #3: El orden de la mente humana corresponde al orden del universo.

   a. Congruencia de la mente y el mundo

   b. La suficiencia de las leyes de lógica

   c. La suficiencia básica de la razón únicamente

B. *Tomás de Aquino*: El teólogo de la teología natural por excelencia (Erickson, p. 35)

1. Argumento *cosmológico* (Erickson, p. 35)

2. Argumento *teleológico* (Erickson, p. 35)

3. Argumento *antropológico*, (Immanuel Kant) (Erickson, p. 36)

4. Argumento *ontológico*, (Anselmo) (Erickson, p. 36)

C. Problemas con la teología natural

La soberanía de Dios y la revelación universal (continuación)

1. Las pruebas *pueden obrar en nuestra contra:* tienen huecos y grietas (Erickson, p. 37).

2. Las suposiciones que implican pueden ser *indemostrables* (Erickson, p. 37).

3. Algunas contienen *defectos lógicos*: ¿puede discutir eficazmente al comparar lo que es observable con lo que no es (o no ha sido) experimentado?(Erickson, p. 37)

4. Otras explicaciones alternativas tratan con la misma evidencia de un modo diferente: la teleología contra la mutación (Erickson, p. 38).

5. ¿Manifiestan las pruebas qué tipo de Dios es ese Dios? (¿Y la existencia del mal, "theodicea"?) (Erickson, p. 38)

D. Juan Calvino: La revelación general sin una teología natural (Erickson, p. 39)

1. La revelación de Dios en la naturaleza es *objetiva y válida.*

2. A causa del pecado humano y las limitaciones debidas a aquel pecado, *la humanidad no puede percibir a Dios adecuadamente* en la revelación general (Erickson, p. 39).

3. La *falibilidad humana*, por lo tanto, restringe la eficacia (es decir, adecuación, efectividad) de la revelación general para la humanidad no regenerada (Erickson, p. 40).

4. Necesitamos "*los lentes de la fe*" (Erickson, p. 40).

E. ¿Puede la revelación general proporcionar suficiente contenido para que alguien sea salvo?

1. El caso en contra

   a. ¿Qué de la fe personal en Jesucristo?

   b. ¿Qué de la necesidad de Romanos 10?

   c. ¿Qué del impulso "de ir por todo el mundo?" (Comp. Mat 28.18-20)

2. El caso a favor

Básicamente, esta es la perspectiva que Dios nos ha dado una revelación objetiva, válida y racional sobre Sí mismo en la naturaleza, la historia, y la personalidad humana. Está allí para cualquiera que quiera observarla. La revelación general no es algo leído en la naturaleza por aquellos que conocen a Dios en base a otras cosas; está presente por la creación y la continua providencia de Dios.
~ **Erickson, p. 39.**

La soberanía de Dios y la revelación universal (continuación)

a. Nos entregamos a la misericordia de Dios

b. La analogía con los creyentes del Antiguo Testamento

c. Para ser salvo, ¿debe ser consciente de la provisión que ha sido hecha para su salvación?

d. La única base de salvación para el Antiguo y el Nuevo Testamento: la liberación de la Ley a través de Cristo (Gálatas 3-4)

III. Implicaciones de la revelación general

A. A causa de la revelación general, todos los seres humanos tienen acceso a la revelación de Dios de sí mismo.

1. Compartimos capacidades comunes.

2. Compartimos de la creación gloriosa de Dios.

B. La verdad acerca de Dios es accesible fuera de la revelación especial (Erickson, p. 41).

1. Esta verdad es objetiva.

2. Esta verdad es un suplemento la revelación especial de Dios, no la sustituye.

C. La revelación general elimina la declaración de inocencia de cualquiera que se rehúse a buscar a Dios.

1. El poder de Dios y su Deidad le son dados a conocer a todos.

2. Nuestra represión de esa verdad nos condena a todos.

D. La realidad de la religión en la experiencia humana surge de la revelación general.

1. Cada comunidad humana tiene un cierto conocimiento de Dios.

2. El impulso religioso es un intento de darle sentido a nuestro conocimiento suprimido y confuso de Dios en la revelación general.

La soberanía de Dios y la revelación universal (continuación)

E. La verdad bíblica y el orden de la creación son revelaciones de Dios, las cuales se corresponden y reafirman mutuamente (Erickson, p. 42).

1. Dios es la fuente para ambos tipos de revelación.

2. Como fuentes de la verdad acerca de Dios, se complementan y se suplementan mutuamente.

F. El conocimiento humano y la moralidad humana, en la medida que sean verdaderos, surgen de Dios (Erickson, p. 42).

1. Toda verdad, en todo lugar, en toda disciplina, es de Dios.

2. Toda justicia en cada esfera refleja la justicia de Dios.

3. El conocimiento humano y la justicia ética son "una chispa" de la llama del Todopoderoso.

La sombra y la sustancia

Rev. Dr. Don L. Davis

La teología de Christus Victor

Rev. Dr. Don L. Davis

	Lo prometido	La Palabra hecha carne	El Hijo del Hombre	El Siervo Sufriente	El Cordero de Dios	El Conquistador victorioso	El reinante Señor en los cielos	El Novio y Rey que viene
Marco bíblico	La esperanza de Israel sobre el ungido de Jehová quien redimiría a su pueblo	En la persona de Jesús de Nazaret, El Señor ha venido al mundo	Como el rey prometido y el divino Hijo del Hombre, Jesús revela la gloria del Padre y la salvación al mundo	Como inaugurador del Reino de Dios, Jesús demuestra el reinado de Dios presente a través de sus palabras, maravillas y obras	Como Sumo Sacerdote y Cordero Pascual, Jesús mismo se ofrece a Dios en nuestro lugar como sacrificio por los pecados	En su resurrección y ascención a la diestra del Padre, Jesús es proclamado como victorioso sobre el poder del pecado y la muerte	Mientras ahora reina a la diestra del Padre hasta que sus enemigos estén bajo sus pies, Jesús derrama sus beneficios sobre su Iglesia	Pronto el Señor resucitado y ascendido volverá para reunirse con su novia, la Iglesia, para consumar su obra
Referencias bíblicas	Is. 9:6-7 Jer. 23:5-6 Is. 11:1-10	Jn. 1:14-18 Mt. 1:20-23 Flp. 2:6-8	Mt. 2:1-11 Nm. 24:17 Lc. 1:78-79	Mc. 1:14-15 Mt. 12:25-30 Lc. 17:20-21	2 Cor. 5:18-21 Is. 52-53 Jn. 1:29	Ef. 1:16-23 Flp. 2:5-11 Col. 1:15-20	1 Cor. 15:25 Ef. 4:15-16 Hch. 2:32-36	Rom. 14:7-9 Ap. 5:9-13 1 Tes. 4:13-18
La historia de Jesús	El pre-encarnado unigénito Hijo de Dios en gloria	Su concepción por el Espíritu y su nacimiento por María	Su manifestación a los sabios de oriente y al mundo	Sus enseñanzas, expulsión de demonios, milagros y obras portentuosas	Su sufrimiento, crucifixión, muerte y sepultura	Su resurrección, con apariciones a sus testigos y su ascención al Padre	El envío del Espíritu santo y sus dones, y la reunión celestial de Cristo a la diestra del Padre	Su pronto regreso del cielo a la tierra como Señor y Cristo: La Segunda Venida
Descripción	La promesa bíblica para la simiente de Abraham, El profeta como Moisés, el hijo de David	Mediante la encarnación Dios ha venido a nosotros; Jesús revela a la humanidad la gloria del Padre en plenitud	En Jesús, Dios ha mostrado su salvación al mundo entero, incluyendo a los gentiles	En Jesús, el Reino de Dios prometido ha llegado visiblemente a la tierra, demostrando su atadura de Satanás y la anulación de la maldición	Como cordero perfecto de Dios, Jesús se ofrece a sí mismo a Dios como una ofrenda por el pecado en nombre del mundo entero	En su resurrección y ascensión, Jesús destruyó la muerte, desarmó a Satanás, y anuló la maldición	Jesús es colocado a la diestra del Padre como la Cabeza de la Iglesia, como el primogénito de entre los muertos y el supremo Señor en el cielo	Mientras trabajamos en su cosecha en el mundo, esperamos el regreso de Cristo, el cumplimiento de su promesa
Calendario litúrgico	**Adviento**	**Navidad**	**Después de la epifanía** Bautismo y Transfiguración	**Cuaresma**	**Semana Santa** Pasión	**La pascua** La pascua, el día de la ascensión, pentecostés	**Después de pentecostés** Domingo de la Santísima Trinidad	**Después de Pentecostés** El día de todos los santos, el reinado de Cristo el Rey
	La venida de Cristo	*El nacimiento de Cristo*	*La manifestación de Cristo*	*El ministerio de Cristo*	*El sufrimiento y muerte de Cristo*	*La resurrección y ascensión de Cristo*	*La reunión celestial de Cristo*	*El reinado de Cristo*
Formación espiritual	Mientras esperamos su regreso, proclamemos y afirmemos la esperanza de Cristo	Oh Verbo hecho carne, que cada corazón le prepare un lugar para morar	Divino Hijo de Hombre, muestra a las naciones tu salvación y gloria	En la persona de Cristo, el poder del reinado de Dios ha venido a la tierra y a la iglesia	Que los que comparten la muerte del Señor sean resucitados con Él	Participemos por fe en la victoria de Cristo sobre el poder del pecado, Satanás y la muerte	Ven, mora en nosotros Espíritu Santo y facúltanos para avanzar el Reino de Cristo en el mundo	Vivimos y trabajamos en espera de su pronto regreso buscando agradarle en todas las cosas

La teología de la asociación de Pablo

Nuestra unión con Cristo y compañerismo en el ministerio del Reino

Adaptado de Empowered Church Leadership. Por Brian J. Dodd. Downers Grove: InterVarsity Press, 2003.

El gusto apostólico por términos griegos compuestos, con el prefijo *"sin"* (con o co-)

Traducción del término griego	Referencias bíblicas
Colaborador (*Sinergós*)	Rom 16.3, 7, 9, 21; 2 Co. 8.23; Flp. 2.25; 4.3; Col. 4.7, 10, 11, 14; Filem. 1, 24
Compañero de prisión (*Sinaixmálotos*)	Col. 4.10; Filem. 23
Consiervo (*Síndoulos*)	Col. 1.7; 4.7
Compañero de milicia (*Sistratiótes*)	Flp. 2.25; Filem. 2
Compañero de lucha (*Sinathléo*)	Flp. 4.2-3

Trama del Año de la Iglesia

Rev. Ryan Carter

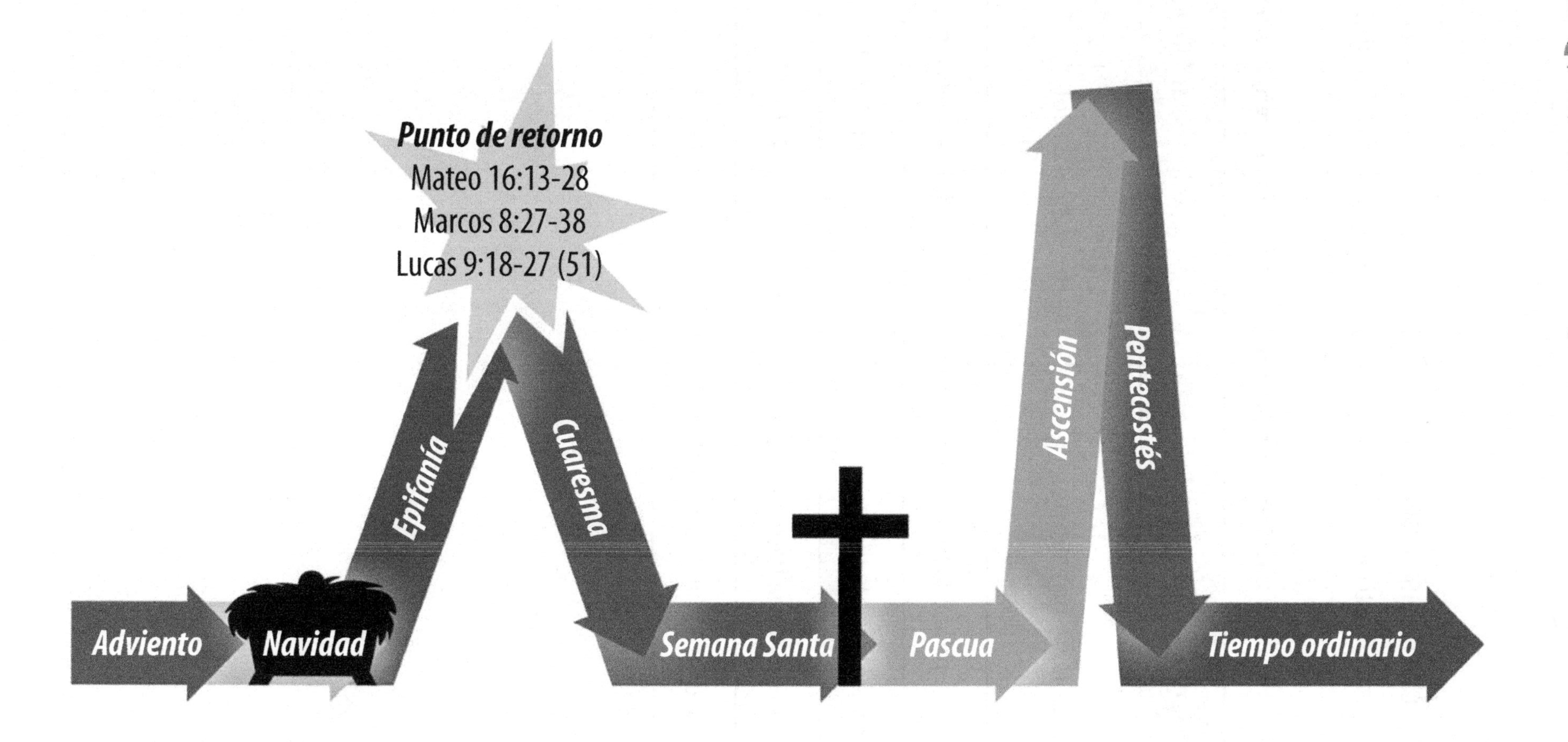

La vida de Cristo de acuerdo a las estaciones y años

*Adaptado de Ray E. Baughman, **La Vida de Cristo Visualizada***

Eventos clave - Primavera	Mateo	Marcos	Lucas	Juan	Eventos clave - Verano	Mateo	Marcos	Lucas	Juan	Eventos clave - Otoño	Mateo	Marcos	Lucas	Juan
5 A.C. - D.C. 26 - Nacimiento en Belén, pastores, ángeles - Adoración de Simeón, Ana, magos - Matanza de los niños de Belén - Hacia Egipto (Huida de José), María y Jesús) - Exilio egipcio termina, se mudan a Nazaret - Búsqueda de Jesús (12 años de edad, visita a Jerusalén)	 2.1-12 2.16-18 2.13-15 2.19-23 		 2.1-20 2.31-38 2.39-40 2.41-52	 1.14 						- Bautismo de Jesús (Río Jordán) - La tentación (Desierto of Judea) - Testimonio de Juan el Bautista - Los primeros cinco discípulos de Jesús (Jordan)	3.13-17 4.1-11 	1.9-11 1.12-13 	3.21-23 4.1-13 	 1.15-34 1.35-31
27 - Caná, convierte el agua en vino (primer milagro) - Capernaúm (primer viaje a su futuro hogar)				 2.1-11 2.12	- Primera Pascua durante el ministerio (Jerusalén) - Primera limpieza del templo (Jerusalén) - Entrevista de Nicodemo,(Jerusalén) - Juan y Jesús en Judea - Jesús deja Judea mientras Juan es encarcelado (Maqueronte)	 4.12	 1.14	 3.19-20	2.13 2.14 3.1-21 3.22-26 4.1-4	- La mujer en el pozo (Sicar) - Hijo de un noble es sanado (Jesús en Caná y el hijo en Capernaúm) - Jesús predica en sinagogas de Galilea, es bien recibido (Primer viaje a Galilea)		 1.14-15	 4.14	4.5-42 4.43-54
28 - Rechazo violento (1ro) en Nazaret - Gran pesca, llamado de los discípulos (Galilea) - Endemoniado sanado (Capernaúm) - Suegra de Pedro sanada - Viaje a Galilea (2do) con cuatro discípulos - Leproso sanado (enviado a Jerusalén) - Azotea abierta para hombre enfermo (Capernaúm) - Llamado de Mateo (Capernaúm)	 4.18-22 8.14-17 4.23-25 8.2-4 9.1-8 9.9-17	 1.16-17 1.21-22 1.29-30; 1.35-36 1.40-41 2.1-2 2.13-14	4.16-31 5.1-11 4.31-37 4.38-44 5.12-16 5.17-26 5.27-39		- Hombre impotente en el estanque (Jerusalén) - Los discípulos recogen espigas (Galilea) - Hombre con la mano seca (Capernaúm) - Jesús escoge a los doce apóstoles (Galilea) - Sermón del monte (cuernos de Hattin) - Siervo del Centurión sanado (Capernaúm) - Hijo de la viuda resucitado (Naín) - Discípulos de Juan investigan a Jesús (Galilea) - Primer ungimiento de los pies de Jesús (Capernaúm) - Viaje a Galilea (3er) con discípulos - Endemoniado, hombre ciego-mudo sanado (Capernaúm?) - Beelsebú cargado contra Jesús - Los amigos y la famlia creen que está fuera de sí	 12.1-8 12.9 5.1-8.1 8.5-13 11.2ff. 12.22-23 12.46-47	 2.23 3.1-12 3.13 3.20 y sig. 3.21, 32-35	 6.1-5 6.6-11 6.12 6.17 7.1-10 7.11 7.18 7.36 8.1-3 8.18-21	5.1-47 	- Parábolas del Reino de los cielos por el mar (Capernaúm) - Calma el viento y el mar - Endemoniado en el cementerio, cerdos enviados al mar (Gadarenos) - Cruzando de regreso el mar hacia Capernaúm y cuatro milagros: la hija de Jairo resucitada, una mujer toca el manto del Mesías - Dos ciegos y un mudo endemoniado sanados	13.1-53 8.18 8.28-34 9.18-26 9.27-34	4.1-34 4.35-41 5.1-20 5.21-43 	8.4-18 8.22-25 8.40-56 	

La vida de Cristo de acuerdo a las estaciones y años (continuación)

Año	Eventos clave - Primavera	Mateo	Marcos	Lucas	Juan
29	- Segundo rechazo en Nazaret	13.54-58	6.1-6		
	- Los doce enviados al frente (4to. Viaje a Galilea)	9.35-11.1	6.6-13	9.1-6	
	- Muerte de Juan el Bautista (Maqueronte)	14.1-12	6.14 y sig	9.7-9	
30	- Enseñando en Perea, advertido sobre Herodes - Sanidad de un hombre en sábado - Parábola sobre humildad, recompensas, excusas y discipulado - Oveja perdida, moneda, hijo - El hombre rico y Lázaro - Resurrección de Lázaro, Betania - Quieren matar a Jesús - Diez leprosos sanados, Samaria - Oración respondida, divorcio, los niños, el joven rico - Muerte y resurrección previstas - Hombres ciegos de Jericó - Transformación de Zaqueo - Última parada, 2do. ungimiento	19.1-22 19.16 20.17-18 20.29-30 26.6-13	10.1-31 10.32-45 10.46-52 14.3-9	13.22-23 14.1-2 14.7-14 15.1-32 16.19-20 17.11-12 18.1-30 18.31-32 18.35-43 19.1-10	10.40-42 11.1-2 11.45-54 12.1-8

Eventos clave - Verano	Mateo	Marcos	Lucas	Juan
- Alimentación de 5,000 (Mar de Galilea)	14.13-21	6.30-31	9.10-11	6.1-2
- Caminando en el agua, discurso acerca de "El pan de Vida"				6.16-59
- Comiendo sin lavarse las manos (Capernaúm)	15.1-2	7.1-23		
- La hija de sirofenicia sanada (Fenicia)	15.21-28	7.24-30		
- Hombre sordomudo sanado		7.31-37		
- Alimentación de 4,000 (Decápolis)	15.29-38	8.1-9		
- Fariseos y saduceos buscan una señal		8.10-13		
- Precaución ante la falsa enseñanza	16.5-6	8.13-15		
- Ciego sanado en Betsaida		8.22-26		
- Confesión de Pedro (Cesarea de Filipo)	16.13-20	8.27-30	9.18-21	
- Anuncio de muerte, resurrección y segunda venida	16.21-28	8.31-32	9.22-27	
- Transfiguración (Monte Hermón)	17.1-13	9.2-13	9.28-36	
- Muchacho endemoniado sanado	17.14-21	9.14-29	9.37-43	
- Anuncio de muerte y resurrección (rumbo a Galilea)	17.22-23	9.30-32	9.43-45	
- Moneda en el pez (Capernaúm)	17.24-27			
- Instrucciones a los discípulos	18.1-5	9.33-37	9.46-48	
- Domingo - Entrada triunfal	21.1-11	11.1-11	19.29-44	12.12-19
- Lunes - Segunda limpieza del Templo	21.12-22	11.12-26	19.45-48	12.20-50
- Martes - Jesús desafiado, Discurso de los Olivos	21.23-26.16	11.27-14.11	20.1-22.6	
- Miercoles				
- Jueves - Cena de la Pascua Aposento alto Getsemaní Arresto	26.17-56	14.12-52	22.7-53	13.1-18.11
- Viernes - Crucifixión, entierro	26.57-27.66	14.53-15.47	22.54-23.56	18.12-19.42
- Sabado - en la tumba				

Eventos clave - Otoño	Mateo	Marcos	Lucas	Juan
- Fiesta de Tabernáculo/Jerusalén				7.1-8.1
- Mujer adúltera				8.2-11
- La luz del mundo				8.12-59
- Hombre ciego sanado				9.1-41
- El discurso del Buen pastor				10.1-21
- Los setenta enviados (Judea)			10.1-24	
- El buen samaritano			10.25-37	
- Cena en casa de Marta y María (Betania)			10.38-42	
- Discípulos enseñados a orar			11.1-13	
- Acusado de vínculo con Beelzebú, endemoniado sanado			11.14-36	
- Comiendo con un fariseo			11.37-54	
- Hipocresía denunciada (Judea)			12.1-13.9	
- Parábolas sobre el servicio				
- Sanidad de mujer encorvada			13.10-21	
- Fiesta de la dedicación (Jerusalén)				10.22-23
- Terremoto debido a que el ángel mueve la piedra	28.1-4			
- Mujeres visitan la tumba	28.5-8	16.1-8	24.1-8	20.1-2
- Pedro y Juan visitan la tumba			24.9-12	20.2-3
- Jesús se aparece a María Magdalena (Jerusalén)		16.9-11		20.11-18
- Jesús aparece a otras mujeres	28.9-10			
- El informe de la guardia	28.11-15			
- Jesús aparece a discípulos en el camino a Emaús (y a Simón)		16.12-13	24.13-35	
- Jesús se aparece a 10 discípulos			24.36-43	20.19-25
- Jesús aparece a todos (Tomás)		16.14		20.26-31
- Jesús aparece a 7 discípulos por el mar de Galilea (segundo milagro del pez)				21.1-25
- Jesús aparece a 500 discípulos (comp. 1 Cor. 15.5-7)	28.16-20	16.15-18		
- La ascensión (Hechos 1.9-12)		16.19-20	24.44-53	

La visión profética como fuente de compromiso de fe bíblica

Rev. Dr. Don L. Davis

La fe es parte esencial de la vida humana. Los seres humanos confesamos, creemos y confiamos en las criaturas. *Y donde pongamos nuestra fe determina la percepción del mundo que adoptaremos. Puesta de otra manera, nuestro máximo compromiso de fe pone los marcos para nuestra perspectiva mundial.* Esto forma nuestra visión para un estilo de vida. La gente que duda de su percepción mundial es sacudida y siente que no tiene ningún fundamento para estar firme en ello. Ellos están a menudo en las convulsiones de una crísis psicológica. *Pero la crísis emocional es fundamentalmente religiosa porque nuestra percepción del mundo descansa en un compromiso de fe.*

¿Qué es un compromiso de fe? Es la forma en la que contestamos cuatro preguntas básicas que todos enfrentamos:

1) *¿Quién soy?* O, ¿cuál es la naturaleza, la tarea y el propósito de los seres humanos?

2) *¿Dónde estoy?* O, ¿cuál es la naturaleza del mundo y universo en el que vivo?

3) *¿Qué está mal?* O, ¿cuál es el problema básico u obstáculo que me detiene de lograr el cumplimiento? En otras palabras ¿cómo entiendo el mal?

4) *¿Cuál es el remedio?* O, ¿cómo es posible vencer este impedimento a mi cumplimiento? En otras palabras, ¿cómo encuentro la salvación?

Cuando hayamos contestado estas preguntas, eso es, cuando nuestra fe este afirmada, entonces empezamos a mirar la realidad en un modelo razonable. *De nuestra fe procede una percepción del mundo, que sin vida humana simplemente no puede continuar.*

~ Brian J. Walsh and J. Richard Middleton. **The Transforming Vision**. Downers Grove: InterVarsity Press, 1984. p. 35.

Las misiones en el siglo 21

¿Laborando con empresarios sociales?

Rebecca Lewis

Este artículo fue tomado de Mission Frontiers: El Boletín del US Center for World Mission, Vol. 27, No. 5; Septiembre-Octubre 2005; ISSN 0889-9436.

Rebecca Lewis pasó ocho años en Marruecos junto con un equipo de plantación de iglesias. En la actualidad elabora currículos para ayudar a los jóvenes a que aprendan cómo ellos pueden vivir sus vidas para los propósitos de Dios.

El desafío es el siguiente: ¿Cómo catalizar un "movimiento interno" para Cristo en una sociedad cerrada a la obra misionera tradicional? Para que esto suceda, el evangelio debe extenderse a través de redes sociales pre-existentes, las que llegan a ser la "iglesia". La gente no debe ser sacada de sus familias o comunidades hacia nuevas estructuras sociales a fin de llegar a ser creyentes. Tal parece que Dios está abriendo nuevas avenidas de oportunidades en las sociedades cerradas, por medio de la labor de agentes de cambios comunitarios – los empresarios laborando en la reforma social.

Históricamente, los modelos más exitosos para lograr cambios sociales duraderos no han sido el gobierno ni los negocios, sino la sociedad voluntaria (también conocida como el "sector ciudadano" o "sociedad civil"). La idea de los ciudadanos laborando juntos para reformar la sociedad, dio un gran paso durante el avivamiento evangélico iniciado por Juan Wesley en el siglo 18. De este avivamiento y del segundo gran avivamiento al inicio del siglo 19, salieron cientos de asociaciones o "sociedades" interdenominacionales voluntarias. Fundadas por empresarios sociales con visión, cada sociedad tocó cierto asunto, abarcando desde la abolición de la esclavitud hasta la creación de "escuelas dominicales" especiales para enseñar a los niños a leer, ya que trabajaban toda la semana.

¿Por qué no usar este exitoso modelo como un vehículo para avanzar los propósitos de Dios entre los grupos de pueblos menos alcanzados de la actualidad?

Hoy en día la puerta está bien abierta en la mayoría de países para personas que catalizarían iniciativas del pueblo y tocar problemas sociales. Alrededor del año de 1990 el número de organizaciones no lucrativas internacionales aumentó de 6,000 a 26,000, un crecimiento de más del 400%. También, cientos de miles de organizaciones no gubernamentales se han formado en países no occidentales. ¿A qué se debe tan repentino crecimiento? Primero, desde la caída de la Unión Soviética, muchos gobiernos han liberado el control de la economía y nutrido el sector privado. Segundo, los empresarios sociales y el sector de la sociedad civil ahora son ampliamente reconocidos por el éxito en la solución de problemas que antes no eran fáciles de manejar.

Las misiones en el siglo 21: ¿Laborando con empresarios sociales? (continuación)

Tercero, sería de mucha vergüenza para los gobiernos si trataran de bloquear las iniciativas no lucrativas, porque se ha establecido un valor global de "empatía" debido al rápido crecimiento del movimiento evangélico y la incorporación de valores cristianos en la educación secular en el ámbito mundial. Cuarto, existe una nueva apertura al cambio en lo general. Al ser expuestas las personas de lugares remotos al resto del mundo por medio de las comunicaciones masivas (ej. red cibernética, cable y televisión, teléfonos móviles, etc.), están reconsiderando sus patrones de conducta y creencias tradicionales. En todas partes la gente está poniendo su confianza en la educación y evaluando el progreso como nunca antes. Como resultado de ello, las comunidades locales como también los gobiernos nacionales, están apoyando las organizaciones de los ciudadanos que están procurando implementar soluciones a problemas del sistema.

Si el objetivo es producir movimientos internos para Cristo, ¿por qué trabajar con empresarios sociales? Los obreros cristianos pueden construir relaciones extensas con los líderes y las familias dentro de la comunidad asistiendo a los empresarios sociales (sean creyentes o no) con su visión al confrontar algún problema. Esta clase de amplias redes de relaciones – activamente trayendo cambio a la comunidad – son una excelente base para la extensión del evangelio en una forma que lleva hacia los movimientos internos. Al ayudar al sector civil, los obreros tienen una función que es comprensible y benéfica tanto a los ojos de la gente local como al gobierno. También, como Jesús, ellos pueden anunciar el Reino en el contexto de traer sanidad a la comunidad.

Para quienes deseen saber más sobre cómo encontrar y asistir a empresarios sociales, les recomiendo el fascinante libro de David Bornstein, *How to Change the World: Social Entrepreneurs and the Power of New Ideas* (Oxford University Press, 2003).

Las parábolas de Jesús

adaptado de La Biblia Hecha Fácil. Peabody: Hendrickson Publishers, 1997.

1	El buen samaritano	Lucas 10.30-37	21	La higuera estéril	Lucas 13.6-9
2	La oveja perdida	Lucas 15.4-6	22	La higuera sin hojas	Lucas 21.29-31
3	La moneda perdida	Lucas 15.8-10	23	La semilla de mostaza	Lucas 13.18-19
4	El hijo pródigo	Lucas 15.11-32	24	La levadura	Lucas 13.20-21
5	El administrador deshonesto	Lucas 16.1-8	25	Los invitados a la boda	Lucas 14.7-14
6	El hombre rico y Lázaro	Lucas 16.1-8	26	El gran banquete	Lucas 14.16-24
7	Los sirvientes	Lucas 17.7-10	27	La torre y el guerrero	Lucas 14.28-33
8	La viuda persistente	Lucas 18.2-5	28	El fariseo y el publicano	Lucas 18.10-14
9	Los talentos	Lucas 19.12-27	29	El regreso del dueño de la viña	Marcos 12.1-9
10	Los hombres malvados	Lucas 20.9-16	30	El crecimiento de la semilla	Marcos 4.26-29
11	La ropa nueva	Lucas 5.36	31	El trigo y la cizaña	Mateo 13.24-30
12	El vino nuevo	Lucas 5.37-38	32	El tesoro escondido	Mateo 13.44
13	La casa en la Roca	Lucas 6.47-49	33	La perla de gran precio	Mateo 13.45-46
14	Dos deudores	Lucas 7.41-43	34	La red	Mateo13.47-48
15	El sembrador	Lucas 8.5-8	35	El siervo deudor	Mateo18.23-24
16	La lámpara	Lucas 16.1-12	36	Los trabajadores en la viña	Mateo 20.1-16
17	Los sirvientes vigilantes	Lucas 12.35-40	37	Los dos hijos	Mateo 21.28-31
18	El amigo persistente	Lucas 11.5-8	38	Las diez vírgenes	Mateo 25.1-13
19	El hombre rico	Lucas 12.16-21	39	La oveja y las cabras	Mateo 25.31-36
20	El mayordomo fiel	Lucas 12.42-48	40	El banquete de bodas	Mateo 22.2-14

Lecturas acerca de la credibilidad histórica del Nuevo Testamento

Los informes históricos de Yeshúa: ¿Verdad o ficción?

versículos tomados de David H. Stern, ***La Biblia Judía Completa***

Lucas 1.1-4 - Puesto que ya muchos han tratado de poner en orden la historia de las cosas que entre nosotros han sido ciertísimas, tal como nos lo enseñaron los que desde el principio lo vieron con sus ojos, y fueron ministros de la palabra, *me ha parecido después de haber investigado con diligencia todas las cosas desde su origen, escribírtelas por orden*, oh excelentísimo Teófilo, para que conozcas bien la verdad de las cosas en las cuales has sido instruido.

Juan 20.30-31 - Hizo además Jesús muchas otras señales en presencia de sus discípulos, las cuales no están escritas en este libro. *Pero éstas se han escrito para que creáis que Jesús es el Cristo*, el Hijo de Dios, y para que creyendo, tengáis vida en su nombre.

Juan 21.24-25 - Este es el discípulo que da testimonio de estas cosas, y escribió estas cosas; y sabemos que su testimonio es verdadero. Y hay también otras muchas cosas que hizo Jesús, las cuales si se escribieran una por una, pienso que ni aun en el mundo cabrían los libros que se habrían de escribir. Amén.

La visión crítica moderna I: ¿Cuál es la credibilidad histórica del Nuevo Testamento?

Howard Clark Kee. ***Entendiendo el Nuevo Testamento. Englewood Cliffs, NJ: Prentice-Hall, 1983. pág. 9.***

Una vez que se reconoce que hay distintos puntos de vista dentro del Nuevo Testamento y que hay discrepancias dentro de los informes narrativos, *muchos piensan que la credibilidad del Nuevo Testamento como un documento histórico está comprometido o aun negado.* La sinceridad nos requiere reconocer, sin importar nuestro punto de vista, que los escritos registran eventos del Nuevo Testamento que ocurrieron por lo menos una generación antes que hayan sido escritos.

Cuando añadimos esto a la descripción propia de los discípulos como iletrados (Hch. 4.13), debemos reconocer que *había una etapa crucial de transmisión oral de la tradición de Jesús antes que los Evangelios fueran producidos así como los tenemos.* Las diferencias que son evidentes entre ellos no son en algunos casos cuestiones de gran importancia - como si la familia de Jesús vivió originalmente en Belén (Mat. 2) o si estaban sólo temporalmente allí, pero radicaban en Nazaret (Luc. 2). Sin embargo, un serio esfuerzo para entender el NT debe llegar a términos con estas diferencias para buscar tomarlos en cuenta.

Lecturas sobre la Credibilidad Histórica del Nuevo Testamento (continuación)

La visión crítica moderna II: ¿Son los informes de la pasión de Jesús propaganda?

También debemos llamar a duda si es apropiado para nosotros imponer nuestros estándares supuestos de objetividad histórica en documentos como el NT. Como Juan 20.31 dice, él ha reportado los hechos (señales) espectaculares de la historia de Jesús "para que creáis que Jesús es el Cristo, el Hijo de Dios". Claramente no todos sus lectores van a compartir sus conclusiones, pero él es franco en decir a sus lectores sus objetivos. Y esas metas no son un reportaje objetivo. *Usando el término en su sentido de origen, de un medio sin propagar un punto de vista o creencia, el Nuevo Testamento no es historia objetiva, sino propaganda.* Pero entonces la historia, en cualquier tiempo y cultura, siempre consiste en un evento más su interpretación o punto de vista. Lo que se requiere es estar al tanto de las suposiciones del escritor, las metas de las escrituras y lo que su vocabulario, estilo y lenguaje conceptual presuponen.

➢ *Howard Clark Kee.* ***Entendiendo el Nuevo Testamento. Englewood Cliffs, NJ: Prentice-Hall, 1983. pág. 9.***

La visión crítica moderna III: ¿Acaso la necesidad comunitaria dictó el mensaje?

Jesús de Nazaret es la base histórica para el reclamo cristiano de ser la comunidad del nuevo pacto. Pero, como hemos observado, nuestra evidencia documentaria acerca de Él fue escrita mucho antes de su muerte, probablemente en la última mitad del primer siglo. *Nuestros registros son una serie de respuestas a Jesús por los que vieron en él al agente de Dios, no los reportes de observadores independientes.* En el proceso de analizar estos documentos de fe aprendemos de Jesús, pero también aprendemos acerca de *las comunidades en las que la tradición sobre Su persona fue atesorada y transmitida.*

➢ *Howard Clark Kee.* ***Entendiendo el Nuevo Testamento. Englewood Cliffs, NJ: Prentice-Hall, 1983. pág. 78, 121.***

La muerte de Cristo fue en sí identificada con la Pascua en las iglesias paulinas (1 Cor. 5.7); y *en círculos juaninos* [es decir, en las iglesias de Juan], Jesús fue considerado como el Cordero de Dios (Juan 1.29; Ap. 5). Pero sólo Marcos estuvo complacido al afirmar que la muerte de Jesús fue necesaria, sin explicar por qué ni cómo, así que simplemente declara que la muerte de Jesús es en nombre de otros. Esto es lo que *la comunidad de Marcos* celebra en la comunión, mientras que ven hacia adelante a la culminación del número de los elegidos en la nueva era.

Lecturas acerca de la Iglesia

El Pueblo de Dios: Viviendo la aventura de la *Ekklesía*

1 Pe. 2.9-12 - Mas vosotros sois linaje escogido, real sacerdocio, nación santa, pueblo adquirido por Dios, para que anunciéis las virtudes de aquel que os llamó de las tinieblas a su luz admirable; [10] vosotros que en otro tiempo no erais pueblo, pero que ahora sois pueblo de Dios; que en otro tiempo no habíais alcanzado misericordia, pero ahora habéis alcanzado misericordia. [11] Amados, yo os ruego como a extranjeros y peregrinos, que os abstengáis de los deseos carnales que batallan contra el alma, [12] manteniendo buena vuestra manera de vivir entre los gentiles; para que en lo que murmuran de vosotros como de malhechores, glorifiquen a Dios en el día de la visitación, al considerar vuestras buenas obras.

La identificación de los cristianos como "el pueblo de Dios" aparece varias veces en el Nuevo Testamento (por ej., Lucas 1.17; Hechos 15.14; Tito 2.14; Heb. 4.9; 8.10; 1 Pe. 2.9-10; Apc. 18.4; 21.3). Pero es usado por Pablo con significado especial en Romanos 9.25-26; 11.1-2; 15.10, y 2 Corintios 6.16, para colocar a la Iglesia cristiana en el contexto de la larga historia de Dios en su trato con Israel, su pueblo escogido. "Pueblo de Dios", una expresión de pacto, habla del escogimiento y llamado de Dios de un pueblo particular en una relación de pacto (Ex. 19.5; Dt. 7.6; 14.2; Sal. 135.4; Heb. 8.10; 1 Pe. 2.9-10; Apc. 21.3). Ellos son la iniciativa llena de gracia y magnánima acción de Dios al crearlos, llamarlos, salvarlos, juzgarlos y sostenerlos. Y como pueblo de Dios, experimentan la presencia de Dios entre ellos.

~ Richard Longenecker, ed.
Community Formation in the Early Church and in the Church Today.
Peabody, MA: Hendrickson Publishers, 2002. p. 75.

Dónde comienza el estudio bíblico de liderazgo: La Iglesia como contexto para cambio en el mundo

[Un] estudio bíblico sobre el liderazgo debe empezar con la historia de la Iglesia que vino a existencia el Día de Pentecostés. El término *ekklesía* se usa más de cien veces en el Nuevo Testamento. De hecho, es prácticamente imposible entender la voluntad de Dios para nuestras vidas como creyentes sin comprender este maravilloso "misterio de Cristo" que ha "sido revelado por el Espíritu a los santos apóstoles y profetas de Dios" (Ef. 3.4-5).

Lecturas acerca de la Iglesia (continuación)

Más allá de los Evangelios, la mayoría del NT es la historia de "iglesias locales" y de cómo Dios desea que funcionen. En verdad, Cristo Jesús vino a poner el fundamento y a edificar su *ekklesía* (Mt. 16.18) y cuando le dijo a Pedro: "Edificaré mi *iglesia*", ciertamente Él estaba pensando más allá que el establecer una "iglesia local" en Cesarea de Filipo, donde se llevó a cabo esta conversación (Mt. 16.13-20)....

Por otra parte, Jesús también anticipaba la multitud de *iglesias locales* que serían establecidas en Judea y Samaria y a través del Imperio Romano, y eventualmente en todo el mundo como lo vemos en la actualidad. Esta historia comienza en el libro de Hechos y se extiende por un significativo período de tiempo durante el primer siglo (aproximadamente desde el año 33 D.C., hasta el año 63 D.C). Además, durante este tiempo, la mayor parte de las cartas del Nuevo Testamento fueron escritas a esas iglesias locales, o a personas como Timoteo y Tito, quienes estaban contribuyendo a establecer las iglesias.

~ Gene Getz. **Elders and Leaders.**
Chicago: Moody, 2003. pp. 47-48.

Un mundo que cambiar, un mundo que ganar

Si alguien va a cambiar el mundo para bien, deberían ser los cristianos, no los comunistas. En cuanto a mí, quisiera decir que si empezáramos a aplicar nuestro cristianismo en la sociedad donde vivimos, entonces seríamos nosotros, por cierto, quienes cambiaríamos el mundo. Además, los cristianos tienen un mundo que cambiar y un mundo que ganar. Si los primeros cristianos hubieran usado gritos de combate, éste hubiera sido uno de ellos. Pero también puede ser nuestro. No hay razón en lo más mínimo por la cual tales cosas debieran ser el monopolio de los comunistas *[y de los musulmanes, y los ateos, y los hedonistas, y los humanistas seculares, y los.]*

~ Douglas Hyde, **Dedication and Leadership**, pp. 32-33

Los que ponen el mundo de cabeza, han recibido lo que procuraban

El más amargo enemigo llegó a ser el más grande amigo. El blasfemo llegó a ser el predicador del amor de Cristo. La mano que escribió la acusación de los discípulos de Cristo cuando los traía delante de los magistrados y a la cárcel, ahora escribe epístolas del amor redentor de Dios. El corazón que una vez latió con gozo cuando Esteban se hundía bajo las piedras ensangrentadas, ahora se regocija por los latigazos que recibe y en ser apedreado por la causa de Cristo.

Lecturas acerca de la Iglesia (continuación)

De este anterior enemigo, perseguidor y blasfemo, resultó la mayor parte del Nuevo Testamento, las más nobles declaraciones de teología, las líricas más dulces de amor cristiano.

~ C. E. Macartney in **Dynamic Spiritual Leadership** by J. Oswald Sanders. pp. 33-34

Lecturas acerca del cuidado pastoral

Rev. Dr. Don L. Davis

El cuidado pastoral demanda discernimiento espiritual

El pastor estaba realmente preocupado porque en la iglesia no "sucedían" las cosas que él creía que el Señor deseaba en este tiempo crucial de crecimiento de la misma. Buscando el consejo de uno de sus diáconos líderes, el pastor preguntó: "¿Qué es lo que está mal en nuestra iglesia? ¿Es *ignorancia* o *apatía*?"

El diácono respondió, "*No sé,y no me interesa*!"

El cuidado pastoral se enfoca en el crecimiento hacia la madurez

La visión de Pablo de la iglesia y su ministerio *va en contra de las tendencias del siglo pasado.* Debido a que su visión eclesiástica es apostólica, evalúa nuestros métodos pastorales y ofrece a cualquier generación bases para iglesias y ministerios apropiados a cualquier persona, iglesia o era.

Si bien nuestra tarea pastoral implica una increíble variedad de tareas y responsabilidades, y si bien nuestro rol en la iglesia y en la comunidad nos ofrece muchas oportunidades para usar nuestros talentos y habilidades, todos nuestras labores son meramente *los medios para un fin divino.* Nosotros mismos somos un medio que Dios usa para cumplir un *propósito divino. Dios llama a los pastores para hacer crecer o edificar la iglesia.*

Cuando llegué a mi actual pastorado, me uní a una larga lista de pastores que sirven con el mismo fin. *Todos somos diferentes, y tenemos diferentes énfasis, oportunidades, talentos, y resultados; pero nuestra meta es singular. Existimos para construir el templo del Espíritu Santo. Estamos llamados a hacer crecer la iglesia de Cristo.* Es fácil confundir los medios con los fines. Cada individuo e iglesia lo hace. Pero el resultado puede ser trágico.

~ David Fisher. **The 21st Century Pastor.**
Grand Rapids: Zondervan, 1996. p. 192.

Lecturas acerca del cuidado pastoral (continuación)

Discernir y mirar la raíz de los problemas, es la clave para todo cuidado pastoral

1 Ts. 5.14-15 (NVI) - Hermanos, también les rogamos que amonesten a los holgazanes, estimulen a los desanimados, ayuden a los débiles y sean pacientes con todos. [15] Asegúrense de que nadie pague mal por mal; más bien, esfuércense siempre por hacer el bien, no sólo entre ustedes sino a todos.

Amonesten a los holgazanes

Estimulen a los desanimados

Ayuden a los débiles

Sean paciente con todos

No paguen mal por mal

Hagan el bien unos a otros y a todos

Lecturas acerca del Nuevo Testamento

El problema: ¿Quién precisamente fue Jesús de Nazaret?

Un hombre que no fuera más que es (un hombre) y dijera la clase de cosas que Jesús dijo, no sería un gran maestro sobre la moral. Sería un lunático - pudiéndosele comparar a alguien que dijera que es un huevo duro - o sino sería el diablo mismo. Usted debe escoger. O este hombre era, y es, el Hijo de Dios, o sino es un loco o algo peor.

➤ *C. S. Lewis,* ***Mero Cristianismo****. New York: Touchstone by Simon and Schuster, (1943) 1996. p. 52*

Díganos claramente: ¿Eres tú el Mesías, o no?

Siempre el centro de la preocupación de los judíos es la pregunta de preguntas, "¿acaso este galileo puede ser el Mesías?" Por su parte, Jesús no les da la respuesta inequívoca que ellos desean, sino que por medio de una sencilla parábola "sacada de la tradición antigua de Palestina", Juan 10.1-5, sí hace una encubierta declaración mesiánica. "Yo no soy un intruso", dice él en efecto, "sino el pastor legítimo del rebaño de Dios. No necesito señales para probar mi autoridad la cual es auténtica en sí misma: ésta yace en el hecho que mis ovejas siguen mi guía porque reconocen en mí los acentos y acciones del verdadero pastor de Israel" (vea Eze. 34).

➤ *Archibald M. Hunter,* ***La Obra y Palabras de Jesús****. Philadelphia: La Imprenta Westminster (1950) 1973. p. 134*

¿Por qué Jesús no se aferró más públicamente a su identidad como Mesías, silenciando así a sus adversarios?

Jesús sabía que era el Mesías, lo cual da a entender en sus propios términos durante su ministerio. ¿Qué quiere decir esto? Que él era la persona por quien se estaba llevando a cabo el gobierno de Dios y se cumplían las antiguas profecías. Pero cuando Pedro o Caifás procuraron adjudicarle el título, Jesús parece ser que se rehusó a ello y se refirió a sí mismo como el Hijo del Hombre. ¿Por qué? La única respuesta convincente es que Jesús concibió su mesianismo en términos espirituales y escatológicos, no nacionalistas y políticos. Una indicación de lo que significaba para él está en su respuesta a las preguntas de Juan el Bautista. "Yo soy", él en efecto responde, "el cumplidor de la grandes profecías de Isaías (Isa. 29.18-19; 35.5-6; y 61.1), y vengo a traer sanidad, vida, y buenas nuevas a los necesitados hijos de Dios". Otra clave que él da es su modo de entrar a la ciudad santa, la cual recuerda al príncipe de paz de Zacarías (Zac. 9.9-10). No fueron los salmos de Salomón sino los cantos sirvientes de Isaías y los salmos del Sufridor Justo (22, 69, etc.) que moldearon su pensamiento como Mesías".

➤ *Archibald M. Hunter,* ***La Obra y Palabras de Jesús****. p. 103*

Lecturas acerca del servicio

El concepto de Jesús acerca del servicio

Cuando Jesús habla a sus discípulos sobre el servicio, tiene dos cosas en mente. Primero está el servicio ofrecido *a Dios como autoridad suprema a quien les debe lealtad*, y segundo está el servicio que rinden *a la gente como una expresión de humildad y amor.*

~ David Bennett. **Metaphors of Ministry.** p. 25

Tomando ejemplo del maestro mismo: Jesús como siervo

Es en un asunto como el [servicio] que veo una característica distinguida que separa a los cristianos del resto del mundo: servimos porque Cristo era un siervo y claramente nos dijo que hagamos esto en memoria de Él.

No debemos servir porque nos hace sentir bien, o porque nos sirve como una forma de terapia. No debemos servir porque es un buen ejemplo para nuestros hijos. No debemos servir porque hará que las ruedas de la sociedad rueden con mayor facilidad.

Servimos porque Cristo era un siervo.

~ Kenneth H. Carter, Jr. **The Gifted Pastor.** p. 495

Lecturas sobre Cristo

Rev. Dr. Don L. Davis

¿Qué es el cristianismo sin Cristo?

El cristianismo sin Cristo es un baúl sin su tesoro, un marco sin una fotografía, un cuerpo sin vida.

~ John Stott. **Focus on Christ.**
Cleveland: William Collins Publishers, Inc., 1979.

¿De qué trata la Biblia?

¿De qué trata la Biblia? ¿Cómo puedo entender su significado? ¿Por qué hay sesenta y seis libros en la Biblia? ¿Cómo saber que se trata de la Palabra de Dios?

Todas estas preguntas se pueden responder con la palabra - Cristo.

Jesucristo es la llave tanto para la inspiración como para la interpretación de la Biblia. Además, es Cristo quien confirmó la colección de libros como completos y autoritativos.

~ Norman Geisler. **A Popular Survey of the Old Testament.**
Grand Rapids: Baker Book House, 1977. p. 11.

El final del linaje

[Mateo] es deliberadamente esquemático [por ejemplo, nos provee una mirada distinta], ya que tiene una intención teológica. Él señala que la historia del Antiguo Testamento se puede ubicar en aproximadamente tres lapsos de tiempo entre los eventos más sobresalientes:

- desde el primer pacto con Abraham hasta el establecimiento de la monarquía bajo el reinado de David;
- desde David hasta la destrucción y pérdida de la monarquía en el exilio babilónico;
- y desde el exilio hasta la venida del Mesías, siendo éste el único que podía ocupar el trono de David.

Jesús es así "la culminación del linaje" en lo que respecta a la historia del Antiguo Testamento. Por consiguiente, el A.T recorrió el camino completo para la preparación del Mesías y ahora su meta y clímax han sido alcanzados.

~ Christopher J. H. Wright. **Knowing Jesus through the Old Testament.**
Downers Grove: InterVarsity Press, 1992. pp. 6-7.

Lecturas sobre Cristo (continuación)

El centro cósmico y Todosuficiente

Jesús de Nazaret continúa disfrutando de una popularidad extraordinaria. La gente está fascinada por Él, aun a pesar de ellos mismos. Muchos de los que nunca llegan al punto de confesarlo como Dios y Salvador lo respetan con profunda admiración. Es cierto, hay otros que se indignan y le rechazan. Pero una cosa que la gente no puede hacer es ignorarlo y dejarlo a un lado.

En otras religiones e ideologías, Jesús tiene un alto honor . . . como T.R. Glover escribió en *The Jesus of History (El Jesús de la historia)*: "Jesús permanece como el corazón y el alma del movimiento cristiano, controlando a hombres aún, capturando a hombres aún . . . Definitivamente, no hay figura en la historia humana que signifique más. Los hombres lo pueden amar u odiar, pero lo hacen intensamente".

. . . Jesucristo es el centro del cristianismo y por lo tanto, la fe cristiana al igual que la vida cristiana, si son genuinas, deben enfocarse en Cristo. El difunto obispo Stephen Neill, en su libro *Christian Faith and Other Faiths, (La fe cristiana y otros credos)* escribió: "El antiguo dicho 'El cristianismo es Cristo' es verdadero. La figura histórica de Jesús de Nazaret es el criterio por medio del cual se debe evaluar cada afirmación cristiana, para ver si sigue en pie o se cae".

~ John Stott. **Life in Christ**.
Grand Rapids: Baker Books, 1991. p. 7.

El magnetismo de la enseñanza de Jesús: ¿De dónde vino?

¿Por qué era Jesús un maestro tan fascinante? ¿Qué causaba que estas grandes multitudes lo siguieran? Como respuesta, uno podría decir que lo que Jesús decía era lo que atraía a las multitudes. Con Jesús, la voz profética había vuelto otra vez a Israel después de 400 años. En el ministerio de Jesús, el Espíritu de Dios estaba nuevamente activo en Israel (compárelo con Mt. 12.28; Lc. 4.16-21). Dios una vez más estaba visitando a su pueblo y proclamando su voluntad. Una razón por la cual la gente venía a escuchar a Jesús era que muchos estaban convencidos que Dios estaba hablando a través de Jesús de Nazaret y lo que Él estaba diciendo era en efecto la Palabra de Dios (Lc. 5.1; 11.28; Mc. 4.14-20).

Sin duda, un factor adicional que entra en el cuadro involucra la personalidad de Jesús, pues la personalidad de Jesús le dio vida y dinamismo a su mensaje. Fue la Palabra hecha carne (Juan 1.14) el medio a través del cual y por el cual vino la Palabra de Dios. La gente disfrutaba escuchar a Jesús por la clase de persona que Él era. Los publicanos, los

Lecturas sobre Cristo (continuación)

pecadores, los niños, las multitudes – todos encontraban en Jesús a alguien cuya presencia era disfrutable. Por tanto no sólo era lo *que* enseñaba sino también *quién* era lo que atraía a las multitudes a escucharlo . . . El *qué* de su mensaje y el *quién*, por ejemplo, la "personalidad" y "autoridad" del mensajero, todo formaba parte para presentar a Jesús como un emocionante maestro.

~ Robert H. Stein. **The Method and Message of Jesus' Teachings**. Philadelphia: The Westminster Press, 1978. pp.7-8.

El desafío de las historias bíblicas

John Dominic Crossan

Los Evangelios son normativos para nosotros como cristianos, no sólo en su producción, es decir, en lo que han provocado, sino en el modo en que fueron escritos. Un evangelio regresa a los años veinte. El mismo escribe sobre Jesús a partir de la década del 20 hasta la década del 70, 80 y 90. Un evangelio siempre toma al Jesús histórico y lo dispone junto con el Cristo que creemos. Juan vuelve a escribir los años 20 como Marcos lo había hecho antes de él. El Jesús histórico sigue siendo algo crucial para el cristianismo, porque en cada generación de la Iglesia debemos rehacer el trabajo histórico y el teológico. No podemos eludirlo.

John Dominic Crossan es miembro original y primer asistente del Seminario Jesús como también presidente de la "Sección Histórica de Jesús" de la "Sociedad de Literatura Bíblica". Obtuvo un doctorado en divinidad en el Colegio Maynooth, en Irlanda. Sus estudios post doctorado se han enfocado en estudios bíblicos en el Instituto Bíblico Pontificio, en Roma, y en la investigación arqueológica en el Ecole Biblique, Jerusalem. Crossan ha enseñado en varios seminarios en el área de Chicago, siendo profesor de estudios religiosos en la Universidad DePaul por veintiséis años. Ha escrito más de una docena de libros sobre el Jesús histórico.

Cuando estoy frente a frente con un amigo budista, no puedo mirarlo y decirle con integridad: "nuestra historia sobre el nacimiento virginal de Jesús es verdadera y está basada en hechos. Tu historia que dice que Buda salió del vientre de su madre y ya caminaba, hablaba, enseñaba, y predicaba (debo admitir que es aún mejor que nuestra historia) - es un mito. Tenemos la verdad; tú crees una mentira".

No pienso que esto se pueda seguir diciendo, ya que insistir que nuestra fe es un hecho y que la fe de los otros es una mentira, es, pienso, un cáncer que carcome el corazón del cristianismo.

~ William F. Buckley, Jr. **Will the Real Jesus Please Stand Up?** Paul Copan, ed. Grand Rapids: Baker Books, 1998. p. 39.

Lecturas sobre Cristo (continuación)

Christus Victor: El Guerrero Mesías

Salmo 68.18 - Subiste a lo alto, cautivaste la cautividad, tomaste dones para los hombres, y también para los rebeldes, para que habite entre ellos JAH Dios.

Salmo 110.1-2 - Jehová dijo a mi Señor: Siéntate a mi diestra, hasta que ponga a tus enemigos por estrado de tus pies. Jehová enviará desde Sion la vara de tu poder; domina en medio de tus enemigos.

[*Christus Victor*] el tema central es la idea de la expiación como un conflicto y una victoria divinos; Cristo –*Christus Victor*– pelea y triunfa sobre los poderes malignos del mundo, 'el tirano' bajo el cual la humanidad está en esclavitud y sufrimiento, y en él Dios reconcilia al mundo para él… El trasfondo de la idea es dualista; Dios es representado en Cristo, como Aquel que obtiene la victoria en el conflicto contra los poderes del mal, los cuales son hostiles a su voluntad. En esto consiste la expiación, porque el drama es un drama cósmico, y la victoria sobre los poderes traspasan una nueva relación, una relación de reconciliación, entre Dios y el mundo; y todavía más, porque en cierta medida los poderes hostiles son considerados como un servicio a la voluntad de Dios, el Juez de todos, y los ejecutores de su juicio. Desde este punto de vista, el triunfo sobre los poderes contrarios es considerado como la reconciliación de Dios mismo; se reconcilia por el propio acto en el cual reconcilia al mundo para consigo.

~ Gustaf Aulen, **Christus Victor**.
New York: MacMillan Publishers, 1969. pp. 20-21.

El mismo Mesías resucitado es nuestra vida

Col. 3.1-4 - Si, pues, habéis resucitado con Cristo, buscad las cosas de arriba, donde está Cristo sentado a la diestra de Dios. Poned la mira en las cosas de arriba, no en las de la tierra. Porque habéis muerto, y vuestra vida está escondida con Cristo en Dios. Cuando Cristo, vuestra vida, se manifieste, entonces vosotros también seréis manifestados con él en gloria.

Debemos tener presente que en vez de darnos un objeto después del otro, Dios nos da a su Hijo. Por esta razón, siempre podemos levantar nuestros corazones y mirar al Señor, diciendo, "Señor, tú eres mi camino; Señor, tú eres mi verdad; Señor, tú eres mi vida. Eres tú Señor, quien está relacionado conmigo, no tus cosas". Pidámosle a Dios que nos dé gracia, que podamos ver a Cristo en todas las cosas espirituales. Día a día estamos convencidos que fuera de Cristo no hay camino, ni verdad, ni vida. ¡Con qué facilidad

Lecturas sobre Cristo (continuación)

decimos que algunas cosas son el camino, la verdad, y la vida! A veces denominamos un ambiente cálido como vida, o decimos que la vida es poder pensar con claridad. Consideramos las emociones fuertes o la conducta externa como la vida. Sin embargo, no son la vida. Deberíamos darnos cuenta que sólo el Señor es la vida, Cristo es nuestra vida. Y es el Señor que vive esta vida en nosotros. Pidámosle que nos libre de muchos asuntos externos y fragmentarios, que podamos tocarlo sólo a Él. Que podamos ver al Señor en todas las cosas - el camino, la verdad, y la vida están en conocerle a Él. Que podamos realmente encontrar al Hijo de Dios y dejarle vivir en nosotros. Amén.

~ Watchman Nee. **Christ, the Sum of All Spiritual Things**.
New York: Christian Fellowship Publishers, 1973. p. 20.

Lecturas sobre la profecía mesiánica

Rev. Dr. Don L. Davis

Rudolph Bultmann y las predicciones de la pasión y la resurrección

Rudolph Bultmann, Teología del Nuevo Testamento Vol. 1. Trans. Kendrick Grobel. New York: Charles Scribner's Sons, 1951. pp. 29-30

¿Y cómo pudo Jesús haber concebido *la relación de su regreso como Hijo del Hombre a su presente actividad histórica?* Él tendría que haber contado con ser removido de la tierra y levantado al cielo antes del Final Mayúsculo, la irrupción del reinado de Dios, para poder venir de allí en las nubes del cielo y realizar su oficio real. Pero, ¿cómo podría haber concebido el ser removido de la tierra?

¿Como un *traslado milagroso?* Entre sus dichos no hay rastro de alguna idea tan fantástica. ¿Como *salida por muerte natural*, entonces? Sus declaraciones tampoco hablan de algo así.

¿Por *una muerte violenta, entonces?* Pero si es así, ¿podría contar con eso con una certeza absoluta–como la conciencia de ser levantado a la dignidad de la venida del Hijo del Hombre podría presuponer?

Para estar seguro, *las predicciones de la pasión* (Mar. 8.31; 9.31; 10.33-34; comp. 10.45; 14.21, 41) predicen su ejecución como preordenada divinamente. *¿Pero puede haber alguna duda que todas son vaticinia ex eventu (latín: profetizado después del evento)?* ¡Además, no hablan de su parousia! Y las predicciones de la parousia (Mar. 8.38; 13.26-27; 14.62; Mat. 24.27, 37, 44) por parte de ellos, no hablan de la muerte y resurrección del Hijo del Hombre.

Claramente las predicciones de la parousia originalmente no tenían nada que ver con las predicciones de muerte y resurrección; es decir, en los dichos que hablan de la venida del Hijo del Hombre no está la idea que el mismo ya estaba aquí en persona y que debía ser cortado a través de la muerte antes que regresara del cielo.

Interpretación bíblica moderna: ¿No lo que sucedió sino qué predicó la Iglesia?

Rudolph Bultmann, Teología del Nuevo Testamento. Vol. 1. p. 31

Ahora, sí es cierto que en las predicciones de la pasión el concepto judío del Mesías-Hijo-del-Hombre es reinterpretado – o mejor dicho, singularmente enriquecido – en la medida en que la idea de un Mesías o Hijo del Hombre sufriendo, muriendo, y resucitando no era conocida por el judaísmo. Pero esta reinterpretación del concepto se hizo no por Jesús mismo, sino por la Iglesia ex eventu. Por supuesto, el intento se hizo para llevar la idea del sufrido Hijo del Hombre de regreso a la perspectiva de Jesús mismo, asumiendo que Jesús se consideraba a sí mismo como el siervo de Dios en Deutero-Isaías

Lecturas sobre profecía mesiánica (continuación)

que sufre y muere por el pecador, y fusiona las dos ideas (Hijo del Hombre y Siervo de Dios) en una sola figura del Hijo del Hombre que sufre, muere y resucita. Con el mismo principio, las dudas que surgen en cuanto a la historicidad de las predicciones de la pasión hablan contra este intento. Además, la tradición de los dichos de Jesús no revela ningún rastro de una conciencia, de su parte, de ser el Siervo de Dios de Isaías 53.

[Para la Iglesia primitiva] fue totalmente más significativo e impresionante que el Señor resucitado fuera quién previamente había muerto en la cruz. Aquí también se formulan con velocidad expresiones del tipo fórmula, como indica nuevamente la tradición de 1 Corintios 15.3-4 y también la descripción en Romanos 4.25: "El cual fue entregado por nuestras transgresiones, y resucitado para nuestra justificación" – una declaración que evidentemente existió antes de Pablo y se le había transmitido a él. Esto mismo se ve por las predicciones que Jesús pronunció en Marcos (y también en Mateo y Lucas) volviendo al kerygma helenista dentro de la predicación de Jesús.

➢ *Rudolph Bultmann, Teología del Nuevo Testamento. Vol. 1. pp. 82-83*

Profecía mesiánica: Algo más seguro

2 Pe. 1.19-21 - Tenemos también la palabra profética más segura, a la cual hacéis bien en estar atentos como a una antorcha que alumbra en lugar oscuro, hasta que el día esclarezca y el lucero de la mañana salga en vuestros corazones [20] entendiendo primero esto, que ninguna profecía de la Escritura es de interpretación privada, [21] porque nunca la profecía fue traída por voluntad humana, sino que los santos hombres de Dios hablaron siendo inspirados por el Espíritu Santo.

Preguntas acerca de la profecía mesiánica

1. ¿Qué *dice exactamente* la profecía?
2. ¿Cómo *la pone en claro* la vida y el ministerio de Jesús?
3. ¿Cómo alumbra mi entendimiento al respecto de...

   ¿lo que es el *plan maestro de* Dios para establecer su gobierno reinante?

   ¿Cuáles son *las conspiraciones del enemigo* para socavarla?

   ¿Qué podemos esperar a medida que Dios cumple Su Palabra?

Lecturas sobre tipología

Rev. Dr. Don L. Davis

Estudio de los símbolos fundamentales para el dominio del Nuevo Testamento

Ada R. Habershon, Estudio de los Símbolos. Grand Rapids: Kregel Publishing, (1957) 1974. Pág. 19, 21

Existen muchos pasajes en el Nuevo Testamento, los cuales no pueden entenderse sin haberse uno familiarizado de alguna manera con los tipos. La epístola a los Hebreos se refiere casi en su totalidad a referencias del Antiguo Testamento: está probado que Cristo es mejor que las sombras–mejor que Moisés, que Josué, que Abraham, que Aarón, que el primer tabernáculo, que los sacrificios levíticos, que la gran nube de testigos en la galería de héroes de la fe; y por último, que su sangre es mejor que la sangre de Abel.

A veces olvidamos que los escritores del Nuevo Testamento fueron *estudiantes del Antiguo Testamento*, el cual era *su Biblia*, y que es lógico que ellos hagan mención una y otra vez a los tipos y sombras, esperando que sus lectores se familiaricen con los mismos. *Si fallamos en mirar estas alusiones, perdemos mucho de la belleza del pasaje, y no podemos entenderlo correctamente...*

[El estudio de los tipos] nos sirve como un antídoto seguro para el veneno de la llamada "alta crítica". Si reconocemos la intención divina en cada uno de los detalles de los tipos, aunque no entendamos todas sus enseñanzas, y si creemos que existe una lección en cada incidente registrado, los ataques de la crítica moderna no nos harán daño. Probablemente no estemos lo suficientemente preparados para entender las declaraciones de estos críticos, o para responder a sus afirmaciones; pero si nuestros ojos han sido abiertos en lo que respecta a observar la belleza de los tipos, las dudas sugeridas por estos autores no nos perturbarán y no perderemos más el tiempo leyendo sus trabajos. En la medida que esta crítica destructiva crezca, lo mejor que podemos hacer es solicitar a todos (aun a los cristianos más jóvenes) a llevar a cabo un estudio tipológico de la Palabra de Dios; *ya que aunque Dios haya escondido estas cosas a los sabios y prudentes, se las revela a los niños.*

Hoy día, ¿estudiamos nosotros la Biblia de la misma manera y con los mismos métodos que el Señor y los apóstoles?

James DeYoung and Sarah Hurty, Más allá de lo Obvio. Gresham, o: Vision House Publishing, 1995. p. 24

Luego de haber enseñado por más de veinte años hermenéutica gramatical histórica, puedo mencionar únicamente un problema en esto: ¡no parece ser el método más usado por los escritores bíblicos! Cuando analizamos profundamente cómo los escritores bíblicos usaron la Escritura por ellos conocida, vemos que "descubren" en la misma, juzgando por su contexto original, un nuevo sentido que raramente pudo haber sido

Lecturas sobre tipología (continuación)

imaginado por el autor. Este problema es evidente en cómo los autores del Nuevo Testamento utilizaron pasajes del Antiguo Testamento para demostrar que Jesucristo había cumplido la profecía (o remarcar algún punto teológico).

¿Podemos o debemos nosotros reproducir la exégesis del Nuevo Testamento?

S. L. Johnson responde: "Sin vacilar la respuesta es sí, aunque no tengamos la infalibilidad del Señor y sus apóstoles. Ellos son profesores confiables de la doctrina bíblica y de la hermenéutica y exégesis. No sólo podemos reproducir su metodología exegética, debemos aprender de su entendimiento acerca de las Escrituras".

➤ *James DeYoung y Sarah Hurty, **Más allá de lo Obvio**. p. 265*

¿Qué de la tipología como un método válido e importante en la interpretación bíblica?

[Tipología] es un acercamiento genuino ampliamente empleado en el Nuevo Testamento. Por ejemplo, los mobiliarios del tabernáculo y los asuntos asociados al mismo, el templo (el altar y los sacrificios, el velo, la cobertura de oro del arca del pacto) todos son tipos de Cristo y del reino celestial (ver Hebreos 9). Cuando aplicamos el método tipológico, debemos evitar ser demasiado abiertos o contrario a esto, limitarnos demasiado en nuestras interpretaciones. Podemos caer en el hecho de ser muy abiertos y encontrar tipos en todas partes, o ser demasiados limitados rechazando la tipología como método de estudio, creyendo que por medio del estudio histórico gramatical que los tipos fueron utilizados únicamente por los autores del NT con el propósito de basar sus enseñanzas, utilizando o "descubriendo" conceptos que raramente podrían haber imaginado los autores originales....

Sin embargo, creemos que la tipología no debe estar separada de un estudio exegético, aunque no pueda ser completamente "regulada hermenéuticamente, sino que dé lugar a diferentes interpretaciones en la libertad del Espíritu Santo". Esto implica un sentido más profundo siendo llevado a cabo de esta manera en la historia bíblica (mire 1 Co. 10; Ro. 5).

➤ *James DeYoung y Sarah Hurty, **Más allá de lo Obvio**. p. 74*

Lecturas sobre tipología (continuación)

Diversos usos del término *tipos* en el Nuevo Testamento

Patrick Fairbairn, Simbología de la Escritura. Grand Rapids: Kregel Publishing. p. 42

El lenguaje de la Escritura es esencialmente popular y usa términos particulares que provienen de la libertad y variedad del lenguaje de un determinado pueblo. Rara vez (si es que hay excepciones) cuando se habla de temas que requieren un tratamiento teológico, se usan palabras precisas y uniformes para hacer posible su entendimiento, basando en esa única fuente su significado y plenitud apropiada.

La palabra tipo (griego: *typos*) no es ninguna excepción a esta regla.

- Ocurre una vez, al menos, en el sentido natural de *marca* o *impresión* hecha por una sustancia dura sobre un material más suave (Juan 20.25)
- Esto comúnmente apoya la tendencia general de *modelo, patrón, o ejemplo*, pero con una muy amplia diversidad de aplicación para entender un objeto material de adoración, o ídolo (Hch. 7.43)
- Un *marco externo* construido para el servicio de Dios (Hch. 7.44; Heb. 8.5)
- La *forma* o *copia* de una epístola (Hch. 23.25)
- Un *método de instrucción doctrinal* entregada por los primeros heraldos y maestros del evangelio (Ro. 7.17)
- Un *carácter representativo*, o en algunos aspectos, ejemplo corriente (Ro. 5.14; 1 Co. 10.11; Fil. 3.17; 1 Ts. 1.7; 1 Pe. 5.3)

Este es el uso diversificado de la palabra *tipo* en las Escrituras del Nuevo Testamento (disfrazado, sin embargo, bajo otros términos en la versión autorizada).

Es muy posible el mal uso de la tipología

J. Sidlow Baxter, El Asimiento estratégico de la Biblia.

Nos maravillamos de la capacidad y agilidad que tienen algunos hermanos bien intencionados de exhibir cosas que no están en el texto; y también con la superespiritualidad que muestran al publicar los detalles más suspicaces de la Escritura, a los cuales les otorgan un extraño significado.

"Las tres cestas blancas" que el desdichado panadero del Faraón soñó que estaban en su cabeza son para nosotros parte de una historia verdadera; pero el ver en ellas aportes recónditos sobre la doctrina de la Trinidad, hace que en parte nos riamos y que en parte lloremos. Sentimos el mismo tipo de reacción cuando se nos asegura que el cabello de la

Lecturas sobre tipología (continuación)

novia en el Cantar de los contares de Salomón es la masa de las naciones convertidas al cristianismo.

Todo esto sirve para que abramos los ojos y veamos que los "dos denarios" que le dio el buen samaritano al mesonero simbolizaban el Bautismo y la Cena del Señor. Sentimos pena por Mateo, Marcos, Lucas y Juan cuando otro hermano cae víctima de la "simbolomanía" y nos dice que los "cuatro cántaros" de agua que Elías ordenó se derramaran sobre el altar en el Monte Carmelo, representaban a los cuatro escritores de los Evangelios.

En cuanto al clérigo que procura persuadirnos que el barco en el cual nuestro Señor cruzó Galilea es la iglesia de Inglaterra, mientras "los otros pequeños barcos" que lo acompañaban eran las otras denominaciones, no podemos dejar de ver la astucia de dicha declaración. Sentimos exactamente lo mismo sobre la exposición del libro de Job por parte del papa Gregorio el Grande, en la cual "los amigos" parlanchines de Job tipifican a los herejes; sus siete hijos los doce apóstoles; sus siete mil ovejas la gente fiel de Dios y sus tres mil camellos jorobados a los depravados gentiles".

Tres errores que debemos evitar en la tipología

Por lo tanto hay tres peligros que deben ser evitados:

- Limitar el símbolo, y por tanto no usarlo
- Exagerar el símbolo, y por tanto sobre usarlo
- Imaginar el símbolo, y por tanto mal usarlo

➢ *J. Boyd Nicholson* ***Festivales de la cosecha.***

El caso contra "la perspectiva más antigua" de la tipología

El caso en contra de la tipología:

- Se ocupa sólo en descubrir "prefiguraciones" de Cristo en todo el Antiguo Testamento.
- Dios ordenó eventos, instituciones, y/o personas en el Antiguo Testamento, con el objetivo primario de que sirvieran como una "sombra" de Cristo.

➢ *Christopher J. H. Wright,* ***Conociendo a Jesús a través del Antiguo Testamento.*** *Downers Grove: InterVarsity Press, 1992. p. 115-116*

Lecturas sobre tipología (continuación)

Dos resultados carentes en esta hermenéutica antigua:

- No hay necesidad de encontrar mucha realidad y sentido en los acontecimientos y en las personas mismas (del Antiguo Testamento), ya que sólo se trata de una colección de sombras.
- Se interpreta cada detalle oscuro del "tipo" del Antiguo Testamento como un presagio de Jesús (la hermenéutica se convierte en algo mágico, al igual que sacar un conejo de un sombrero).

Conclusión: la simbología no es *el* modo de interpretar el Antiguo Testamento. "Pero cuando volvemos y leemos todo el Salmo 2, Isaías 42 y Génesis 22, es igualmente cierto que tienen profundidades enormes sobre la verdad y el significado para que exploremos en ellas, las cuales no están *directamente* relacionadas con Jesús mismo. La simbología es un modo de ayudarnos a entender a Jesús a la luz del Antiguo Testamento. Éste no es el modo exclusivo de entender el significado del Antiguo Testamento" (Wright, 116).

Refutando los reclamos de Wright

- Jesús usó la tipología (ejemplos: la serpiente de bronce, el maná en el desierto, el templo de su cuerpo, el Buen Pastor, etc.).
- Los apóstoles y los primeros intérpretes cristianos usaron la tipología como su manera normal de leer el Antiguo Testamento (ejemplos: Moisés golpeando la roca, el viaje de la nación de Israel al desierto, Jesús como el segundo Israel, etc.).
- La Biblia se refiere a sí misma de esta forma (ejemplos: la carta a los Hebreos, el templo, el sacerdocio, etc.).

La pregunta: ¿Deberíamos usar el Antiguo Testamento como Jesús y los apóstoles lo hicieron, con alguna referencia a la *tipología*?

La hermenéutica cristológica: Jesús el Mesías conecta los testamentos

➢ *Norman Geisler, **To Understand the Bible Look for Jesus**. (1979) 2002. p. 68*

Cristo inmediatamente resume en su persona la *perfección de los preceptos del Antiguo Testamento, la sustancia de sombras y tipos del Antiguo Testamento, y el cumplimiento de pronósticos en el mismo.* Aquellas verdades de su persona que brotaban en el Antiguo Testamento

Lecturas sobre tipología (continuación)

florecen en el Nuevo; la linterna de la verdad profética se convierte en el foco de la revelación divina.

Los simbolismos del Antiguo Testamento encuentran su cumplimiento en el Nuevo Testamento de diferentes maneras: (1) Los *preceptos morales* del Antiguo Testamento se cumplen o perfeccionan en la vida y enseñanzas de Cristo. (2) Las verdades *ceremoniales* y *típicas* fueron solamente sombras de la sustancia verdadera encontrada en Cristo. (3) Las *profecías mesiánicas* dichas en el Antiguo Testamento fueron finalmente cumplidas en la historia del Nuevo Testamento. En cada una de estas relaciones puede verse que los Testamentos están inseparablemente conectados. El NT no sólo es un suplemento del AT sino que es el complemento necesario del mismo.

Como dice la carta a los Hebreos, "Proveyendo Dios alguna cosa mejor para nosotros, para que no fuesen ellos perfeccionados aparte de nosotros [creyentes del Antiguo Testamento]" (Heb. 11.40). Lo que estaba contenido en el Antiguo Testamento es explicado totalmente y en forma única en el Nuevo Testamento.

La forma en que Pablo y los apóstoles leyeron la Escritura

➤ *Manlo Simonetti,* ***Interpretación bíblica en la Iglesia Primitiva*** *p. 11-12*

Como se ve claramente, el procedimiento hermenéutico el cual Pablo y los otros autores del Nuevo Testamento usan para interpretar la ley en un sentido espiritual es alegórico, ya que el significado que no es literal o inmediato se percibe a partir del texto dado. El término usual que Pablo emplea para definir la relación entre los dos niveles de intención es *typos* = forma, figura, símbolo, o prefiguración (Ro. 5.14; 1 Co. 10.6, etc.); pero en Gálatas 4.24, donde presenta a los hijos de Agar y Sara como prefiguraciones de los judíos y cristianos, dice que es una alegoría (*allegoroumena*), mostrando que Él consideraba 'los typos' como sinónimo 'de alegoría'.

A diferencia de la terminología de Pablo, los eruditos modernos llaman a esta clase de interpretación - la cual, como veremos, gozó de un éxito inmenso y se hizo un método cristiano auténtico de leer el Antiguo Testamento - 'tipología' o 'interpretación tipológica'. En la antigüedad [es decir, en tiempos antiguos] fue llamado 'espiritual' o 'místico'.

Fue arraigado en la convicción firme de que la vieja Ley fue consecuentemente dirigida hacia el gran acontecimiento de Cristo, y que, por consiguiente, esto dejaría su significado verdadero sólo a aquellos que lo interpretaran en términos cristológicos.

Libertad auténtica en Cristo Jesús

Rev. Dr. Don L. Davis

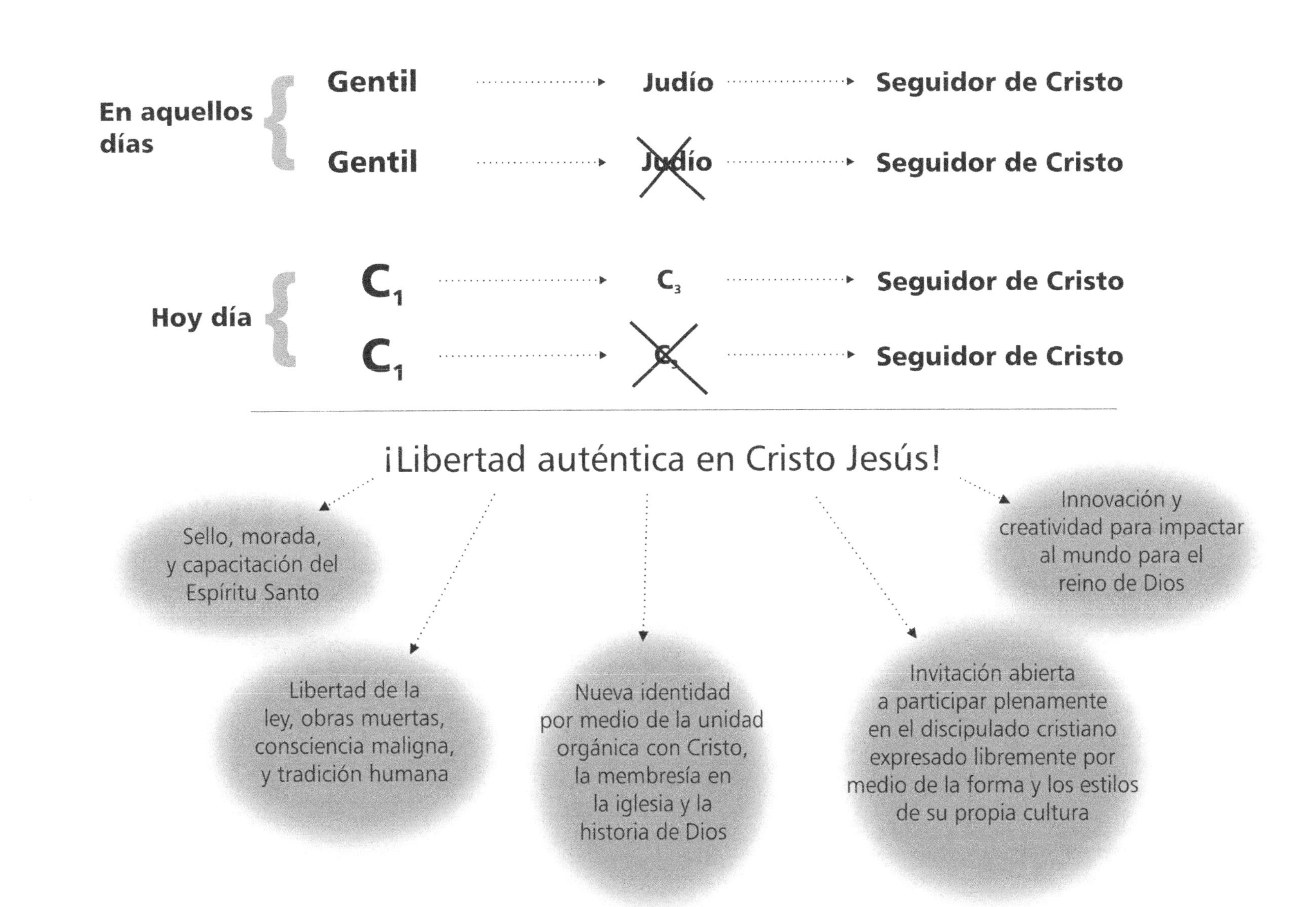

Línea de tiempo del Reino de Dios

Rev. Dr. Don L. Davis

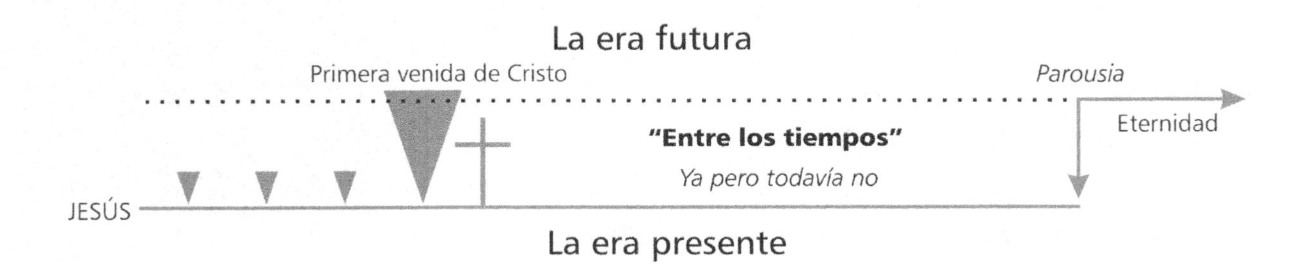

El "*malkuth*" **de Jehová, el** "*basileia tou Theou*". Los judíos palestinos del primer siglo veían a Dios como Rey de Su pueblo Israel y de toda la tierra. Sin embargo, debido a la rebelión de Satanás, sus ángeles y de la humanidad, el reino de Dios sobre la tierra es **aún futuro**. Será: 1) nacionalista - la salvación y soberanía de Israel sobre sus enemigos, 2) habrá un conocimiento universal del reino de Dios, 3) *tsidkenu* (justicia) y *shalom* (paz), 4) obediencia a la ley de Dios, 5) la batalla final con las naciones gentiles - Armagedón, 6) ocurrirá por medio de un cataclismo sobrenatural al final de los tiempos, 7) los cielos y la tierra volverán a su esplendor previo al Edén, 8) reinado del hijo de David, 9) se cancelarán los efectos de la maldición, 10) la resurrección de los muertos, 11) el juicio y destrucción de todos los enemigos de Dios - el pecado, la muerte, el mal, el "mundo", el maligno y sus ángeles, y 12) vida eterna.

Proclamación de Jesús: **El Reino de Dios apareció en la vida, persona y ministerio del Mesías Jesús**. En las palabras de Jesús (*kerygma*), sus obras de compasión (*diakinia*), sus milagros, sus exorcismos, su pasión, muerte y resurrección y el envío del Espíritu, vino el **Reino prometido**. El Reino, **tanto** el presente como el futuro; anuncia **la presencia del futuro**. Las bendiciones del tiempo presente incluyen 1) la Iglesia como una prueba y anticipo, 2) la promesa del Espíritu Santo, 3) el perdón de los pecados, 4) la proclamación del Reino en todo el mundo, 5) la reconciliación y la paz con Dios, 6) Satanás es atado con la autoridad que Cristo le dio a sus discípulos.

Lista de comprobación de un servicio espiritual

Rev. Dr. Don L. Davis

1. *Salvación*: ¿Han creído en el evangelio, confesado a Jesús como su Señor y Salvador, han sido bautizados y unidos formalmente a nuestra iglesia como miembros?

2. *Integridad personal*: ¿Están caminando con Dios, creciendo en su vida personal, y demostrando amor y fidelidad en su familia, trabajo y en la comunidad?

3. *Equipado en la Palabra*: ¿Cuán entrenadas están estas personas en la Palabra de Dios para compartir y enseñar a otros?

4. *Apoyo para la iglesia*: ¿Apoyan estas personas a la iglesia con su presencia, con su oración por el liderazgo y los miembros, y dan su apoyo financiero?

5. *Sumisión a la autoridad*: ¿Se someten gozosamente a la autoridad espiritual de la congregación?

6. *Identificación de dones espirituales*: ¿Qué dones, talentos, habilidades y recursos especiales tienen y ofrecen estos miembros para el servicio, y cuál es su carga particular por el ministerio ahora?

7. *Disponibilidad de su presencia*: ¿Están disponibles para ser asignados a tareas o proyectos, específicamente donde podamos usar su servicio para contribuir voluntariamente al cuerpo de Cristo?

8. *Reputación entre líderes*: ¿Cómo se sienten los otros líderes con respecto a la prontitud de estas personas para enfrentar un nuevo papel en el liderazgo?

9. *Recursos necesarios para realizar su papel*: Si son designados para este papel, ¿qué entrenamiento en particular, dinero, recursos y/o aportes necesitarán para cumplir su tarea?

10. *Notificación formal de su comisión a otros líderes*: ¿Cuándo y cómo avisaremos a otros líderes que hemos designado a estas personas para una tarea o proyecto?

11. *Fecha de comisión y período de servicio*: También, si decidimos comisionar a estas personas a su papel/tarea, ¿cuándo estarán listos para comenzar, cuánto tiempo deben servir en esa tarea antes de evaluar su rendimiento?

12. *Fecha de evaluación y re-comisión*: ¿En qué fecha vamos a evaluar el desempeño de las personas, y determinar los pasos que debemos tomar si los re-comisionamos a su papel de liderazgo en la iglesia?

Lista de elementos narrativos

Adaptado de How to Read the Bible as Literature [Cómo Leer la Biblia como Literatura], por Leland Ryken.

I. ¿Cuál es el *escenario* de la historia?

A. Los alrededores físicos

B. Medio ambiente histórico

C. Situación cultural

D. Relaciones y situaciones interpersonales

II. ¿Quiénes son los *personajes* de la historia?

A. ¿Quiénes son los actores principales/de apoyo en la historia?

B. ¿Quién es el "protagonista?" ¿Quién es el "antagonista?"

C. ¿Cómo describe el autor el desarrollo del actor principal?

D. ¿Cuál es el resultado final de la vida y decisiones del actor principal?

III. ¿Qué *conflicto* de la trama existe dentro de la historia?

A. ¿Cuáles son los conflictos centrales con Dios?

B. ¿Cuáles son los conflictos centrales con otros?

C. ¿Cuáles son los conflictos centrales entre los personajes?

D. ¿Cuáles son los conflictos centrales entre el actor principal y la situación?

IV. ¿Cuáles son los aspectos de *suspenso narrativo* revelados en la historia?

A. ¿Qué es lo que nos influye a simpatizar con los actores?

B. ¿Qué es lo que produce disgusto y aversión entre nosotros y los actores?

C. ¿Qué es lo que obliga a aprobar lo que los actores hacen?

D. ¿Qué eventos o sucesos nos causan desaprobación en los actores?

Lista de elementos narrativos (continuación)

V. ¿Cuál discernimiento nos dan los actores acerca de un "*comentario acerca de la vida*"?

A. Realidad: ¿Cuál punto de vista de la realidad muestran la historia y los actores?

B. Moralidad: ¿Qué es lo que constituye el bien y el mal en el contexto de esta historia?

C. Valores: ¿Cuál es la preocupación última y los valores en la historia?

VI. ¿Cómo *unifican* en la historia sus varias partes?

A. ¿Cómo contribuye la organización de la historia a su unidad?

B. ¿Cuál es la secuencia de eventos en esta historia? (principio, centro y final)

C. ¿En qué manera el final de la historia resuelve la pregunta presentada al principio?

VII. ¿Cómo son *probados* los personajes, y cuáles decisiones toman?

A. ¿Cuál es el dilema/problema/conflicto que el protagonista procura resolver?

B. ¿Cuál cualidad de carácter es probado en el protagonista?

C. ¿Cuáles alternativas de decisiones están disponibles en la historia para los protagonistas?

D. ¿Cuáles decisiones toman los personajes y cuál es el resultado de sus decisiones?

VIII. ¿Cómo *progresan y crecen* los personajes (o declinan y caen) en la historia?

A. ¿Dónde comienzan los personajes en la historia?

B. ¿Cómo les afectan las experiencias de los personajes a su desarrollo?

C. ¿Dónde arriban o terminan los personajes como resultado de sus experiencias, y las decisiones que tomaron dentro de la historia?

Lista de elementos narrativos (continuación)

IX. ¿Cuáles "trampas", *ironía dramática y justicia poética* son usadas en la historia?

A. Trampas: ¿cuáles personajes son contrarios o enemigos en la historia?

B. Ironía Dramática: ¿Cuándo se le informa al lector de situaciones y realidades de las que los personajes no están conscientes?

X. ¿Cuáles asuntos son *repetidos, resaltados y muy notorios en la historia?*

A. Repetición: ¿cuáles frases, asuntos, temas, puntos, o acciones son repetidos?

B. Resaltados: ¿qué cosas de los personajes y de los eventos se enfatizan más que otras cosas?

C. Muy notorios: ¿cuáles cosas sobresalen como "el centro de la acción" en el desarrollo de la historia?

XI. ¿Cuál es el *punto de vista* del autor de la historia?

A. ¿Qué comentarios hace el autor acerca de los personajes y de los eventos de la historia?

B. ¿Qué sentimientos cree usted que la historia está tratando de generar?

C. ¿Cómo está arreglado el material y los detalles para comunicar con claridad el punto de vista del autor?

Los miembros del equipo de Pablo

Rev. Dr. Don L. Davis

Acaico, una persona de Corinto que visitó a Pablo en Filipos, 1 Co. 16.17.

Arquipo, discípulo colosense a quien Pablo exhortó a cumplir su ministerio, Col. 4.17; Filemón 2.

Aquila, discípulo judío que Pablo encontró en Corinto, Hechos 18.2, 18, 26; Ro. 16.3; 1 Co. 16.19; 2 Ti. 4.19.

Aristarco, con Pablo en su 3er viaje, Hechos 19.29; 20.4; 27.2; Col. 4.10; Filemón 24.

Artemos, compañero de Pablo en Nicópolis, Tito 3.12.

Bernabé, un levita, primo de Juan Marcos, y compañero de Pablo en varios de sus viajes, Hechos 4.36, 9.27; 11.22, 25, 30; 12.25; caps. 13, 14, 15; 1 Co. 9.6; Gal. 2.1, 9, 13; Col. 4.13.

Carpio, discípulo de Troas, 2 Ti. 4.13.

Claudia, discípula mujer de Roma, 2 Ti. 4.21.

Clemente, colaborador-trabajador en Filipos, Fil. 4.3.

Crescente, un discípulo en Roma, 2 Ti. 4.10.

Demas, un trabajador de Pablo en Roma, Col. 4.14; Filem. 24; 2 Ti. 4.10.

Epafras, compañero trabajador y prisionero, Col. 1.7, 4.12; Filem. 23.

Epafrodito, un mensajero entre Pablo y las iglesias, Fil. 2.25, 4.18.

Eubulu, discípulo de Roma, 2 Ti. 4.21.

Evodia, mujer cristiana de Filipos, Fil. 4.2

Fortunato, parte del equipo de corintios, 1 Co. 16.17.

Gayo, 1) Un compañero de Macedonia, Hechos 19.29; 2) Un discípulo/compañero en Derbe, Hechos 20.4.

Jesús (Justo), un discípulo judío en Colosas, Col. 4.11.

Juan Marcos, compañero de Pablo y primo de Bernabé, Hechos 12.12, 15; 15.37, 39; Co1. 4.10; 2 Ti. 4.11; Filemón 24.

Lino, un compañero romano de Pablo, 2 Ti. 4.21.

Lucas, doctor y compañero de viajes con Pablo, Col. 4.14; 2 Ti. 4.11; Filemón 24.

Los miembros del equipo de Pablo (continuación)

Onésimo, nativo de Colosas y esclavo de Filemón que sirvió a Pablo, Col. 4.9; Filemón 10.

Hermógenes, un miembro del equipo que abandonó a Pablo en prisión, 2 Ti. 1.15.

Figelo, uno que con Hermógenes abandonó a Pablo en Asia, 2 Ti. 1.15.

Priscila (Prisca), esposa de Aquila de Poncio y compañera-trabajadora en el evangelio, Hechos 18.2, 18, 26; Ro. 16.3; 1 Co. 16.19.

Pudente, una compañía romana de Pablo, 2 Ti. 4.21.

Segundo, compañía de Pablo en su camino de Grecia a Siria, Hechos 20.4.

Silas, discípulo, compañero trabajador, un prisionero con Pablo, Hechos 15.22, 27, 32, 34, 40; 16.19, 25, 29; 17.4, 10, etc.

Sópater, acompañó a Pablo a Siria, Hechos 20.4.

Sosipater, pariente de Pablo, Ro. 16.21.

Silvano, probablemente igual a Silas, 2 Co. 1.19; 1 Ts. 1.1; 2 Ts. 1.1.

Sóstenes, jefe gobernador de la sinagoga de Corinto, trabajador con Pablo allí, Hechos 18.17.

Estéfanas, uno de los primeros creyentes de Acaya y visita de Pablo, 1 Co. 1.16; 16.15; 16.17.

Síntique, una de las "colaboradoras trabajadora" en Filipos, Fil. 4.2.

Tercio, esclavo y persona que escribió la Epístola a los Romanos, Ro. 16.22.

Timoteo, un joven de Listra con una madre judía y un padre griego quien trabajó con Pablo en su ministerio, Hechos 16.1;17.14, 15; 18.5; 19.22; 20.4; Ro. 16.21; 1 Co. 4.17; 16.10; 2 Co. 1.1, 19; Fil. 1.1; 2.19; Col. 1.1; 1 Ts. 1.1; 3.2, 6; 2 Ts. 1.1; 1 Ti. 1.2, 18; 6.20; 2 Ti. 1.2; Filemón 1; Heb. 13.23.

Tito, discípulo griego y colaborador de Pablo, 2 Co. 2.13; 7.6, 13, 14; 8.6, 16, 23; 12.18; Gal. 2.1, 3; 2 Ti. 4.10; Tito 1.4.

Trófimo, un discípulo efesio que acompañó a Pablo a Jerusalén desde Grecia, Hechos 20.4; 21.29; 2 Ti. 4.20.

Trifena y Trifosa, discípulas, mujeres de Roma, probablemente gemelas, a las que Pablo llama colaboradoras en el Señor, Ro. 16.12.

Tíquico, un discípulo de Asia Menor que acompañó a Pablo en varios de sus viajes, Hechos 20.4; Ef. 6.21; Col. 4.7; 2 Ti. 4.12; Tito 3.12.

Urbano, discípulo romano y ayudante de Pablo, Ro. 16.9.

Los milagros de Jesús

adaptado de La Biblia Hecha Fácil. Peabody: Hendrickson Publishers, 1997.

1	Agua convertida en vino	Jn. 2.1-11
2	El hijo del noble sanado	Jn.4.46-54
3	El paralítico en el estanque de Betesda	Jn. 5.1-9
4	El hombre nacido ciego	Jn. 9.1-41
5	Lázaro resucitado de la muerte	Jn.11.1-44
6	153 peces capturados	Jn. 21.1-11
7	Jesús camina sobre las aguas	Jn.6.19-21
8	La alimentación de los 5,000	Jn. 6.5-13
9	El hombre endemoniado	Lc.4.33-35
10	La suegra de Pedro es sanada	Lc. 4.38-39
11	Gran pesca	Lc. 5.1-11
12	El leproso es limpio	Lc.5.12-13
13	El paralítico restaurado	Lc.5.8-25
14	La mano seca renovada	Lc. 6.5-10
15	Sana al siervo del centurión	Lc. 7.1-10
16	El hijo de la viud es resucitado	Lc.7.11-15
17	Calma la tormenta	Lc.8.22-25
18	Expulsión de demonios de un hombre con una legión de demonios	Lc. 27-35

19	Resucitó a la hija de Jairo	Lc. 8.41-56
20	Sana a la mujer con hemorragia	Lc. 8.43-48
21	El niño endemoniado es liberado	Lc. 8.43-48
22	El mudo endemoniado es sanado	Lc. 9.38-43
23	Mujer encorvada es sanada	Lc.13.11-13
24	Diez leprosos fueron sanados	Lc.17.11-19
25	El ciego Bartimeo fue sanado	Lc.18.35-43
26	La oreja de Marcos restaurada	Lc.22.50-51
27	Dos ciegos son sanados	Mt. 9.27-31
28	Sanidad de un endemoniado	Mt. 9.32-33
29	Una moneda en la boca del pez	Mt. 17.24-27
30	La hija de una mujer es liberada del demonio	Mt. 15.21-28
31	4,000 personas alimentadas	Mt. 15.32-38
32	Higuera maldecida	Mt. 21.18-22
33	Hombre sordomudo sanado	Mc. 7.31-37
34	Un ciego restaurado	Mc. 8.22-26
35	Hidrópico sanado	Lc.14.1-4

Los nombres del Dios Todopoderoso

Rev. Dr. Don L. Davis

I. Los nombres de Dios

A. *Elohim*

1. *Elohim* es una forma plural hebrea usada más de 2000 veces en el Antiguo Testamento, por lo general llamado un "plural de la majestad" del nombre general para Dios.

2. Sacado de *El-*, cuya raíz significa "ser fuerte" (comp. Gn. 17.1; 28.3; 35.11; Josué. 3.10) "o ser preeminente". (comp. Frank M. Cross, "El-", en el *Diccionario Teológico del Antiguo Testamento*, 6 vols., revisado, corregido por G. Johannes Botterweck y Helmer Ringgren (Grand Rapids: Eerdmans, 1977, 1:244).

3. *Elohim* en general se traduce como "Dios" en español.

4. Este nombre *enfatiza la transcendencia de Dios* (comp. que Dios es sobre todos los otros a quienes llaman Dios). *Elohim* es la forma plural de *El-*; los términos parecen ser intercambiables. (comp. Ex. 34.14; Sal. 18.31; Dt. 32.17, 21).

5. *El-*puede significar en algunos textos (como Is. 31.3) "el poder y fuerza de Dios y el desamparo de los enemigos humanos" (comp. Os. 11.9). (Comp. 34. Helmer Ringgren, "*Elohim*", en el *Diccionario Teológico del Antiguo Testamento*, 1:273–74).

B. *Adonai*

1. El término *Adonai* (Heb. El *Adhon* o *Adhonay*) en su raíz significa "señor" o "maestro" y es por lo general traducido "Señor" en las Biblias españolas.

2. Esto ocurre 449 veces en el Antiguo Testamento y 315 veces con Jehová. *Adhon* enfatiza la relación de maestro-siervo (comp. Gn. 24.9) y sugiere la autoridad de Dios como Maestro, es decir, el Único que gobierna con autoridad absoluta (comp. Sal. 8.1; Os. 12.14).

Los nombres del Dios Todopoderoso (continuación)

3. Puede entenderse que *Adonai* significa "*Señor de todos*" "o *Señor por excelencia*" *(comp. Dt. 10.17; Jos. 3.11). (Comp. Merrill F. Unger y William White, Jr., eds., Nelson's Expository Dictionary of the Old Testament* [Nashville: Nelson, 1980], pp. 228–29; y Otto Eissfeldt, "*Adhon*", en el *Diccionario Teológico del Antiguo Testamento*, 1:59–72).

C. *Yahvé*

1. El nombre *Yahvé* se traduce del *tetragrámaton* hebreo (expresión de cuatro letras) YHWH. Ya que el nombre original no contenía vocales, es incierta su pronunciación. (Por ejemplo, el ASV lo traduce "Jehová", mientras que las traducciones más modernas simplemente lo traducen "SEÑOR" [para distinguirlo de *Adonai*, "Señor"]).

2. Los eruditos judíos generalmente lo pronuncian como "*Adonai*" en vez de expresar YHWH, debido al respeto por Su santidad.

3. Es usado como una designación común (se usa 6,828 veces en el Antiguo Testamento), y unos sugieren que pudiera estar relacionado con el verbo "ser". Comp. Ex. 3.14–15 el Señor declara, "YO SOY EL QUE SOY..El Señor... me envió a vosotros. Este es mi nombre para siempre).

4. *Yahvé* como el YO SOY que se conecta al "YO SOY" de las declaraciones del Mesías Jesús (comp. Juan 6.35; 8.12; 10.9, 11; 11.25; 14.6; 15.1), el cual reclamó la igualdad a Yahvé.

5. *Yahvé*, el nombre de relación del pacto

   a. El nombre del Pacto Abrahámico (Gn. 12.8)

   b. El nombre del Éxodo(Ex. 6.6; 20.2)

   c. *Una relación única*: si bien los términos *Elohim* y *Adonai* eran términos conocidos por otros pueblos, Yahvé era exclusivo para Israel.

Los nombres del Dios Todopoderoso (continuación)

II. Nombres compuestos: El nombre de Dios en conjunto con los nombres El-(o Elohim) y Yahvé

A. *El Shaddai*

1. Traducido "Dios Omnipotente"

2. Probablemente está relacionado con la palabra *montaña*, lo cual sugiere el poder o la fuerza de Dios

3. El nombre de Dios como un Dios que guarda el pacto (Gn. 17.1; comp. vv. 1–8)

B. *El Elyon*

1. Traducido "Dios Altísimo"

2. Este término se refiere a la *supremacía de Dios*

3. *Yahvé* Dios es Dios sobre todos los así denominados dioses (comp. Gn. 14.18–22). Melquisedec lo reconoció como "Dios Altísimo" en vista de que Él es quien posee el cielo y la tierra (v. 19).

C. *El Olam*

1. Traducido "Dios Eterno"

2. Enfatiza el *carácter inmutable de Dios* (Gn. 21.33; Is. 40.28)

D. *Yahvé* nombres compuestos

1. Adonai-Yahvé, "*El Señor nuestro Soberano*", Gn. 15.2, 8

2. Yahvé-Jireh, "*El Señor proveerá*", Gn. 22.14

3. Yahvé Elohim, "*El Señor Dios*", Gn. 2.4-25

4. Yahvé-Nissi , "*El Señor nuestro estandarte*", Ex. 17.15

5. Yahvé-Rapha, "*El Señor nuestro sanador*", Ex. 15.26

6. Yahvé-Rohi, "*El Señor nuestro pastor*", Sal. 23.1

Los nombres del Dios Todopoderoso (continuación)

7. Yahvé-Shammah, "*El Señor está ahí*", Ez. 48.35
8. Yahvé-Hoseenu, "*El Señor nuestro hacedor*", Sal. 95.6
9. Yahvé-Shalom, "*El Señor nuestra paz*", Jue. 6.24
10. Yahvé-Sabbaoth, "*El Señor de los ejércitos*", 1 Sm. 1.3
11. Yahvé Mekaddishkem, "*El Señor tu santificador*", Ex. 31.13
12. Yahvé-Tsidkenu, "*El Señor nuestra justicia*", Jer. 23.6

Maneras en las que los cristianos no están de acuerdo sobre la santificación

Rev. Terry G. Cornett

I. Dos preguntas claves

A. La primer pregunta: *¿Puede una persona ser santificada completamente (quedar completamente libre del pecado), en esta vida presente?*

1. Teologías reformadas/bautistas y algunas pentecostales dicen NO.

2. Teologías de santidad y algunas pentecostales dicen SÍ.

B. La segunda pregunta: *¿Incluye la experiencia de la santificación una segunda experiencia distinta de santificación con Dios, recibida por gracia a través de la fe?*

Lo que crees sobre la primer pregunta, tiende a influir lo que crees en la segunda.

1. Si crees que la santidad completa debe esperar hasta el evento transformador de la muerte o el retorno de Cristo, esperas crecer en santidad, pero no hay un punto distintivo en esta vida en el que pueda ser alcanzada.

2. Si crees que la santidad completa es alcanzable, sabes que debe venir a través de un evento transformador (no puedes obrar su propio camino hacia la santidad). Entonces los grupos de santidad y pentecostales de santidad dicen que hay una segunda experiencia distinta.

Maneras en las que los cristianos no están de acuerdo sobre la santificación (continuación)

II. Enseñanza tradicional de la reformación

A. La santificación empieza en la salvación y continúa progresivamente hasta la glorificación. Dios completamente nos santifica posicionalmente en el momento de salvación, pero la santificación práctica se lleva a cabo en nuestra experiencia, gradualmente y a diario.

B. El pecado es definido principalmente como "estar destituido de la gloria de Dios".

C. Argumentos a favor:

1. Jesús nos enseñó a orar a diario, "Perdónanos nuestras deudas" (Mt. 6.12) y añadió "mas si no perdonáis a los hombres sus ofensas, tampoco vuestro Padre os perdonará vuestras ofensas" (Mt. 6.15).

2. La iglesia de Corinto fue identificada por Pablo como "santificada por Cristo Jesús y llamada a ser santa", pero en la práctica era de todo, menos eso. Pablo tuvo que decir en 1 Corintios 3.3, "porque aún sois carnales; pues habiendo entre vosotros celos, contiendas y disensiones, ¿no sois carnales, y andáis como hombres?" Pablo comprendió la diferencia entre ser santificado a la vista de Dios pero aún no santificados en la práctica.

   a. La experiencia nos enseña que:

      (1) Nosotros pecamos.

      (2) La gente que reclama la perfección tiende a ser legalista, condenadora, presumida, y tienden a negar el pecado cuando sucede.

Maneras en las que los cristianos no están de acuerdo sobre la santificación (continuación)

b. Romanos 7 – Este pasaje se entiende como un texto que describe la experiencia de Pablo después de la conversión.

c. La perfección completa no es alcanzable en esta vida. Cuando la palabra "perfecto" se menciona en la Escritura se entiende como "completo" o "maduro". *La glorificación se da cuando se consigue quedar libre de pecado.* La santificación es avanzar en pos de la santidad, usando los recursos dados en la salvación.

d. El propulsor más importante en la historia: Martin Lutero

Lutero habló sobre los cristianos como "*simul justus et peccator*"- un hombre justo y al mismo tiempo un pecador. Él creyó que esta paradoja no tendría solución hasta que la fe se haga visible. El luteranismo de ninguna manera justifica el pecado. Mejor dicho, reconoce "que donde el pecado abundó, sobreabundó la gracia".

III. Movimientos de santidad

A. La santificación es una segunda experiencia, distinta a la de salvación. La salvación es recibida por gracia a través de la fe y se habla de ella frecuentemente como "el bautismo en el Espíritu Santo".

La santificación completa, más comúnmente denominada "santificación", "santidad", "perfección cristiana" o "amor perfecto" representa la segunda etapa definitiva en la experiencia cristiana en la cual, por el bautismo del Espíritu Santo, administrado por Jesucristo, y recibido instantáneamente por fe, el creyente justificado es liberado del pecado natural, y consecuentemente es salvo de todos los temperamentos no santos, limpio de toda corrupción moral, hecho perfecto en amor e introducido a una comunión completa con Dios.

~ Doctrinal Statement of The First General Holiness Assembly held in Chicago, May, 1885
[Robert M. Anderson, **Vision of the Disinherited**]

Maneras en las que los cristianos no están de acuerdo sobre la santificación (continuación)

B. El pecado se define principalmente como la "desobediencia voluntaria y conocible".

1. El concepto de perfección cristiana [santificación completa] es definido cuidadosamente.

   Perfección no es: conocimiento perfecto (permanece la ignorancia), estar libre de los errores, estar libre de faltas de debilidad o carácter, estar libre de tentación, estar libre de la necesidad de crecer, [ver John Wesley, *On Christian Perfection*] No es la pérdida de la capacidad de pecar. No hay estado, excepto el de glorificación, en el que la gente no pueda pecar.

   Perfección es: Caminar en amor, por la fe, para no pecar voluntariamente y habitualmente.

2. Todavía existe un proceso de santificación que sigue al evento de la santificación.

   Creo que esta perfección es siempre formada en el alma por un simple acto de fe; consecuentemente en un instante. Pero creo [en] un trabajo gradual, anterior y posterior a ese instante. En cuanto al tiempo, creo que este instante generalmente es el instante de la muerte, el momento antes que el alma deje el cuerpo. Pero creo que puede ser diez, veinte, o cuarenta años antes. Personalmente creo que en general sucede muchos años después de la justificación.

   ~ Brief Thoughts on Christian Perfection.
   The Works of John Wesley. Vol. 11, p. 466.

   Algunos grupos de santidad no están de acuerdo con Wesley sobre el tiempo. Ellos creen que la santificación completa puede, y debe, venir más pronto.

Maneras en las que los cristianos no están de acuerdo sobre la santificación (continuación)

C. Argumentos a favor:

1. Es mandado por Jesús y los apóstoles

   Mt. 5.48 - "Sed, pues, vosotros perfectos, como vuestro Padre que está en los cielos es perfecto" Compara con el mandamiento de los apóstoles (1 Juan 5.3 - Pues este es el amor a Dios, que guardemos sus mandamientos, y sus mandamientos no son gravosos).

2. Es la implicación lógica de lo que sucede cuando un Dios todopoderoso pone su Espíritu a obrar en contra del pecado en nuestras vidas.

3. Parece ser que la Escritura con frecuencia asume que es lo que sucede en la vida del creyente.

4. Romanos 7 – Este pasaje es entendido como la descripción de la experiencia de Pablo antes de la conversión.

D. El propulsor más importante en la historia: John Wesley (que aprendió del escritor puritano William Law)

E. Documento clave: "Una cuenta clara de perfección cristiana".

Lo que le molestaba a Wesley era que no se admitiera la posibilidad de perfección, ya que él entendía que esto impugnaba la naturaleza y el poder de Dios. (No digamos que Dios no puede o no hará lo que claramente desea). Era una cuestión de fe para Wesley. Aunque él no viera que esto fuera una realidad en él, aún creía en la habilidad de Dios de lograr su deseo de santidad.

Maneras en las que los cristianos no están de acuerdo sobre la santificación (continuación)

IV. Reuniéndolo todo: Puntos teológicos en común e implicaciones claves

Los cristianos reformados y de santidad están de acuerdo en que:

A. La santificación es llegar a ser como Cristo y es el objetivo de la vida cristiana. [La Escritura nos enseña que ésta 'santidad' es la meta de nuestra llamado - Juan Calvino, "Institución de la religión cristiana"].

B. La santificación inicia en el momento de la salvación y la fe es su única condición (Actas Doctrinales de las Conferencias Metodistas 1744-47).

C. La santificación es tanto imputada como impartida, y viene sólo por la gracia de Dios.

D. La santificación implica tanto un punto único de decisión[1] como un proceso continuo de vivir según dicha decisión.

[1] Para la teología Reformada, este punto es la conversión, para las teologías de Santidad es la conversión y una segunda experiencia de gracia con el Espíritu Santo.

Metodología de traducción (versiones en inglés)

Rev. Terry G. Cornett

	Grado/nivel	Equivalencia formal	Equivalencia dinámica	Paráfrasis
Difícil de leer	12vo 11vo 10mo 9no	King James Versión (KJV) New American Standard Bible (NASB)		
Promedio, nivel adulto	8vo 7mo 6to	New International Versión (NIV) New Revised Standard Versión (NRSV) New King James Versión (NKJV)	New Living Translation (NLT)	The Living Bible (TLB) The Message
Biblias de niños	5to 4to 3ro	New International Reader's Versión (NIrV)	Contemporary English Versión (CEV) International Children's Bible (ICB)	

Modelo de plantación de iglesias

Rev. Dr. Don L. Davis

Las siguientes preguntas están diseñadas para ayudarnos a explorar las diversas opciones disponibles para el plantador de iglesias transcultural, para establecer congregaciones entre los pobres. Deseamos que nuestro diálogo hoy aísle algunos de los temas cruciales que un equipo de plantación debe pensar para poder hacer su elección sobre qué tipo particular de iglesia deben plantar, dada la cultura, población y otros factores de su campo misionero en particular.

1. ¿Cuál es la definición de la frase "modelos de plantación de iglesias"? ¿Por qué sería importante considerar varias opciones para plantar una iglesia entre los pobres de la ciudad?

2. ¿Cómo caracterizaría los diversos modelos disponibles para un equipo de plantación de iglesias urbanas? ¿Cuáles diría que son sus puntos fuertes/débiles para plantar iglesias entre los pobres de la ciudad?

   a. Modelo del pastor fundador - un líder se muda a una comunidad con el compromiso de liderar y pastorear la iglesia plantada.

   b. Modelo de iglesia dividida - se forma una nueva iglesia debido a desacuerdos severos en cuanto a un tema moral o interpretación bíblica.

   c. Modelo colonizador - una asamblea central comisiona todo un grupo (en general con líderes y miembros ya organizados) hacia una comunidad no alcanzada, a manera de núcleo ya formado de la iglesia que habrá de nacer.

   d. Modelo de iglesia madre - una congregación fuerte y central determina ser un centro de envío y cuartel de nutrición para las nuevas iglesias plantadas a través de su supervisión y patrocinio, en el área inmediata o más allá.

   e. Modelo de iglesia celular - asamblea centralizada cuya vida y ministerio se lleva a cabo en las células que están conectadas estructuralmente y pastoralmente a la congregación central; su participación en conjunto constituye la iglesia.

Modelo de plantación de iglesias (continuación)

f. Modelo de iglesia en los hogares - una iglesia, que si bien es similar al modelo de iglesia celular, se planta intencionalmente con una mayor atención en la autoridad y autonomía de los creyentes que se reúnen regularmente en sus respectivos hogares.

g. Modelo misionero - una iglesia en la cual un plantador transcultural procura plantar una iglesia entre un pueblo no alcanzado, con la intención desde el comienzo de ayudar a la iglesia a autopropagarse, autogobernarse y autosustentarse.

3. ¿Cuáles son los puntos cruciales (ej., cultura, la tradición de los plantadores, y la contextualización) que deberían ser más considerados para seleccionar el modelo adecuado para plantar una iglesia transcultural en la ciudad?

4. De todo lo que un plantador debería ser consciente, ¿cuál cree es el elemento central que debe entender para elegir la opción "adecuada"?

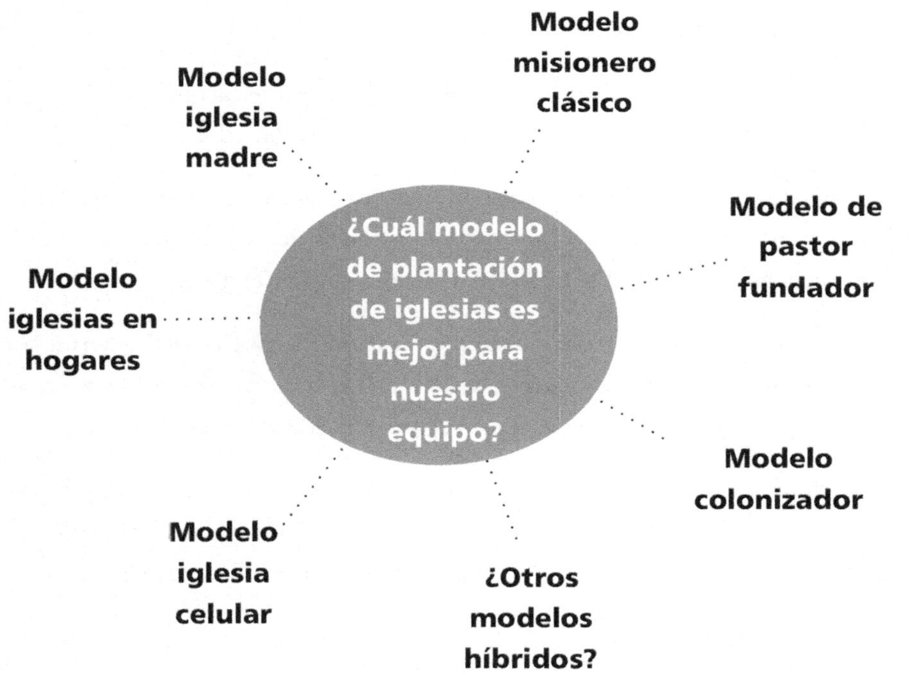

¿Cuál modelo de plantación de iglesias es mejor para nuestro equipo?

Modelo iglesia madre

Modelo misionero clásico

Modelo de pastor fundador

Modelo colonizador

¿Otros modelos híbridos?

Modelo iglesia celular

Modelo iglesias en hogares

Modelos del Reino

Howard A Snyder, Marzo de 2002.

1. El Reino como esperanza futura - el Reino Futuro

Éste ha sido un modelo dominante en la historia de la Iglesia. Tiene un fuerte énfasis en el futuro: la culminación y reconciliación de todas las cosas que son más que meramente la eterna existencia del alma. El modelo se basa mucho en material del Nuevo Testamento. Mientras que algunos de los modelos siguientes representan esperanza futura, aquí la nota futurista es determinante.

2. El Reino como experiencia espiritual interna - el Reino Interior

Un "reino espiritual" es experimentado en el corazón o el alma; "visión beatífica". Altamente místico, por lo tanto individual; una experiencia que en realidad no puede ser compartida con otros. Por ejemplo: Julián de Noruega, otros místicos; también algunos otros ejemplos protestantes contemporáneos.

3. El Reino como comunión mística - el Reino Celestial

La "comunión de los santos"; el Reino como esencialmente identificado con el cielo. Menos individualista. Con frecuencia se centra especialmente en la adoración y la liturgia. Por ejemplo: Juan de Damasco, Juan Tauler; en maneras algo diferentes, Wesley y el avivamiento del protestantismo evangélico de los siglos XIX y XX. El Reino es principalmente del otro mundo y futuro.

4. El Reino como Iglesia institucional - el Reino Eclesiástico

El punto de vista dominante del cristianismo de la época medieval; dominante en el catolicismo romano hasta el Vaticano II. El Papa como vicario de Cristo gobierna sobre la tierra en lugar de Cristo. La tensión entre la Iglesia y el Reino se disuelve en gran parte. Se traza hasta la Ciudad de Dios de Agustín, pero se desarrolló en forma diferente a la de Agustín. Variantes protestantes aparecen dondequiera que la Iglesia y el Reino están estrechamente identificados. La forma de pensar del moderno "Crecimiento de la iglesia" ha sido criticada en este punto.

Modelos del Reino (continuación)

5. El Reino como contra-sistema - el Reino Subversivo

Puede ser una protesta contra el punto 4, ve al Reino como una realidad que proféticamente juzga el orden socio-político como también a la Iglesia. Uno de los mejores ejemplo: San Francisco de Asís; también reformadores radicales del siglo XVI; "cristianos radicales" de la actualidad; la revista Sojourners. Ve a la Iglesia como contra-cultura al incorporar el nuevo orden del Reino.

6. El Reino como estado político - el Reino Teocrático

Ve al Reino como una teocracia política; la Iglesia y la sociedad no necesariamente son organizadas democráticamente. Tiende a elaborar modelos como los del Antiguo Testamento, especialmente el reino Davídico. Modelo de acuerdo a Constantino; un buen ejemplo es el cristianismo bizantino. Tal vez Calvino de Génova, en un sentido diferente. El problema del punto de vista de Lutero de los "dos reinos".

7. El Reino como sociedad cristianizada - el Reino Transformador

Aquí el Reino también provee un modelo para la sociedad, pero en términos de valores y principios elaborados en la misma. En su plenitud el Reino estará completamente leudado por los valores cristianos. El post-milenarismo; muchos evangélicos de mitad del siglo XIX; la evangelización social de principios del siglo XX. El Reino manifestado progresivamente en la sociedad, en contraste al premileniarismo.

8. El Reino como utopía terrenal - el Reino Terrenal

Similar al punto 7 pero llevado al extremo. Esta perspectiva del Reino es literalmente utópica. Tiende a negar o a restarle importancia al pecado, o ve al mal como puramente ambiental. El punto de vista de muchas comunidades utópicas (Cohn, Pursuit of the Millennium) incluyendo ejemplos de Estados Unidos e Inglaterra del siglo XIX. En una forma diferente, el punto de vista de muchos de los Padres Fundadores de América. El ejemplo más influyente del siglo XX: el marxismo. La Teología de la Liberación, hasta cierto grado. En una manera rígidamente diferente: el fundamentalismo premilenario de EE. UU., combinado éste modelo con los puntos 1, 2 y 3. El Reino no tiene relevancia contemporánea, sino que será una literal utopía en el futuro. De ahí las similitudes entre el marxismo y el fundamentalismo.

Nombres, títulos y epítetos para el Mesías en el Antiguo Testamento

Adaptado por Norman L. Geisler, A Popular Survey of the Old Testament

1. Abogado, Job 16.19
2. Ángel (mensajero), Job 33.23
3. Ungido, 1 Sm. 2.19; Sal. 2.2
4. Arco de guerra, Zac. 10.4
5. Gobernador de Belén, Miq. 5.2
6. El liberador que abre camino, Miq. 2.13
7. Jefe, Is. 55.4
8. Piedra angular, Sal. 118.22; Is. 28.16
9. Pacto del pueblo, Is. 42.6
10. El que holla, Gn. 3.15
11. David, Os. 3.5; Jer. 30.9
12. Deseo de todas las naciones, Hag. 2.7
13. El eterno, Sal. 102.25-27
14. Sacerdote eterno, Sal. 110.4
15. Padre eterno, Is. 9.6
16. Sacerdote fiel, 1 Sm. 2.35
17. Primogénito, Sal. 89.27
18. Desamparado sufriente, Sal. 22
19. Fundamento, Is. 28.16; Zac. 10.4
20. Dios, Sal. 45.6-7
21. Cabeza, Os. 1.11; Miq. 2.13
22. Sanador, Is. 42.7
23. El que viene, Sal. 118.26
24. Cuerno de David, Sal. 132.17
25. Emanuel, Is. 7.14
26. Intérprete, Job 33.23
27. Israel, Os. 11.1; Is. 49.3
28. Rey, Sal. 2.5; Os. 3.5
29. Lámpara de David, Sal. 132.17
30. Último, Job 19.25
31. Purificador, Mal. 3.2
32. Líder, Is. 55.4
33. Libertador, Is. 42.7
34. Luz, Is. 9.2
35. Luz a los gentiles, Is. 42.6; 49.6
36. Señor, Mal. 3.1
37. Varón, Zac. 6.12; 13.7
38. Varón de dolores, Is. 53.3
39. Mediador, Job 33.23
40. Mensajero del pacto, Mal. 3.1
41. Mesías-Príncipe, Dn. 9.25
42. Dios poderoso, Is. 9.6
43. Fuerte héroe, Sal. 45.3
44. Compañero mío, Zac. 13.7
45. Clavo (peg), Zac. 10.4
46. Nuestra paz, Miq. 5.5
47. Relator de parábolas, Sal. 78.1-2
48. El traspasado, Zac. 12.10

Nombres, títulos, y epítetos para el Mesías en el Antiguo Testamento (continuación)

49. Pobre y afligido, Sal. 69.29
50. Gobernador sacerdotal, Jer. 30.21; Zac. 6.13
51. Príncipe, Ez. 37.25; 44-48
52. Príncipe de paz, Is. 9.6
53. Proclamador de las Buenas Nuevas a los pobres, Is. 61.2
54. Profeta como Moisés, Dt. 18.15,18
55. Redentor, Job 19.25; Is. 59.20
56. Refinador, Mal. 3.2
57. Refugio, Is. 32.1
58. Pastor rechazado, Zac. 11
59. Piedra rechazada, Sal. 118.22
60. Renuevo justo, Jer. 23.5; 33.15
61. Raíz de tierra seca, Is. 53.2
62. Señor de toda la naturaleza, Sal. 8.5-8
63. Señor de la Tierra, Is. 16.5
64. Cetro, Núm. 24.17
65. Segundo Moisés, Os. 11.1
66. Simiente de Abraham, Gn. 12.3; 18.18
67. Simiente de David, 2 Sm. 2.12
68. Simiente de la mujer, Gn. 3.15
69. Siervo, Is. 42.1; 49.3, 6
70. Sombra, Is. 32.2
71. Abrigo, Is. 32.1
72. Pastor, Ez. 34.23; 37.24
73. Siloh, Gn. 49.10
74. Vástago, Zac. 3.8; 6.12
75. Renuevo del tronco de Isaí, Is. 11.1
76. Renuevo de Jehová, Is. 4.2
77. Señal y maravilla, Is. 8.18
78. Anillo de sellar, Hag. 2.23
79. Hijo de Dios, 2 Sm. 7.14; Sal. 2.7
80. Hijo del Hombre, Sal. 8.4; Dn. 7.13
81. Estrella, Núm. 24.17
82. Piedra, Zac. 3.9
83. Víctima sustitutiva, Is. 53
84. Sol de justicia, Mal. 4.5
85. Maestro, Is. 30.20
86. Maestro de justicia, Joel 2.23
87. Renuevo tierno, Is. 53.2
88. Rama tierna, Ez. 17.22
89. Edificador del templo, Zac. 6.12
90. Morador de tiendas, Gn. 9.26-27
91. Piedra probada, Is. 28.16
92. Pionero, Sal. 16.11
93. Victorioso, Sal. 68.18
94. Voluntario, Sal. 40.7
95. Agua de vida, Is. 32.2
96. Testigo, Job 16.19
97. Testigo a los pueblos, Is. 55.4
98. Maravilloso consejero, Is. 9.6
99. Jehová, nuestra justicia, Jer. 23.6
100. Zorobabel, Hag. 2.23

Nuestra declaración de dependencia: Libertad en Cristo

Rev. Dr. Don L. Davis

Es importante enseñar la moral cristiana en el ámbito de la libertad que fue ganada para nosotros por la muerte de Cristo en la cruz. Somos libres, y la entrada del Espíritu Santo en la misión y vida de la Iglesia nos permite defender esa libertad que Cristo ganó para nosotros (es decir, Gálatas 5:1, "Es por la libertad con que Cristo os hará libres"). Comprender nuestro deber tiene que estar siempre en el contexto del uso de nuestra libertad para traer la gloria de Dios y avanzar el Reino de Cristo. Junto con algunos textos cruciales sobre la libertad en las epístolas, creo que podemos equipar a otros para vivir para Cristo y su Reino, haciendo hincapié en los "6-8-10" principios de 1a Corintios, y aplicarlos a todos los asuntos morales.

1. 1 Cor. 6:9-11 – El cristianismo consiste en una transformación en Cristo, no una cantidad de excusas que llevarán a una persona dentro del Reino.
2. 1 Cor. 6:12a – Somos libres en Cristo, pero no todo lo que hacemos es edificante o de ayuda.
3. 1 Cor. 6:12b – Somos libres en Cristo, pero todo lo que es adictivo y tiene control sobre nosotros debe ser contado para Cristo y su Reino.
4. 1 Cor. 8:7-13 – Somos libres en Cristo, pero nunca debemos ostentar de nuestra libertad, especialmente frente a los cristianos cuya consciencia pueda ser afectada y/o estropeada si nos ven haciendo algo que ellos encuentren ofensivo.
5. 1 Cor. 10:23 – Somos libres en Cristo; todo me es lícito, pero no todo conviene; todo me es lícito, pero no todo edifica.
6. 1 Cor. 10:24 – Somos libres en Cristo, y debemos usar nuestra libertad para amar a nuestros hermanos y hermanas en Cristo y pensar en su bienestar (comp. Gál. 5.13).
7. 1 Cor. 10:31 – Somos libres en Cristo, y se les da la libertad para que podamos glorificar a Dios en todo lo que hagamos, ya sea que comamos o bebamos, o cualquier otra cosa que hagamos.
8. 1 Cor. 10:32-33 – Somos libres en Cristo, y debemos usar nuestra libertad para hacer lo que podamos y no ofender a la gente del mundo o la Iglesia, sino hacer lo que se tenga que hacer para ser de influencia, con el propósito que conozcan y amen a Cristo, es decir, para que puedan ser salvos.

Our Declaration of Dependence - Freedom in Christ (continued)

Además de estos principios, creo que podemos también enfatizar los siguientes principios:

- 1 Pe. 2:16 – Podemos vivir libres en Cristo como siervos/as de Dios, pero nunca usar nuestra libertad como un pretexto para hacer el mal.
- Jn. 8:31-32 – Nos mostramos nosotros mismos como discípulos de Cristo al permanecer y continuar en su Palabra, y al hacerlo, llegamos a conocer la verdad, y la verdad nos hace libres en él.
- Gál. 5:13 – Como hermanos y hermanas en Cristo, estamos llamados a ser libres, sin embargo, no hay que usar nuestra libertad como una licencia para disfrutar de nuestra naturaleza pecaminosa; más bien, estamos llamados a ser libres para servir a los otros en amor.

Este énfasis en la libertad, en mi opinión, pone todas las cosas en contexto de lo que decimos a los adultos o adolescentes. A menudo, la forma en la cual discipulamos a muchos nuevos creyentes es a través de una taxonomía rigurosa (un listado) de los diferentes vicios y males morales, y esto puede, a veces, darles el sentido de que el cristianismo es una religión anti-actos (una religión de simplemente no hacer las cosas), y / o una fe demasiado preocupada por no pecar. En realidad, el enfoque moral en el cristianismo está en la libertad, una libertad ganada a alto precio, una libertad para amar a Dios y avanzar el Reino, una libertad para vivir una vida entregada al Señor. La responsabilidad moral de los cristianos en las zonas urbanas es vivir libres en Cristo Jesús, vivir libre para la gloria de Dios, y no utilizar su libertad frente a la ley como una licencia para pecar.

El núcleo de la enseñanza, entonces, es centrarse en la libertad ganada para nosotros a través de la muerte y resurrección de Cristo, y nuestra unión con él. Ahora estamos exentos de la ley, el principio de la muerte y del pecado, la condena y la culpabilidad de nuestro propio pecado, y la convicción de la ley sobre nosotros. Servimos a Dios ahora de gratitud y de agradecimiento, y el impulso moral está viviendo libre en Cristo. Sin embargo, no usemos nuestra libertad, sino para glorificar a Dios y amar a otros. Este es el contexto en el que se abordan las cuestiones espinosas de la homosexualidad, el aborto y otros males sociales. Quienes participan en tales actos fingen libertad, pero, a falta de un conocimiento de Dios en Cristo, simplemente están siguiendo sus propias predisposiciones internas, que no son informados por la voluntad moral de Dios o Su amor.

La libertad en Cristo es un banderín de llamada a vivir una vida santa y alegre como discípulos de las áreas urbanas. Esta libertad les permite ver lo creativos que pueden ser como cristianos en medio de la llamada vida "libre" que sólo conduce a la esclavitud, la vergüenza, y al remordimiento.

Nutriendo al auténtico liderazgo cristiano

Rev. Dr. Don L. Davis

Desequilibrio por-un-lado	Desequilibrio por el-otro-lado
Imponer manos muy rápidamente	Posponer siempre la delegación a los nativos
Ignorar la cultura en el entrenamiento de liderazgo	Elevar la cultura sobre la verdad
Degradar la doctrina y la teología	Tomar la doctrina y la teología sólo como un criterio
Resaltar habilidades y talentos sobre la disponibilidad y el carácter	Sustituir la disponibilidad y el carácter por un talento genuino
Enfatizar habilidades administrativas sobre el dinamismo espiritual	Ignorar el papel de la administración en pro de la vitalidad espiritual y poder
Igualar la preparación con la perfección cristiana	Ignorar la importancia de las normas bíblicas
Limitar candidatura para liderazgo basándose en el género y pertenencia étnica	Asignar tareas de liderazgo basándose en género y etnicidad
Ver a todos como líderes	Ver prácticamente a nadie como digno de liderar

Orden de las doce tribus alrededor del tabernáculo

*Vern S. Poythress, **The Shadow of Christ in the Law of Moses.***

Tribus acampadas

Manasés		Dan		Isacar
	Aser		Neftalí	
Efraín		*TABERNÁCULO*		Judá
	Simeón		Gad	
Benjamín		Rubén		Zabulón

Tribusmarchando

ARCA

Zabulón Isacar Judá

MATERIAL del TABERNÁCULO
(Gersón, Merari)

Gad Simeón Rubén

MOBILIARIO del TABERNÁCULO
(Coat)

Benjamín Manasés Efraín

Neftalí Aser Dan

Padre, Hijo y Espíritu Santo comparten los mismos atributos y obras divinas

Escrituras de respaldo

*Adaptado por Edward Henry Bickersteth, **The Trinity**. Grand Rapids: Kregel Publications, 1957. Rpt. 1980.*

Atributo de Dios	Dios el Padre	Dios el Hijo	Dios el Espíritu Santo
Dios es eterno (Dt. 33.27)	Is. 44.6; Ro. 16.26	Juan 8.58; Ap. 1.17-18	Heb. 9.14
Dios creó todas las cosas (Ap. 4.11) y es la fuente de vida (Dt. 30.20)	Sal. 36.9; 100.3; 1 Co. 8.6	Juan 1.3, 4; Col. 1.16	Gn. 1.2; Sal.33.6; 104.30; Job 33.4; Juan 7.38-39; Ro. 8.11
Dios es incomprensible (1 Ti. 6.16) y omnisciente (Jer. 16.17)	Is. 46.9-10; Mt. 11.27; Heb. 4.13	Mt. 11.27; Juan 21.17	Is. 40.13-14; 1 Co. 2.10; Juan 16.15
Dios es omnipresente (Jer. 23.24)	Hch.17.27-28	Mt. 18.20; 28.20	Sal. 139.7-10
Dios es omnipotente (2 Cr. 20.6) y actúa soberanamente como Él quiere (Job 42.2)	Lucas 1.37; Ef. 1.11	Juan 14.14; Mt. 11.27	Zac. 4.6; Ro. 15.19; 1 Co. 12.11
Dios es verdadero, santo, justo y bueno (Sal. 119)	Sal. 34.8; Juan 7.28; 17.11, 25	Juan 14.6; 10.11; Hechos 3.14	1 Juan 5.6; Juan 14.26; Sal. 143.10
Dios es la fuente de poder para su pueblo (Ex. 15.2)	Sal. 18.32	Fil. 4.13	Ef. 3.16
Sólo Dios perdona y limpia del pecado (Sal. 51.7; 130.3-4)	Ex. 34.6-7	Mar. 2.7-11	1 Co. 6.11; Heb. 9.14

El Padre, Hijo, y Espíritu Santo comparten los mismos atributos y obras divinas (continuación)

Atributo de Dios	Dios el Padre	Dios el Hijo	Dios el Espíritu Santo
Dios dío a la humanidad la ley divina en la cual reveló Su carácter y voluntad (2 Tim. 3.16)	Ez. 2.4; Is. 40.8; Dt. 9.10	Mt. 24.35; Juan 5.39; Heb. 1.1-2	2 Sm. 23.2; 2 Pe. 1.21; Ro. 8.2
Dios habita en y en medio del pueblo que cree en Él (Is. 57.15)	2 Co. 6.16; 1 Co. 14.25	Ef. 3.17; Mt. 18.20	Juan 14.17; 1 Co. 6.19; Ef. 2.22
Dios es el ser supremo más sublime, el cual no tiene igual, quien reina como Señor y Rey sobre toda la creación, y el único que es digno de ser adorado y glorificado	Is. 42.8; Sal. 47.2; 1 Ti. 6.15; Mt. 4.10; Ap. 22.8-9	Juan 20.28-29; Ap. 17.14; Heb. 1.3, 6-8	Mt. 12.31; Lucas 1.35; 2 Co. 3.18; 1 Pe. 4.14; Juan 4.24

Pasajes clave sobre dones espirituales en el Nuevo Testamento

Romanos 12.3-12 (RV)

Digo, pues, por la gracia que me es dada, a cada cual que está entre vosotros, que no tenga más alto concepto de sí que el que debe tener, sino que piense de sí con cordura, conforme a la medida de fe que Dios repartió a cada uno. [4] Porque de la manera que en un cuerpo tenemos muchos miembros, pero no todos los miembros tienen la misma función [5] así nosotros, siendo muchos, somos un cuerpo en Cristo, y todos miembros los unos de los otros. [6] De manera que, teniendo diferentes dones, según la gracia que nos es dada, si el de profecía, úsese conforme a la medida de fe; [7]o si de servicio, en servir; o el que enseña, en la enseñanza; [8] el que exhorta, en la exhortación; el que reparte, con liberalidad; el que preside, con solicitud; el que hace misericordia, con alegría. [9] El amor sea sin fingimiento. Aborreced lo malo, seguid lo bueno. [10] Amaos los unos a los otros con amor fraternal; en cuanto a honra, prefiriéndonos los unos a los otros.[11] En lo que requiere diligencia, no perezosos; fervientes en espíritu, sirviendo al Señor; [12] gozosos en la esperanza; sufridos en la tribulación; constantes en la oración.

1 Corintios 12.1-31a (RV)

No quiero, hermanos, que ignoréis acerca de los dones espirituales. [2] Sabéis que cuando erais gentiles, se os extraviaba llevándoos, como se os llevaba, a los ídolos mudos. [3] Por tanto, os hago saber que nadie que hable por el Espíritu de Dios llama anatema a Jesús; y nadie puede llamar a Jesús Señor, sino por el Espíritu Santo [4] Ahora bien, hay diversidad de dones, pero el Espíritu es el mismo. [5]Y hay diversidad de ministerios, pero el Señor es el mismo. [6] Y hay diversidad de operaciones, pero Dios, que hace todas las cosas en todos, es el mismo. [7] Pero a cada uno le es dada la manifestación del Espíritu para provecho. [8] Porque a éste es dada por el Espíritu palabra de sabiduría; a otro, palabra de ciencia según el mismo Espíritu; [9] a otro, fe por el mismo Espíritu, y a otro, dones de sanidades por el mismo Espíritu. [10] A otro, el hacer milagros; a otro, profecía; a otro, discernimiento de espíritus; a otro, diversos géneros de lenguas; y a otro, interpretación de lenguas. [11] Pero todas estas cosas las hace uno y el mismo Espíritu, repartiendo a cada uno en particular como él quiere. [12] Porque así como el cuerpo es uno, y tiene muchos miembros, pero todos los miembros del cuerpo, siendo muchos, son un solo cuerpo, así también Cristo. [13] Porque por un solo Espíritu fuimos todos bautizados en un cuerpo,

Pasajes clave sobre dones espirituales en el Nuevo Testamento (continuación)

sean judíos o griegos, sean esclavos o libres; y a todos se nos dio a beber de un mismo Espíritu. [14] Además, el cuerpo no es un solo miembro, sino muchos. [15] Si dijere el pie: Porque no soy mano, no soy del cuerpo, ¿por eso no será del cuerpo? [16] Y si dijera la oreja: Porque no soy ojo, no soy del cuerpo, ¿por eso no será del cuerpo? [17] Si todo el cuerpo fuese ojo, ¿dónde estaría el oído? Si todo fuese oído, ¿dónde estaría el olfato? [18] Mas ahora Dios ha colocado los miembros cada uno de ellos en el cuerpo, como él quiso. [19]Porque si todos fueran un solo miembro, ¿dónde estaría el cuerpo? [20] Pero ahora son muchos los miembros, pero el cuerpo es uno solo. [21] Ni el ojo puede decir a la mano: No te necesito, ni tampoco la cabeza a los pies: No tengo necesidad de vosotros. [22] Antes bien los miembros del cuerpo que parecen más débiles, son los más necesarios; [23] y a aquellos del cuerpo que nos parecen menos dignos, a éstos vestimos más dignamente; y los que en nosotros son menos decorosos, se tratan con más decoro. [24] Porque los que en nosotros son más decorosos, no tienen necesidad; pero Dios ordenó el cuerpo, dando más abundante honor al que le faltaba, [25] para qué no haya desavenencia en el cuerpo, sino que los miembros todos se preocupen los unos por los otros. [26] De manera que si un miembro padece, todos los miembros se duelen con él, y si un miembro recibe honra, todos los miembros con él se gozan. [27] Vosotros, pues, sois el cuerpo de Cristo, y miembros cada uno en particular. [28] Y a unos puso Dios en la iglesia, primeramente apóstoles, luego profetas, lo tercero maestros, luego los que hacen milagros, después los que sanan, los que ayudan, los que administran, los que tienen don de lenguas. [29]¿Son todos apóstoles? ¿son todos profetas? ¿todos maestros? ¿hacen todos milagros? [30] ¿Tienen todos dones de sanidad? ¿hablan todos lenguas? ¿interpretan todos? [31] Procurad, pues, los dones mejores. (compárese con 1 Co. 14.1-40).

Efesios 4.7-16 (RV)

Pero a cada uno de nosotros fue dada la gracia conforme a la medida del don de Cristo. [8] Por lo cual dice: Subiendo a lo alto, llevó cautiva la cautividad, y dio dones a los hombres. [9] Y eso de que subió, ¿qué es, sino que también había descendido primero a las partes más bajas de la tierra? [10] El que descendió, es el mismo que también subió por encima de todos los cielos para llenarlo todo. [11] Y él mismo constituyó a unos, apóstoles; a otros, profetas; a otros, evangelistas; a otros, pastores y maestros, [12] a fin de perfeccionar a los santos para la obra del ministerio, para la edificación del cuerpo de Cristo. [13] hasta que todos lleguemos a la unidad de la fe y del conocimiento del Hijo de Dios, a un varón perfecto, a la medida de la estatura de la plenitud de Cristo; [14] para que ya no seamos niños fluctuantes, llevados por doquiera de todo viento de doctrina, por estratagema de

Pasajes clave sobre dones espirituales en el Nuevo Testamento (continuación)

hombres que para enseñar emplean con astucia las artimañas del error, [15] sino que siguiendo la verdad en amor, crezcamos en todo en aquel que es la cabeza, esto es, Cristo, [16] de quien todo el cuerpo, bien concertado y unido entre sí por todas las coyunturas que se ayudan mutuamente, según la actividad propia de cada miembro, recibe su crecimiento para ir edificándose en amor.

1 Pedro 4.7-11 (RV)

Mas el fin de todas las cosas se acerca; sed, pues, sobrios, y velad en oración. [8] Y ante todo, tened entre vosotros ferviente amor; porque el amor cubrirá multitud de pecados. [9] Hospedaos los unos a los otros sin murmuraciones. [10] Cada uno según el don que ha recibido, minístrelo a los otros, como buenos administradores de la multiforme gracia de Dios. [11] Si alguno habla, hable conforme a las palabras de Dios, si alguno ministra, ministre conforme al poder que Dios da, para que en todo sea Dios glorificado por Jesucristo, a quien pertenecen la gloria y el imperio por los siglos de los siglos. Amén.

Pasos para equipar a otros

Rev. Dr. Don L. Davis

Paso uno

Logrará tener un destacado dominio del oficio al practicarlo con regularidad, excelencia y gozo. Aunque no es necesario llegar a la perfección, debe esforzarse por crecer más y más en esta práctica. Este es el principio fundamental de todo discipulado. No puede enseñar lo que no sabe o hace, ya que cuando su alumno esté completamente capacitado, será igual que usted (Lucas 6.40).

Paso dos

Seleccione un aprendiz que desee al igual que usted desarrollarse en el ministerio de enseñanza, que sea enseñable, fiel y dispuesto. Jesús llamó a los doce para capacitarlos y luego enviarlos a predicar (Mc. 3.14). No hubo en esta relación ningún tipo de confusión o coerción. Los papeles que cada uno debía ocupar en esta relación estaban claramente delimitados, discutidos y aceptados.

Paso tres

Instruya y modele la tarea en presencia de su aprendiz. Él/ella se acerca a usted para escuchar y observar lo que hace en materia de enseñanza. Haga esto regularmente y con excelencia para que su alumno vea en usted la mejor manera de llevar a cabo este ministerio. Una imagen vale mil palabras. Esta clase de observación no le genera presión alguna y es importante para un profundo entrenamiento (2 Timoteo 2.2; Filipenses 4.9).

Paso cuatro

Haga la tarea y la practican juntos. Luego de haber sido modelo de su alumno de diversas maneras, es tiempo que le invite a cooperar en su ministerio a medida que sigue con su entrenamiento. Trabajen juntos en armonía para lograr tener éxito, siendo éste el objetivo que se debe procurar.

Pasos para equipar a otros (continuación)

Paso cinco

El aprendiz hace la tarea por sí mismo, estando usted presente. Provea la oportunidad a su alumno de enseñar a otros mientras lo observa y escucha. Déle consejos, motívelo y guíelo en la tarea. Después de esto, evalúelo en aquellas cosas que ha observado. (2 Corintios 11.1).

Paso seis

Su aprendiz hace las cosas solo, practicando con regularidad y excelencia hasta que consigue un destacado domino del oficio. Después que su alumno haya estado bajo su supervisión, estará listo para ser independiente y llevar a cabo su propio ministerio. Estará a la par de su aprendiz; él ya no necesitará de su capacitación. El objetivo es familiarizarse con la tarea para irse perfeccionando en la misma (Hebreos 5.11-15).

Paso siete

Su aprendiz es ahora mentor de otros, ya que seleccionará otros aprendices fieles para equiparlos y entrenarlos. El proceso de entrenamiento produce fruto cuando los alumnos logran llevar a cabo lo que han aprendido de usted, llegando a ser capacitadores de otros. Éste es el concepto fundamental del proceso de disciplina y entrenamiento (Hebreos 5.11-14; 2 Timoteo 2.2).

Percepción y verdad

Rev. Dr. Don L. Davis

La situación presente

¿Qué está sucediendo aquí?
¿Qué significa esto?

1 Los supuestos "hechos" del problema

Lo que es aparente para todos nosotros
Lo que nos está pasando
Nuestras reacciones iniciales

2 El pronóstico común

Lo que usualmente sucede
Lo que podemos esperar
Lo que se siente

3 Opiniones de personas clave

Otras personas importantes
Líderes
Expertos
Amigos y familia

4 Tu actual predisposición espiritual, experimental, y psicológica ("hábitos del corazón")

Estado de desconocimiento
Distracción y preocupación
Propensión a dudar

Profundo conocimiento espiritual
Espiritualmente alerta
Sobrio y listo para luchar

5 La persuación mentirosa del enemigo ("combatiente sucio")

Conocimiento de una Insuficiencia profunda
Miedo a la vulnerabilidad
Imposibilidad al cambio
Prospecto del error

6 El testimonio de la promesa divina

Certeza de la provisión de Dios
Seguro de estar seguro
Posibilidad de una transformación radical
Seguridad en el poder divino
Afirmación de victoria

Niveles de percepción

Lo que está sucediendo
Lo que es aparente
Lo que ves
Lo que otros ven
Lo que el enemigo ve
Lo que el enemigo quiere que tu pienses acerca de lo que Dios ve
Lo que Dios ve
Lo que Dios quiere que tú sepas acerca de lo que tú ves

Predicar y enseñar a Jesús de Nazaret como Mesías y Señor

El corazón de todo ministerio bíblico

Don L. Davis

Fil. 3.8 (RV) - Y ciertamente, aun estimo todas las cosas como pérdida por la excelencia del *conocimiento de Cristo [Mesías] Jesús, mi Señor*, por amor del cual lo he perdido todo, y lo tengo por basura, para ganar a Cristo [Mesías].

Hch. 5.42 (RV) - Y todos los días, en el templo y por las casas, *no cesaban de enseñar y predicar a Jesucristo [Mesías]*.

1 Co. 1.23 (RV) - pero nosotros predicamos a *Cristo [Mesías] crucificado*, para los judíos ciertamente tropezadero, para los gentiles locura.

2 Co. 4.5 (RV) - Porque no nos predicamos a nosotros mismos, sino a *Jesucristo [Mesías] como Señor*, y a nosotros como vuestros siervos por amor de Jesús.

1 Co. 2.2 (RV) - Pues me propuse no saber entre vosotros cosa alguna sino a *Jesucristo [Mesías], y a éste crucificado.*

Ef. 3.8 (RV) - A mi, que soy menos que el más pequeño de todos los santos, me fue dada esta gracia *de anunciar entre los gentiles el evangelio de las inescrutables riquezas de Cristo [Mesías]*.

Fil. 1.18 (RV) - ¿Qué, pues? Que no obstante, de todas maneras, o por pretexto o por verdad, *Cristo [Mesías] es anunciado*; y en esto me gozo, y me gozaré aún.

Col. 1.27-29 (RV) - a quienes Dios quiso dar a conocer las riquezas de la gloria de este misterio entre los gentiles; que es *Cristo [Mesías] en vosotros, la esperanza de gloria*, [28] a quien anunciamos, amonestando a todo hombre, y enseñando a todo hombre en toda sabiduría, a fin de *presentar perfecto en Cristo [Mesías] Jesús a todo hombre; [29] para lo cual también trabajo, luchando según la potencia de él*, la cual actúa poderosamente en mi.

Principios detrás de la profecía

Dr. Don L. Davis

1. La profecía provee la verdad divinamente inspirada por Dios, su universo y su voluntad.
   - ¿Quién es Dios y cuál es la naturaleza de la "verdad"?
   - ¿Cuál es la verdad, y cómo podemos conocerla?
   - ¿De dónde venimos, por qué estamos aquí, y cómo debemos actuar?

2. La profecía se origina y tiene sus raíces en el Espíritu Santo.
   - Es Su regalo (Ro. 12.6; 1 Co. 12.10; Ef. 4.8).
   - Profeta = "persona del Espíritu", *pneumatikos* (1 Co. 14.37 y Os. 9.7)
   - La esperanza de Moisés (Núm. 11.16, 29; compárelo con Lc. 10.1)

3. Diversas formas de revelación (Jer. 18.18, Ley del sacerdote, consejo de los sabios y palabra del profeta).
   - Vivían en comunidades y gremios, algunos colaboraban en el templo, mientras otros eran sacerdotes (2 Re. 2.3 en adelante.; Ez. 1.3; Jer. 1.1).
   - Maestros sabios y prudentes eran "receptores y mediadores" del don divino (Gn. 41.38; 2 Sm. 14.20; 16.23; 1 Re. 3.9, etc.).
   - Tanto maestro de sabiduría y profeta: Daniel

4. Profecía no auténtica en si misma: su validez debe de ser determinada.
   - Existía un conflicto entre los profetas dentro del Antiguo y Nuevo Testamento (1 Re. 22; Jer. 23; 28 y 2 Co. 11.4, 13; 1 Juan 4.1-3).
   - Las demandas proféticas deben estar de acuerdo con Moisés (Dt. 13.1-5) y Jesús (Mt. 7.15; 24.11; 2 Pe. 2.1).
   - Si la Palabra se cumple, es del Señor (Dt. 18.15-22).
   - Toda la profecía debe ser examinada por su valor verdadero (1 Ts. 5.19-21).

5. El testimonio de Jesús es el espíritu de la profecía (Ap. 19.10).
   - La profecía habla del sufrimiento y la gloria del Mesías (Lc. 24.25-27; 44).
   - Las Escrituras proféticas se enfocan en Su persona y obra (Juan 5.39-40).
   - Predicación apostólica conectada con Su mensaje (Hch. 3.12-18; 10.43; 13.27; Ro. 3.21-22; 1 Pe. 1.10-12; 2 Pe. 1.19-21).

Profecías mesiánicas citadas en el Nuevo Testamento

Rev. Dr. Don L. Davis

	Cita NT	Referencia AT	Indicación del cumplimiento de la profecía mesiánica
1	Mt. 1.23	Is. 7.14	El nacimiento virginal de Jesús de Nazaret
2	Mt. 2.6	Miq. 5.2	El nacimiento del Mesías en Belén
3	Mt. 2.15	Os. 11.1	Que Jehová llamaría al Mesías de Egipto, el segundo Israel
4	Mt. 2.18	Jer. 31.15	Raquel llora por sus hijos asesinados por Herodesbuscando destruir la simiente mesiánica
5	Mt. 3.3	Is. 40.3	La predicación de Juan el Bautista cumple su papel depredecesor mesiánico según Isaías
6	Mt. 4.15-16	Is. 9.1-2	El ministerio galileo de Jesús cumple la profecía de Isaías sobrela luz del Mesías a los gentiles
7	Mt. 8.17	Is. 53.4	El ministerio sanador de Jesús cumple la profecía de Isaías referente al poder del Mesías de sanar y echar fuera demonios
8	Mt. 11.14-15	Is. 35.5-6; 61.1	El ministerio de sanidad de Jesús confirma su identidad comoel Mesías ungido de Jehová
9	Mt. 11.10	Mal. 3.1	Jesús confirma la identidad de Juan el Bautista como elmensajero de Jehová según Malaquías
10	Mt. 12.18-21	Is. 42.1-4	El ministerio de sanidad de Jesús cumple la profecía de Isaíasde la compasión del Mesías por los débiles
11	Mt. 12.40	Juan. 1.17	Como Jonás estuvo tres días y tres noches en el vientre delgran pez, así Jesús estaría en la tierra
12	Mt. 13.14-15	Is. 6.9-10	La negligencia espiritual de la audiencia de Jesús
13	Mt. 13.35	Sal. 78.2	El Mesías enseñaría en parábolas a la gente
14	Mt. 15.8-9	Is. 29.13	La naturaleza hipócrita de la audiencia de Jesús
15	Mt. 21.5	Zac. 9.9	La entrada triunfal del Mesías el Rey a Jerusalén sobre un asno
16	Mt. 21.9	Sal. 118.26-27	Hosana al Rey de Jerusalén
17	Mt. 21.16	Sal. 8.2	De la boca de los niños Jehová declara salvación
18	Mt. 21.42	Sal. 118.22	La piedra que los edificadores rechazaronha llegado a ser la piedra angular
19	Mt. 23.39	Sal. 110.1	El entronamiento de Jehová el Señor

Profecías mesiánicas citadas en el Nuevo Testamento (continuación)

	Cita NT	Referencia AT	Indicación del cumplimiento de la profecía mesiánica
20	Mt. 24.30	Dn. 7.13	El Hijo del Hombre que vendría según la profecía de Daniel, noes otro sino Jesús de Nazaret
21	Mt. 26.31	Zac. 13.7	El Pastor es herido por Jehová y las ovejas se esparcen
22	Mt. 26.64	Sal. 110.1	Jesús de Nazaret es el cumplimiento del Hijo del HombreMesiánico de Daniel
23	Mt. 26.64	Dn. 7.3	Jesús vendrá en las nubes del cielo como el gobernanteexaltado de Daniel
24	Mt. 27.9-10	Zac. 11.12-13	El Mesías es traicionado por treinta piezas de plata
25	Mt. 27.34-35	Sal. 69.21	El ungido de Dios recibe vino mezclado con hiel
26	Mt. 27.35	Sal. 22.18	Los soldados echan suertes por las prendas del Mesías
27	Mt. 27.43	Sal. 22.8	El Mesías recibe burla y escarnio estando en la cruz
28	Mt. 27.46	Sal. 22.1	El Mesías es abandonado por Dios por causa de otros
29	Mc. 1.2	Mal. 3.1	Juan el Bautista es el cumplimiento de la profecía en relación al mensajero del Señor
30	Mc. 1.3	Is. 40.3	Juan el Bautista es la voz que clama en el desierto parapreparar el camino del Señor
31	Mc. 4.12	Is. 6.9	La negligencia espiritual de la audiencia en relación al mensajedel Mesías
32	Mc. 7.6	Is. 29.13	La hipocresía de la audiencia en su respuesta al Mesías
33	Mc. 11.9	Sal. 118.25	Las hosanas dadas al Mesías como Rey en Jerusalén
34	Mc. 12.10-11	Sal. 118.25	La piedra que los edificadores rechazaron ha llegado a ser laprincipal piedra angular
35	Mc. 12.36	Sal. 110.1	Dios entrona al Señor de David sobre su trono en Sion
36	Mc. 13.26	Dn. 7.13	Jesús es el profetizado Hijo del Hombre quien regresará engloria en las nubes
37	Mc. 14.27	Zac. 13.7	Jesús será abandonado por los suyos, porque el pastor seráherido y las ovejas serán dispersas
38	Mc. 14.62	Dn. 7.13	Jesús es el Mesías, el Hijo del Hombre en la visión de Daniel
39	Mc. 14.62	Sal. 110.1	El Hijo del Hombre, Jesús, vendrá de la diestra de Jehová
40	Mc. 15.24	Sal. 22.18	Echan suertes sobre las prendas del Mesías durante su pasión
41	Mc. 15.34	Sal. 22.1	El Mesías es abandonado por Dios a favor de la redención delmundo

Profecías mesiánicas citadas en el Nuevo Testamento (continuación)

	Cita NT	Referencia AT	Indicación del cumplimiento de la profecía mesiánica
42	Lc. 1.17	Mal. 4.6	Juan el Bautista vendrá en el poder y espíritu de Elías
43	Lc. 1.76	Mal. 3.1	Juan va antes del Señor para preparar el camino
44	Lc. 1.79	Is. 9.1-2	El Mesías dará luz a aquellos que habitan en oscuridad
45	Lc. 2.32	Is. 42.6; 49.6	El Mesías será luz para los gentiles
46	Lc. 3.4-5	Is. 40.3	Juan es la voz de Isaías que clama en el desierto para prepararel camino del Señor
47	Lc. 4.18-19	Is. 61.1-2	Jesús es el siervo de Jehová, ungido por su Espíritu para traerlas Buenas Nuevas del Reino
48	Lc. 7.27	Mal. 3.1	Jesús confirma la identidad de Juan como el que prepara elcamino del Señor
49	Lc. 8.10	Is. 6.9	La negligencia de la audiencia de Jesús el Mesías
50	Lc. 19.38	Sal. 118.26	Jesús, en su entrada a Jerusalén cumple la profecía mesiánicadel Rey de Israel
51	Lc. 20.17	Sal. 118.26	Jesús es la piedra de Jehová que los edificadores rechazaron, lacual ha venido a ser la piedra angular
52	Lc. 20.42-43	Sal. 110.1	David llama a su señor, el Mesías y Señor, quien es entronadoen Sion por Jehová
53	Lc. 22.37	Is. 53.12	El Mesías es clasificado entre criminales
54	Lc. 22.69	Sal. 110.1	Jesús regresará de la diestra de Dios, de donde él ha sidoentronado
55	Lc. 23.34	Sal. 22.18	Echan suertes sobre las prendas del Mesías
56	Juan 1.23	Is. 40.3	La predicación de Juan es el cumplimiento de la profecía delsaías sobre el predecesor del Mesías
57	Juan 2.17	Sal. 69.17	El celo por la casa del Señor va a consumir al Mesías
58	Juan 6.45	Is. 54.13	Todos aquellos a quien Dios enseña vendrán al Mesías
59	Juan 7.42	Sal. 89.4; Miq. 5.2	El Mesías, la simiente de David, vendrá de Belén
60	Juan 12.13	Sal. 118.25-26	Dan hosanas al triunfante Rey Mesías de Israel
61	Juan 12.15	Zac. 9.9	El Rey de Israel entra a Jerusalén sobre un pollino
62	Juan 12.38	Is. 53.1	Como profetizó Isaías, pocos creyeron el reporte de Jehovásobre su ungido
63	Juan 12.40	Is. 6.10	Isaías vio la gloria del Mesías y habló sobre la negligencia de su audiencia

Profecías mesiánicas citadas en el Nuevo Testamento (continuación)

	Cita NT	Referencia AT	Indicación del cumplimiento de la profecía mesiánica
64	Juan13.18; comparar 17.12	Sal. 41.9	La traición del Mesías por uno de sus íntimos seguidores
65	Juan 15.25	Sal. 35.19; 69.4	El Mesías será odiado sin causa
66	Juan 19.24	Sal. 22.18	Las prendas del Mesías serían divididas
67	Juan 19.28	Sal. 69.21	Al Mesías le ofrecerían vino sobre la cruz
68	Juan 19.36	Ex. 12.46; Nah. 9.12; Sal. 34.20	Ningún hueso del Mesías sería quebrantado
69	Juan 19.37	Zac. 12.10	La nación arrepentida de Israel mirará a aquel a quientraspasaron
70	Hch. 1.20	Sal. 69.25; 109.8	Judas sería reemplazado por otro
71	Hch. 2.16-21	Joel 2.28-32	El Espíritu será derramado sobre toda carne en los últimos días
72	Hch. 2.25-28	Sal. 16.8-11	El Mesías no padecerá descomposición ni corrupción en el Seol
73	Hch. 2.34-35	Sal. 110.1	El Mesías es entronado a la diestra de Jehová hasta que susenemigos sean destruídos
74	Hch. 3.22-23	Dt. 18.15, 19	Dios levantaría un profeta como Moisés para el pueblo
75	Hch. 3.25	Gn. 22.18	Todas las naciones de la tierra serían benditas en la simiente de Abraham
76	Hch. 4.11	Sal. 118.22	Jesús el Mesías es la piedra rechazada a quien Dios hizo lapiedra angular
77	Hch. 4.25	Sal. 2.1	Jehová se reirá de la oposición de las naciones hacia él y suungido
78	Hch. 7.37	Dt. 18.15	Jehová dará a Israel un profeta como Moisés
79	Hch. 8.32-33	Is. 53.7-9	Jesús el Mesías es el Siervo Sufriente de Jehová
80	Hch. 13.33	Sal. 2.7	Dios ha cumplido la promesa a Israel en Jesús levantándolo delos muertos
81	Hch. 13.34	Is. 53.3	Jesús el Mesías es el cumplimiento de las misericordias segurasde David
82	Hch. 13.35	Sal. 16.10	El Mesías no padecería corrupción en la tumba
83	Hch. 13.47	Is. 49.6	A través de Pablo, el mensaje del Mesías viene a ser una luz alas naciones
84	Hch. 15.16-18	Amós 9.11-12	La dinastía de David es restaurada en Jesús, y los gentiles son bienvenidos en el Reino
85	Rom 9.25-26	Os. 2.23; 1.10	Los gentiles son bienvenidos al pueblo de Dios

Profecías mesiánicas citadas en el Nuevo Testamento (continuación)

	Cita NT	Referencia AT	Indicación del cumplimiento de la profecía mesiánica
86	Rom 9.33; 10.11	Is. 28.16	El Mesías es una piedra de tropiezo a aquellos que rechazan la salvación de Dios
87	Rom 10.13	Joel 2.32	Cualquiera que invocare el nombre del Señor será salvo
88	Rom 11.8	Is. 29.10	Israel a través de la incredulidad ha sido endurecido hacia el Mesías
89	Rom 11.9-10	Sal. 69.22-23	El juicio se ha agravado sobre Israel
90	Rom 11.26	Is. 59.20-21	Un libertador vendrá de Sion
91	Rom 11.27	Is. 27.9	Perdón de pecados será dado por medio de un nuevo pacto
92	Rom 14.11	Is. 45.23	Todos serán finalmente juzgados por Jehová
93	Rom 15.9	Sal. 18.49	Los gentiles alaban a Dios por medio de la fe en el Mesías
94	Rom 15.10	Dt. 32.43	Dios recibe alabanza de las naciones
95	Rom 15.11	Sal. 117.1	Los pueblos de la tierra le dan gloria a Dios
96	Rom 15.12	Is. 11.10	Los gentiles tendrán esperanza en la raíz de Isaí
97	Rom 15.21	Is. 52.15	Las Buenas Nuevas serán predicadas a aquellos sinentendimiento
98	1 Co. 15.27	Sal. 8.7	Todas las cosas están bajo los pies del líder representativo de Dios
99	1 Co. 15.54	Is. 25.8	La muerte culminará en victoria
100	1 Co. 15.55	Os. 13.14	La muerte un día perderá su aguijón
101	2 Co. 6.2	Is. 49.8	Ahora es el día de salvación por medio de la fe en Jesús el Mesías
102	2 Co. 6.16	Ez. 37.27	Dios habitará con su gente
103	2 Co. 6.18	Os. 1.10; Isa 43.6	Los creyentes en Jesús el Mesías son hijos e hijas de Dios
104	Gál. 3.8, 16	Gn. 12.3; 13.15; 17.8	Las Escrituras que previeron la justificación de los gentiles por la fe predicaron el evangelio de antemano por la promesa a Abraham que todas las naciones serían benditas en su simiente
105	Gál. 4.27	Is. 54.1	Jerusalén es la madre de todos nosotros
106	Ef. 2.17	Is. 57.19	La paz de Jesús el Mesías es predicada tanto a judíos como agentiles
107	Ef. 4.8	Sal. 68.18	El Mesías en su ascensión ha conquistado y nos ha dado donesa todos nosotros por su gracia
108	Ef. 5.14	Is. 26.19; 51.17; 52.1; 60.1	La regeneración del Señor ha sucedido; su luz ha brillado sobre nosotros

Profecías mesiánicas citadas en el Nuevo Testamento (continuación)

	Cita NT	Referencia AT	Indicación del cumplimiento de la profecía mesiánica
109	Heb. 1.5	Sal. 2.7	El Mesías es el Hijo de Dios
110	Heb. 1.5	2 Sm. 7.14	Jesús el Mesías de Dios
111	Heb. 1.6	Dt. 32.43	Los ángeles adoraron al Mesías cuando él entró al mundo
112	Heb. 1.8-9	Sal. 45.6-7	Se habla en forma directa de Jesús el Mesías como si fuera Jehová Dios
113	Heb. 1.10-12	Sal. 102.25-27	El Hijo es el agente de la creación de Dios y es eterno
114	Heb. 1.13	Sal. 110.1	Jesús el Mesías es entronado a la diestra del Padre
115	Heb. 2.6-8	Sal. 8.4-6	Todas las cosas han sido sujetas a la autoridad del Hijo
116	Heb. 2.12	Sal. 22.22	Jesús el Mesías es un hermano para todos los redimidos
117	Heb. 2.13	Is. 8.17-18	El Mesías pone su confianza en Jehová Dios
118	Heb. 5.5	Sal. 2.7	El Mesías es el Hijo de Dios
119	Heb. 5.6	Sal. 110.4	El Mesías es un sacerdote eterno según el orden de Melquisedec
120	Heb. 7.17, 21	Sal. 110.4	Jesús el Mesías es el Sumo Sacerdote eterno
121	Heb. 8.8-12	Jer. 31.31-34	Un nuevo pacto se ha hecho en la sangre de Jesús
122	Heb. 10.5-9	Sal. 40.6	La muerte del Mesías sustituye el sistema de sacrificios del templo.
123	Heb. 10.13	Sal. 110.1	Jehová ha entronado al Mesías como Señor
124	Heb. 10.16-17	Jer. 31.33-34	El Espíritu Santo testifica de la suficiencia del Nuevo Pacto
125	Heb. 10.37-38	Hab. 2.3-4	El que vendrá, lo hará así, en poco tiempo
126	Heb. 12.26	Hag. 2.6	Todo el cielo y la tierra serán sacudidos
127	1 Pe. 2.6	Is. 28.16	Dios pone una piedra angular en Sion
128	1 Pe. 2.7	Ps. 118.22	La piedra que los constructores rechazaron, Dios la ha hecho la piedra angular
129	1 Pe. 2.8	Is. 8.14	El Mesías es una piedra de tropiezo para los que no creen
130	1 Pe. 2.10	Ose. 1.10; 2.23	A través del Mesías, ahora los gentiles son invitados para formar parte del pueblo de Dios
131	1 Pe. 2.22	Is. 53.9	El Mesías Jesús, sin pecado, fue sacrificado por nosotros

Promesa vs. predicción: La hermenéutica apostólica del AT

Adaptado por Christopher J. H. Wright

<table>
<tr><th colspan="5">Y así fue cumplido: cinco escenas de la vida temprana de Jesús</th></tr>
<tr><th>Incidente en la vida de Jesús</th><th>Cita de Mateo</th><th>Referencia del Antiguo Testamento</th><th>Comentario sobre el contexto actual histórico del texto del Antiguo Testamento</th><th>El significado de la hermenéutica</th></tr>
<tr><td>Seguridad a José respecto al niño concebido en María</td><td>Mt. 1.18-25</td><td>Is. 7.14, Emanuel, la señal dada al Rey Acaz por Isaías</td><td>La profecía sobre Emanuel fue dada como señal al Rey Acaz en su propio contexto histórico, y no proporciona en principio indicación que fuera una predicción a largo plazo de importancia mesiánica</td><td rowspan="5">El Espíritu Santo proveyó a los apóstoles de sabiduría divina para hacer conexiones no sólo con las claras predicciones mesiánicas, sino también con aquellos aspectos de la historia de Israel que representan de un modo directo alguna faceta de la vida y ministerio de Jesús.

La capacidad de correlacionar los acontecimientos particulares de Israel a la vida y el ministerio de Jesús el Mesías es exactamente la naturaleza de la hermenéutica apostólica iluminada por el Espíritu, la cual coincide con la Escritura divina e inspirada por el Espíritu.

Estamos invitados a practicar una exégesis de las Escrituras y a hacer correlaciones en la misma manera en que el Señor y los apóstoles lo hicieron, aunque nuestras conexiones nunca deben ser consideradas normativas, así como las de ellos.</td></tr>
<tr><td>El nacimiento de Jesús en Belén, la ciudad de David</td><td>Mt. 2.1-12</td><td>Miq. 5.2, Profecía del Gobernador de Israel que vendría de Belén</td><td>Una predicción mesiánica directa sobre el lugar de nacimiento del futuro Gobernador de Israel y las naciones</td></tr>
<tr><td>El escape a Egipto y el regreso de allá</td><td>Mt. 2.13-15</td><td>Os. 11, La liberación de Dios de su pueblo Israel, su "Hijo", fuera de Egipto en el Éxodo</td><td>No hay predicción presente; la referencia de Oseas es una alusión profética al Éxodo del pueblo de Dios de Egipto</td></tr>
<tr><td>El asesinato de los niños en Belén, por Herodes</td><td>Mt. 2.16-18</td><td>Jer. 31.15, El lamento de Jeremías por la nación israelita que se dirigía al exilio, a la cautividad babilónica</td><td>El texto del AT es un cuadro figurativo del lamento de Raquel (Israel) durante el exilio en 587 A.C. después de la caída de Jerusalén a manos de Babilonia. No hay predicción mesiánica explícita en el texto</td></tr>
<tr><td>El establecimiento de la familia de Jesús en Nazaret de Galilea</td><td>Mt. 2.19-23</td><td>Algunas posibles alusiones en el AT, Jue. 13.5; 1 Sm. 1.11; Amós 2.10-11</td><td>Los textos tienen aplicación dentro de su marco, pero no de una manera explícita para cumplir las predicciones mesiánicas</td></tr>
</table>

"Puede pagarme ahora, o puede pagarme después"

Don L. Davis

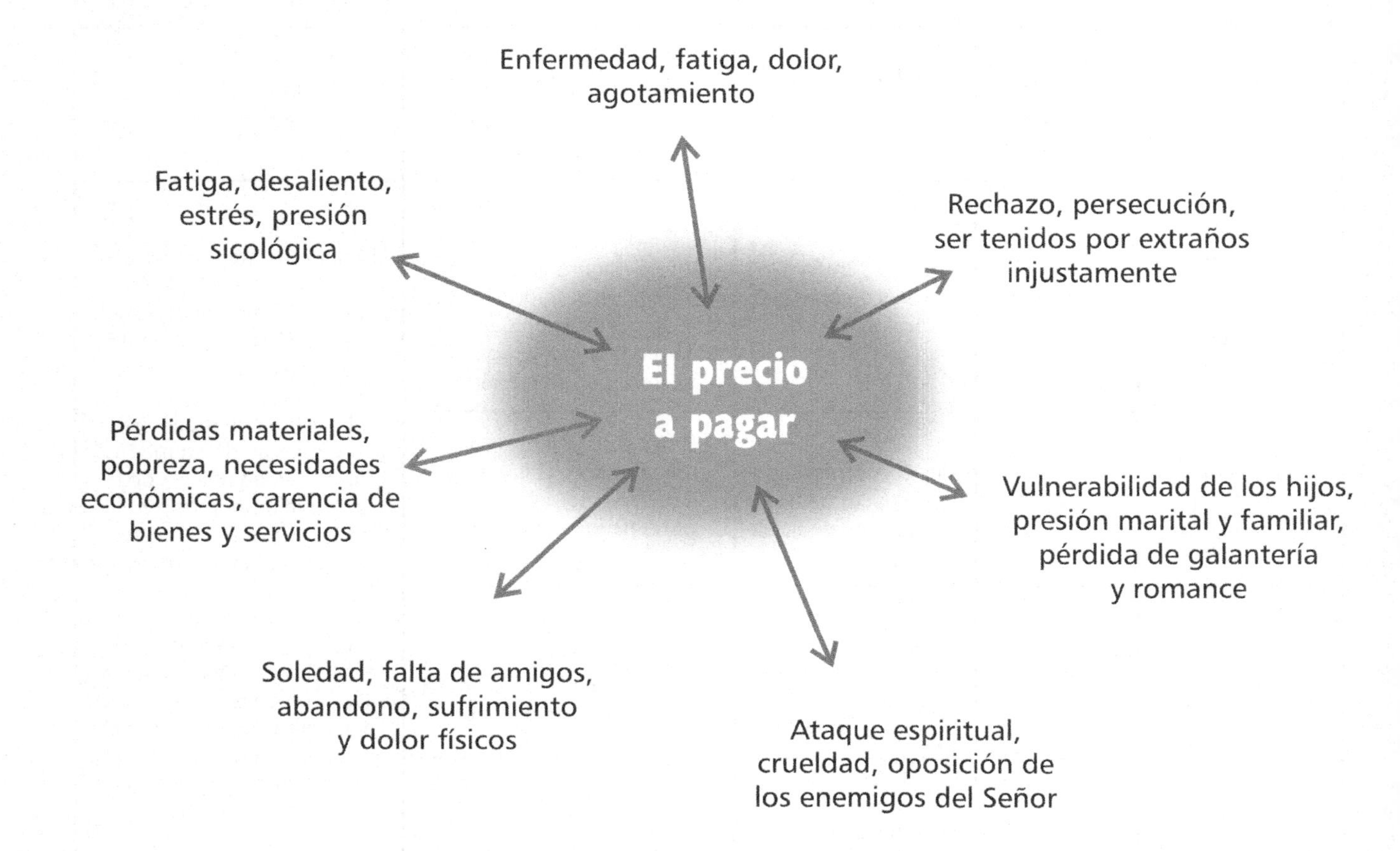

Que podamos ser uno

Elementos de un movimiento de plantación de iglesias integrado entre los pobres de zonas urbanas

Rev. Dr. Don L. Davis

Los Movimientos de Plantación de Iglesias (MPI) entre los pobres urbanos equivalen a un integrado y agresivo avance del Reino de Dios entre los pobres de zonas urbanas, que resulta en un significativo aumento de iglesias autóctonas, las que fundamentalmente tienen en común una constelación de elementos que les proveen una identidad distintiva singular, propósito y práctica.

Ministrar entre los pobres urbanos debe estar basado en una visión y entendimiento de la libertad que tenemos en Cristo para concebir un coherente e integrado movimiento de seguidores de Jesús quienes a causa de experiencias compartidas, proximidad, cultura e historia *determinan reflejar su fe y práctica singular en una forma consistente con la fe histórica, pero distinta a su vida y tiempos.* Esto no es un acto arbitrario; los movimientos no pueden ignorar la naturaleza de la Iglesia única (unidad), santa (santidad), católica (universal) y apostólica (apostolado), el único verdadero pueblo de Dios.

Sin embargo, según fue afirmado por los líderes de la entonces Iglesia Episcopal Americana, la libertad que tenemos en Cristo permite diferentes formas y usos de adoración en el cuerpo de Cristo sin ninguna ofensa en lo absoluto, siempre y cuando seamos fieles a las históricas creencias ortodoxas de la Iglesia como nos fueron enseñadas por los profetas y apóstoles de nuestro Señor. La doctrina debe permanecer anclada y completa; la disciplina, sin embargo, puede ser aplicada sobre la base de las eventualidades y exigencias del pueblo que las acepte, siempre y cuando todo lo que sea formado y concebido edifique al cuerpo de Cristo y glorifique a Dios nuestro Padre, por medio de nuestro Señor Jesucristo.

Es una parte invaluable de la bendita "libertad con que Cristo nos hizo libres", que al adorarlo, diferentes formas y usos pueden ser permitidos sin ofensa alguna, siempre y cuando la sustancia de la Fe se conserve entera; y que en cada Iglesia, lo que no pueda ser claramente determinado como Doctrina debe ser referido a la Disciplina; por lo tanto, por consentimiento y autoridad común, puede ser alterada, abreviada, expandida, enmendada, o no usada, según parezca ser más conveniente para la edificación del pueblo, "de acuerdo a las varias exigencias de tiempos y ocasiones".
~ 1789 Prefacio al *Libro Común de Oraciones*. 1928 edición Episcopal.

"Las congregaciones de un movimiento de plantación de iglesias (MPI) integrado entre los pobres urbanos en conjunto demostrarán:"

1. *Una historia e identidad compartida (o sea, un nombre y herencia común).* Los MPI entre los pobres urbanos buscarán unirse e identificarse por una historia y persona compartida bien definida y gozosa que todos los miembros y congregaciones comparten.

Que podamos ser uno (continuación)

2. *Una liturgia y celebración compartida* (es decir, *una adoración común*). Los MPI entre los pobres urbanos deben reflejar una liturgia de himnos compartida, práctica de los sacramentos, imaginería y enfoque teológico, visión estética, vestuario sagrado, orden litúrgico, simbología y formación espiritual que capacita a adorar y a glorificar a Dios en una manera que exalta al Señor y atrae al pueblo urbano a adoración vital.

3. *Una membresía compartida, de bienestar social y de salud y apoyo* (es decir, *un orden y disciplina común*). Los MPI entre los pobres urbanos deben estar anclados en presentaciones evangélicas e históricamente ortodoxas del evangelio, que resulten en conversiones a Cristo Jesús e incorporación en iglesias locales.

4. *Una doctrina y catecismo compartido* (es decir, *una fe común*). Los MPI entre los pobres urbanos deben tener una teología bíblica común y expresarla prácticamente en una educación cristiana que refleje la fe que ellos tienen.

5. *Una autoridad y gobierno eclesiástico compartido* (es decir, *una política común*). Los MPI entre los pobres urbanos deben ser organizados sobre una política común, administración eclesiástica y sujeta a políticas de gobierno flexibles que permitan un eficiente y eficiente manejo de sus recursos y congregaciones.

6. *Una estructura de desarrollo de liderazgo compartido* (es decir, *una estrategia pastoral común*). Los MPI entre los pobres urbanos están comprometidos a suplir a cada congregación con personal pastoral piadosa, y procurar identificar, equipar y apoyar a sus pastores y misioneros a fin que sus miembros puedan crecer en madurez cristiana.

7. *Una filosofía y procedimiento financiero compartido* (es decir, *una mayordomía común*). Los MPI entre los pobres urbanos se esfuerzan en manejar todos sus asuntos y recursos financieros con políticas sabias, de eficacia y reproductivas que permiten un buen manejo de los dineros y los bienes, local, regional y nacionalmente.

8. *Un ministerio de cuidado y apoyo compartido* (es decir, *un servicio común*). Los MPI entre los pobres urbanos procuran demostrar el amor y la justicia del Reino en forma práctica entre sus miembros y para con otros en la ciudad, en maneras que permiten a los individuos y congregaciones a amar a sus vecinos así como ellos se aman.

9. *Una evangelización y alcance compartido* (es decir, *una misión común*). Los MPI entre los pobres urbanos se unen y colaboran entre sus miembros a fin de presentar claramente a Jesús y su Reino a los perdidos de la ciudad, con el fin de establecer nuevas congregaciones en áreas urbanas no alcanzadas, lo más rápidamente posible.

Que podamos ser uno (continuación)

10. *Una visión compartida para conexión y asociación* (es decir, *una sociedad común*). Los MPI entre los pobres urbanos deben procurar hacer nuevas conexiones, uniones y relaciones con otros movimientos con el propósito de comunicación regular, compañerismo y misión.

Estos principios de pertenencia, camaradería e identidad establecen el fundamento para un nuevo paradigma de auténtica unidad ecuménica, la clase que puede conducir a compañerismos y colaboración en forma amplia y sustancialmente profunda. Enseguida aparece un breve panorama de las bases bíblicas de TUMI (Instituto Ministerial Urbano) para la clase de asociación que puede estimular y sostener un movimiento creíble de plantación de iglesias entre los pobres urbanos.

Socios de Dios y compañeros en la obra

1 Co. 3.1-9 - De manera que yo, hermanos, no pude hablaros como a espirituales, sino como a carnales, como a niños en Cristo. [2] Os di a beber leche, y no vianda; porque aún no erais capaces, ni sois capaces todavía, [3] porque aún sois carnales; pues habiendo entre vosotros celos, contiendas y disensiones, ¿no sois carnales, y andáis como hombres? [4] Porque diciendo el uno: Yo ciertamente soy de Pablo; y el otro: Yo soy de Apolos, ¿no sois carnales? [5] ¿Qué, pues, es Pablo, y qué es Apolos? Servidores por medio de los cuales habéis creído; y eso según lo que a cada uno concedió el Señor. [6] Yo planté, Apolos regó; pero el crecimiento lo ha dado Dios. [7] Así que ni el que planta es algo, ni el que riega, sino Dios, que da el crecimiento. [8] Y el que planta y el que riega son una misma cosa; aunque cada uno recibirá su recompensa conforme a su labor. [9] Porque nosotros somos colaboradores de Dios, y vosotros sois labranza de Dios, edificio de Dios.

Facilitar los movimientos de plantación de iglesias pioneras en las comunidades C_1 no alcanzadas de Estados Unidos

Como un ministerio de World Impact, TUMI está dedicado a generar y estratégicamente facilitar movimientos dinámicos y autóctonos de plantación de iglesias C_1, enfocadas en alcanzar el 80% de las zonas urbanas de la *Ventana de Norte América* (es decir, las zonas americanas más pobres o violentas). Con el fin de lograr este propósito, vamos a ayudar a formar alianzas estratégicas dentro de y entre misioneros y pastores urbanos, teólogos y misiólogos, iglesias, denominaciones, otras personas y organizaciones de mentalidad semejante, con el propósito de generar robustos movimientos pioneros de plantación

Que podamos ser uno (continuación)

de iglesias para que se multipliquen en miles de iglesias evangélicas C_1, culturalmente-conducentes entre los pobres urbanos de Norte América. Nosotros vamos a ofrecer nuestra experiencia para asegurar que estas iglesias en todo glorifiquen a Dios el Padre en su identidad Cristo-céntrica, adoración Espíritu-formada y vida comunitaria, doctrina históricamente ortodoxa y práctica y una misión orientada al Reino.

I. La asociación involucra reconocer nuestra unidad fundamental en Cristo: Compartimos el mismo ADN espiritual.

A. *Nuestra fe en Jesús nos ha hecho uno, juntos.*

1. 1 Juan 1.3 - Lo que hemos visto y oído, eso os anunciamos, para que también vosotros tengáis comunión con nosotros; y nuestra comunión verdaderamente es con el Padre, y con su Hijo Jesucristo.

2. Juan 17.11 - Y ya no estoy en el mundo; mas éstos están en el mundo, y yo voy a ti. Padre santo, a los que me has dado, guárdalos en tu nombre, para que sean uno, así como nosotros.

B. *La unidad orgánica entre el Padre y el Hijo, y el pueblo de Dios*, Juan 17.21-22 - Para que todos sean uno; como tú, oh Padre, en mí, y yo en ti, que también ellos sean uno en nosotros; para que el mundo crea que tú me enviaste. [22] La gloria que me diste, yo les he dado, para que sean uno, así como nosotros somos uno.

C. *Nuestra unidad nos lleva al común esfuerzo de glorificar a Dios el Padre de nuestro Señor*, Ro. 15.5-6 - Pero el Dios de la paciencia y de la consolación os dé entre vosotros un mismo sentir según Cristo Jesús, [6] para que unánimes, a una voz, glorifiquéis al Dios y Padre de nuestro Señor Jesucristo.

D. *La voluntad de Dios para el cuerpo es unidad de mente y juicio*, 1 Co. 1.10 - Os ruego, pues, hermanos, por el nombre de nuestro Señor Jesucristo, que habléis todos una misma cosa, y que no haya entre vosotros divisiones, sino que estéis perfectamente unidos en una misma mente y en un mismo parecer.

E. *Haber sido bautizados en el Espíritu Santo ha hecho que seamos un cuerpo espiritual y un espíritu*, 1 Co. 12.12-13 - Porque así como el cuerpo es uno, y tiene muchos miembros, pero todos los miembros del cuerpo, siendo muchos, son un solo cuerpo, así también Cristo. [13] Porque por un solo Espíritu fuimos todos bautizados en un cuerpo, sean judíos o griegos, sean esclavos o libres; y a todos se nos dio a beber de un mismo Espíritu.

Que podamos ser uno (continuación)

F. *La esencia misma de la fe bíblica es la unidad*, Ef. 4.4-6 - Un cuerpo, y un Espíritu, como fuisteis también llamados en una misma esperanza de vuestra vocación; un [5] Señor, una fe, un bautismo, [6] un Dios y Padre de todos, el cual es sobre todos, y por todos, y en todos.

G. *Nuestra unión en el compañerismo impide unirnos con quienes no están unidos a Cristo*, 2 Co. 6.14-16 - [14] No os unáis en yugo desigual con los incrédulos; porque ¿qué compañerismo tiene la justicia con la injusticia? ¿Y qué comunión la luz con las tinieblas? [15] ¿Y qué concordia Cristo con Belial? ¿O qué parte el creyente con el incrédulo? [16] ¿Y qué acuerdo hay entre el templo de Dios y los ídolos? Porque vosotros sois el templo del Dios viviente, como Dios dijo: Habitaré y andaré entre ellos, y seré su Dios, y ellos serán mi pueblo.

II. La asociación involucra el compartir ingresos, personal y los recursos para financiar una causa común: Compartimos una fuente, mesa y plato común.

A. *La asociación entre los que comparten la Palabra y la reciben, involucra bendición concreta y el dar.*

1. *Quien es enseñado comparte con el maestro*, Gál. 6.6 - El que es enseñado en la palabra, haga partícipe de toda cosa buena al que lo instruye.

2. *Ilustrado en la relación entre los judíos y los gentiles en el cuerpo*, Ro. 15.27 - Pues les pareció bueno, y son deudores a ellos; porque si los gentiles han sido hechos participantes de sus bienes espirituales, deben también ellos ministrarles de los materiales.

B. *El poder de la unidad se extiende a quienes Dios asigna para servir a su pueblo*, Dt. 12.19 - Ten cuidado de no desamparar al levita en todos tus días sobre la tierra.

C. *Los que laboran son dignos del generoso suplemento de quienes se benefician de ese trabajo.*

1. *La exhortación de Cristo a los discípulos*, Mt. 10.10 - Ni de alforja para el camino, ni de dos túnicas, ni de calzado, ni de bordón; porque el obrero es digno de su alimento.

2. *Ilustrado por analogías y Escrituras del AT*, 1 Co. 9.9-14 - Porque en la ley de Moisés está escrito: No pondrás bozal al buey que trilla. ¿Tiene Dios cuidado de los bueyes, [10] o lo dice enteramente por nosotros? Pues por

Que podamos ser uno (continuación)

nosotros se escribió; porque con esperanza debe arar el que ara, y el que trilla, con esperanza de recibir del fruto. [11] Si nosotros sembramos entre vosotros lo espiritual, ¿es gran cosa si segáremos de vosotros lo material? [12] Si otros participan de este derecho sobre vosotros, ¿cuánto más nosotros? Pero no hemos usado de este derecho, sino que lo soportamos todo, por no poner ningún obstáculo al evangelio de Cristo. [13] ¿No sabéis que los que trabajan en las cosas sagradas, comen del templo, y que los que sirven al altar, del altar participan? [14] Así también ordenó el Señor a los que anuncian el evangelio, que vivan del evangelio.

3. *Doble honor: respeto y participación de los recursos*, 1 Ti. 5.17-18 -Los ancianos que gobiernan bien, sean tenidos por dignos de doble honor, mayormente los que trabajan en predicar y enseñar. [18] Pues la Escritura dice: No pondrás bozal al buey que trilla; y: Digno es el obrero de su salario.

D. *La relación de los filipenses con el apóstol Pablo es un prototipo de esta clase esencial de compañerismo.*

1. *Desde el principio ellos compartieron tangiblemente con Pablo*, Flp. 1.3-5 - Doy gracias a mi Dios siempre que me acuerdo de vosotros, [4] siempre en todas mis oraciones rogando con gozo por todos vosotros, [5] por vuestra comunión en el evangelio, desde el primer día hasta ahora.

2. *Epafrodito fue el mensajero de ellos que llevó la ayuda a Pablo*, Flp. 2.25 - Mas tuve por necesario enviaros a Epafrodito, mi hermano y colaborador y compañero de milicia, vuestro mensajero, y ministrador de mis necesidades.

3. *Los filipenses estaban completamente involucrados en el sostenimiento del ministerio de Pablo, desde el principio*, Flp. 4.15-18 - Y sabéis también vosotros, oh filipenses, que al principio de la predicación del evangelio, cuando partí de Macedonia, ninguna iglesia participó conmigo en razón de dar y recibir, sino vosotros solos; [16] pues aun a Tesalónica me enviasteis una y otra vez para mis necesidades. [17] No es que busque dádivas, sino que busco fruto que abunde en vuestra cuenta. [18] Pero todo lo he recibido, y tengo abundancia; estoy lleno, habiendo recibido de Epafrodito lo que enviasteis; olor fragante, sacrificio acepto, agradable a Dios.

Que podamos ser uno (continuación)

III. La asociación involucra participar juntos como compañeros de trabajo y colaboradores en la obra del avance del Reino: Compartimos una causa y tarea común.

A. *La asociación asume que cada persona y congregación contribuye con sus particulares experiencias, perspectivas y donativos para ser usados*, Gál. 2.6-8 - Pero de los que tenían reputación de ser algo (lo que hayan sido en otro tiempo nada me importa; Dios no hace acepción de personas), a mí, pues, los de reputación nada nuevo me comunicaron. [7] Antes por el contrario, como vieron que me había sido encomendado el evangelio de la incircuncisión, como a Pedro el de la circuncisión [8] (pues el que actuó en Pedro para el apostolado de la circuncisión, actuó también en mí para con los gentiles).

B. *La auténtica asociación involucra discernir la guía del Señor, oportunidades y bendiciones sobre quienes son llamados a representar sus intereses en los lugares donde Él los haya llamado*, Gál. 2.9-10 - Reconociendo la gracia que me había sido dada, Jacobo, Cefas y Juan, que eran considerados como columnas, nos dieron a mí y a Bernabé la diestra en señal de compañerismo, para que nosotros fuésemos a los gentiles, y ellos a la circuncisión. [10] Solamente nos pidieron que nos acordásemos de los pobres; lo cual también procuré con diligencia hacer.

C. *La asociación en términos de colaboración, involucra una visión y compromiso compartidos hacia una causa común*, por ejemplo Timoteo en Flp. 2.19-24 - Espero en el Señor Jesús enviaros pronto a Timoteo, para que yo también esté de buen ánimo al saber de vuestro estado; [20] pues a ninguno tengo del mismo ánimo, y que tan sinceramente se interese por vosotros. [21] Porque todos buscan lo suyo propio, no lo que es de Cristo Jesús. [22] Pero ya conocéis los méritos de él, que como hijo a padre ha servido conmigo en el evangelio. [23] Así que a éste espero enviaros, luego que yo vea cómo van mis asuntos; [24] y confío en el Señor que yo también iré pronto a vosotros.

D. *Palabras singulares de Pablo acerca de sus asociados en el evangelio*

1. Colaborador (*sinergós*), Ro. 16.3, 7, 9, 21; 2 Co. 8.23; Flp. 2.25; 4.3; Col. 4.7, 10, 11, 14; Filem. 1, 24.

2. Compañero de prisión (*sinaixmálotos*), Col. 4.10; Filem. 23

3. Consiervo (*síndoulos*), Col. 1.7, 4.7

4. Compañero de milicia (*sistratiótes*) Flp. 2.25; Filem. 2

5. Compañero de lucha (*sinatléo*), Flp. 4.2-3

Que podamos ser uno (continuación)

E. A continuación aparece una breve lista de los compañeros de Pablo en el ministerio (que le acompañaron en cada fase y esfuerzo de su obra, con diversos trasfondos, dones, tareas y responsabilidades a largo de su ministerio)

1. Juan Marcos (Col. 4.10; Filem. 24)
2. Aristarco (Col. 4.10; Filem. 24)
3. Andrónico y Junias (Ro. 16.7)
4. Filemón (Filem. 1)
5. Epafrodito (también es Epafras) (Col. 1.7; Filem. 23; Flp. 2.25)
6. Clemente (Flp. 4.3)
7. Urbano (Ro. 16.9)
8. Jesús (el Justo) (Col. 4.11)
9. Demas (que después volvió al mundo), (Col. 4.14; Filem. 24; 2 Ti. 4.20)
10. Tíquico (Col. 4.7; Flp. 4.3)
11. Arquipo (Filem. 2)
12. Evodia (Flp. 4.2-3)
13. Síntique (Flp. 4.2-3)
14. Tercio (Ro. 16.22)
15. Febe (Ro. 16.1)
16. Erasto (Ro. 16.23)
17. Cuarto (Ro. 16.23)
18. Trifena (Ro. 16.12)
19. Trifosa (Ro. 16.12)
20. Pérsida (Ro. 16.12)
21. María (Ro. 16.6)
22. Onesíforo (2 Ti. 1.16-18)

Que podamos ser uno (continuación)

IV. Implicaciones de principios de asociación a la luz de la visión de TUMI

Facilitar los movimientos de plantación de iglesias pioneras en las comunidades C_1 no alcanzadas de Estados Unidos

Como un ministerio de World Impact, TUMI está dedicado a generar y estratégicamente facilitar movimientos dinámicos y autóctonos de plantación de iglesias C1 enfocadas en alcanzar el 80% de las zonas urbanas de la Ventana de Norte América. Con el fin de lograr este propósito, vamos a ayudar a formar alianzas estratégicas dentro de y entre misioneros y pastores urbanos, teólogos y misiólogos, iglesias, denominaciones, otras personas y organizaciones de mentalidad semejante, con el propósito de generar robustos movimientos pioneros de plantación de iglesias para que se multipliquen en miles de iglesias evangélicas C1 culturalmente-conducentes entre los pobres urbanos de Norte América. Nosotros vamos a ofrecer nuestra experiencia para asegurar que estas iglesias en todo glorifiquen a Dios el Padre en su identidad Cristo-céntrica, adoración Espíritu-formada y vida comunitaria, doctrina históricamente ortodoxa, y práctica y misión orientada al Reino.

A. *TUMI va a ayudar a formar alianzas estratégicas para fomentar movimientos de plantación de iglesias urbanas.*

B. *TUMI procura apoyar movimientos dinámicos que producen y sostienen saludables iglesias C_1.*

C. Claras implicaciones de esto para nosotros

1. No reclutamos personas para nosotros, sino para que participen en el avance del Reino de Cristo.
2. No somos dueños de la visión, es el deseo de Dios impactar el mundo; nosotros contribuimos junto con otros.
3. Nuestra contribución no es mejor ni peor que la de otros: somos colaboradores junto con otros.
4. La obra que otros hacen probablemente sea más crucial y fructífera que la nuestra.

Que podamos ser uno (continuación)

El fin del discurso es este

Prácticamente, no hay límite de lo que se puede lograr si nosotros como equipo estamos dispuestos a dar nuestro todo por amor a una causa común, si no nos interesa cuál función tengamos a fin de ganar, ni quien reciba el crédito después de la victoria.

Que venga Tu Reino: "La historia de la gloria de Dios"

Viviendo bajo Su Reinado y misionando en un mundo sin iglesia

Rev. Dr. Don L. Davis

I. El significado de la historia, la importancia del mito, y el Reino de Dios

A. Los seres humanos operan de acuerdo a su marco interpretativo: los seres humanos existen como "cosmovisiones que caminan".

1. Cada existencia humana es básicamente un "mundo de historia ordenada".
2. El hacer mitos es un acto primario de los seres humanos.
3. El rol de la cultura: nos permite componer nuestra realidad desde el principio

B. Integración de los detalles: la historia y la necesidad de vivir con propósito

1. Modo de pensar con propósito: relacionar todos los detalles con el todo
2. Modo de pensar provisional: relacionarse con los detalles como el todo

C. El problema de una fe *reduccionista*

1. Reducccionismo: substituir una visión religiosa comprensible de la fe cristiana con una alternativa menor, usualmente una noción sustituta culturalmente orientada a una actividad, relación, o elemento.
2. Racionalismo - la mayoría del tiempo utiliza pruebas científicas modernas y argumentos para asegurar la fe en Jesús, reduciendo la fe cristiana a posiciones doctrinales particulares y contextualizadas en base a otras opiniones contrarias.
3. Moralismo: reduce la visión cristiana a una decencia personal, comunal y ética, p.ej, vivir de buena manera en el contexto del núcleo familiar, y sostener ciertas opiniones en preguntas morales socialmente polémicas.

D. Elementos de una cosmovisión bíblica completa

1. La recuperación del "mito cristiano"
2. *El Cuadro y el Drama*: Desde antes y más allá del tiempo
3. Viviendo en el Reino de Dios invertido: el *principio de la inversión*

Que venga Tu Reino: "La historia de la gloria de Dios" (continuación)

4. El cuadro filosófico completo: la *presencia del futuro*

E. Componentes de una cosmovisión directiva (Arthur Holmes)

1. Tiene un objetivo *integral.* (¿De dónde venimos y a dónde vamos?)
2. Posee una amplia *perspectiva.* (¿Desde qué posición ventajosa vemos las cosas?)
3. Es un proceso *exploratorio.* (¿Cómo entendemos nuestras vidas?)
4. Es *pluralista.* (¿Qué otras opiniones se sugieren por nuestra visión colectiva?)
5. Tiene *resultados de acción.*(¿Qué deberíamos hacer a la luz de nuestra visión mítica?)

F. La maravilla de la historia

1. La posición central de la experiencia humana
2. La riqueza de los afectos humanos
3. El uso de la imaginación santificada
4. El poder de la imagen, la acción, y el símbolo concreto
5. La urgencia de la realidad aumentada
6. El placer de lo artístico

G. Propuestas importantes de la historia de la teología

William J. Bausch enlista diez propuestas relacionadas con la historia de la teología que nos ayudan a entender el significado y la importancia del estudio de las historias y el entendimiento de la Biblia y la teología. (William J. Bausch, *Storytelling and Faith.* Mystic, Connecticut: Twenty-Third Publications, 1984).

1. Las historias nos introducen a las *presencias sacramentales.*
2. Las historias son siempre más importantes que los *hechos.*
3. Las historias permanecen *normativas (autoritarias)* para la comunidad cristiana.

Que venga Tu Reino: "La historia de la gloria de Dios" (continuación)

4. *Las tradiciones cristianas* evolucionan y se definen a sí mismas a través de y en torno de las historias.
5. Las historias de Dios preceden, producen, y dan poder a la *comunidad del pueblo de Dios*.
6. Las historias de la comunidad implican *censura, reprensión y responsabilidad.*
7. Las historias producen *teología.*
8. Las historias producen *varias teologías.*
9. Las historias producen *rituales y sacramentos.*
10. Las historias son *historia.*

H. La importancia del marco bíblico del Reino

1. La enseñanza sobre el Reino es el último punto de referencia.
2. La enseñanza sobre la historia del Reino fue el corazón de la enseñanza de Jesús.
3. La historia del Reino es el enfoque central de la teología bíblica.
4. La historia del Reino es criterio máximo para juzgar la verdad y los valores.
5. La historia del Reino provee una clave indispensable para el entendimiento de la historia humana.
6. La historia del Reino es el concepto bíblico básico que nos permite coordinar y cumplir nuestros destinos bajo el reinado de Dios hoy día, donde trabajamos y vivimos.

II. *Tua da gloriam:* "La historia de la gloria de Dios"

Sal. 115.1-3 - No a nosotros, oh Jehová, no a nosotros, sino a tu nombre da gloria, por tu misericordia, por tu verdad. [2] ¿Por qué han de decir las gentes: ¿Dónde está ahora su Dios? [3] Nuestro Dios está en los cielos; todo lo que quiso ha hecho.

Desde Antes hasta Después del Tiempo (Adaptado de Suzanne de Dietrich, *God's Unfolding Purpose.* Philadelphia: Westminster Press, 1976).

Que venga Tu Reino: "La historia de la gloria de Dios" (continuación)

A. *Antes del tiempo* (Eternidad pasada), Sal. 90.1-3

1. El eterno Trino Dios, Sal. 102.24-27

2. El propósito eterno de Dios, 2 Ti. 1.9; Is. 14.26-27

    a. Para glorificar su nombre en la creación, Pr. 16.4; Sal. 135.6; Is. 48.11

    b. Para mostrar su perfección en el universo, Sal. 19.1

    c. Para llamar a un pueblo hacia Él, Is. 43.7, 21

3. El misterio de la iniquidad: la rebelión del Lucero de la Mañana (*Lucifer*), Is. 14.12-20; Ez. 28.13-17

4. Los principados y potestades, Col. 2.15

B. *El inicio del tiempo* (La creación), Gn. 1-2

1. La Palabra creativa del Trino Dios, Gn. 1.3; Sal. 33.6, 9; 148.1-5

2. La creación de la humanidad: la Imago Dei, Gn. 1.26-27

C. *La tragedia del tiempo* (La caída y la maldición), Gn. 3

1. La caída y la maldición, Gn. 3.1-9

2. El *protoevangelium*: la Simiente prometida; Gn. 3.15

3. El final del Edén y el reinado de la muerte, Gn. 3.22-24

4. Primeras señales de la gracia; Gn. 3.15, 21

D. *El despliegue del tiempo* (El plan de Dios revelado a través del pueblo de Israel)

1. La promesa Abrahámica y el pacto de Yahvé (Patriarcas); Gn. 12.1-3; 15; 17; 18.18; 28.4

2. El éxodo y el pacto en el Sinaí. Éxodo

3. La conquista de los habitantes y la Tierra Prometida. Josué hasta 2 Crónicas

4. La ciudad, el templo y el trono, Sal. 48.1-3; 2 Cr. 7.14; 2 Sm. 7.8.

    a. El rol del profeta, *declarar la palabra del Señor*, Dt. 18.15

Que venga Tu Reino: "La historia de la gloria de Dios" (continuación)

b. El rol del sacerdote, *representar a Diosya Su pueblo*, Heb. 5.1

c. El rol del rey, *gobernar con justicia y rectitud en el lugar de Dios*, Sal. 72

5. La cautividad y el exilio, Daniel, Ezequiel, Lamentaciones

6. El regreso del remanente, Esdras, Nehemías

E. *La plenitud del tiempo* (La encarnación del Mesías Yeshua [Cristo Jesús]), Gál. 4.4-6

1. La Palabra hecha carne, Jn. 1.14-18; 1 Jn. 1.1-4

2. El testimonio de Juan el Bautista, Mt. 3.1-3

3. El Reino ha venido en la persona de Jesús de Nazaret, Mc. 1.14-15; Lc. 10.9-11; 10.11; 17.20-21

a. Revelado en su persona, Jn. 1.18

b. Exhibido en sus obras, Jn. 5.36; 3.2; 9.30-33; 10.37-38; Hch. 2.22; 10.38-39

c. Interpretado en su testimonio, Mt. 5-7

4. El secreto del Reino revelado, Mc. 1.14-15

a. El Reino ya está presente, Mt. 12.25-29

b. El Reino aún no está consumado, Mt. 25.31-46

5. La pasión y muerte del Rey crucificado, Mt. 26.36-46; Mc. 14.32-42; Lc. 22.39-46; Jn. 18.1.

a. Para destruir las obras del diablo: *Cristus Victor*, 1 Jn. 3.8; Gn. 3.15; Col. 2.15; Ro. 16.20; Heb. 2.14-15

b. Para expiar los pecados: *Cristus Victum*, 1 Jn. 2.1-2; Ro. 5.8-9; 1 Jn. 4.9-10; 1 Jn. 3.16

c. Para revelar el corazón del Padre, Jn. 3.16; Tito 2.11-15

6. *Cristus Victor*: la resurrección del glorioso Señor de la vida, Mt. 28.1-15; Mc. 16.1-11; Lc. 24.1-12

Que venga Tu Reino: "La historia de la gloria de Dios" (continuación)

F. *Los últimos tiempos* (El descenso y la era del Espíritu Santo)

1. El *arrabon* de Dios: el Espíritu como promesa y señal de la presencia del Reino, Ef. 1.13-14; 4.30; Hch. 2.1-47

2. "Esto es eso": Pedro, el Pentecostés, y la presencia del futuro

   a. La Iglesia como anticipo y agente del Reino de Dios, Fil. 2.14-16; 2 Co. 5.20

   b. El reinado presente de Jesús el Mesías, 1 Co. 15.24-28; Hch. 2.34; Ef. 1.20-23; Heb. 1.13

   c. La participación intermediaria "de la comunidad del reino de Dios en medio de los tiempos"; Ro. 14.7

3. La Iglesia de Jesús el Mesías: residentes en el Reino del Ya pero Todavía No

   a. La Gran Confesión: Jesús es el Señor, Fil. 2.9-11

   b. La Gran Comisión: id y haced discípulos a todas las naciones, Mt. 28.18-20; Hch. 1.8

   c. El Gran Mandamiento: amar a Dios y a las personas, Mt. 22.37-39

4. El anuncio del misterio: los gentiles como coherederos de la promesa, Ro. 16.25-27; Col. 1.26-28; Ef. 3.3-11

   a. Jesús como el Último Adán, la cabeza de una nueva raza humana, 1 Co. 15.45-49

   b. Dios extrae del mundo una nueva humanidad, Ef. 2.12-22

5. En medio de los tiempos: muestras de la *Era del Sabbath y del Jubileo*, Hch. 2.17, Joel 2; Am. 9; Ez. 36.25-27

G. *El cumplimiento del tiempo* (La *Parousia* de Cristo), 1 Ts. 4.13-17

1. El fin de la misión mundial: la evangelización del *ethnoi* del mundo, Mt. 24.14; Mc.16.15-16; Ro. 10.18

Que venga Tu Reino: "La historia de la gloria de Dios" (continuación)

2. La apostasía de la Iglesia, 1 Ti. 4.1-3; 2 Ti. 4.3; 2 Ts. 2.3-12
3. La Gran Tribulación, Mt. 24.21; Lc. 21.24
4. La *Parousia*: la Segunda Venida de Jesús, 1 Ts. 4.13-17; 1 Co. 15.50-58; Lc. 21.25-27; Dn. 7.13
5. El reinado de Jesucristo en la tierra, Ap. 20.1-4
6. El Gran Trono Blanco y el Lago de Fuego, Ap. 20.11-15
7. "Porque él debe reinar": la derrota final de todos los enemigos bajo los pies de Cristo, 1 Co. 15.24-28

H. *Después del tiempo* (Eternidad futura)

1. La creación de cielo y tierra nueva, Ap. 21.1; Is. 65.17-19; 66.22; 2 Pe. 3.13
2. Desciende la Nueva Jerusalén: la morada de Dios viene a la tierra, Ap. 21.2-4
3. Los tiempos reconfortantes: la libertad gloriosa de los hijos de Dios, Ro. 8.18-23
4. El Señor Jesucristo entrega el Reino a Dios Padre, 1 Co. 15.24-28
5. La era venidera: el Dios Trino como todo en todo, Zac. 14.9; 2.10; Jer. 23.6; Mt. 1.23; Sal. 72.8-11; Miq. 4.1-3

III. Implicaciones del *Drama de todos los tiempos*

A. El propósito soberano de Dios garantiza toda la historia humana.

1. Lo que a Él le plazca, Él lo hace, Sal. 135.6.
2. Los consejos y planes de Dios están de pie para siempre, para todas las generaciones, Sal. 33.11; Sal. 115.3.
3. Dios declara desde el principio el final de todos los tiempos, Is. 46.10.
4. Nada ni nadie puede resistir el plan de Dios para salvación y redención, Dn. 4.35.

Que venga Tu Reino: "La historia de la gloria de Dios" (continuación)

B. Dios es el personaje central en la revelación del drama divino, Ef. 1.9-11.

C. Misiones es la *recuperación de aquello que se perdió* al principio del tiempo.

1. El gobierno soberano de Dios, Mc. 1.14-15
2. La rebelión infernal de Satán, Gn. 3.15, Col. 2.15; 1 Jn. 3.8
3. La caída trágica de la humanidad, Gn. 3.1-8, Ro. 5.5-8

D. ¡Hacer discípulos entre todas las naciones es *cumplir nuestro rol en el guión dado por el Dios Todopoderoso!*

IV. "Que venga Tu Reino": Vivir bajo el Reinado de Dios

A. Lo característico del evangelio de Jesús: "El Reino está a la mano", Mc. 1.14-15.

B. Jesús y la inauguración de la Era Venidera a esta era presente

1. La venida de Juan el Bautista, Mt. 11.2-6
2. La inauguración del ministerio de Jesús, Lc.4.16-21
3. La confrontación de Jesús con las fuerzas demoníacas, Lc.10.18; 11.20
4. La enseñanza de Jesús y la afirmación de su autoridad absoluta en la tierra, Mc. 2.1-12; Mt. 21.27; 28.18

C. "El Reino ha venido y el hombre fuerte es atado": Mt. 12.28, 29

1. El reino de Dios "ha venido" – *pleroo*
2. El significado del verbo griego: "el realizar, el terminar, el ser cumplido, como en la profecía"
3. La invasión, la entrada, la manifestación del poder majestuoso de Dios
4. Jesús como quien ata al hombre fuerte: Mt. 12.25-30 (RV60) - Sabiendo Jesús los pensamientos de ellos, les dijo: "Todo reino dividido contra sí mismo, es asolado, y toda ciudad o casa dividida contra sí misma, no permanecerá. [26] Y si Satanás echa fuera a Satanás, contra si mismo está dividido; ¿cómo, pues,

La muerte de Cristo por nuestros pecados— Su pago por la penalidad declarada en contra nuestra — fue su victoria legal por lo cual Él borró la reclamación legal de Satán de la raza humana. Pero Cristo también ganó la victoria dinámica. Es decir cuando Él fue justificado y hecho vivo, adjudicado y declarado honrado en la Corte Suprema del universo, Satán, el enemigo astuto de Dios y del hombre, fue completamente desarmado y destronado. Cristo prorrumpió triunfalmente de aquella prisión histórica de los muertos. Pablo dice que Él "estropeó principados y poderes" "e hizo un espectáculo de ellos abiertamente, triunfando sobre ellos en ello". (Colosenses 2.15).

~ Paul Billheimer. *Destined for the Throne*. Minneapolis: Bethany House Publishers, 1996. p. 87.

Que venga Tu Reino: "La historia de la gloria de Dios" (continuación)

permanecerá su reino? [27] Y si yo echo fuera los demonios por Beelzebú, ¿por quién los echan vuestros hijos? Por tanto, ellos serán vuestros jueces. [28] Pero si yo por el Espíritu de Dios echo fuera los demonios, ciertamente ha llegado a vosotros el reino de Dios. [29] Porque ¿cómo puede alguno entrar en la casa del hombre fuerte, y saquear sus bienes, si primero no le ata? Y entonces podrá saquear su casa. [30] El que no es conmigo, contra mi es; y el que conmigo no recoge, desparrama".

D. Dos manifestaciones del Reino de Dios: El Reino del Ya/Pero Todavía No (Oscar Cullman, *Christ and Time*; George Ladd, *The Gospel of the Kingdom*)

1. El *primer advenimiento*: el príncipe rebelde fue atado, su casa saqueada y el reinado de Dios ha llegado

2. El *segundo advenimiento*: el príncipe rebelde fue destruido y su gobierno confundido con la manifestación total del poder real de Dios en un cielo y tierra renovados

El mensaje de Jesús fue el Reino de Dios. Fue el centro y la circunferencia de todo lo que Él enseñó e hizo. . . . El Reino de Dios es la concepción maestra, el plan maestro, el propósito maestro, la voluntad maestra que reúne todo en sí mismo y lo da en redención, coherencia, propósito, meta.
~ E. Stanley Jones

V. El orden Cristocéntrico: Mesías Yeshua de Nazaret como pieza central en el gobierno y revelación de Dios

A. La *misión* del Mesías: destruir las obras del diablo, 1 Jn. 3.8

B. El *nacimiento* del Mesías: la invasión de Dios en el dominio de Satanás, Lc. 1.31-33

C. El *mensaje* del Mesías: la proclamación e instalación del Reino, Mc.1.14-15

D. Las *enseñanzas* del Mesías: éticas del Reino, Mt. 5-7

E. Los *milagros* del Mesías: su majestuosa autoridad y poder, Mc. 2.8-12

F. Los *exorcismos* del Mesías: la derrota del diablo y sus ángeles, Lc. 11.14-20

G. La *vida y obra* del Mesías: la majestad del Reino, Jn. 1.14-18

H. La *resurrección* del Mesías: la victoria y vindicación del Rey, Ro.1.1-4

I. La *comisión* del Mesías: el llamado a proclamar su Reino a nivel mundial, Mt 28.18-20

J. La *ascensión* del Mesías: su coronación, Heb. 1.2-4

K. El *Espíritu* del Mesías: el *arrabon* (seguridad, promesa) del Reino, 2 Co. 1.20

Que venga Tu Reino: "La historia de la gloria de Dios" (continuación)

L. La *Iglesia* del Mesías: el anticipo y agente del Reino, 2 Co. 5.18-21

M. La *reunión en el cielo* del Mesías: el generalato de las fuerzas de Dios, 1 Co. 15.24-28

N. La *Parousia (venida)* del Mesías: la consumación final del Reino, Ap. 19

VI. El Reino de Dios como presente y ofrecido en medio de la Iglesia

A. La *Shekinah* ha reaparecido en nuestro medio como su templo, Ef. 2.19-22.

B. El pueblo (*ekklesia*) del Dios viviente se congrega aquí: Los que son de Cristo, de cada familia, pueblo, nación, tribu, estado, y cultura, 1 Pe. 2.8-9.

C. El *Sabbath* de Dios se disfruta y celebra aquí, libertad, totalidad, y la justicia de Dios, Heb. 4.3-10.

D. El *Año de Jubileo* ha llegado: perdón, renovación, y restitución, Col. 1.13; Mt. 6.33; Ef. 1.3; 2 Pe. 1.3-4.

E. El Espíritu (*arrabon*) mora en nosotros: Dios vive aquí y camina entre nosotros, 2 Co. 1.20.

F. Saboreamos los poderes de la Era Venidera: Satán está atado en nuestro medio, la maldición ha sido rota, se experimenta la liberación en el nombre de Jesús, Gál. 3.10-14.

G. Experimentamos el *shalom* del Reino eterno de Dios: la libertad, la totalidad, y la justicia del nuevo orden están presentes aquí, Ro. 5.1; Ef. 2.13-22.

H. Anunciamos las buenas nuevas del reinado de Dios (*evanggelion*): invitamos a todos a unírsenos en nuestro viaje a la manifestación plena de la Era Venidera, Mc.1.14-15.

I. Aquí clamamos *Maranatha!*: nuestras vidas son estructuradas por la esperanza del futuro y la consumación de reino de Dios, Ap. 22.17-21.

Que venga Tu Reino: "La historia de la gloria de Dios" (continuación)

Cuando Cristo tomó su silla en el cielo, Él demostró concluyentemente que la devastación de Satán era completa, que él fue completamente deshecho. El infierno fue lanzado en bancarrota total. Satán sólo no fue despojado de sus autoridades legales y dominio, sino él fue despojado de sus armas también por una fuerza infinitamente superior. Pero esto no es todo. Cuando Jesús prorrumpe de aquella prisión oscura "y ascendido en lo alto", todos los creyentes fueron levantados y asentados juntamente con Él, "Pero Dios... nos trajo a vida con Cristo... Y en la unión con Cristo Jesús él nos levantó y nos entronó con él en los reinos celestiales" (Efesios 2.4-6 NEB).
~ Paul Billheimer. *Destined for the Throne*. Minneapolis: Bethany House Publishers, 1996. p. 87.

VII. El Reino del Ya/Pero todavía No (leer los apéndices «*Un esquema para una teología del Reino y la Iglesia*» y «*Viviendo en el Reino de EL YA y EL TODAVÍA NO*»)

A. Satán fue atado, a través de la encarnación y la pasión de Cristo.

1. Jesús ha triunfado sobre el diablo, 1 Jn. 3.8.
2. Jesús es coronado como Señor de todo, Heb. 1.4; Fil. 2.5-11.
3. Satán es ahora juzgado, Lc.10.17-21.
4. El poder de Satán ha sido severamente acortado, Stg. 4.8.
5. Su autoridad ha sido derrotada, 1 Pe. 5.8.
6. Su siervos están siendo derrotados, Col. 2.15.
7. Sus sistema se está desvaneciendo, 1 Jn. 2.15-17.
8. Aquellos a quien esclavizó están siendo liberados, Col. 13-14.
9. Su destino eventual ha sido asegurado, Ro. 16.20.

B. Aunque Satanás ha sido derrotado, aún es letal y espera su propia destrucción total.

1. "Atado, pero con una soga larga", 2 Co. 10.3-5; Ef. 2.2
2. "Un león rugiente, pero enfermo, hambriento, y enojado", 1 Pe. 5.8
3. Satán continúa siendo el enemigo activo del Reino de Dios
4. Ciega las mentes de aquellos que no creen, 2 Co. 4.4
5. Funciona a través del engaño, la mentira, y la acusación, Jn. 8.44
6. Anima los asuntos de las naciones, 1 Jn. 5.19
7. Distrae a los seres humanos de sus fines adecuados, Gn. 3.1
8. Oprime a los seres humanos a través del acoso, difamación, temor, acusación y muerte, Heb. 2.14-15
9. Resiste y persigue al pueblo de Dios, Ef. 6.10-18

Que venga Tu Reino: "La historia de la gloria de Dios" (continuación)

C. El destino final de Satán es seguro y futuro.

1. Él ha sido tanto estropeado como completamente humillado en la cruz, Col. 2.15.

2. Su desaparición final vendrá a través de Cristo al final de la era, Ap. 20.

3. Las misiones son el anuncio y demostración de la derrota de Satán a través de Cristo.

   a. El ministerio de la reconciliación, 2 Co. 5.18-21

   b. El ministerio de hacer discípulos, Mt. 28.18-20

VIII. El llamado a la aventura: Abrazando la historia de Dios como su historia

A. El llamado de Dios a la salvación y al ministerio involucra participación por fe en la promesa del reino de Dios.

1. La salvación por gracia a través de la fe, Ef. 2.8-10

2. Arrepentimiento: metanoia y conversión, Hch. 2.38

3. Regeneración por el Espíritu Santo de Dios, Jn. 3.3-8; Tito 3.5

4. Afirma nuestra necesidad de un cuadro bíblico, un estudio disciplinado del Reino de Dios

¿He experimentado la libertad, totalidad, y justicia del Reino y la estoy predicando a otros?

B. El llamado de Dios a la salvación y al ministerio involucra la demostración en la vida del Reino y la fe personal.

1. Como fiel siervo y mayordomo de los misterios de Dios, 1 Co. 4.1-2

2. Como cristiano piadoso en carácter, vida personal, y responsabilidades de familia, 1 Ti. 3; 1 Pe. 5.1-3; Tito 1

3. Como hermano o hermana amada en la asamblea, 2 Co. 8.22

Que venga Tu Reino: "La historia de la gloria de Dios" (continuación)

4. Como un poderoso testimonio delante de los incrédulos, Co. 4.5; Mt. 5.14-16

¿Demuestro en mi vida un poderoso testimonio de lo que significa ser discípulo de Cristo donde vivo, en mi vida familiar y personal, en mi caminar en el cuerpo y con mis vecinos y asociados?

C. El llamado de Dios a la salvación y al ministerio implica la separación de la vida y los bienes de alguien para declarar y demostrar la libertad, integridad, y justicia del Reino de Dios.

1. Buena voluntad de hacerse todas las cosas a todos los hombres a fin de salvar a algunos, 1 Co. 9.22-27

2. Una preparación para sufrir hasta morir para que el reino de Cristo sea proclamado y extendido, Hch. 20.24-32

3. Un compromiso a estar incondicionalmente disponible para Cristo a fin de ser usado para declarar solemnemente la gracia y evangelio como el Espíritu guíe, Jn. 12.24; Hch. 1.8; Mt. 28.18-20

4. Celebra la intención amable de nuestro Padre y su accionar para derrotar a nuestro enemigo mortal, el diablo

¿Estoy incondicionalmente disponible para Jesucristo con el propósito de ser usado como su esclavo e instrumento en todo momento y dondequiera que Él pueda guiarme para así proclamar y demostrar el mensaje del Reino?

D. El llamado de Dios a la salvación y al ministerio implica la preparación para administrar los misterios de Dios en el Reino, las Sagradas Escrituras, y la doctrina apostólica.

1. Usar correctamente la Palabra verdadera como buen obrero de Dios, 2 Ti. 2.15

2. Escuchar y obedecer las Sagradas Escrituras las cuales nos preparan para toda buena obra, 2 Ti. 3.16

3. Defender y proteger el testimonio apostólico concerniente a Cristo y su Reino, 2 Ti. 1.14, Gál. 1.8-9 y 1 Co. 15.1-4

¿He pasado el tiempo necesario en la Palabra y en la formación para ser equipado, aun cuando estoy equipando a otros para el trabajo del ministerio?

Que venga Tu Reino: "La historia de la gloria de Dios" (continuación)

E. El llamado de Dios a la salvación y al ministerio implica la proclamación del mensaje del Reino a través de la predicación, enseñanza y disciplina a fin de que otros puedan entrar y hacer discípulos del Reino.

1. Predicar las buenas nuevas del Reino a aquellos que no conocen a Dios, la investidura del Hijo de Dios y su placer y demostración en la Iglesia, Hch. 2.1-18

2. Enseñar y discipular a los fieles en las palabras de Jesús para que puedan ser Sus discípulos y madurar como miembros de Su cuerpo, Jn. 8.31-32; 1 Pe. 2.2; 2 Ti. 3.16-17

3. Equipar a aquellos que son miembros del cuerpo de Cristo con el propósito de hacer el trabajo del ministerio y que la Iglesia pueda crecer numéricamente y espiritualmente, Ef. 4.9-15

4. Ofrecer alabanza y adoración continuas a nuestro Señor Jesús, que invadió el dominio de Satán y aplastó su insurrección malévola en el universo de Dios

5. Resolver encarnar, expresar, y proclamar el presente y próximo reinado de Cristo hasta que Él venga

¿Estoy listo y dispuesto a predicar la Palabra del Reino en y fuera de tiempo a fin de que el que está perdido pueda ser salvo, el salvo pueda madurar, y el maduro pueda multiplicar el fruto del Reino de Dios?

El punto fundamental: ¿Está dispuesto a sufrir por el mensaje del Reino en cuanto al Mesías Yeshua? (Leer el APÉNDICE *El Sufrimiento: El costo del discipulado y el liderazgo de servicio*).

Relación entre el costo y la eficacia en el intento de hacer discípulos

*Tomado de Win Arn and Charles Arn, **The Master's Plan for Making Disciples**. 2nd ed. Grand Rapids: Baker Books, 1998. pp. 166*

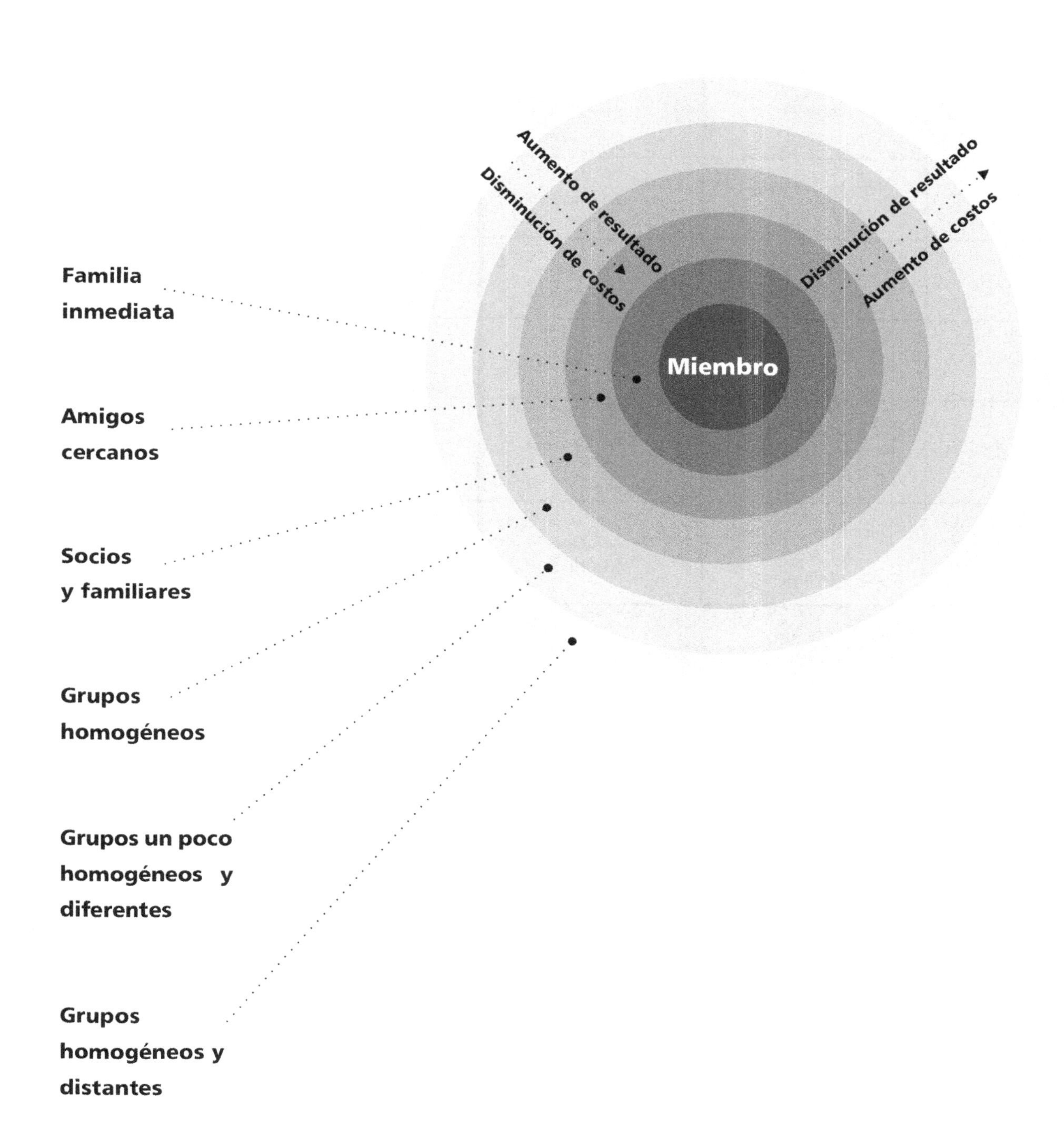

Representaciones de Jesús en los libros del Nuevo Testamento

Adaptado de "El Cristo Incomparable", por John Stott.

Las trece cartas de Pablo				
Fecha aproximada de Escritura	Período	Grupo	Cartas	Cómo es presentado el Mesías
48-49	Fin del 1er. viaje misionero	Una carta polémica	Gálatas	Cristo el Libertador
50-52	Durante el 2do. viaje misionero	Las cartas tempranas	1 y 2 Tesalonicenses	Cristo el Juez que viene
53-57	Durante el 3er. viaje misionero	Las cartas mayores	Romanos, 1 y 2 Corintios	Cristo el Salvador
60-62	Durante el 1er. encarcelamiento en Roma	Las cartas de la prisión	Colosenses, Filemón, Efesios, y Filipenses	Cristo el Señor supremo
62-67	Durante su libertad y el 2do. encarcelamiento	Las cartas pastorales	1 y 2 Timoteo y Tito	Cristo la Cabeza de la Iglesia
Epístolas generales y el Apocalipsis				
Antes del 70	Durante el ministerio paulino y petrino	Epístola a los creyentes judíos	Hebreos	Cristo nuestro gran Sumo Sacerdote
45-50	Primer libro que se escribiría en el NT	Epístolas generales	Santiago	Cristo nuestro Maestro
64-67	Período temprano de la persecución	Epístolas generales	1 y 2 Pedro	Cristo nuestro ejemplo en el sufrir
90-100	A finales del apostolado	Epístolas generales	1, 2, y 3 de Juan	Cristo nuestra vida
66-69	Amenaza de la apostasía temprana	Epístolas generales	Judas	Cristo nuestro abogado
95	Escrito durante el exilio	Profecía	Apocalipsis	Rey de reyes y Señor de señores

Re-presentando al Mesías

Don L. Davis

"Gentilización" de expresiones modernas de la fe cristiana
- Contextualización: libertad en Cristo para enculturar el evangelio
- Representación moderna común de la esperanza mesiánica como fe gentil
- Tendencia de la tradición/cultura de usurpar la autoridad bíblica
- Eclipse presente del marco bíblico por los "cautivados"

Fuego extraño en el altar: ejemplos de cautivados por lo socio-cultural

Nacionalismo	Existencialismo personal
Capitalismo	Ascetismo/moralismo
Racionalismo científico	Etnocentrismo
Denominacionalismo	Vida nuclear de familia

Crítica de Jesús al cautiverio socio-cultural
- Atadura a la tradición religiosa, Mat. 15.3-9
- Ignorancia de las Escrituras y el poder de Dios, Mat. 22.29
- Esfuerzo celoso sin conocimiento, Rom. 10.1-3

Hábitos hermenéuticos que llevan a la fe sincretista
- Escoger textos selectivamente
- Tradición vista como el canon
- Lecturas de textos culturales
- Predicar y enseñar basados en la exégesis y la audiencia
- Evitar la autocrítica de nuestra doctrina y práctica
- Apologética de la identidad socio-cultural

"Parálisis paradigmático" y fe bíblica
- Ceguera frente a las propias limitaciones históricas
- Ventajas y perspectivas limitadas
- Privilegio y poder: Manipulación política
- Incapacidad de recibir críticas o evaluaciones
- Persecución de las perspectivas opuestas y de las nuevas interpretaciones de la fe

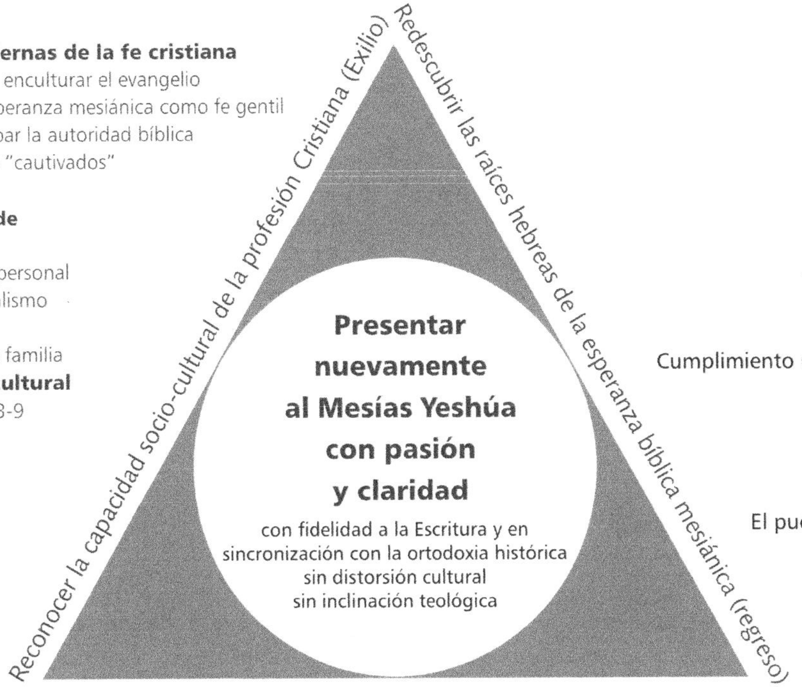

Reconocer la capacidad socio-cultural de la profesión Cristiana (Exilio)

Redescubrir las raíces hebreas de la esperanza bíblica mesiánica (regreso)

Presentar nuevamente al Mesías Yeshúa con pasión y claridad

con fidelidad a la Escritura y en sincronización con la ortodoxia histórica
sin distorsión cultural
sin inclinación teológica

Redescubrir los orígenes judíos de la fe bíblica, Juan 4.22

Yahweh como el Dios bondadoso fiel a su pacto

Cumplimiento mesiánico en el AT: profecía, tipo, historia, ceremonia y símbolo

Raíces hebraicas de la Promesa: Yahweh como Dios Guerrero

El pueblo de Israel como la comunidad mesiánica de esperanza

Salmos y profetas enfatizan el gobierno divino del Mesías

Rastreando la simiente
- Simiente de la mujer, Gén. 3.15
- Simiente de Sem, Gén. 9.26-27
- Simiente de Abraham, Gén. 12.3
- Simiente de Isaac y Jacob, Gén. 26.2-5; 28.10-15
- Simiente de Judá, Gén. 49.10
- Simiente de David, 2 Sam. 7

El Siervo Sufriente de Yahweh: humillación y humildad del rey davídico de Dios

Vislumbre de la salvación de los gentiles y la *transformación global*

Vivir la aventura del misterio apocalíptico (posesión)

Apocalíptico como la "lengua madre y lenguaje nativo" de los apóstoles y la iglesia primitiva como una comunidad escatológica

Mesías Yeshúa como el Guerrero Cósmico: Yahweh como Dios que gana la victoria final sobre sus enemigos

El Mesías Yeshúa como el Ungido y el que ata al hombre fuerte: la edad mesiánica venidera inaugurada con Jesús de Nazaret

Reino orientado a "El YA pero Todavía NO": El reinado de Dios manifestado pero aún no consumado

La evidencia y garantía de la edad venidera: El Espíritu como el depósito, los primeros frutos y el sello de Dios

Representando fielmente a Jesús de Nazaret

Don L. Davis

Ef. 4.17-19 (NVI) - Así que les digo esto y les insisto en el Señor: no vivan más con pensamientos frívolos como los paganos. [18] A causa de la ignorancia que los domina y por la dureza de su corazón, éstos tienen oscurecido el entendimiento y están alejados de la vida que proviene de Dios. [19] Han perdido toda vergüenza, se han entregado a la inmoralidad, y no se sacian de cometer toda clase de actos indecentes.

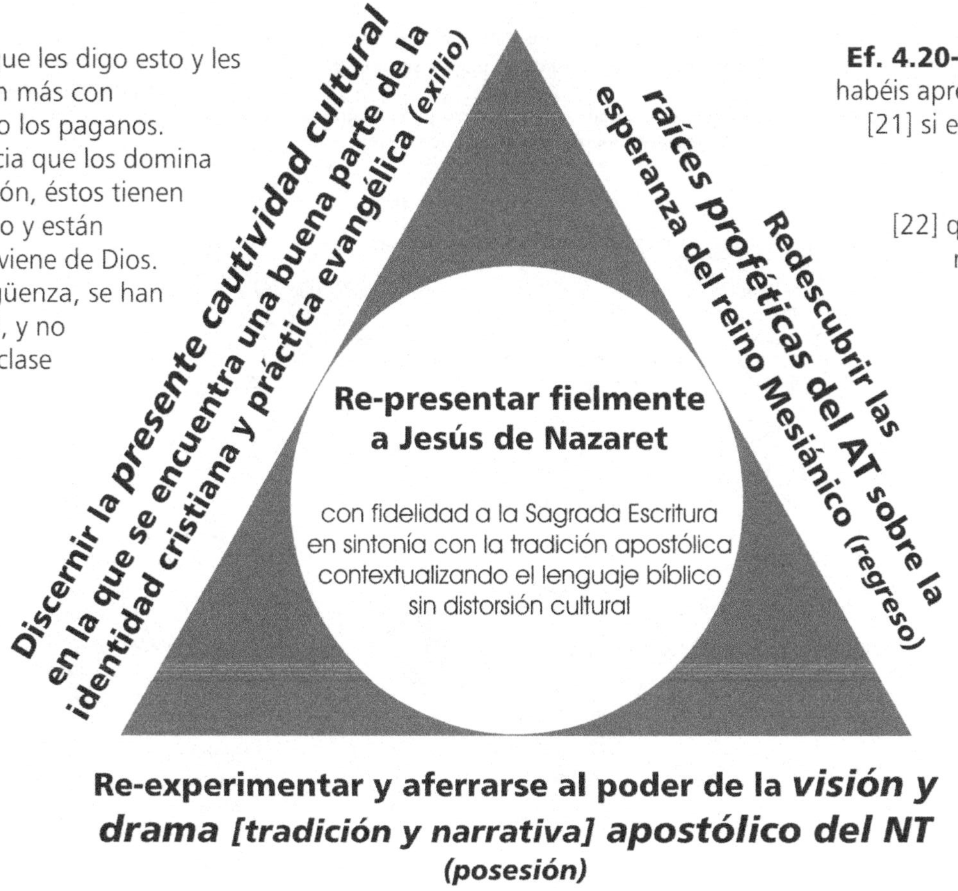

Discernir la *presente cautividad cultural* en la que se encuentra una buena parte de la identidad cristiana y práctica evangélica (exilio)

Re-presentar fielmente a Jesús de Nazaret

con fidelidad a la Sagrada Escritura
en sintonía con la tradición apostólica
contextualizando el lenguaje bíblico
sin distorsión cultural

Redescubrir las *raíces proféticas del AT* sobre la esperanza del reino Mesiánico (regreso)

Ef. 4.20-23 (LBLA) - Pero vosotros no habéis aprendido a Cristo de esta manera, [21] si en verdad lo oísteis y habéis sido enseñados en El, conforme a la verdad que hay en Jesús, [22] que en cuanto a vuestra anterior manera de vivir, os despojéis del viejo hombre, que se corrompe según los deseos engañosos, [23] y que seáis renovados en el espíritu de vuestra mente.

Re-experimentar y aferrarse al poder de la *visión y drama [tradición y narrativa] apostólico del NT* (posesión)

Ef. 4.24-25 (RV60) - Y vestíos del nuevo hombre, creado según Dios en la justicia y santidad de la verdad. [25] Por lo cual, desechando la mentira, hablad verdad cada uno con su prójimo; porque somos miembros los unos de los otros.

Resumen de interpretaciones mesiánicas en el Antiguo Testamento

Rev. Dr. Don L. Davis, adaptado de James Smith, The Promised Messiah

Leyenda

IJT - Interpretación judía temprana | ANT - Alusión del Nuevo Testamento

ENT - Exégesis del Nuevo Testamento | PI - Padres de la Iglesia

	Referencia bíblica	Resumen de la profecía mesiánica	IJT	ANT	ENT	PI
1	Gn. 3.15	Alguien de la simiente de la mujer le aplastará la cabeza a la serpiente	X	X		X
2	Gn. 9.25-27	Dios vendrá y habitará en las tiendas de Sem	X	X		X
3	Gn. 12.3; 18.18; 22.18; 26.4; 28.14	Todas las naciones de la tierra serán bendecidas a través de la simiente de Abraham, Isaac y Jacob	X	X	X	X
4	Gn. 49.10-11	El cetro no será quitado de Judá hasta que venga Siloh y todas las naciones le obedezcan	X	X		X
5	Nah. 24.16-24	Un poderoso gobernante de Israel vendrá y aplastará a los enemigos del pueblo de Dios	X	X		X
6	Dt. 18.15-18	Un profeta como Moisés vendrá y todos los justos le escucharán		X	X	X
7	Dt. 32.43	Los ángeles de Dios ordenaron regocijarse al venir al mundo el primogénito de Dios		X		
8	1 Sm. 2.10	Dios va a juzgar los fines de la tierra pero dará fuerza a su ungido	X			X
9	1 Sm. 2.35-36	Un sacerdote fiel vendrá y dispensará bendiciones sobre la gente				
10	2 Sm. 7.12-16	La Simiente de David se sentará sobre un trono eterno y edificará la casa de Dios		X		X
11	Sal. 89	El pacto de Dios de enviar al Mesías a través de David no puede ser revocado	X			
12	Sal. 132	Dios ha escogido a David y a Sion		X		
13	Sal. 8	El Hijo del Hombre es hecho poco menor que los ángeles y es exaltado como gobernante sobre toda la creación		X	X	X
14	Sal. 40	El Mesías se ofrece para venir al mundo a sufrir y es entregado			X	X

Resumen de interpretaciones mesiánicas en el Antiguo Testamento (continuación)

	Referencia bíblica	Resumen de la profecía mesiánica	IJT	ANT	ENT	PI
15	Sal. 118	El Mesías sobrevive al poder de la muerte para ser la piedra angular, la piedra principal del edificio de Dios			X	X
16	Sal. 78.1-2	El Mesías le hablará a la gente en parábolas			X	
17	Sal. 69	El celo del Mesías por la casa de Dios traerá odio y abuso, pero sus enemigos recibirán su justo pago			X	X
18	Sal. 109	El que traiciona al Mesías sufrirá una muerte terrible			X	X
19	Sal. 22	Después de un sufrimiento sin igual, el Mesías conquista la muerte y se regocija con sus hermanos			X	X
20	Sal. 2	El Mesías está entronado en Sión, derrota su oposición, y gobierna sobre la creación	X		X	X
21	Sal. 16	Jehová no permitirá que el Mesías vea corrupción en el Seol			X	X
22	Sal. 102	El Mesías Creador es eterno, aunque sufrió una severa persecución				X
23	Sal. 45	El Mesías es Dios, y ha sido ungido por Dios para sentarse sobre un trono eterno; su pueblo es su hermosa esposa	X			X
24	Sal. 110	El Mesías es un sacerdote-rey según el orden de Melquisedec, y se sienta a la diestra de Dios, gobernando sobre toda la humanidad	X		X	X
25	Sal. 72	El Mesías reina en un Reino de bendición universal y justo	X			X
26	Sal. 68	El Mesías gana una gran victoria, luego asciende a lo alto	X		X	X
27	Job 9.33; 16.19-21; 17.3; 33.23-28	Un mediador, intérprete, abogado, y testigo, caminará sobre la tierra en los últimos días				
28	Job 19.23-27	Un Redentor se parará sobre la tierra en los últimos días y los justos lo verán				X
29	Joel 2.23	Un maravilloso maestro se levantará y se introducirá en una era de gran abundancia	X			X
30	Os. 1.10-2.1	Un segundo Moisés guiará al pueblo de Dios fuera de la esclavitud a una nueva era			X	
31	Os. 3.5	Después del exilio, el pueblo de Dios servirá a Jehová su Dios y David su rey	X			
32	Os. 11.1	Dios llama a su Hijo, el Segundo Israel, desde Egipto			X	

Resumen de interpretaciones mesiánicas en el Antiguo Testamento (continuación)

	Referencia bíblica	Resumen de la profecía mesiánica	IJT	ANT	ENT	PI
33	Is. 4.2-6	El hermoso y glorioso renuevo de Jehová será el orgullo del remanente de Israel	X			
34	Is. 7.14-15	Una virgen concebirá y dará a luz un Hijo que se llamará Emanuel			X	X
35	Is. 8.17-18	El Mesías espera el tiempo de su venida, él y sus hijos son señales y maravillas en Israel		X	X	
36	Is. 9.1-7	El Mesías traerá luz a Galilea y uno se sentará en el trono de David para compartir el reino de Dios en juicio y justicia	X	X		X
37	Is. 11.1-16	Un renuevo de la raíz de Isaí será lleno del Espíritu de Jehová, e introducirá a la tierra un Reino de justicia y paz	X	X	X	X
38	Is. 16.5	Gente pisoteada buscará la casa de David esperando justicia y misericordia				
39	Is. 28.16	Dios pondrá en Sion una piedra probada, una hermosa piedra angular	X	X	X	X
40	Is. 30.19-26	El pueblo de Dios mirará a su maestro divino y disfrutará su bendición abundante como resultado de escucharlo a él	X			
41	Is. 32.1-2	Un líder futuro será un refugio en la tormenta, como agua en lugar seco				
42	Is. 33.17	Los ojos del pueblo de Dios mirarán al Rey en su hermosura				
43	Is. 42.17	El Siervo de Jehová traerá justicia a las naciones, y será un pacto con su pueblo, una luz a las naciones	X		X	X
44	Is. 49.1-13	El Siervo de Jehová es elegido para enseñar, levantar las tribus de Jacob y ser luz a los gentiles	X			X
45	Is. 50.4-11	El Siervo de Jehová es un discípulo obediente que soporta sufrimiento e indignidad				X
46	Is. 52.13-53.12	El Siervo de Dios es rechazado, sufre horriblemente por el pecado de otros, muere, pero después mira su simiente y queda satisfecho	X	X	X	X
47	Is. 55.3-5	Un Hijo de David será testigo, líder y jefe para los pueblos				X
48	Is. 59.20-21	Un Redentor vendrá al penitente Sion	X		X	

Resumen de interpretaciones mesiánicas en el Antiguo Testamento (continuación)

	Referencia bíblica	Resumen de la profecía mesiánica	IJT	ANT	ENT	PI
49	Is. 61.1-11	El Mesías ha sido ungido por el Espíritu de Jehová para proclamar las Buenas Nuevas a los pobres, y dar liberación a los cautivos	X		X	X
50	Miq. 2.12-13	El libertador divino sacará al pueblo de Dios de la esclavitud	X			
51	Miq. 5.1-5	Un glorioso gobernante se levantará de Belén para pastorear al pueblo de Dios y darle victoria sobre sus enemigos	X	X	X	X
52	Hab. 3.12-15	Jehová salva a su Ungido e hiere la cabeza de la casa del mal				
53	Jer. 23.5-6	Dios levantará un renuevo justo que actuará sabiamente y hará juicio y justicia en la tierra	X			
54	Jer. 30.9, 21	Al regreso del exilio, el pueblo de Dios servirá a David su Rey quien servirá como mediador y se acercará a Dios en representación de ellos	X			
55	Jer. 31.21-22	Dios creará algo nuevo en la tierra	X			X
56	Jer. 33.14-26	Jehová levantará su Siervo justo en la tierra, y no fallará en cumplir su promesa a David y a Leví	X			
57	Ez. 17.22-24	Una rama tierna de la casa de David será un cedro sublime con diferentes pájaros habitando bajo él mismo	X			X
58	Ez. 21.25-27	La corona del último rey de Judá es quitada hasta que venga aquel que tiene el derecho				
59	Ez. 34.23-31	Dios pondrá sobre aquellos que regresen de Babilonia un pastor, su siervo, David		X		
60	Ez. 37.21-28	El pueblo de Dios estará unido y tendrá un Rey, "Mi siervo David"		X		
61	Ez. 44.48	Un Príncipe en la era futura recibirá honor, y a través de él se ofrecerán sacrificios a Dios	X			
62	Dn. 7.13-14	Uno como Hijo de Hombre vendrá ante el Anciano de Días para recibir Reino y dominio por siempre	X	X	X	X
63	Dn. 9.24-27	Después de 69 "semanas" de años, aparecerá el Mesías, él será quitado, y se hará cesar el sacrificio y la ofrenda	X			X
64	Hag. 2.6-9	Después del temblar de las naciones, el deseado por todas las naciones vendrá y llenara el templo de Dios con gloria	X		X	

Resumen de interpretaciones mesiánicas en el Antiguo Testamento (continuación)

	Referencia bíblica	Resumen de la profecía mesiánica	IJT	ANT	ENT	PI
65	Hag. 2.21-23	Zorobabel será el anillo de sellar de Dios en el día que el trono de los reinos y los gentiles son trastornado por Jehová				
66	Zac. 3.8-10	El Siervo de Jehová, su renuevo, es simbolizado por Josué el sumo sacerdote y por una piedra grabada	X			X
67	Zac. 6.12-13	Un hombre cuyo nombre es renuevo edificará el templo del Señor y será sacerdote y rey	X			X
68	Zac. 9.9-11	El Rey de Sión viene montado en un pollino	X		X	X
69	Zac. 10.3-4	Dios enviará al que es la piedra angular, la estaca de la tienda, el arco de la batalla, el que posee toda la soberanía	X			
70	Zac. 11.4-14	Las treinta piezas de plata lanzadas al alfarero en la casa de Dios			X	X
71	Zac. 13.7	La espada de la justicia divina golpea violentamente al pastor y se dispersan las ovejas			X	X
72	Mal. 3.1	El mensajero del Señor limpiará el camino ante él y el Señor vendrá repentinamente a su templo.	X	X	X	X
73	Mal. 4.2	El sol de justicia se presentará con sanidad en sus alas	X	X		

Resumen esquemático de las Escrituras

Rev. Dr. Don L. Davis

El Antiguo Testamento

1. **Génesis** – *Principios*
   a. Adán
   b. Noé
   c. Abraham
   d. Isaac
   e. Jacob
   f. José

2. **Éxodo** – *Redención*
   a. Esclavitud
   b. Liberación
   c. Ley
   d. Tabernáculo

3. **Levítico** – *Adoración y compañerismo*
   a. Ofrendas y sacrificios
   b. Sacerdotes
   c. Fiestas y festivales

4. **Números** – *Servicio y recorrido*
   a. Organizados
   b. Errantes

5. **Deuteronomio** – *Obediencia*
   a. Moisés repasa la historia y la ley
   b. Leyes civiles y sociales
   c. Pacto Palestino
   d. Bendición de Moisés y muerte

6. **Josué** – *Redención (hacia)*
   a. Conquistar la tierra
   b. Repartir la tierra
   c. La despedida de Josué

7. **Jueces** – *La liberación de Dios*
   a. Desobediencia y juicio
   b. Los doce jueces de Israel
   c. Condiciones anárquicas

8. **Rut** – *Amor*
   a. Rut escoge
   b. Rut trabaja
   c. Rut espera
   d. Rut recompensada

9. **1 Samuel** – *Reyes, perspectiva sacerdotal*
   a. Elí
   b. Samuel
   c. Saúl
   d. David

10. **2 Samuel** – *David*
    a. Rey de Judá (9 años - Hebrón)
    b. Rey de todo Israel (33 años - Jerusalén)

11. **1 Reyes** – *La gloria de Salomón, la decadencia del reino*
    a. La gloria de Salomón
    b. La decadencia del reino
    c. El profeta Elías

12. **2 Reyes** – *El reino dividido*
    a. Eliseo
    b. Israel (el reino del norte cae)
    c. Judá (el reino del sur cae)

13. **1 Crónicas** – *Arreglos del templo de David*
    a. Genealogías
    b. Fin del reinado de Saúl
    c. Reinado de David
    d. Preparaciones del templo

14. **2 Crónicas** – *Abandonan el templo y la adoración*
    a. Salomón
    b. Reyes de Judá

15. **Esdras** – *La minoría (Remanente)*
    a. Primer retorno del exilio - Zorobabel
    b. Segundo retorno del exilio - Esdras (sacerdote)

16. **Nehemías** – *Reconstruyendo la fe*
    a. Reconstrucción de los muros
    b. Avivamiento
    c. Reforma religiosa

17. **Ester** – *Salvación femenina*
    a. Ester
    b. Amán
    c. Mardoqueo
    d. Liberación: Fiesta de Purim

18. **Job** – *Por qué los rectos sufren*
    a. Job el piadoso
    b. Ataque de Satanás
    c. Cuatro amigos filósofos
    d. Dios vive

19. **Salmos** – *Oración y alabanza*
    a. Oraciones de David
    b. Sufrimiento piadoso, liberación
    c. Dios trata con Israel
    d. El sufrimiento del puebo de Dios termina con el reinado de Dios
    e. La Palabra de Dios (sufrimiento y glorioso regreso del Mesías)

20. **Proverbios** – *Sabiduría*
    a. Sabiduría vs. necedad
    b. Salomón
    c. Salomón - Ezequías
    d. Agur
    e. Lemuel

21. **Eclesiastés** – *Vanidad*
    a. Experimentación
    b. Observación
    c. Consideración

22. **Cantares** – *Historia de amor*

23. **Isaías** – *La justicia (juicio) y gracia (consuelo) de Dios*
    a. Profecías de castigos
    b. Historia
    c. Profecías de bendición

24. **Jeremías** – *El pecado de Judá los lleva a la cautividad babilónica*
    a. Llamado de Jeremías; facultado
    b. Judá es condenado; cautividad babilónica predecida
    c. Restauración prometida
    d. Juicio infligido profetizado
    e. Profecías contra los gentiles
    f. Resumen de la cautividad de Judá

25. **Lamentaciones** – *Lamento sobre Jerusalén*
    a. Aflicción de Jerusalén
    b. Destruída por el pecado
    c. El sufrimiento del profeta
    d. Desolación presente vs. esplendor pasado
    e. Apelación a Dios por piedad

26. **Ezequiel** – *Cautividad y restauración de Israel*
    a. Juicio sobre Judá y Jerusalén
    B. Juicio sobre las naciones gentiles
    c. Israel restaurado; gloria futura de Jerusalén

27. **Daniel** – *El tiempo de los gentiles*
    a. Historia; Nabucodonosor, Beltsasar, Daniel
    b. Profecía

28. **Oseas** – *Infidelidad*
    a. Infidelidad
    b. Castigo
    c. Restauración

29. **Joel** – *El Día del Señor*
    a. Plaga de langostas
    b. Eventos del futuro Día del Señor
    c. Orden del futuro Día del Señor

30. **Amós** – *Dios juzga el pecado*
    a. Naciones vecinas juzgadas
    b. Israel juzgado
    c. Visiones del futuro juicio
    d. Bendiciones de los juicios pasados sobre Israel

31. **Abdías** – *La destrucción de Edom*
    a. Destrucción profetizada
    b. Razones para la destrucción
    c. Bendición futura de Israel

32. **Jonás** – *Salvación a los gentiles*
    a. Jonás desobedece
    b. Otros sufren las consecuencias
    c. Jonás castigado
    d. Jonás obedece; miles se salvan
    e. Jonás se enoja, sin amor por las almas

33. **Miqueas** – *Pecados de Israel, juicio y restauración*
    a. Pecado y juicio
    b. Gracia y restauración futura
    c. Apelación y petición

34. **Nahúm** – *Nínive enjuiciada*
    a. Dios detesta el pecado
    b. Destino de Nínive profetizado
    c. Razones del juicio y destrucción

35. **Habacuc** – *El justo por la fe vivirá*
    a. Queja por el pecado tolerado a Judá
    b. Los caldeos los castigarán
    c. Queja contra la maldad de los caldeos
    d. El castigo prometido
    e. Oración por avivamiento; fe en Dios

36. **Sofonías** – *La invasión babilónica como prototipo del Día del Señor*
    a. Juicio sobre Judá predice el Gran Día del Señor
    b. Juicio sobre Jerusalén y pueblos vecinos predicen el juicio final de todas las naciones
    c. Israel restaurado después de los juicios

37. **Hageo** – *Reconstrucción del templo*
    a. Negligencia
    b. Valor
    c. Separación
    d. Juicio

38. **Zacarías** – *TLas dos venidas de Cristo*
    a. Visión de Zacarías
    b. La pregunta de Betel; la respuesta de Jehová
    c. Caída y salvación de la nación

39. **Malaquías** – *Negligencia*
    a. Los pecados del sacerdote
    b. Los pecados del pueblo
    c. Los pocos fieles

El Nuevo Testamento

1. **Mateo** – *Jesús el Rey*
   a. La persona del Rey
   b. La preparación del Rey
   c. La propaganda del Rey
   d. El programa del Rey
   e. La pasión del Rey
   f. El poder del Rey

2. **Marcos** – *Jesús el Siervo*
   a. Juan presenta al Siervo
   b. Dios el Padre identifica al Siervo
   c. La tentación, el inicio del Siervo
   d. Obra y palabra del Siervo
   e. Muerte, sepultura y resurrección

3. **Lucas** – *Jesucristo el Hombre perfecto*
   a. Nacimiento y familia del Hombre perfecto
   b. El hombre perfecto puesto a prueba; su pueblo de nacimiento
   c. Ministerio del Hombre perfecto
   d. Traición, juicio y muerte del Hombre perfecto
   e. Resurrección del Hombre perfecto

4. **Juan** – *Jesucristo es Dios*
   a. Prólogo - la encarnación
   b. Introducción
   c. Testimonio de obras y palabras
   d. Testimonio de Jesús a sus apóstoles
   e. Pasión - testimonio al mundo
   f. Epílogo

5. **Hechos** – *El Espíritu Santo obrando en la Iglesia*
   a. El Señor Jesús obrando por el Espíritu Santo a través de los apóstoles en Jerusalén
   b. En Judea y Samaria
   c. Hasta los confines de la tierra

6. **Romanos** – *La justicia de Dios*
   a. Saludos
   b. Pecado y salvación
   c. Santificación
   d. Lucha
   e. Vida llena del Espíritu
   f. Seguridad de la salvación
   g. Apartarse
   h. Sacrificio y servicio
   i. Separación y despedida

7. **1 Corintios** – *El señorío de Cristo*
   a. Saludos y agradecimiento
   b. Estado moral de los corintios
   c. Concerniente al evangelio
   d. Concerniente a las ofrendas

8. **2 Corintios** – *El ministerio de la Iglesia*
   a. El consuelo de Dios
   b. Ofrenda para los pobres
   c. Llamamiento del apóstol Pablo

9. **Gálatas** – *Justificación por la fe*
   a. Introducción
   b. Lo personal - La autoridad del apóstol y gloria del evangelio
   c. Lo doctrinal - Justificación por fe
   d. Lo práctico - Sanctificación por el Espíritu Santo
   e. Conclusión autografiada y exhortación

10. **Efesios** – *La iglesia de Jesucristo*
   a. Lo doctrinal - el llamado celestial a la iglesia
      - Un cuerpo
      - Un templo
      - Un misterio
   b. Lo práctico - la conducta terrenal de la iglesia
      - Un hombre nuevo
      - Una novia
      - Un ejército

11. **Filipenses** – *Gozo de la vida cristiana*
   a. La filosofía de la vida cristiana
   b. Pautas para la vida cristiana
   c. Premios para la vida cristiana
   d. Poder para la vida cristiana

12. **Colosenses** – *Cristo la plenitud de Dios*
   a. Lo doctrinal - En Cristo los creyentes están completos
   b. Lo práctico - La vida de Cristo derramada sobre los creyentes y a través de ellos

13. **1 Tesalonicenses** – *TLa segunda venida de Cristo:*
   a. Es una esperanza inspiradora
   b. Es una esperanza operadora
   c. Es una esperanza purificadora
   d. Es una esperanza alentadora
   e. Es una esperanza estimulante y resplandeciente

14. **2 Tesalonicenses** – *La segunda venida de Cristo*
   a. Persecución de los creyentes ahora; juicio futuro para los impíos (en la venida de Cristo)
   b. Programa del mundo en conexión con la venida de Cristo
   c. Asuntos prácticos asociados con la venida de Cristo

15. **1 Timoteo** – *Gobierno y orden en la iglesia local*
    a. La fe de la iglesia
    b. La oración pública y el lugar de las mujeres en la iglesia
    c. Oficiales en la iglesia
    d. Apostasía en la iglesia
    e. Responsabilidades de los oficiales en la iglesia

16. **2 Timoteo** – *Lealtad en los días de la apostasía*
    a. Aflicciones por el evangelio
    b. Activos en servicio
    c. Apostasía venidera; autoridad de las Escrituras
    d. Alianza al Señor

17. **Tito** – *La iglesia ideal del Nuevo Testamento*
    a. La Iglesia es una organización
    b. La Iglesia debe enseñar y predicar la Palabra de Dios
    c. La Iglesia debe hacer buenas obras

18. **Filemón** – *Revela al amor de Cristo y enseña el amor fraternal*
    a. Saludo afable a Filemón y su familia
    b. Buena reputación de Filemón
    c. Súplica humilde por Onésimo
    d. Sustituto inocente culpable
    e. Ilustración gloriosa sobre la imputación
    f. Peticiones generales y personales

19. **Hebreos** – *La superioridad de Cristo*
    a. Lo doctrinal - Cristo es mejor que lo mostrado en el Antiguo Testamento
    b. Lo práctico - Cristo trae mejores beneficios

20. **Santiago** – *Ética del cristianismo*
    a. Fe probada
    b. Dificultad de controlar la lengua
    c. Advertencia contra la mundanalidad
    d. Exhortaciones en vista de la venida del Señor

21. **1 Pedro** – *La esperanza cristiana en tiempos de persecución y prueba*
    a. Sufrimiento y seguridad de los creyentes
    b. El sufrimiento y las Escrituras
    c. El sufrimiento y los sufrimientos de Cristo
    d. El sufrimiento y la Segunda venida de Cristo

22. **2 Pedro** – *Advertencia contra los falsos maestros*
    a. El crecimiento en la gracia cristiana da seguridad
    b. La autoridad de las Escrituras
    c. Apostasía por medio del falso testimonio
    d. La actitud hacia el retorno de Cristo: prueba para la apostasía
    e. La agenda de Dios en el mundo
    f. Amonestación a los creyentes

23. **1 Juan** – *La familia de Dios*
    a. Dios es luz
    b. Dios es amor
    c. Dios es vida

24. **2 Juan** – *Advertencia a no recibir engañadores*
    a. Caminar en la verdad
    b. Amarse unos a otros
    c. No recibir engañadores
    d. Gozo en el compañerismo

25. **3 Juan** – *Amonestación a recibir a los verdaderos creyentes*
    a. Gayo, hermano en la Iglesia
    b. Diótrefes
    c. Demetrio

26. **Judas** – *Contendiendo por la fe*
    a. La ocasión de la epístola
    b. Acontecimientos de la apostasía
    c. La ocupación de los creyentes en los días de la apostasía

27. **Apocalipsis** – *La revelación del Cristo glorificado*
    a. La persona de Cristo en gloria
    b. La posesión de Jesucristo - la Iglesia en el mundo
    c. El programa de Jesucristo - la escena en el cielo
    d. Los siete sellos
    e. Las siete trompetas
    f. Personas importantes en los últimos días
    g. Las siete copas
    h. La caída de Babilonia
    i. El estado eterno

San Basilio, El Credo Niceno y la doctrina del Espíritu Santo

Rev. Terry G. Cornett

El Credo Niceno original salió de la primera reunión mundial de líderes cristianos en Nicea en Bitinia (lo que ahora es Isnik, Turkía) en el año 325. Fue convocado para tratar con una herejía llamada Arrianismo, la cual negaba que Jesús fuera Dios y enseñaba que Él era el ser creado más grande. El concilio en Nicea condenó el Arrianismo, y forjó un lenguaje que los obispos podían usar para enseñar en sus iglesias quién era Jesús realmente.

Poco más de 50 años después, sin embargo, la Iglesia enfrentó nuevos desafíos. Una versión modificada de la herejía de Arrio había regresado; Macedonio, un teólogo Arriano había sido electo como Obispo de Constantinopla en el 341. Un nuevo problema había emergido: algunos obispos cristianos habían empezado a enseñar que el Espíritu Santo no era Dios. Macedonio eventualmente llegó a ser el líder de la secta pneumatómica, y la teoría que la caracterizaba era que el Espíritu Santo no era Dios sino un ser creado similar a los ángeles. Ellos enseñaban que el Espíritu Santo estaba subordinado al Padre y al Hijo, funcionando como su sirviente.

Basilio[1] fue uno de los teólogos antiguos claves que comunicaban y defendían la doctrina bíblica del Espíritu Santo contra estas herejías. Basilio fue obispo de Cesarea el cual vivió en el siglo cuarto D.C. Él escribió *De Spiritu Sancto* ("Sobre el Espíritu Santo") en el 374 apenas unos años antes de su muerte en el 379. Este libro defiende la creencia que el Espíritu Santo es Dios. Basilio trabajó sin descanso para ver que un nuevo concilio de la Iglesia fuera convocado para afirmar esta doctrina y establecer que se enseñara en las iglesias.

En el 381, poco después de la muerte de Basilio, un concilio de 150 obispos de la iglesia del Oriente se reunieron in Constantinopla (hoy día Estambul, Turquía). Este concilio reafirmó el hecho de que Jesús era plenamente Dios y después dirigió la atención a la pregunta sobre Espíritu Santo, la cual el concilio Niceno había dejado intacta. (El Credo Niceno original leía sencillamente, "Creemos en el Espíritu Santo"). En base a los escritos de Basilio, el concilió hizo que esta sencilla declaración llegara a ser un párrafo que explicaba más plenamente la persona y la obra del Espíritu Santo.

[1] Basilio nació en el 329, en la región de Pontus (Turquía hoy día), en una familia rica y notable. Su abuelo, su padre, su madre, su hermana y sus dos hermanos menores fueron todos nombrados a la larga como santos por la Iglesia. Él recibió una educación sobresaliente en escuelas en Cesarea, Constantinopla, y Atenas. Después de su educación, Basilio vino a ser el primer monje en Pontus, después presbítero (una posición pastoral) en Cesarea (donde él a la larga llegó a ser obispo) y se convirtió también en un teólogo vigoroso). En estos papeles, él desarrolló una reputación de integridad personal y gran compasión. Aún como obispo era dueño de sólo una prenda de vestir interior y exterior, y no comía carne en su mesa. Vivió sencillamente, trató su cuerpo con dureza, y se involucró personalmente en la distribución a los pobres. Por su integridad personal sus muchos oponentes teológicos a través de los años tuvieron dificultad en encontrar algo malo para acusarlo.

San Basilio, El Credo Niceno y la doctrina del Espíritu Santo (continuación)

Esta versión enmendada de El Credo Niceno original (técnicamente El Credo Niceno de Constantinopla) es referida comúnmente como El "Credo Niceno" ya que es la versión final de la declaración que se inició en Nicea. Es aceptado por los Católicos, Ortodoxos[2] y cristianos Protestantes por igual, como el resumen de enseñanza bíblicas que separan la sana doctrina de la herejía.

[2] Aunque el Ortodoxo no incluye la frase "y el Hijo" (la cual fue añadida en un fecha posterior) en la afirmación sobre el Espíritu procedente del Padre.

Seis clases de ministerios neotestamentarios para la comunidad

Rev. Dr. Don L. Davis

Tipo	Griego	Texto	Responsabilidad
Proclamación	*euangelion*	Ro. 1.15-17	Predicar las buenas nuevas
Enseñanza	*didasko*	Mt. 28.19	Formar los discípulos de Jesús
Adoración	*latreúo*	Juan 4.20-24	Conducir a la presencia de Dios
Compañerismo	*agape*	Ro. 13.8-10	La comunión de los santos
Testificar	*martiria*	Hechos 1.8	Dar un preciso testimonio a los perdidos
Servicio	*diakonía*	Mt. 10.43-45	Encargarse de las necesidades de otros

Seleccionando un criterio creíble criterio de independencia

Navegando hacia una transición saludable

Don L. Davis

Con el fin de lograr una transición natural de una comunidad dirigida por misioneros a una iglesia comunitaria autóctona e independiente, debemos identificar y estar de acuerdo sobre un criterio claro que nos ayudará a saber cuándo la transición se haya completado. En otras palabras, todo depende de la habilidad de los participantes claves (o sea, misioneros, ancianos y la comunidad eclesiástica) de ser claros como el cristal con relación a nuestras suposiciones acerca de lo que la transición envuelve y qué es lo que procuramos lograr. Si por alguna razón, no somos claros acerca de nuestras expectativas y direcciones juntos, fácilmente podemos malentendernos entre sí, y prolongar el proceso o incluso hacer que el período de la transición sea doloroso.

Las siguientes categorías se dan como guía, como un criterio que tal vez le ayude como líder a hacer una evaluación crítica para ver si se han cubierto todas las áreas de transición. La lista no es exhaustiva sino que son sugerencias, y no es con el propósito de ser un sumario final, sino un estímulo para ayudarle a pensar con cuidado a través de todos los puntos necesarios para hacer que el período de transición sea abierto y provea apoyo.

1. Un grupo fiel de discípulos de Jesús convertidos, reunidos, maduros

a. Conversiones sólidas a Cristo Jesús como Señor y Salvador

b. Identidad propia como asamblea de cristianos con su propia espiritualidad apasionada, adoración inspiradora y presencia en la comunidad

c. Tienen un claro sentido de membresía, propiedad, pertenencia, y son capaces de traer nuevos miembros con facilidad por medio de una fuerte orientación y relaciones de amor

d. Claro sentido de ingreso a la membresía, disciplina de los miembros y de restauración

e. Incorporación natural de las personas en la vida del cuerpo (es decir, grupos pequeños vitales, amistades, compañerismo de grupos grandes, etc.)

2. Liderazgo autóctono identificado, comisionado y liberado

a. Escogidos públicamente y con oración por y para el cuerpo

b. Determinan la dirección y la operación de la iglesia

c. Responsables ante los miembros de la iglesia por sus vidas y ministerio

Seleccionando un criterio creíble de independencia (continuación)

d. El cuerpo ejercita sabiduría al determinar cuáles líderes apoyar (o sea, a cuántos pueden sostener total o parcialmente) a la vez que dependen de los líderes y miembros laicos para sus necesidades, según Dios los dirija

e. Reconocidos como autoridad del cuerpo, aparte del liderazgo misionero

3. Selección de su propio pastor y personal pastoral

a. Creación de un pacto/estatuto/reglas/constitución, delineando la función del pastor(es) y la relación con el cuerpo

b. Instalación de un pastor debidamente ratificado por la membresía y endosado por el liderazgo

c. Reconocimiento formal de la autoridad y responsabilidad del pastor

d. Afirmación del apoyo de la comunidad y sumisión al liderazgo pastoral

4. Limitada y decreciente supervisión, participación y dirección

a. Los misioneros habrán renunciado a toda posición y autoridad significativa

b. Claro entendimiento de la función de los misioneros que en la actualidad sirven a nuestro cuerpo

c. Distintas líneas entre los misioneros y los líderes autóctonos en la toma de decisiones y el establecimiento de la dirección de la iglesia

d. Estimular a los misioneros a buscar la dirección de Dios con relación a laborar en nuevas comunidades con el evangelio

5. Ministerios distintivos y singulares de la iglesia impulsados por una carga y orientados por los dones

a. Clara misión y visión del propósito y metas de la iglesia a madurar y crecer en número según Dios guíe

b. Reproducir nuevas asambleas en el ADN de nuestra iglesia (o sea, financiar y apoyar otros esfuerzos de plantar iglesias en nuestra ciudad y más allá)

c. Abrir puertas para que los miembros exploren oportunidades de ministerio que coincidan con la visión del cuerpo, de movilizar a sus miembros a ministrar en su comunidad

d. Continua capacitación de los miembros del cuerpo por el personal pastoral para capacitarlos a hacer la obra del ministerio

Seleccionando un criterio creíble de independencia (continuación)

e. Programación regular de adoración, enseñanza, compañerismo y misión financiada y dirigida por el personal y miembros de la iglesia

6. Generar recursos para ministerios no-misioneros e ingresos de operación

a. Profunda convicción dentro de la congregación que ellos solamente van a buscar a Dios como la fuente de abastecimiento para implementar la visión

b. Desarrollo de un plan para hacer a la congregación financieramente libre e independiente de apoyo misionero externo

c. Directrices claras bajo las cuales apoyo y ayuda puedan ser dados al cuerpo

d. Identificación de fuentes independientes para un continuo acceso a recursos en efectivo que ayudarán a apoyar el esfuerzo

7. Adquisición y mayordomía del equipo, recursos e instalaciones de la iglesia

a. Estructuras funcionales, de uso fácil, creadas para administrar los negocios y la mayordomía de la iglesia

b. Cuidadoso y continuo inventario de los recursos de la iglesia

c. Clara contabilidad de las finanzas de la iglesia, las compras y distribuciones

d. Compras responsables y mantenimiento del equipo e instalaciones de la iglesia

8. Desarrollo de nuevas amistades, familiares, voluntarios y asociados

a. Reconocimiento de otras comunidades cristianas, dentro y fuera de la comunidad

b. Nuevas relaciones con otras iglesias y organizaciones que continuarían apoyando el esfuerzo con grupos de trabajo y ayuda a corto plazo

c. Nueva afiliación con denominaciones o grupos cuya visión sea similar a la de la iglesia

d. Asociaciones para aumentar la efectividad del alcance y la misión de la iglesia

Siguiendo la vida de Cristo a través de cada año

Rev. Dr. Don L. Davis

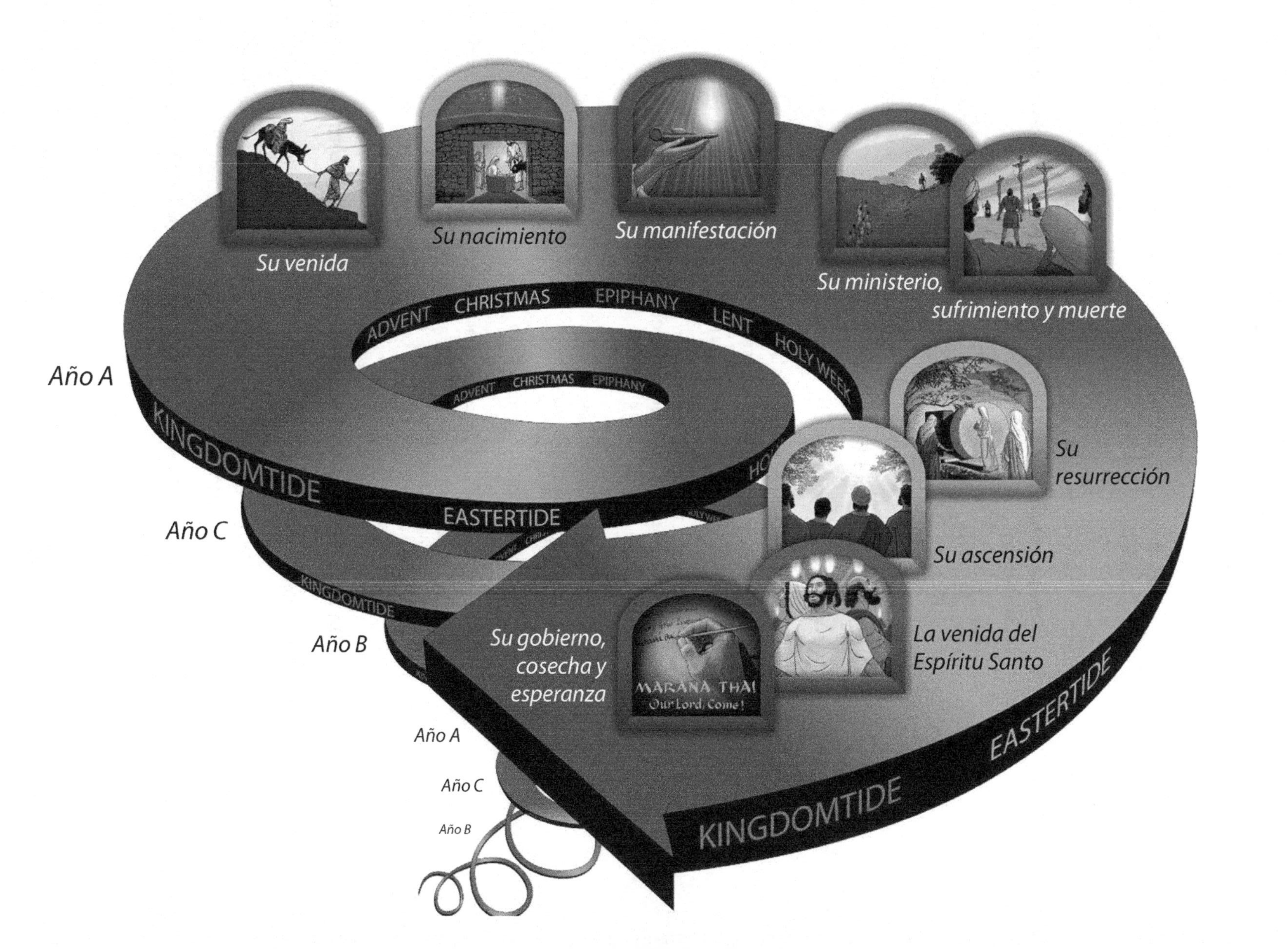

Símbolos del liderazgo cristiano

El líder cristiano como diácono (siervo)

Ilustrado por Tim Ladwig

Símbolos del liderazgo cristiano (continuación)

El líder cristiano como anciano

Ilustrado por Tim Ladwig

Símbolos del liderazgo cristiano (continuación)

El líder cristiano como pastor

Ilustrado por Tim Ladwig

Símbolos del liderazgo cristiano (continuación)

El líder cristiano como obispo

Ilustrado por Tim Ladwig

Sustitución

Don L. Davis

El principio de la

Sustitución

Mito
Historia
Narrativa
Parábola
Alegoría
Revalidación
Ritual
Liturgia
Recordación
Festival

Parecido
Analogía
Comparación

Metáfora
Personificación
Imagen
Símbolo
Representación
Tipo
Prototipo
Símil

$$\frac{A}{B} :: \frac{C}{D}$$

"Como un pastor para sus *ovejas* así es el *Señor* con *su* pueblo".

Jehová es mi pastor, nada me faltará. ~ Salmo 23.1

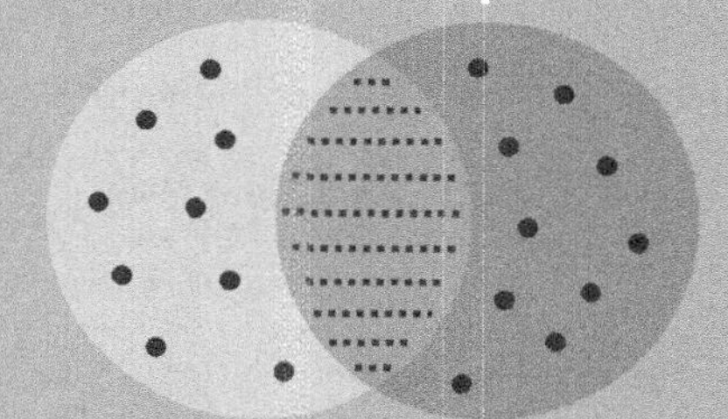

Análisis de las imágenes y de la sustitución narrativa

1. Principal tema del discurso o la idea religiosa
2. Una imagen concreta o narrativa derivada de una fuente o reserva de imágenes e historias
3. Analogía-similitud-comparación de los elementos seleccionados o características de (2) para iluminar la naturaleza de (1)
4. Asociación, comparación e identificación implícita y explícita de las dos en conjunto
5. Nuevo entendimiento y experiencia de (1) a través de su asociación e identificación con (2) representando un nuevo conocimiento

Niveles de asociación

1. Las asociaciones inspiradas por el Espíritu Santo
2. Asociaciones culturales para el significado de la sociedad
3. Asociación misiológica para comunicar la verdad

Reglas de asociación

1. No existen analogías perfectas
2. La selección de elementos para comparar es fundamental
3. La teología explora conexiones y posibles conexiones
4. La conexión creativa exige que se dominen los principios de las imágenes e historias

Tabla cronológica del Nuevo Testamento

Rev. Dr. Don L. Davis, adaptado de Robert Yarbrough

Fecha	Historia cristiana	NT	Historia romana
c. 28-30	Ministerio público de Jesús	Evangelios	14-37, Emperador Tiberio
c. 33	Conversión de Pablo	Hechos 9:1-13	—
c. 35	Primer visita de Pablo a Jerusalén después de convertido	Gál. 1:18	—
c. 35-46	Pablo en Cilicia and Siria	Gál. 1:21	—
—	—	—	c. 37-41, Emperador Gayo, c. 41-54, Emperador Claudio
c. 46	Segunda visita de Pablo a Jerusalén	Gál. 2:1; Hch. 11:27-50	—
c. 47-48	Pablo y Bernabé en Chipre y Galacia (1er. viaje)	Hechos 13-14	—
c. 48?	Carta a los Gálatas	—	—
c. 49	Concilio de Jerusalén	Hechos 15	—
c. 49-50	Pablo y Silas van de Siria de Antioquía por todo el Asia Menor hasta Macedonia y Acaya (2do. viaje)	Hch. 15:36-18:21	—
c. 50	Cartas a los Tesalonicenses	—	—
c. 50-52	Pablo en Corinto	—	c. 51-52, Gayo, procónsul de Acaya
Verano del 52	Tercera visita de Pablo a Jerusalén	—	c. 52-59, Félix, procurador de Judea
c. 52-55	Pablo en Éfeso	—	c. 54-68, Emperador Nerón
c. 55-56	Cartas a los Corintios	—	—
c. 55-57	Pablo en Macedonia, Ilírico, y Acaya (3er. viaje)	Hch. 18:22-21:15	—
Inicios del 57	Carta a los Romanos	—	—
Mayo 57	Cuarta visita de Pablo (y última) a Jerusalén	Hch. 21:17	—
c. 57-59	Encarcelamiento de Pablo en Cesarea	Hch. 23:23	c. 59, Festo sucede a Félix como procurador de Judea
Sept. 59	Viaje de Pablo a Roma comienza	Hch. 27-28	—
Feb. 60	Llegada de Pablo a Roma	—	—
c. 60-62	Arresto domiciliario de Pablo en Roma	—	—
c. 60-62?	Cartas de la prisión (Efesios, Filipenses, Colosenses, Filemón)	—	c. 62, muerte de Festo; Albino procurador of Judea
c. 65?	Pablo visita España (¿4to. viaje?)	—	c. 64, Incendio de Roma
c. ??	Cartas Pastorales (1 y 2 Timoteo, Tito)	—	—
c. 65?	Muerte de Pablo	—	—

Teorías de la inspiración

Rev. Terry G. Cornett

Teoría de la inspiración	Explicación	Posible(s) objeción(es)
Mecánica o dictada	El autor humano es un instrumento pasivo en las manos de Dios. El autor simplemente escribe cada palabra que Dios le habla. Este dictado es el que protege el texto de errores humanos.	Los libros de la Escritura muestran diversos estilos de escritura, vocabularios, y expresiones, las cuales varían con cada autor humano. Esta teoría no parece explicar porqué Dios usa autores humanos en vez de darnos su Palabra directamente.
Intuición o natural	Personas excepcionalmente dotadas con perspicacia espiritual fueron escogidas por Dios para escribir la Biblia.	La Biblia indica que la Escritura vino de Dios, por medio de autores humanos (2 Pe. 1.20-21).
Iluminación	El Espíritu Santo elevó las capacidades normales de los autores humanos, a fin de que ellos tuvieran un discernimiento especial sobre la verdad espiritual.	Las Escrituras indican que los autores humanos expresaron las mismas palabras de Dios ("así dice el Señor", Is. 7.7; Ezeq. 14.6; Ro. 14.11).
Grados de inspiración	Ciertas partes de la Biblia son más inspiradas que otras. Algunas veces esta posición es usada para argumentar que las porciones que tratan con doctrinas importantes o verdades éticas son inspiradas, mientras que las porciones que tratan con asuntos históricos, económicos, culturales, etc., son menos inspiradas o sin inspiración.	Los autores bíblicos nunca indicaron que hay pasajes más inspirados, ni tampoco usaron ningún material bíblico como más inspirado. Jesús habla de la revelación escrituraria en su totalidad, hasta el día de hoy, como la Palabra inmutable de Dios (Mt. 5.17-18; Jn. 3.34-35).
Verbal-plena	Tanto elementos divinos y humanos están presentes en la producción de la Escritura. El texto entero de la Escritura, incluyendo las palabras, son un producto de la mente de Dios expresado en condiciones y términos humanos por medio de autores humanos a quienes conoció de antemano (Jer. 1.5) y escogió para esa tarea.	Parece improbable que los elementos humanos, finitos y culturalmente limitados, pudieran ser descritos como las invariables palabras de Dios.

Textos acerca del Reino en el Antiguo Testamento

Ex. 19.3-6 (LBLA) - Y Moisés subió hacia Dios, y el SEÑOR lo llamó desde el monte, diciendo: Así dirás a la casa de Jacob y anunciarás a los hijos de Israel: [4] "Vosotros habéis visto lo que he hecho a los egipcios, y cómo os he tomado sobre alas de águilas y os he traído a mí. [5] Ahora pues, si en verdad escucháis mi voz y guardáis mi pacto, seréis mi especial tesoro entre todos los pueblos, porque mía es toda la tierra; [6] y vosotros seréis para mí un reino de sacerdotes y una nación santa". Estas son las palabras que dirás a los hijos de Israel.

2 Sm. 7.12-16 (RV60) - Y cuando tus días sean cumplidos, y duermas con tus padres, yo levantaré después de ti a uno de tu linaje, el cual procederá de tus entrañas, y afirmaré su reino. [13] El edificará casa a mi nombre, y yo afirmaré para siempre el trono de su reino. [14] Yo le seré a él padre, y él me será a mí hijo. Y si él hiciere mal, yo le castigaré con vara de hombres, y con azotes de hijos de hombres; [15] pero mi misericordia no se apartará de él como la aparté de Saúl, al cual quité de delante de ti. [16] Y será afirmada tu casa y tu reino para siempre delante de tu rostro, y tu trono será estable eternamente.

1 Cr. 14.2 (LBLA) - Y comprendió David que el SEÑOR lo había confirmado por rey sobre Israel, y que su reino había sido exaltado en gran manera por amor a su pueblo Israel.

1 Cr. 16.20 (RV60)-...y andaban de nación en nación, y de un reino a otro pueblo...

1 Cr. 17.11-14 (RV60) - Y cuando tus días sean cumplidos para irte con tus padres, levantaré descendencia después de ti, a uno de entre tus hijos, y afirmaré su reino. [12] El me edificará casa, y yo confirmaré su trono eternamente. [13] Yo le seré por padre, y él me será por hijo; y no quitaré de él mi misericordia, como la quité de aquel que fue antes que tú; [14] sino que la confirmaré en mi casa y en mi reino eternamente, y su trono será firme para siempre.

1 Cr. 22.10 (RV60) - El edificará casa a mi nombre, y él me será a mí por hijo, y yo le seré por padre; y afirmaré el trono de su reino sobre Israel para siempre.

Textos acerca del Reino en el Antiguo Testamento (continuación)

1 Cr. 28.7 (RV60) - Asimismo yo confirmaré su reino para siempre, si él se esforzare a poner por obra mis mandamientos y mis decretos, como en este día.

1 Cr. 29.10-12 (LBLA) - Y bendijo David al SEÑOR en presencia de toda la asamblea. Y David dijo: Bendito eres, oh SEÑOR, Dios de Israel, nuestro padre por los siglos de los siglos. [11] Tuya es, oh SEÑOR, la grandeza y el poder y la gloria y la victoria y la majestad, en verdad, todo lo que hay en los cielos y en la tierra; tuyo es el dominio, oh SEÑOR, y tú te exaltas como soberano sobre todo. [12] De ti proceden la riqueza y el honor; tú reinas sobre todo y en tu mano están el poder y la fortaleza, y en tu mano está engrandecer y fortalecer a todos.

2 Cr. 32.15 (RV60) - Ahora, pues, no os engañe Ezequías, ni os persuada de ese modo, ni le creáis; pues si ningún dios de todas aquellas naciones y reinos pudo librar a su pueblo de mis manos y de las manos de mis padres, ¿cuánto menos vuestro Dios os podrá librar de mi mano?

2 Cr. 33.13 (RV60) - Y habiendo orado a él, fue atendido; pues Dios oyó su oración y lo restauró a Jerusalén, a su reino. Entonces reconoció Manasés que Jehová era Dios.

Neh. 9.32-35 (LBLA) - Ahora pues, Dios nuestro, Dios grande, poderoso y temible, que guardas el pacto y la misericordia, no parezca insignificante ante ti toda la aflicción que nos ha sobrevenido, a nuestros reyes, a nuestros príncipes, a nuestros sacerdotes, a nuestros profetas, a nuestros padres y a todo tu pueblo, desde los días de los reyes de Asiria hasta el día de hoy. [33] Mas tú eres justo en todo lo que ha venido sobre nosotros, porque tú has obrado fielmente, pero nosotros perversamente. [34]Nuestros reyes, nuestros jefes, nuestros sacerdotes y nuestros padres no han observado tu ley ni han hecho caso a tus mandamientos ni a tus amonestaciones con que los amonestabas. [35] Pero ellos en su propio reino, con los muchos bienes que tú les diste, con la espaciosa y rica tierra que pusiste delante de ellos, no te sirvieron ni se convirtieron de sus malas obras.

Sal. 9.7-8 (RV60) - Pero Jehová permanecerá para siempre; ha dispuesto su trono para juicio. [8] El juzgará al mundo con justicia, y a los pueblos con rectitud.

Textos acerca del Reino en el Antiguo Testamento (continuación)

Sal. 22.27-28 (RV60) - Se acordarán, y se volverán a Jehová todos los confines de la tierra, y todas las familias de las naciones adorarán delante de ti. [28] Porque de Jehová es el reino, y él regirá las naciones.

Sal. 45.6 (RV60) - Tu trono, oh Dios, es eterno y para siempre; cetro de justicia es el cetro de tu reino.

Sal. 47.7-8 (RV60) - Porque Dios es el Rey de toda la tierra; cantad con inteligencia. [8] Reinó Dios sobre las naciones; se sentó Dios sobre su santo trono.

Sal. 103.17-19 (LBLA) - Mas la misericordia del SEÑOR es desde la eternidad hasta la eternidad, para los que le temen, y su justicia para los hijos de los hijos, [18] para los que guardan su pacto y se acuerdan de sus preceptos para cumplirlos. [19] El SEÑOR ha establecido su trono en los cielos, y su reino domina sobre todo.

Sal. 105.13 (RV60)-...y andaban de nación en nación, de un reino a otro pueblo.

Sal. 145.9-13 (NVI) - El Señor es bueno con todos; él se compadece de toda su creación. [10] Que te alaben, Señor, todas tus obras; que te bendigan tus fieles. [11] Que hablen de la gloria de tu reino; que proclamen tus proezas, [12] para que todo el mundo conozca tus proezas y la gloria y esplendor de tu reino. [13] Tu reino es un reino eterno; tu dominio permanece por todas las edades.

Is. 2.2-5 (LBLA) - Y acontecerá en los postreros días, que el monte de la casa del SEÑOR será establecido como cabeza de los montes; se alzará sobre los collados, y confluirán a él todas las naciones. [3] Vendrán muchos pueblos, y dirán: Venid, subamos al monte del SEÑOR, a la casa del Dios de Jacob; para que nos enseñe acerca de sus caminos, y andemos en sus sendas. Porque de Sion saldrá la ley, y de Jerusalén la palabra del SEÑOR. [4] Juzgará entre las naciones, y hará decisiones por muchos pueblos. Forjarán sus espadas en rejas de arado, y sus lanzas en podaderas. No alzará espada nación contra nación, ni se adiestrarán más para la guerra. [5] Casa de Jacob, venid y caminemos a la luz del SEÑOR.

Textos acerca del Reino en el Antiguo Testamento (continuación)

Is. 9.6-7 (RV60) - Porque un niño nos es nacido, hijo nos es dado, y el principado sobre su hombro; y se llamará su nombre Admirable, Consejero, Dios Fuerte, Padre Eterno, Príncipe de Paz. [7] Lo dilatado de su imperio y la paz no tendrán límite, sobre el trono de David y sobre su reino, disponiéndolo y confirmándolo en juicio y en justicia desde ahora y para siempre. El celo de Jehová de los ejércitos hará esto.

Is. 11.1-16 (LBLA) - Y brotará un retoño del tronco de Isaí, y un vástago de sus raíces dará fruto. [2] Y reposará sobre El el Espíritu del SEÑOR, espíritu de sabiduría y de inteligencia, espíritu de consejo y de poder, espíritu de conocimiento y de temor del SEÑOR. [3] Se deleitará en el temor del SEÑOR, y no juzgará por lo que vean sus ojos, ni sentenciará por lo que oigan sus oídos; [4] sino que juzgará al pobre con justicia, y fallará con equidad por los afligidos de la tierra; herirá la tierra con la vara de su boca, y con el soplo de sus labios matará al impío. [5] La justicia será ceñidor de sus lomos, y la fidelidad ceñidor de su cintura. [6] El lobo morará con el cordero, y el leopardo se echará con el cabrito; el becerro, el leoncillo y el animal doméstico andarán juntos, y un niño los conducirá. [7] La vaca y la osa pacerán, sus crías se echarán juntas, y el león, como el buey, comerá paja. [8] El niño de pecho jugará junto a la cueva de la cobra, y el niño destetado extenderá su mano sobre la guarida de la víbora. [9] No dañarán ni destruirán en todo mi santo monte, porque la tierra estará llena del conocimiento del SEÑOR, como las aguas cubren el mar. [10] Acontecerá en aquel día que las naciones acudirán a la raíz de Isaí, que estará puesta como señal para los pueblos, y será gloriosa su morada. [11] Entonces acontecerá en aquel día que el Señor ha de recobrar de nuevo con su mano, por segunda vez, al remanente de su pueblo que haya quedado de Asiria, de Egipto, de Patros, de Cus, de Elam, de Sinar, de Hamat y de las islas del mar. 12] Alzará un estandarte ante las naciones, reunirá a los desterrados de Israel, y juntará a los dispersos de Judá de los cuatro confines de la tierra. [13] Entonces se disipará la envidia de Efraín, y los que hostigan a Judá serán exterminados; Efraín no envidiará a Judá, y Judá no hostigará a Efraín. [14] Y ellos se lanzarán sobre el costado de los filisteos al occidente, juntos despojarán a los hijos del oriente; Edom y Moab estarán bajo su dominio, y los hijos de Amón les estarán

Textos acerca del Reino en el Antiguo Testamento (continuación)

sujetos. [15] Y el SEÑOR destruirá la lengua del mar de Egipto; agitará su mano sobre el río con su viento abrasador, lo partirá en siete arroyos y hará que se pueda pasar en sandalias. [16] Y habrá una calzada desde Asiria para el remanente que quede de su pueblo, así como la hubo para Israel el día que subieron de la tierra de Egipto.

Is. 12.1-6 (NVI) - En aquel día tú dirás: «Señor, yo te alabaré aunque te hayas enojado conmigo. Tu ira se ha calmado, y me has dado consuelo. [2] ¡Dios es mi salvación! Confiaré en él y no temeré. El Señor es mi fuerza, el Señor es mi canción; ¡él es mi salvación!» [3] Con alegría sacarán ustedes agua de las fuentes de la salvación. [4] En aquel día se dirá: «Alaben al Señor, invoquen su nombre; den a conocer entre los pueblos sus obras; proclamen la grandeza de su nombre. [5] Canten salmos al Señor, porque ha hecho maravillas; que esto se dé a conocer en toda la tierra. [6] ¡Canta y grita de alegría, habitante de Sión; realmente es grande, en medio de ti, el Santo de Israel!»

Is. 19.2 (RV60) - Levantaré egipcios contra egipcios, y cada uno peleará contra su hermano, cada uno contra su prójimo; ciudad contra ciudad, y reino contra reino.

Is. 51.4-5 (RV60) - Estad atentos a mí, pueblo mío, y oídme, nación mía; porque de mí saldrá la ley, y mi justicia para luz de los pueblos. [5] Cercana está mi justicia, ha salido mi salvación, y mis brazos juzgarán a los pueblos; a mí me esperan los de la costa, y en mí brazo ponen su esperanza.

Is. 60.9-13 (RV60) - Ciertamente a mí esperarán los de la costa, y las naves de Tarsis desde el principio, para traer tus hijos de lejos, su plata y su oro con ellos, al nombre de Jehová tu Dios, y al Santo de Israel, que te ha glorificado. [10] Y extranjeros edificarán tus muros, y sus reyes te servirán; por que en mi ira te castigué, mas en mi buena voluntad tendré de ti misericordia. [11] Tus puertas estarán de continuo abiertas; no se cerrarán de día ni de noche, para que a ti sean traídas las riquezas de las naciones, y conducidos a ti sus reyes. [12] Porque la nación o el reino que no te sirviere perecerá, y del todo será asolado. [13] La gloria del Líbano vendrá a ti, cipreses, pinos y bojes juntamente, para decorar el lugar de mi santuario; y yo honraré el lugar de mis pies.

Textos acerca del Reino en el Antiguo Testamento (continuación)

Is. 61.1-4 (RV60) - El Espíritu de Jehová el Señor está sobre mí, porque me ungió Jehová; me ha enviado a predicar buenas nuevas a los abatidos, a vendar a los quebrantados de corazón, a publicar libertad a los cautivos, y a los presos apertura de la cárcel; [2] a proclamar el año de la buena voluntad de Jehová, y el día de venganza del Dios nuestro; a consolar a todos los enlutados; [3] a ordenar que a los afligidos de Sion se les dé gloria en lugar de ceniza, óleo de gozo en lugar de luto, manto de alegría en lugar del espíritu angustiado; y serán llamados árboles de justicia, plantío de Jehová, para gloria suya. [4] Reedificarán las ruinas antiguas, y levantarán los asolamientos primeros, y restaurarán las ciudades arruinadas, los escombros de muchas generaciones.

Jer. 23.5-6 (RV60) - He aquí que vienen días, dice Jehová, en que levantaré a David renuevo justo, y reinará como Rey, el cual será dichoso, y hará juicio y justicia en la tierra. [6] En sus días será salvo Judá, e Israel habitará confiado; y este será su nombre con el cual le llamarán: Jehová, justicia nuestra.

Lm. 2.2 (RV60) - Destruyó el Señor, y no perdonó; destruyó en su favor todas las tiendas de Jacob; echó por tierra las fortalezas de la hija de Judá, humilló al reino y a sus príncipes.

Dn. 2.37 (RV60) - Tú, oh rey, eres rey de reyes; porque el Dios del cielo te ha dado reino, poder, fuerza y majestad.

Dn. 2.44 (RV60) - Y en los días de estos reyes el Dios del cielo levantará un reino que no será jamás destruido, ni será el reino dejado a otro pueblo; desmenuzará y consumirá a todos estos reinos, pero él permanecerá para siempre.

Dn. 4.34-36 (RV60) - Mas al fin del tiempo yo Nabucodonosor alcé mis ojos al cielo, y mi corazón me fue devuelto; y bendije al Altísimo, y alabé y glorifiqué al que vive para siempre, cuyo dominio es sempiterno, y su reino por todas las edades. [35] Todos los habitantes de la tierra son considerados como nada; y él hace según su voluntad en el ejército del cielo, y en los habitantes de la tierra, y no hay quien detenga su mano, y le diga: ¿Qué haces? [36] En el mismo tiempo mi razón me fue devuelta, y la majestad de mi reino, mi dignidad y mi grandeza volvieron a mí, y mis gobernadores y mis

Textos acerca del Reino en el Antiguo Testamento (continuación)

consejeros me buscaron; y fui restablecido en mi reino, y mayor grandeza me fue añadida.

Dn. 5.26-28 (RV60) - Esta es la interpretación del asunto: MENE: Contó Dios tu reino, y le ha puesto fin. [27] Tekel: Pesado has sido en balanza, y fuiste hallado falto. [28] Peres: Tu reino ha sido roto, y dado a los medos y a los persas.

Dn. 6.25-27 (RV60) - Entonces el rey Darío escribió a todos los pueblos, naciones y lenguas que habitan en toda la tierra: Paz os sea multiplicada. [26] De parte mía es puesta esta ordenanza: Que en todo el dominio de mi reino todos teman y tiemblen ante la presencia del Dios de Daniel; porque él es el Dios viviente y permanece por todos los siglos, y su reino no será jamás destruido, y su dominio perdurará hasta el fin [27] El salva y libra, y hace señales y maravillas en el cielo y en la tierra; él ha librado a Daniel del poder de los leones.

Dn. 7.13-14 (RV60) - Y miraba yo en la visión de la noche, y he aquí con las nubes del cielo venía uno como un hijo de hombre, que vino hasta el Anciano de Días, y le hicieron acercarse delante de él. [14] Y le fue dado dominio, gloria y reino, para que todos los pueblos, naciones y lenguas le sirvieran; su dominio es dominio eterno, que nunca pasará, y su reino uno que no será destruido.

Dn. 7.18 (RV60) - Después recibirán el reino los santos del Altísimo, y poseerán el reino hasta el siglo, eternamente y para siempre.

Dn. 7.22 (RV60) - . . . hasta que vino el Anciano de días, y se dio el juicio a los santos del Altísimo; y llegó el tiempo, y los santos recibieron el reino.

Dn. 7.27 RV60) - Y que el reino, y el dominio y la majestad de los reinos debajo de todo el cielo, sea dado al pueblo de los santos del Altísimo, cuyo reino es reino eterno, y todos los dominios le servirán y le obedecerán.

Miq. 4.1-3 (LBLA) - Y sucederá en los últimos días que el monte de la casa del SEÑOR será establecido como cabeza de los montes; se elevará sobre las colinas, y afluirán a él los pueblos. [2] Vendrán muchas naciones y dirán: Venid y subamos al monte del SEÑOR, a la casa del Dios de Jacob, para que El nos instruya en sus caminos, y nosotros andemos en sus sendas. Porque de Sion saldrá la ley, y de Jerusalén la palabra del SEÑOR. [3] El juzgará entre muchos pueblos, y enjuiciará a naciones poderosas y

Textos acerca del Reino en el Antiguo Testamento (continuación)

lejanas; entonces forjarán sus espadas en rejas de arado y sus lanzas en podaderas. No alzará espada nación contra nación, ni se adiestrarán más para la guerra.

Miq. 5.4-5 (RV60) - Y él estará, y apacentará con poder de Jehová, con grandeza del nombre de Jehová su Dios; y morarán seguros, porque ahora será engrandecido hasta los fines de la tierra. [5] Y éste será nuestra paz. Cuando el asirio viniere a nuestra tierra, y cuando hollare nuestros palacios, entonces levantaremos contra él siete pastores, y ocho hombres principales.

Os. 1.4 (RV60) - Y le dijo Jehová: Ponle por nombre Jezreel; porque de aquí a poco yo castigaré a la casa de Jehú por causa de la sangre de Jezreel, y haré cesar el reino de la casa de Israel.

Am. 9.8 (RV60) - He aquí los ojos de Jehová el Señor están contra el reino pecador, y yo lo asolaré de la faz de la tierra; mas no destruiré del todo la casa de Jacob, dice Jehová.

Abd. 1.21 (RV60) - Y subirán salvadores al monte de Sion para juzgar al monte de Esaú; y el reino será de Jehová.

Jl. 2.26-32 (NVI) - Ustedes comerán en abundancia, hasta saciarse, y alabarán el nombre del Señor su Dios, que hará maravillas por ustedes. ¡Nunca más será avergonzado mi pueblo! [27] Entonces sabrán que yo estoy en medio de Israel, que yo soy el Señor su Dios, y no hay otro fuera de mí. ¡Nunca más será avergonzado mi pueblo! [28] Después de esto, derramaré mi Espíritu sobre todo el género humano. Los hijos y las hijas de ustedes profetizarán, tendrán sueños los ancianos y visiones los jóvenes. [29] En esos días derramaré mi Espíritu aun sobre los siervos y las siervas. [30] En el cielo y en la tierra mostraré prodigios: sangre, fuego y columnas de humo. [31] El sol se convertirá en tinieblas y la luna en sangre antes que llegue el día del Señor, día grande y terrible. [32] Y todo el que invoque el nombre del Señor escapará con vida, porque en

Textos acerca del Reino en el Antiguo Testamento (continuación)

el monte Sión y en Jerusalén habrá escapatoria, como lo ha dicho el Señor. Y entre los sobrevivientes estarán los llamados del Señor.

Zac. 8.22 (RV60) - Y vendrán muchos pueblos y fuertes naciones a buscar a Jehová de los ejércitos en Jerusalén, y a implorar el favor de Jehová.

Zac. 14.9 (LBLA) - Y el SEÑOR será rey sobre toda la tierra; aquel día el SEÑOR será uno, y uno su nombre.

Textos acerca del Reino en el Nuevo Testamento

Mt. 3.2 (RV60) - Arrepentíos, porque el reino de los cielos se ha acercado.

Mt. 4.17 (RV60) - Desde entonces comenzó Jesús a predicar, y a decir: Arrepentíos, porque el reino de los cielos se ha acercado.

Mt. 4.23 (RV60) - Y recorrió Jesús toda Galilea, enseñando en las sinagogas de ellos, y predicando el evangelio del reino, y sanando toda enfermedad y toda dolencia en el pueblo.

Mt. 5.3 (RV60) - Bienaventurados los pobres en espíritu, porque de ellos es el reino de los cielos.

Mt. 5.10 (RV60) - Bienaventurados los que padecen persecución por causa de la justicia, porque de ellos es el reino de los cielos.

Mt. 5.19-20 (NVI) - Todo el que infrinja uno solo de estos mandamientos, por pequeño que sea, y enseñe a otros a hacer lo mismo, será considerado el más pequeño en el reino de los cielos; pero el que los practique y enseñe será considerado grande en el reino de los cielos. [20] Porque les digo a ustedes, que no van a entrar en el reino de los cielos a menos que su justicia supere a la de los fariseos y de los maestros de la ley.

Mt. 6.10 (RV60) - Venga tu reino. Hágase tu voluntad, como en el cielo, así también en la tierra.

Mt. 6.33 (RV60) - Mas buscad primeramente el reino de Dios y su justicia, y todas estas cosas os serán añadidas.

Mt. 7.21 (RV60) - No todo el mundo que me dice: Señor, Señor, entrará en el reino de los cielos, sino el que hace la voluntad de mi Padre que está en los cielos.

Mt. 8.11-12 (LBLA) - Y os digo que vendrán muchos del oriente y del occidente, y se sentarán a la mesa con Abraham, Isaac y Jacob en el reino de los cielos. [12] Pero los hijos del reino serán arrojados a las tinieblas de afuera; allí será el llanto y el crujir de dientes.

Mt. 9.35 (RV60) - Recorría Jesús todas las ciudades y aldeas, enseñando en las sinagogas de ellos, y predicando el evangelio del reino, y sanando toda enfermedad y toda dolencia en el pueblo.

Textos acerca del Reino en el Nuevo Testamento (continuación)

Mt. 10.7 (RV60) - Id y predicad, diciendo: El reino de los cielos se ha acercado.

Mt. 11.11-12 (NVI y LBLA) - Les aseguro que entre los mortales no se ha levantado nadie más grande que Juan el Bautista; sin embargo, el más pequeño en el reino de los cielos es más grande que él. [12] Y desde los días de Juan el Bautista hasta ahora, el reino de los cielos sufre violencia, y los violentos lo conquistan por la fuerza.

Mt. 12.25-26 (LBLA) - Y conociendo Jesús sus pensamientos, les dijo: Todo reino dividido contra sí mismo es asolado, y toda ciudad o casa dividida contra sí misma no se mantendrá en pie. [26] Y si Satanás expulsa a Satanás, está dividido contra sí mismo; ¿cómo puede entonces mantenerse en pie su reino?

Mt. 12.28 (RV60) - Pero si yo por el Espíritu de Dios echo fuera los demonios, ciertamente ha llegado a vosotros el reino de Dios.

Mt. 13.11 (RV60) - El respondiendo, les dijo: Porque a vosotros os es dado saber los misterios del reino de los cielos; mas a ellos no les es dado.

Mt. 13.19 (RV60) - Cuando alguno oye la palabra del reino y no la entiende, viene el malo, y arrebata lo que fue sembrado en su corazón. Éste es el que fue sembrado junto al camino.

Mt. 13.24 (RV60) - Les refirió otra parábola, diciendo: El reino de los cielos es semejante a un hombre que sembró buena semilla en su campo.

Mt. 13.31 (RV60) - Otra parábola les refirió, diciendo: El reino de los cielos es semejante al grano de mostaza, que un hombre tomó y sembró en su campo.

Mt. 13.33 (RV60) - Otra parábola les dijo: El reino de los cielos es semejante a la levadura que tomó una mujer, y escondió en tres medidas de harina, hasta que todo fue leudado.

Mt. 13.38 (RV60) - El campo es el mundo: la buena semilla son los hijos del reino, y la cizaña son los hijos del malo.

Mt. 13.41 (RV60) - Enviará el Hijo del Hombre a sus ángeles, y recogerán de su reino a todos los que sirven de tropiezo, y a los que hacen iniquidad.

Textos acerca del Reino en el Nuevo Testamento (continuación)

Mt. 13.43-45 (LBLA) - Entonces LOS JUSTOS RESPLANDECERAN COMO EL SOL en el reino de su Padre. El que tiene oídos, que oiga. [44] El reino de los cielos es semejante a un tesoro escondido en el campo, que al encontrarlo un hombre, lo vuelve a esconder, y de alegría por ello, va, vende todo lo que tiene y compra aquel campo. [45] El reino de los cielos también es semejante a un mercader que busca perlas finas.

Mt. 13.47 (RV60) - Asimismo el reino de los cielos es semejante a una red, que es echada en el mar, y recoge de toda clase de peces.

Mt. 13.52 (RV60) - Y les dijo: por eso todo escriba docto en el reino de los cielos es semejante a un padre de familia, que saca de su tesoro cosas nuevas y cosas viejas.

Mt. 16.19 (RV60) - Y a ti te daré las llaves del reino de los cielos; y todo lo que atares en la tierra será atado en los cielos; y todo lo que desatares en la tierra será desatado en los cielos.

Mt. 16.28 (RV60) - De cierto os digo que hay algunos de los que están aquí, que no gustarán la muerte, hasta que hayan visto al Hijo del Hombre viniendo en su reino.

Mt. 18.1, 3-4 (LBLA) - En aquel momento se acercaron los discípulos a Jesús, diciendo: ¿Quién es, entonces, el mayor en el reino de los cielos? [3] y dijo: En verdad os digo que si no os convertís y os hacéis como niños, no entraréis en el reino de los cielos. [4] Así pues, cualquiera que se humille como este niño, ése es el mayor en el reino de los cielos.

Mt. 18.23 (NVI) -Por eso el reino de los cielos se parece a un rey que quiso ajustar cuentas con sus siervos.

Mt. 19.12 (RV60) - Pues hay eunucos que nacieron así del vientre de su madre, y hay eunucos que son hechos eunucos por los hombres, y hay eunucos que a sí mismos se hicieron eunucos por causa del reino de los cielos. El que sea capaz de recibir esto, que lo reciba.

Mt. 19.14 (RV60) - . . . Pero Jesús dijo: Dejad a los niños venir a mí, y no se lo impidáis; porque de los tales es el reino de los cielos.

Textos acerca del Reino en el Nuevo Testamento (continuación)

Mt. 19.23-24 (LBLA) - Y Jesús dijo a sus discípulos: En verdad os digo que es difícil que un rico entre en el reino de los cielos. [24] Y otra vez os digo que es más fácil que un camello pase por el ojo de una aguja, que el que un rico entre en el reino de Dios.

Mt. 20.1 (RV60) - Porque el reino de los cielos es semejante a un hombre, padre de familia, que salió por la mañana a contratar obreros para su viña.

Mt. 20.21 (RV60) - El le dijo: ¿Qué quieres? Ella le dijo: Ordena que en tu reino se sienten estos dos hijos míos, el uno a tu derecha, y el otro a tu izquierda.

Mt. 21.31 (RV60) - ¿Cuál de los dos hizo la voluntad de su padre? Dijeron ellos: El primero. Jesús les dijo: De cierto os digo, que los publicanos y las rameras van delante de vosotros al reino de Dios.

Mt. 21.43 (RV60) - Por tanto os digo, que el reino de Dios será quitado de vosotros, y será dado a gente que produzca los frutos de él.

Mt. 22.2 (RV60) - El reino de los cielos es semejante a un rey que hizo fiesta de bodas a su hijo.

Mt. 23.13 (RV60) - Mas ¡ay de vosotros, escribas y fariseos, hipócritas! porque cerráis el reino de los cielos delante de los hombres; pues ni entráis vosotros, ni dejáis entrar a los que están entrando.

Mt. 24.7 (RV60) - Porque se levantará nación contra nación, y reino contra reino; y habrá pestes, y hambres, y terremotos en diferentes lugares.

Mt. 24.14 (RV60) - Y será predicado este evangelio del reino en todo el mundo, para testimonio a todas las naciones; y entonces vendrá el fin.

Mt. 25.1 (RV60) - Entonces el reino de los cielos será semejante a diez vírgenes que tomando sus lámparas, salieron a recibir al esposo.

Mt. 25.34 (RV60) - Entonces el Rey dirá a los de su derecha: Venid, benditos de mi Padre, heredad el reino preparado para vosotros desde la fundación del mundo.

Mt. 26.29 (RV60) - Y os digo que desde ahora no beberé más de este fruto de la vid, hasta aquel día en que lo beba nuevo con vosotros en el reino de mi Padre.

Textos acerca del Reino en el Nuevo Testamento (continuación)

Mc. 1.15 (ESV) - . . . diciendo: El tiempo se ha cumplido, y el reino de Dios se ha acercado; arrepentíos, y creed en el evangelio.

Mc. 3.24 (ESV) - Si un reino está dividido contra si mismo, tal reino no puede permanecer.

Mc. 4.11 (ESV) - Y les dijo: A vosotros os es dado saber el misterio del reino de Dios; mas a los que están fuera, por parábolas todas las cosas.

Mc. 4.26 (ESV) - Decía además: Así es el reino de Dios, como cuando un hombre echa semilla en la tierra.

Mc. 4.30 (ESV) - Decía también: ¿A qué haremos semejante el reino de Dios, o con qué parábola lo compararemos?

Mc. 6.23 (RV60)-Y le juró: Todo lo que me pidas te daré, hasta la mitad de mi reino.

Mc. 9.1 (RV60) - También les dijo: De cierto os digo que hay algunos de los que están aquí, que no gustarán la muerte hasta que hayan visto el reino de Dios venido con poder.

Mc. 9.47 (RV60) - Y si tu ojo te fuera ocasión de caer, sácalo; mejor te es entrar en el reino de Dios con un ojo, que teniendo dos ojos ser echado al infierno.

Mc. 10.14-15 (RV60) - Viéndolo Jesús, se indignó, y les dijo: Dejad a los niños venir a mí, y no se lo impidáis; porque de los tales es el reino de Dios. [15] De cierto os digo, que el que no reciba el reino de Dios como un niño, no entrará en él.

Mc. 10.23-25 (NVI) - Jesús miró alrededor y les comentó a sus discípulos: —¡Qué difícil es para los ricos entrar en el reino de Dios! [24] Los discípulos se asombraron de sus palabras. —Hijos, ¡qué difícil es entrar en el reino de Dios! —repitió Jesús—. [25] Le resulta más fácil a un camello pasar por el ojo de una aguja, que a un rico entrar en el reino de Dios.

Mc. 11.10 (RV60) - ¡Bendito el reino de nuestro padre David que viene! ¡Hosanna en las alturas!

Mc. 12.34 (RV60) - Jesús entonces, viendo que había respondido sabiamente, le dijo: No estás lejos del reino de Dios. Y ya ninguno osaba preguntarle.

Textos acerca del Reino en el Nuevo Testamento (continuación)

Mc. 13.8 (RV60) - Porque se levantará nación contra nación, y reino contra reino; y habrá terremotos en muchos lugares, y habrá hambres y alborotos; principios de dolores son estos.

Mc. 14.25 (RV60) - De cierto os digo que no beberé más del fruto de la vid, hasta aquel día en que lo beba nuevo en el reino de Dios.

Mc. 15.43 (RV60) - José de Arimatea, miembro noble del concilio, que también esperaba el reino de Dios, vino y entró osadamente a Pilato, y pidió el cuerpo de Jesús.

Lc. 1.33 (RV60) - ...y reinará sobre la casa de Jacob para siempre, y su reino no tendrá fin.

Lc. 4.43 (RV60) - . . . Pero él les dijo: Es necesario que también a otras ciudades anuncie el evangelio del reino de Dios; porque para esto he sido enviado.

Lc. 6.20 (RV60) - Y alzando los ojos hacia sus discípulos, decía: Bienaventurados vosotros los pobres, porque vuestro es el reino de Dios.

Lc. 7.28 (RV60) - Os digo que entre los nacidos de mujeres, no hay mayor profeta que Juan el Bautista pero el más pequeño en el reino de Dios es mayor que él.

Lc. 8.1 (RV60) - Aconteció después, que Jesús iba por todas las ciudades y aldeas, predicando y anunciando el evangelio del reino de Dios, y los doce con él.

Lc. 8.10 (RV60) - ...Y él dijo: A vosotros os es dado conocer los misterios del reino de Dios; pero a los otros por parábolas, para que viendo no vean, y oyendo no entiendan.

Lc. 9.2 (RV60)-...Y los envió a predicar el reino de Dios, y a sanar a los enfermos.

Lc. 9.11 (RV60) - Y cuando la gente lo supo, le siguió; y él les recibió, y les hablaba del reino de Dios, y sanaba a los que necesitaban ser curados.

Lc. 9.27 (RV60) - Pero os digo en verdad, que hay algunos de los que están aquí, que no gustarán la muerte hasta que vean el reino de Dios.

Textos acerca del Reino en el Nuevo Testamento (continuación)

Lc. 9.60 (RV60) - Jesús le dijo: Deja que los muertos entierren a sus muertos; y tu ve, y anuncia el reino de Dios.

Lc. 9.62 (RV60) - Y Jesús le dijo: Ninguno que poniendo su mano en el arado mira hacia atrás, es apto para el reino de Dios.

Lc. 10.9 (RV60) - Y sanad a los enfermos que en ella haya, y decidles: Se ha acercado a vosotros el reino de Dios.

Lc. 10.11 (RV60) - Aun el polvo de vuestra ciudad, que se ha pegado a nuestros pies, lo sacudimos contra vosotros. Pero esto sabed, que el reino de Dios se ha acercado a vosotros.

Lc. 11.2 (RV60) - Y les dijo: Cuando oréis, decid: Padre nuestro que estás en los cielos, santificado sea tu nombre. Venga tu reino. Hágase tu voluntad, como en el cielo, así también en la tierra.

Lc. 11.17-18 (LBLA) - Pero conociendo El sus pensamientos, les dijo: Todo reino dividido contra sí mismo es asolado; y una casa dividida contra sí misma, se derrumba. [18] Y si también Satanás está dividido contra sí mismo, ¿cómo permanecerá en pie su reino? Porque vosotros decís que yo echo fuera demonios por Beelzebú.

Lc. 11.20 (RV60) - Mas si por el dedo de Dios echo yo fuera los demonios, ciertamente el reino de Dios ha llegado a vosotros.

Lc. 12.31-32 (RV60) - Mas buscad el reino de Dios, y todas estas cosas os serán añadidas. [32] No temáis manada pequeña, porque a vuestro Padre le ha placido daros el reino.

Lc. 13.18 (RV60) - Y dijo: ¿A qué es semejante el reino de Dios, y con qué lo compararé? Lc. 13.20 (RV60) - Y volvió a decir: ¿A qué compararé el reino de Dios?

Lc. 13.28-29 (NVI) - Allí habrá llanto y rechinar de dientes cuando vean en el reino de Dios a Abraham, Isaac, Jacob y a todos los profetas, mientras a ustedes los echan fuera. [29] Habrá quienes lleguen del oriente y del occidente, del norte y del sur, para sentarse al banquete en el reino de Dios.

Textos acerca del Reino en el Nuevo Testamento (continuación)

Lc. 14.15 (RV60) - Oyendo esto uno de los que estaban sentados con él a la mesa, le dijo: Bienaventurado el que coma pan en el reino de Dios.

Lc. 16.16 (RV60) - La ley y los profetas eran hasta Juan; desde entonces el reino de Dios es anunciado, y todos se esfuerzan por entrar en él.

Lc. 17.20-21 (RV60) - Preguntado por los fariseos, cuándo había de venir el reino de Dios, les respondió y dijo: El reino de Dios no vendrá con advertencia, [21] ni dirán: Helo aquí, o helo allí; porque he aquí el reino de Dios está entre vosotros.

Lc. 18.16-17 (RV60) - Mas Jesús, llamándolos, dijo: Dejad a los niños venir a mí, y no se lo impidáis; porque de los tales es el reino de Dios. [17] De cierto os digo, que el que no recibe el reino de Dios como un niño, no entrará en él.

Lc. 18.24-25 (NVI) - Al verlo tan afligido, Jesús comentó: —¡Qué difícil es para los ricos entrar en el reino de Dios! [25] En realidad, le resulta más fácil a un camello pasar por el ojo de una aguja, que a un rico entrar en el reino de Dios.

Lc. 18.29 (RV60) - Y él les dijo: De cierto os digo, que no hay nadie que haya dejado casa, o padres, o hermanos, o mujer, o hijos, por el reino de Dios...

Lc. 19.11-12 (RV60) - Oyendo ellos estas cosas, prosiguió Jesús y dijo una parábola, por cuanto estaba cerca de Jerusalén, y ellos pensaban que el reino de Dios se manifestaría inmediatamente. [12] Dijo pues: Un hombre noble se fue a un país lejano, para recibir un reino y volver.

Lc. 19.15 (RV60) - Aconteció que vuelto él, después de recibir el reino, mandó llamar ante él a aquellos siervos a los cuales había dado el dinero, para saber lo que había negociado cada uno.

Lc. 21.10 (RV60) - Entonces les dijo: Se levantará nación contra nación, y reino contra reino.

Lc. 21.31 (RV60) - Así también vosotros, cuando veáis que suceden estas cosas, sabed que está cerca el reino de Dios.

Textos acerca del Reino en el Nuevo Testamento (continuación)

Lc. 22.16 (RV60) - Porque os digo que no la comeré más, hasta que se cumpla en el reino de Dios.

Lc. 22.18 (RV60) - Porque os digo que no beberé más del fruto de la vid, hasta que el reino de Dios venga.

Lc. 22.29-30 (RV60) - ... os asigno un reino, como mi Padre me lo asignó a mí, [30] para que comáis y bebáis a mi mesa en mi reino, y os sentéis en tronos juzgando a las doce tribus de Israel.

Lc. 23.42 (RV60) - Y dijo a Jesús: Acuérdate de mí cuando vengas en tu reino.

Lc. 23.51 (RV60) - Este, que también esperaba el reino de Dios, y no había consentido en el acuerdo ni en los hechos de ellos.

Jn. 3.3 (RV60) - Respondió Jesús y le dijo: De cierto, de cierto te digo, que el que no naciere de nuevo, no puede ver el reino de Dios.

Jn. 3.5 (RV60) - Respondió Jesús: De cierto, de cierto te digo, que el que no naciere de agua y del Espíritu, no puede entrar en el reino de Dios.

Jn. 18.36 (RV60) - Respondió Jesús: Mi reino no es de este mundo; si mi reino fuera de este mundo, mis servidores pelearían para que yo no fuera entregado a los judíos; pero mi reino no es de aquí.

Hch. 1.3 (RV60) - A quienes también, después de haber padecido, se presentó vivo con muchas pruebas indubitables, apareciéndoseles durante cuarenta días y hablándoles acerca del reino de Dios.

Hch. 1.6 (RV60) - Entonces los que se habían reunido le preguntaron, diciendo: Señor, ¿restaurarás el reino a Israel en este tiempo?

Hch.8.12 (RV60) - Pero cuando creyeron a Felipe, que anunciaba el evangelio del reino de Dios y el nombre de Jesucristo, se bautizaban hombres y mujeres.

Hch. 14.22 (RV60) - . . . confirmando los ánimos de los discípulos, exhortándoles a que permaneciesen en la fe, y diciéndoles: Es necesario que a través de muchas tribulaciones entremos en el reino de Dios.

Textos acerca del Reino en el Nuevo Testamento (continuación)

Hch. 20.25 (RV60) - Y ahora, he aquí, yo sé que ninguno de todos vosotros, entre quienes he pasado predicando el reino de Dios, verá más mi rostro.

Hch. 28.23 (RV60) - Y habiéndole señalado un día, vinieron a él muchos a la posada a los cuales les declaraba y les testificaba el reino de Dios desde la mañana hasta la tarde, persuadiéndoles acerca de Jesús, tanto por la ley de Moisés como por los profetas.

Hch. 28.31 (RV60) - . . . predicando el reino de Dios y enseñando acerca del Señor Jesucristo, abiertamente y sin impedimento.

Ro. 14.17 (RV60) - . . . porque el reino de Dios no es comida ni bebida, sino justicia, paz y gozo en el Espíritu Santo.

1 Co. 4.20 (RV60) - Porque el reino de Dios no consiste en palabras, sino en poder.

1 Co. 6.9-10 (RV60) - ¿No sabéis que los injustos no heredarán el reino de Dios? No erréis ni los fornicarios, ni los idólatras, ni los adúlteros, ni los afeminados, ni los que se echan con varones, [10] ni los ladrones, ni los avaros, ni los borrachos, ni los maldicientes, ni los estafadores, heredarán el reino de Dios.

1 Co. 15.24 (RV60) - Luego el fin, cuando entregue el reino al Dios y Padre, cuando haya suprimido todo dominio, toda autoridad y potencia.

1 Co. 15.50 (RV60) - Pero esto digo, hermanos: que la carne y la sangre no pueden heredar el reino de Dios, ni la corrupción hereda la incorrupción.

Gál. 5.21 (RV60) - . . . envidias, homicidios, borracheras, orgías, y cosas semejantes a estas; acerca de las cuales os amonesto, como ya os lo he dicho antes, que los que practican tales cosas no heredarán el reino de Dios.

Ef. 5.5 (RV60) - Porque sabéis esto, que ningún fornicario, o inmundo, o avaro, que es idólatra, tiene herencia en el reino de Cristo y de Dios.

Col. 1.13 (RV60) - el cual nos ha librado de la potestad de las tinieblas, y trasladado al reino de su amado Hijo.

Textos acerca del Reino en el Nuevo Testamento (continuación)

Col. 4.11 (RV60) - ...y Jesús, llamado Justo; que son los únicos de la circuncisión que me ayudan en el reino de Dios, y han sido para mí un consuelo.

1 Ts. 2.12 (RV60) - ...y os encargábamos que anduvieseis como es digno de Dios, que os llamó a su reino y gloria.

2 Ts. 1.5 (RV60) - Esto es demostración del justo juicio de Dios, para que seáis tenidos por dignos del reino de Dios, por el cual asimismo padecéis.

2 Ti. 4.1 (RV60) - Te encarezco delante de Dios y del Señor Jesucristo, que juzgará a los vivos y a los muertos en su manifestación y en su reino.

2 Ti. 4.18 (RV60) - Y el Señor me librará de toda obra mala, y me preservará para su reino celestial. A él sea gloria por los siglos de los siglos. Amén.

Heb. 1.8 (RV60) - Mas del Hijo dice: Tu trono, oh Dios, por el siglo del siglo; Cetro de equidad es el cetro de tu reino.

Heb. 12.28 (RV60) - Así que, recibiendo nosotros un reino inconmovible, tengamos gratitud, y reverencia.

Stg. 2.5 (RV60) - Hermanos míos amados, oíd: ¿No ha elegido Dios a los pobres de este mundo, para que sean ricos en fe y herederos del reino que ha prometido a los que le aman?

2 Pe. 1.11 (LBLA) - . . . pues de esta manera os será concedida ampliamente la entrada al reino eterno de nuestro Señor y Salvador Jesucristo.

Ap. 1.6 (RV60) - . . . y nos hizo reyes y sacerdotes para Dios, su Padre a él sea gloria e imperio por los siglos de los siglos. Amén.

Ap. 1.9 (RV60) - Yo Juan, vuestro hermano, y copartícipe vuestro en la tribulación, en el reino y en la paciencia de Jesucristo, estaba en la isla de Patmos, por causa de la palabra de Dios y el testimonio de Jesucristo.

Ap. 5.10 (RV60) - ...y nos ha hecho para nuestro Dios reyes y sacerdotes, y reinaremos sobre la tierra.

Ap. 11.15 (RV60) - El séptimo ángel tocó la trompeta, y hubo grandes voces en el cielo, que decían: Los reinos del mundo han venido a ser de nuestro Señor y de su Cristo y el reinará por los siglos de los siglos.

Textos acerca del Reino en el Nuevo Testamento (continuación)

Ap. 12.10 (NVI) - Luego oí en el cielo un gran clamor: «Han llegado ya la salvación y el poder y el reino de nuestro Dios; ha llegado ya la autoridad de su Cristo. Porque ha sido expulsado el acusador de nuestros hermanos, el que los acusaba día y noche delante de nuestro Dios.

Ap. 16.10 (RV60) - El quinto ángel derramó su copa sobre el trono de la bestia; y su reino se cubrió de tinieblas, y mordían de dolor sus lenguas.

Ap. 17.12 (LBLA) - Y los diez cuernos que viste son diez reyes que todavía no han recibido reino, pero que por una hora reciben autoridad como reyes con la bestia.

Ap. 17.17 (RV60) - . . . porque Dios ha puesto en sus corazones el ejecutar lo que él quiso: ponerse de acuerdo, y dar su reino a la bestia, hasta que se cumplan las palabras de Dios.

Tradiciones

(Gr. Paradosis)

Dr. Don L. Davis y Rev. Terry G. Cornett

Definición de la concordancia de Strong

Paradosis. Transmisión de un precepto; específicamente, la ley tradicional judía. Se refiere a una ordenanza o tradición.

Explicación del diccionario Vine

Denota "una tradición", y he allí, por atributo específico de palabras, (a) "las enseñanzas de los rabinos", . . . (b) "enseñanza apostólica", . . . de instrucciones concernientes a la asamblea de creyentes, de doctrina cristiana en general . . . de instrucciones concernientes a la conducta diaria.

1. El concepto de la tradición en la Escritura es esencialmente positivo.

Jer. 6.16 (LBLA) - Así dice el SEÑOR: Paraos en los caminos y mirad, y preguntad por los senderos antiguos cuál es el buen camino, y andad por él; y hallaréis descanso para vuestras almas. Pero dijeron: "No andaremos en él" (compare con Ex. 3.15; Je. 2.17; 1 Re. 8.57-58; Sal. 78.1-6).

2 Cr. 35.25 - Y Jeremías endechó en memoria de Josías. Todos los cantores y cantoras recitan esas lamentaciones sobre Josías hasta hoy; y las tomaron por norma para endechar en Israel, las cuales están escritas en el libro de Lamentaciones (compare con Gn. 32.32; Jer. 11.38-40).

Jer. 35.14-19 (LBLA) - Las palabras de Jonadab, hijo de Recab, que mandó a sus hijos de no beber vino, son guardadas. Por eso no beben vino hasta hoy, porque han obedecido el mandato de su padre. Pero yo os he hablado repetidas veces, con todo no me habéis escuchado. También os he enviado a todos mis siervos los profetas, enviándolos repetidas veces, a deciros: "Volveos ahora cada uno de vuestro mal camino, enmendad vuestras obras y no vayáis tras otros dioses para adorárlos, y habitaréis en la tierra que os he dado, a vosotros y a vuestros padres; pero no inclinasteis vuestro oído, ni me escuchasteis. Ciertamente los hijos de Jonadab, hijo de Recab, han guardado el mandato que su padre les ordenó, pero este pueblo no me ha escuchado". Por tanto así dice el SEÑOR, Dios de los

Tradiciones (continuación)

ejércitos, el Dios de Israel: "He aquí, traigo sobre Judá y sobre todos los habitantes de Jerusalén toda la calamidad que he pronunciado contra ellos, porque les hablé, pero no escucharon, y los llamé, pero no respondieron". Entonces Jeremías dijo a la casa de los recabitas: Así dice el SEÑOR de los ejércitos, el Dios de Israel: "Por cuanto habéis obedecido el mandato de vuestro padre Jonadab, guardando todos sus mandatos y haciendo conforme a todo lo que él os ordenó, por tanto, así dice el SEÑOR de los ejércitos, el Dios de Israel: 'A Jonadab, hijo de Recab, no le faltará hombre que esté delante de mí todos los días'".

2. La tradición santa es maravillosa; pero no toda tradición es santa.

Cualquier tradición debe ser juzgada individualmente por su fidelidad a la Palabra de Dios y su eficacia en ayudarnos a mantener la obediencia al ejemplo de Cristo y sus enseñanzas.[1] En los Evangelios, Jesús frecuentemente reprendía a los fariseos por establecer tradiciones que anulaban, en lugar de afirmar, los mandamientos de Dios.

Mc. 7.8 - Porque dejando el mandamiento de Dios, os aferráis a la tradición de los hombres. (Compare con Mt. 15.2-6; Mc. 7.13).

Col. 2.8 - Mirad que nadie os engañe por medio de filosofías y huecas sutilezas, según las tradiciones de los hombres, conforme a los rudimentos del mundo, y no según Cristo.

3. Sin la plenitud del Espíritu Santo y la constante edificación, provista a nosotros por la Palabra de Dios, la tradición inevitablemente nos llevará al formalismo muerto.

Todos los que somos espirituales, de igual manera, debemos ser llenos del Espíritu Santo: Del poder y guía del único que provee a toda congregación e individuo un sentido de libertad y vitalidad en todo lo que practicamos y creemos. Sin embargo, cuando las prácticas y enseñanzas de una tradición dejan de ser inyectadas por el poder del Espíritu Santo y la Palabra de Dios, la tradición pierde su efectividad; y podría llegar a ser contraproducente a nuestro discipulado en Jesucristo.

Ef. 5.18 - No os embriaguéis con vino, en lo cual hay disolución; antes bien sed llenos del Espíritu.

*[1] "Todo Protestante insiste que estas tradiciones tienen que ser siempre probadas por las Escrituras y que nunca pueden poseer una autoridad apostólica independiente sobre o a la par de la Escritura" (J. Van Engen, Tradition, **Evangelical Dictionary of Theology**, Walter Elwell, Gen. ed.). Nosotros añadimos que la Escritura es la misma "tradición autoritativa" por la que todas las demás tradiciones son evaluadas. Ver la 4a pág. de este apéndice: "Apéndice A, Los fundadores de la tradición: Tres niveles de autoridad cristiana".*

Tradiciones (continuación)

Gál. 5.22-25 - Mas el fruto del Espíritu es amor, gozo, paz, paciencia, benignidad, bondad, fe, mansedumbre, templanza; contra tales cosas no hay ley. Pero los que son de Cristo han crucificado la carne con sus pasiones y deseos. Si vivimos por el Espíritu, andemos también por el Espíritu.

2 Co. 3.5-6 (NVI) - No es que nos consideremos competentes en nosotros mismos. Nuestra capacidad viene de Dios. Él nos ha capacitado para ser servidores de un nuevo pacto, no el de la letra sino el del Espíritu; porque la letra mata, pero el Espíritu da vida.

4. Fidelidad a la tradición apostólica (enseñando y modelando) es la esencia de la madurez cristiana.

2 Ti. 2.2 - Lo que has oído de mí ante muchos testigos, esto encarga a hombres fieles que sean idóneos para enseñar también a otros.

1 Co. 11.1-2 (LBLA) - Sed imitadores de mí, como también yo lo soy de Cristo. Os alabo porque en todo os acordáis de mí y guardáis las tradiciones con firmeza, tal como yo os las entregué. (Compare con 1 Co. 4.16-17, 2 Ti. 1.13-14, 2 Te. 3.7-9, Flp. 4.9).

1 Co. 15.3-8 (LBLA) - Porque yo os entregué en primer lugar lo mismo que recibí: que Cristo murió por nuestros pecados, conforme a las Escrituras; que fue sepultado y que resucitó al tercer día, conforme a las Escrituras; que se apareció a Cefas y después a los doce; luego se apareció a más de quinientos hermanos a la vez, la mayoría de los cuales viven aún, pero algunos ya duermen; después se apareció a Jacobo, luego a todos los apóstoles, y al último de todos, como a uno nacido fuera de tiempo, se me apareció también a mí.

5. El apóstol Pablo a menudo incluye una apelación a la tradición como apoyo de las prácticas doctrinales.

1 Co. 11.16 - Con todo eso, si alguno quiere ser contencioso, nosotros no tenemos tal costumbre, ni las iglesias de Dios (compare con 1 Co. 1.2, 7.17, 15.3).

Tradiciones (continuación)

1 Co. 14.33-34 (LBLA) - Porque Dios no es Dios de confusión, sino de paz, como en todas las iglesias de los santos. Las mujeres guarden silencio en las iglesias, porque no les es permitido hablar, antes bien, que se sujeten como dice también la ley.

6. **Cuando una congregación usa la tradición recibida para mantenerse fiel a la "Palabra de Dios", ellos son felicitados por los apóstoles.**

1 Co. 11.2 (LBLA) - Os alabo porque en todo os acordáis de mí y guardáis las tradiciones con firmeza, tal como yo os las entregué.

2 Ts. 2.15 - Así que, hermanos, estad firmes, y retened la doctrina que habéis aprendido, sea por palabra, o por carta nuestra.

2 Ts. 3.6 (BLS) - Hermanos míos, con la autoridad que nuestro Señor Jesucristo nos da, les ordenamos que se alejen de cualquier miembro de la iglesia que no quiera trabajar ni viva de acuerdo con la enseñanza que les dimos.

Apéndice A

Los fundadores de la tradición: Tres niveles de autoridad cristiana

Ex. 3.15 - Además dijo Dios a Moisés: Así dirás a los hijos de Israel: Jehová, el Dios de vuestros padres, el Dios de Abraham, Dios de Isaac y Dios de Jacob, me ha enviado a vosotros. Este es mi nombre para siempre; con él se me recordará por todos los siglos.

Jehová: Se relaciona con el verbo «hayah», que significa «ser». Su pronunciaci n suena similar a la forma verbal de Ex. 3.14, donde se traduce como «Yo soy». Jehov es la transcripci n de las consonantes hebreas de YHWH. En inglés, se está usando la forma poética YAHWEH. Algunas traducciones hispanas han adoptado «Yavéh», otras usan SEÑOR. Los jud os remplazan YHWH con Adonai ya que la consideran muy santa para ser emitida.

1. **La tradición Autoritativa: Los apóstoles y los profetas (las Santas Escrituras)**

Ef. 2.19-21 - Así que ya no sois extranjeros ni advenedizos, sino conciudadanos de los santos, y miembros de la familia de Dios, edificados sobre el fundamento de los apóstoles y profetas, siendo la principal piedra del ángulo Jesucristo mismo, en quien todo el edificio, bien coordinado, va creciendo para ser un templo santo en el Señor.

~ El Apóstol Pablo

Tradiciones (continuación)

El testimonio ocular de la revelación y hechos salvadores de Jehová, primero en Israel, y últimamente en Jesucristo el Mesías, une a toda persona, en todo tiempo, y en todo lugar. Es la tradición autoritativa por la que toda tradición posterior es juzgada.

2. La Gran Tradición: Los concilios colectivos y sus credos[2]

Lo que ha sido creído en todo lugar, siempre y por todos.

~ Vicente de Lérins

"La Gran Tradición" es la doctrina central (el dogma) de la Iglesia. Representa la enseñanza de la Iglesia, tal como la ha entendido la Tradición Autoritativa (las Sagradas Escrituras), y resume aquellas verdades esenciales que los cristianos de todos los siglos han confesado y creído. La Iglesia (Católica, Ortodoxa, y Protestante)[3] se une a estas proclamaciones doctrinales. La adoración y teología de la Iglesia, reflejan este dogma central, el cual encuentra su conclusión y cumplimiento en la persona y obra del Señor Jesucristo. Desde los primeros siglos, los cristianos hemos expresado esta devoción a Dios en el calendario de la Iglesia; un patrón anual de adoración que resume y da un nuevo reconocimiento a los eventos en la vida de Cristo.

3. En tradiciones eclesiásticas específicas: Los fundadores de denominaciones y órdenes religiosas

La Iglesia Presbiteriana (U.S.A.) tiene aproximadamente 2.5 millones de miembros, 11,200 congregaciones y 21,000 ministros ordenados. Los presbiterianos trazan su historia desde el siglo 16 y la Reforma Protestante. Nuestra herencia, y mucho de lo que creemos, se inició con el Abogado francés Juan Calvino (1509-1564), quien cristalizó en sus escritos mucho del pensamiento reformado que se había iniciado antes de él.

~ La Iglesia Presbiteriana, U.S.A.

Los cristianos han expresado su fe en Jesucristo, a través de movimientos y tradiciones que elijen y expresan la Tradición Autoritativa y la Gran Tradición de manera única. Por ejemplo, los movimientos católicos han desarrollado a personajes como Benedicto, Francisco, o Dominico; y entre los protestantes, personajes como Martín Lutero, Juan Calvino, Ulrich Zwingli, y Juan Wesley. Algunas mujeres

[2] *Ver más adelante el Apéndice B: "Definiendo la Gran Tradición".*

[3] *Aun los Protestantes más radicales de la reformación (los Anabautistas) quienes fueron los más renuentes en abrazar los credos, como instrumentos dogmáticos de fe, no estuvieron en desacuerdo con el contenido esencial que se hallaban en estos. "Ellos estrecharon el Credo Apostólico–lo llamaban 'La Fe,' Der Glaube, tal como lo hizo la mayoría de gente". Lea John Howard Yoder,* ***Preface to Theology: Christology and Theological Method****. Grand Rapids: Brazos Press, 2002. Pág. 222-223.*

Tradiciones (continuación)

han fundado movimientos vitales de la fe cristiana (por ejemplo, Aimee Semple McPherson de la Iglesia Cuadrangular); también algunas minorías (por ejemplo, Richard Allen de la Iglesia Metodista Episcopal; o Carlos H. Masón de la Iglesia de Dios en Cristo, quien ayudó al crecimiento de las Asambleas de Dios); todos ellos intentaron expresar la Tradición Autoritativa y la Gran Tradición de manera consistente, de acuerdo a su tiempo y expresión.

La aparición de movimientos vitales y dinámicos de fe, en diferentes épocas, entre diferentes personas, revela la nueva obra del Espíritu Santo a través de la historia. Por esta razón, dentro del catolicismo se han levantado nuevas comunidades como los Benedictinos, Franciscanos, y Dominicanos; y fuera del catolicismo, han nacido denominaciones nuevas (Luteranos, Presbiterianos, Metodistas, Iglesia de Dios en Cristo, etc.). Cada una de estas tradiciones específicas tiene "fundadores", líderes claves, de quienes su energía y visión ayudan a establecer expresiones y prácticas de la fe cristiana. Por supuesto, para ser legítimos, estos movimientos tiene que agregarse fielmente a la Tradición Autoritativa y a la Gran Tradición, y expresar su significado. Los miembros de estas tradiciones específicas, abrazan sus propias prácticas y patrones de espiritualidad; pero estas características, no necesariamente dirigen a la Iglesia en su totalidad. Ellas representan las expresiones singulares del entendimiento de esa comunidad, a la fidelidad de la Autoritativa y Gran Tradición.

Ciertas tradiciones buscan expresar y vivir fielmente la Autoritativa y Gran Tradición a través de su adoración, enseñanza, y servicio. Buscan comunicar el evangelio claramente, en nuevas culturas y sub-culturas, hablando y modelando la esperanza de Cristo en medio de situaciones nacidas de sus propias preguntas, a la luz de sus propias circunstancias. Estos movimientos, por lo tanto, buscan contextualizar la Tradición Autoritativa, de manera que lleven fiel y efectivamente a nuevos grupos de personas a la fe en Jesucristo; de esta manera, incorporan a los creyentes a la comunidad de fe, la cual obedece sus enseñanzas y da testimonio de Dios a otros.

Tradiciones (continuación)

Apéndice B

Definiendo la "Gran Tradición"

La Gran Tradición (algunas veces llamada "Tradición Clásica Cristiana") es definida por Robert E. Webber de la siguiente manera:

> *[Es] el bosquejo amplio de las creencias y prácticas cristianas desarrolladas a través de las Escrituras, entre el tiempo de Cristo y mediados del siglo quinto.*
>
> ~ Webber. **The Majestic Tapestry.** Nashville: Thomas Nelson Publishers, 1986. Pág. 10.

Esta tradición es afirmada ampliamente por teólogos protestantes clásicos y modernos.

> *Por esta razón, los concilios de Nicea,[4] Constantinopla,[5] el primero de Efeso,[6] Calcedonia,[7] y similares (los cuales fueron sostenidos para refutar errores), nosotros voluntariamente los adoptamos, y reverenciamos como sagrados, en cuanto a su relación a doctrinas de fe, porque lo único que contienen es interpretación pura y genuina de la Escritura, la cual, los Padres de la fe, con prudencia espiritual, adoptaron para destrozar a los enemigos de la religión [pura] que se habían levantado en esos tiempos.*
>
> ~ Juan Calvino. **Institutes.** IV, ix. 8.

> *. . . la mayoría de lo valioso que ha prevalecido en la exégesis bíblica contemporánea, fue descubierto antes de terminarse el siglo quinto.*
>
> ~ Thomas C. Oden. **The Word of Life.** San Francisco: HarperSanFrancisco, 1989. Pág. xi

> *Los primeros cuatro Concilios son los más importantes, pues establecieron la fe ortodoxa sobre la trinidad y la encarnación de Cristo.*
>
> ~ Philip Schaff. **The Creeds of Christendom.** Vol. 1. Grand Rapids: Baker Book House, 1996. Pág. 44.

Nuestra referencia a los concilios ecuménicos y credos, por lo tanto, se enfoca en esos cuatro Concilios, los cuales retienen un amplio acuerdo de la Iglesia Católica, Ortodoxa, y Protestante. Mientras que los Católicos y Ortodoxos comparten un acuerdo común de los primeros siete concilios, los Protestantes usamos las afirmaciones solamente de los primeros cuatro; por esta razón, los concilios adoptados por toda la Iglesia fueron completados con el Concilio de Calcedonia en el año 451 D.C.

[4] Nicea, antigua ciudad de Asia Menor, frente al lago Ascanius, la actual Iznik. Fue sede del primer concilio colectivo (año 325).

[5] Constantinopla, capital del imperio bizantino (actual Estambul) donde Teodosio I reunió el segundo concilio en mayo, 381 para finalizar y confirmar El Credo Niceno.

[6] Efeso, en el oeste de Asia Menor, donde se convocó el tercer concilio ecuménico en el año 431.

[7] Calcedonia, antigua ciudad de Asia Menor (Bitinia) donde en el año 451 se celebró el cuarto concilio.

Tradiciones (continuación)

Vale notar que cada uno de estos concilios ecuménicos, tomaron lugar en un contexto cultural pre-europeo y ni uno sólo se llevó a cabo en Europa. Fueron concilios de la iglesia en su totalidad, y reflejan una época cuando el cristianismo era practicado mayormente y geográficamente por los del Este. Catalogados en esta era moderna, los participantes fueron africanos, asiáticos y europeos. Estos concilios reflejaron una iglesia que "... tenía raíces culturales muy distintas de las europeas y precedieron al desarrollo de la identidad europea moderna, y [de tales raíces] algunos de sus genios más ilustres han sido africanos". (Oden, *The Living God*, San Francisco: Harper San Francisco, 1987, pág. 9).

Quizás el más importante logro de los concilios, fue la creación de lo que es comúnmente conocido como El Credo Niceno. Sirve como una declaración sinóptica de la fe cristiana acordada por católicos, ortodoxos y cristianos protestantes.

Los primeros cuatro concilios ecuménicos, están recapitulados en el siguiente diagrama:

Nombre/Fecha/Localidad	Propósito	
Primer Concilio Ecuménico *325 D.C.* *Nicea, Asia Menor*	Defendiendo en contra de: Pregunta contestada: Acción:	*El Arrianismo* *¿Jesús era Dios?* *La forma inicial del Credo Niceno fue desarrollada, y consecuentemente, sirvió cómo resumen de la fe cristiana.*
Segundo Concilio Ecuménico *381 D.C.* *Constantinopla, Asia Menor*	Defendiendo en contra de: Pregunta contestada: Acción:	*El Macedonianismo* *¿Es el Espíritu Santo una parte personal e igual a la Deidad?* *El Credo Niceno fue finalizado, al ampliarse el artículo que trata con el Espíritu Santo.*
Tercer Concilio Ecuménico *431 D.C.* *Éfeso, Asia Menor*	Defendiendo en contra de: Pregunta contestada: Acción:	*El Nestorianismo* *¿Es Jesucristo tanto Dios como hombre en una misma persona?* *Definió a Cristo como la Palabra de Dios encarnada, y afirmó a su madre María como* **theotokos** *(portadora de Dios).*
Cuarto Concilio Ecuménico *451 D.C.* *Calcedonia, Asia Menor*	Defendiendo en contra de: Pregunta contestada: Acción:	*El Monofisismo* *¿Cómo puede Jesús ser a la vez, Dios y hombre?* *Explicó la relación entre las dos naturalezas de Jesús (humano y Divino).*

Transmitiendo la historia de Dios

Rev. Dr. Don L. Davis

Tratando con formas antiguas

Adaptado de Paul Hiebert

Antiguas creencias, rituales, historias, canciones, costumbres, arte, música, etc.

Negación total de lo antiguo (sin contextualización)	**Lidiando en forma crítica con lo antiguo** (contextualización crucial)	**Aceptar lo antiguo sin crítica alguna** (contextualización no crucial)
↓	↓	↓
Evangelio extraño - evangelio rechazado	**1) Reunir información antigua**	**Sincretismo**
↓	↓	
Lo antiguo es menospreciado - sincretismo	**2) Estudiar enseñanzas bíblicas**	
	↓	
	3) Evaluar lo antiguo a la luz de la teología	
	↓	
	4) Nueva práctica cristiana contextualizada	

Treinta y tres bendiciones en Cristo

Rev. Dr. Don L. Davis

¿Sabía usted que le pasaron 33 cosas en el momento en que se convirtió en un creyente de Cristo Jesús? Lewis Sperry Chafer, el primer presidente del Seminario Teológico de Dallas, hizo una lista de los beneficios de la salvación en su *Teología Sistemática, Volumen III* (pp. 234-266). Estos puntos, junto con explicaciones breves, dan al cristiano nacido de nuevo una mejor comprensión de la obra de la gracia lograda en su vida, así como una mayor apreciación de su nueva vida.

1. En el Plan Eterno de Dios, el/la creyente es:

    a. ***Preconocido/a*** – Hch. 2:23; 1 Pe. 1:2, 20. Dios sabía desde la eternidad cada paso en el programa entero del universo.

    b. ***Predestinado/a*** – Rom. 8:29-30. El destino de un/a creyente ha sido designado a través de la predestinación hacia la realización infinita de todas las riquezas de la gracia de Dios.

    c. ***Elegido/a*** – Rom. 8:38; Col. 3:12. Él/ella es elegido por Dios en la era presente y manifestará la gracia de Dios en años futuros.

    d. ***Escogido/a*** – Ef. 1:4. Dios nos ha apartado para sí mismo.

    e. ***Llamado/a*** – 1 Tes. 6:24. Dios invita a los hombres a gozar de los beneficios de sus propósitos redentores. Este término puede incluir a aquellos a quien Dios ha elegido para salvación, pero que están aún en su estado degenerado.

2. Un/a creyente ha sido ***redimido/a*** – Rom. 3:24. El precio requerido para dejarla/le libre de pecado ha sido pagado.

3. Un/a creyente ha sido ***reconciliado/a*** - 2 Cor. 5:18, 19; Rom. 5:10. Él/ ella está restaurado/a en comunión con Dios.

4. Un/a creyente está relacionado con Dios mediante la ***propiciación*** – Rom. 3:24-26. Él/ella ha sido liberado/a del juicio por la gracia de Dios a través de la muerte de Su Hijo por los pecadores.

5. Un/a creyente ha sido ***perdonado/a*** sus ofensas – Ef. 1:7. Todos sus pecados del pasado, presente y futuro han sido perdonados.

Treinta y tres bendiciones en Cristo (continuación)

6. Un/a creyente está vitalmente ***unido/a a Cristo*** para que el viejo hombre sea juzgado "y emprenda un nuevo andar"- Rom. 6:1-10. Él/ella está unido a Cristo.

7. Un/a creyente está "***libre de la ley***" – Rom. 7:2-6. Él/ella ha muerto a su condenación, y está libre de su jurisdicción.

8. Un/a creyente ha sido hecho/a un ***hijo/a de Dios*** – Gál. 3:26. Él/ella ha nacido de nuevo por la regeneración del poder del Espíritu Santo en una relación en la que Dios, la primera persona se convierte en un Padre legítimo y el/la que ha sido salvo/a se convierte en un/a hijo/a legítimo/a con todo derecho y título - un/a heredero/a de Dios y unido/a a Cristo Jesús.

9. Un/a creyente ha sido ***adoptado/a como un/a hijo/a adulto/a*** en la case del Padre – Rom. 8:15, 23.

10. Un/a creyente ha sido ***aceptable a Dios*** a través de Jesucristo – Ef. 1:6. Él/ella es hecho/a justo/a (Rom. 3:22), santo/a (separado/a) libre (1 Cor. 1:30, 6:11); consagrado/a (Heb. 10:14), y aceptado/a en el reino del Amado (Col. 1:12).

11. Un/a creyente ha sido ***justificado/a*** – Rom. 5:1. Él/ella ha sido declarado/a justo/a por el decreto de Dios.

12. Un/a creyente está "***hecho/a cercano/a***" – Ef. 2:13. Hay una cercana relación establecida y existe entre Dios y el creyente.

13. Un/a creyente ha sido ***librado/a de la potestad de las tinieblas*** – Col. 1:13. Un/a cristiano/a ha sido librado/a de Satán y sus espíritus malignos. Sin embargo, el/la discípulo/a debe seguir librando la guerra contra estos poderes.

14. Un/a creyente ha sido ***trasladado/a al reino de su Amado Hijo*** – Col. 1:13. El cristiano ha sido trasladado del reino de Satán al Reino de Dios.

15. Un/ creyente está ***plantado/a sobre la Roca que es Jesucristo*** – 1 Cor. 3:9-15. Cristo es el fundamento en el cual el creyente está anclado y en el que construye su vida cristiana.

16. Un/a creyente es un ***regalo de Dios el Padre a Jesucristo*** – Jn. 17:6, 11, 12, 20. Él/ella es el regalo de amor del Padre a Jesucristo.

17. Un/a creyente está ***circuncidado/a en Cristo*** – Col. 2:11. Él/ella ha sido liberado/a del poder de su antigua naturaleza pecaminosa.

Treinta y tres bendiciones en Cristo (continuación)

18. Un/a creyente ha sido hecho/a ***partícipe del Santo y Real Sacerdocio*** – 1 Pe. 2:5, 9. Él/ella es sacerdote/sacerdotiza por su relación con Cristo, el Gran Sacerdote, y reinará en la tierra con él.

19. Un/a creyente es parte del ***linaje escogido, nación santa, pueblo adquirido por Dios*** – 1 Pe. 2:9. Esta es la compañía que tienen los creyentes en este tiempo.

20. Un/a creyente es un/a ***ciudadano/a del cielo*** – Flp. 3:20. Por eso él/ella es llamado/a extranjero/a en la tierra (1 Pe. 2:13), y gozará de su verdadero hogar en el cielo por toda la eternidad.

21. Un/a creyente está en ***la familia y de la casa de Dios*** – Ef. 2:19. Él/ella es parte de la "familia" de Dios la cual se compone sólo de verdaderos/as creyentes.

22. Un/a creyente está en ***la comunión con los santos*** – Jn. 17:11, 21-23. Él/ella puede ser parte del compañerismo de los creyentes.

23. Un/a creyente está en ***una asociación celestial*** – Col. 1:27, 3:1: 2 Cor. 6:1; Col. 1:24; Jn. 14:12-14; Ef. 5:25-27; Ti. 2:13. Él/ella es socio/a con Cristo en su vida, posición, servicio, sufrimiento, oración, desposada como una novia a Cristo, esperando su Segunda Venida.

24. Un/a creyente tiene ***acceso a Dios*** – Ef. 2:18. Él/ella tiene acceso a la gracia de Dios lo que le permite crecer espiritualmente, y tener un acercamiento libre al Padre (Heb. 4:16).

25. Un/a creyente está dentro ***de un cuidado "mucho mayor" de Dios*** – Rom. 5:8-10. Él/ella es resultado del amor (Jn. 3:16), gracia (Ef. 2:7-9), poder (Ef. 1:19), fidelidad (Flp. 1:6), paz (Rom. 5:1), consolación (2 Tes. 2:16-17), e intercesión de Dios (Rom. 8:26).

26. Un/a creyente es ***herencia de Dios*** – Ef. 1:18. Él/ella es dado/a a Cristo como un regalo del Padre.

27. Un/a creyente ***tiene la misma herencia de Dios mismo*** y todo lo que Dios otorga – 1 Pe. 1:4.

28. Un/a creyente tiene ***luz en el Señor*** – 2 Cor. 4:6. Él/ella no sólo tiene luz, sino también el mandato de andar en luz.

29. Un/a creyente está ***unido/a vitalmente al Padre, al Hijo, y al Espíritu Santo*** – 1 Tes. 1:1; Ef. 4:6; Rom. 8:1; Jn. 14:20; Rom. 8:9; 1 Cor. 2:12.

Treinta y tres bendiciones en Cristo (continuación)

30. Un/a creyente es bendecido/a con ***las arras o primeros frutos del Espíritu*** – Ef. 1:14; Rom. 8:23. Él/ella es nacido/a en el Espíritu (Jn. 3:6), y bautizado/a por el Espíritu (1 Cor. 12:13) por el cual el/la creyente es unido/a al cuerpo de Cristo y está en Cristo, por lo tanto es parte de todo lo que Cristo es. El/La discípulo/a también es habitado/a por el Espíritu (Rom. 8:9), es sellado/a por el Espíritu (2 Cor. 1:22), asegurándose eternamente su condición, y es lleno/a del Espíritu (Ef. 5:18) cuyo ministerio libera su Poder y efectividad en el corazón en que mora.

31. Un/a creyente es ***glorificado/a*** – Rom. 8:18. Él/ella será partícipe de la historia eterna de la divinidad.

32. Un/a creyente está ***completo/a en Dios*** – Col. 2:9, 10. Él/ella participa de todo lo que Cristo es.

33. Un/a creyente es ***poseedor/a de toda bendición espritual*** – Ef. 1:3. Toda la riqueza catalogada en los otros treinta y dos puntos antes mencionados pueden resumirse en esta expresión definitiva: "toda bendición espiritual".

Tres contextos de desarrollo de liderazgo urbano cristiano

Rev. Dr. Don L. Davis

Efesios 4.11-12 - Y él mismo constituyó a unos, apóstoles; a otros, profetas; a otros, evangelistas; a otros, pastores y maestros,
[12] a fin de perfeccionar a los santos para la obra del ministerio, para la edificación del cuerpo de Cristo

Tres contextos de la función del liderazgo

I. Formar, dirigir y reproducir la vida y ministerio dinámico de un grupo de hogar
- Internamente (discipulado, compañerismo, cuidado pastoral, etc.)
- Externamente (evangelización, servicio, testimonio)

II. Facilitar y reproducir vitalidad y ministerio congregacional

III. Nutrir y cultivar apoyo inter-congregacional cooperación y colaboración

Dios ha comisionado líderes en la Iglesia para equipar a los cristianos para "la obra del ministerio", a fin de que ellos puedan andar dignos del Señor en todas las cosas, producir fruto abundante en Cristo, ganar, dar seguimiento y discipular a los miembros dentro de su *oikos* (su familia, amigos y asociados), y ser celosos de buenas obras para revelar la vida del Reino

Menos que todos nosotros

"Nosotros" (mi iglesia)

Más que todos nosotros

Grupo de hogar · Grupo de hogar · Grupo de hogar → Forma congregacional

Cualquier parte (por ejemplo: grupo de célula, grupo de damas, grupo de oración, grupos de estudios bíblicos, escuela dominical, equipo de alcance a la comunidad, equipo de cárceles, etc.) que sea reconocida por la iglesia

Grupo de hogar · Grupo de hogar · Grupo de hogar → Forma congregacional

"La iglesia congregada"

La iglesia como una entidad, desde una congregación de casa hasta una mega-iglesia (es decir, cualquier reunión de creyentes quienes se identifican unos con otros, ofrendan y sirven juntos, bajo una cabeza pastoral donde su presencia y alianza son demostradas y conocidas)

Dios le ha dado a la Iglesia líderes facultados con dones - apóstoles, profetas, evangelistas, pastores y maestros a fin de que la "Iglesia Congregada" sea edificada y equipada para cumplir su misión y ministerio mientras se moviliza, como individuos, en el mundo. **Lucas 10.2-3 (LBLA)**, Y les decía: La mies es mucha, pero los obreros pocos; rogad, por tanto, al Señor de la mies que envíe obreros a su mies. **[3]** Id; mirad que os envío como corderos en medio de lobos.

La iglesia local (sitio/lugar)

Según algunos lingüistas bíblicos, la frase en el NT de la iglesia en asamblea, *en ekklesia*, se aplica a la expresión local del pueblo de Dios cuando ellos "se reúnen *como iglesia*", veáse 1 Cor. 11.18. El pueblo de Dios, por lo tanto, puede ser llamado "iglesia/asamblea", es decir, aquellos quienes por fe en Jesucristo y en su Espíritu Santo ahora representan a los llamados en un lugar y local particular.

Grupos de iglesias que se unen en redes para apoyo mutuo, refrescamiento, servicio y misión (e.g., asociaciones, denominaciones, conferencias, etc.)

Tres niveles de inversión ministerial

Rev. Dr. Don L. Davis

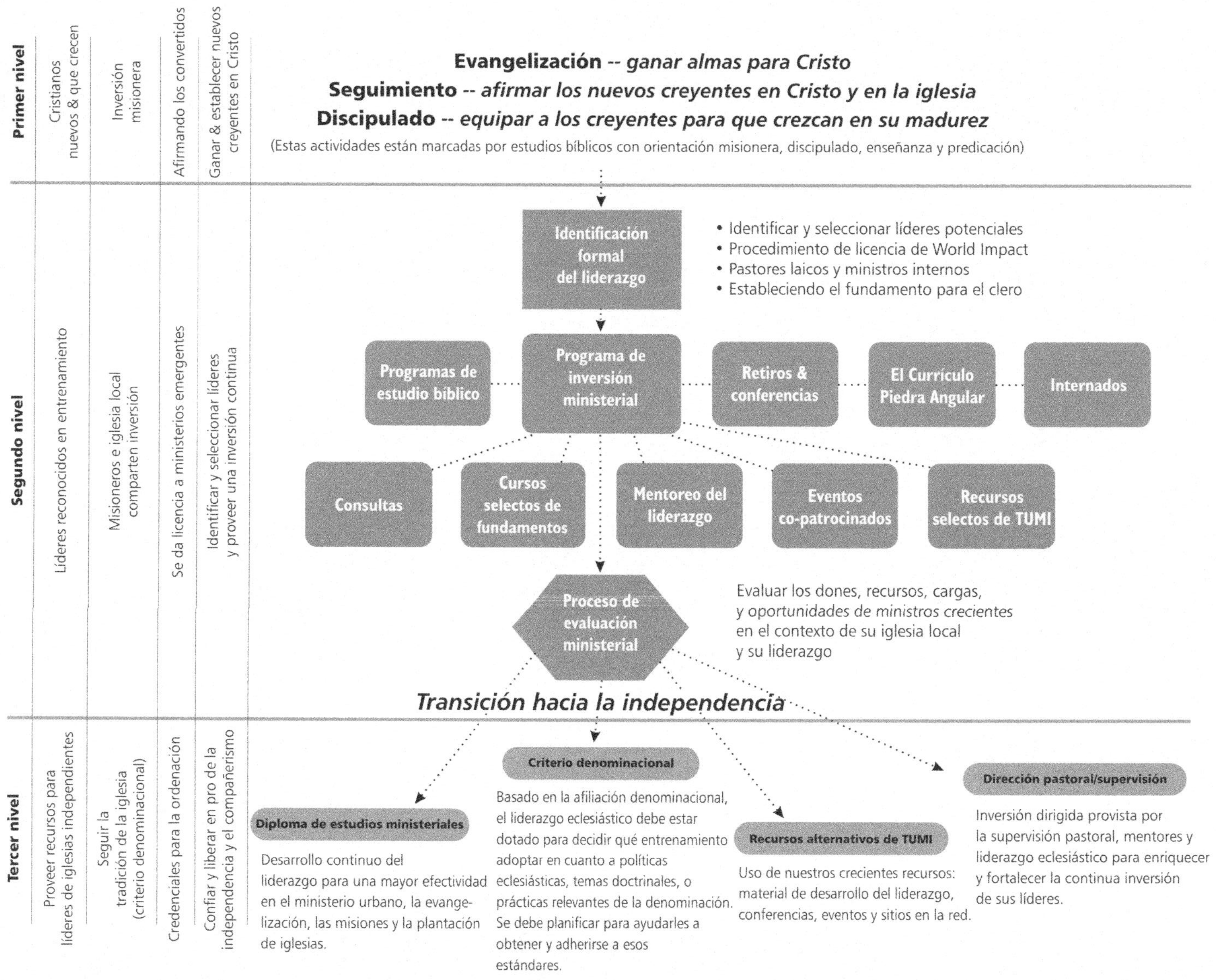

Nivel				
Primer nivel	Cristianos nuevos & que crecen	Inversión misionera	Afirmando los convertidos	Ganar & establecer nuevos creyentes en Cristo
Segundo nivel	Líderes reconocidos en entrenamiento	Misioneros e iglesia local comparten inversión	Se da licencia a ministerios emergentes	Identificar y seleccionar líderes y proveer una inversión continua
Tercer nivel	Proveer recursos para líderes de iglesias independientes	Seguir la tradición de la iglesia (criterio denominacional)	Credenciales para la ordenación	Confiar y liberar en pro de la independencia y el compañerismo

Evangelización -- *ganar almas para Cristo*
Seguimiento -- *afirmar los nuevos creyentes en Cristo y en la iglesia*
Discipulado -- *equipar a los creyentes para que crezcan en su madurez*
(Estas actividades están marcadas por estudios bíblicos con orientación misionera, discipulado, enseñanza y predicación)

Identificación formal del liderazgo

- Identificar y seleccionar líderes potenciales
- Procedimiento de licencia de World Impact
- Pastores laicos y ministros internos
- Estableciendo el fundamento para el clero

Programa de inversión ministerial

Programas de estudio bíblico · Retiros & conferencias · El Currículo Piedra Angular · Internados

Consultas · Cursos selectos de fundamentos · Mentoreo del liderazgo · Eventos co-patrocinados · Recursos selectos de TUMI

Proceso de evaluación ministerial

Evaluar los dones, recursos, cargas, y oportunidades de ministros crecientes en el contexto de su iglesia local y su liderazgo

Transición hacia la independencia

Diploma de estudios ministeriales

Desarrollo continuo del liderazgo para una mayor efectividad en el ministerio urbano, la evangelización, las misiones y la plantación de iglesias.

Criterio denominacional

Basado en la afiliación denominacional, el liderazgo eclesiástico debe estar dotado para decidir qué entrenamiento adoptar en cuanto a políticas eclesiásticas, temas doctrinales, o prácticas relevantes de la denominación. Se debe planificar para ayudarles a obtener y adherirse a esos estándares.

Recursos alternativos de TUMI

Uso de nuestros crecientes recursos: material de desarrollo del liderazgo, conferencias, eventos y sitios en la red.

Dirección pastoral/supervisión

Inversión dirigida provista por la supervisión pastoral, mentores y liderazgo eclesiástico para enriquecer y fortalecer la continua inversión de sus líderes.

Un ejemplo práctico de la crítica textual

Adaptado de R. C. Briggs, Interpreting the New Testament Today.

Marcos 1.1 Principio del evangelio de Jesucristo, Hijo de Dios.

De acuerdo al aparato crítico, los siguientes manuscritos (o grupos de manuscritos) dicen:

Ιησοῦ Χριστοῦ υἱού θεοῦ

A (*Código Alejandrino*). Siglo quinto. Texto bizantino (en los Evangelios).

B (*Código Vaticano*). Siglo cuarto. Texto alejandrino (en los Evangelios y Hechos).

D (*Código Bezae*). Siglo quinto o sexto. Texto occidental.

W (*Código Freerianus). Siglo quinto. Texto occidental (en Marcos 1.1-5.30*), se conserva en Washington.

'Ω (*Koiné*). Grupo de manuscritos de letra minúscula uncial (estilo de letra) que datan desde el siglo séptimo. Texto occidental.

λ (*Familia 1, Grupo del Lago*). Siglo doceavo en adelante. Relacionado al texto de Cesarea de los siglos cuarto y quinto.

ϕ (*Familia 13, Grupo Ferrar*). Siglo doceavo en adelante. Relacionado al texto de Cesarea.

it (*Italas o Latino Antiguo*). Siglo onceavo en adelante. Texto temprano occidental (con fecha anterior a la Vulgata).

vg (*Vulgata*). Traducción al Latín autorizada, completada por Jerónimo en el 405 D.C. (Evangelios completados en el 385 D.C.). Texto occidental.

sy^{p} (*Peshitta*). Traducción siriaca autorizada del siglo quinto. Relacionada al texto bizantino (en los Evangelios).

sa (*Sahídica). Traducción cóptica (egipcia) del siglo cuarto. Texto alejandrino, con influencia occidental.*

bo (*Bohárica*). Traducción cóptica, posterior a la sahídica. Texto occidental. El aparato crítico también incluye dos manuscritos significativos que preservan lecturas más cortas.

S también designados ~ *(Código Sinaítico). Siglo cuarto. Como B (Códice Vaticano), es una representación primaria del texto alejandrino.*

Θ (*Código Koridethi*). Siglo noveno. Texto relacionado al texto alejandrino de los siglos tercero y cuarto.

Un pueblo vuelto a nacer

Discernimientos fundamentales de los movimientos de pueblos

Donald McGavran

Este artículo fue tomado de Mission Frontiers: El Boletín del US Center for World Mission, Vol. 27, No. 5; Septiembre-Octubre 2005; ISSN 0889-9436.

Nota del editor: Lo que sigue son citas del prólogo del Dr. Donald McGavran a la edición en inglés de la clásica obra de Christian Keysser, Un Pueblo Vuelto a Nacer (William Carey Library, 1980). La pluma del Dr. McGavran y sus notas autobiográficas muestran y revelan un cuadro de lo extenso hasta donde, conscientes o no, los proponentes de hoy en día de, ya sean movimientos internos o de plantación de iglesias, están construyendo sobre el fundamento establecido por pioneros tales como Keysser, McGavran y otros en la primera mitad del siglo 20. En el último párrafo se puede notar la presciencia de las observaciones del Dr. McGavran acerca de la misión en el siglo 21.

[Christian Keysser] nació en Bavaria el año de 1877. En 1899 fue a Kaiser Wilhelm Land (Nueva Guinea Oriental) y permaneció en o cerca de Sattelberg como misionero hasta 1921, cuando regresó a Alemania.... Una traducción literal del [libro de Keysser] es *Una Nueva Congregación en Guinea.* Un título más correcto y mejor es: *Un Pueblo Vuelto a Nacer: Comunidades Que Se Preocupan, Su Nacimiento y Desarrollo. . . .*

Movimientos de pueblos (etnias) a Cristo

. . . Alrededor del año de 1900 Keysser estaba evangelizando a la tribu Kote en unas montañas cerca del mar.... El genio de Keysser reconoció que la cristianización debería preservar la conciencia de este pueblo, y transformarlo en Cristianismo Tribal o Cristianismo Popular. . . .

In 1935, debido sobre todo a los escritos de [Waskom] Pickett, entendí el discipulado de unidades étnicas. Yo lo acompañé mientras él estudiaba misiones en la parte central de India y colaboré en varios capítulos de su *Christian Missions in Mid-India*, en 1938. Yo también pude ver que la meta no era la conversión de una por una de las castas y tribus, sino más bien, la conversión de unidades sociales que permanecían de la casta o tribu, y continuaban viviendo en sus hogares ancestrales. En las dos décadas siguientes laboré estimulando un movimiento de gente Satnami a que se desarrollaran – y fallé. En 1955, mi libro *Bridges of God* designaba a los movimientos de castas o tribales de la Fe Cristiana

Un pueblo vuelto a nacer (continuación)

como "movimientos de pueblos".... Lo que Keysser, Pickett y [Bruno] Gutmann habían descrito en Nueva Guinea, India y Tanganyika – *Bridges of God* – solamente estaba en deuda con Pickett, descrito en términos universales.

Lo que todos nosotros habíamos descubierto era que las decisiones de los grupos, que preservaban la vida corporal de la sociedad y habilitaban a hombres y mujeres a llegar a ser cristianos sin que resultara un conflicto social, era la ruta por la cual la mayoría de los humanos se han movido a la Fe Cristiana de la Fe no-cristiana, y era una buena ruta. Para nosotros cuatro, el descubrimiento era difícil porque los misioneros venían de las partes más dedicadas de la Iglesia Occidental. Ellos habían aprendido que los verdaderos cristianos son los que en lo personal y a gran costo, creen en Cristo Jesús, lo aman, obedecen su Palabra y se aventuran a cruzar los siete mares para cumplir su orden. Ellos creían que "uno-por-uno-contra-la-corriente" era lo correcto [ganar a invididuos en lugar de grupos de gentes], lo mejor y con frecuencia el único camino para que hombres y mujeres se convirtieran en cristianos. . .

El descubrimiento de Keysser en 1903 debería ser visto contra esta errónea convicción común. El rompió con la mentalidad de ver que para que un pueblo viniera a Cristo "con la estructura social intacta" era el mejor camino posible. Por supuesto que él se fue de inmediato a describir el camino en el cual tales movimientos de gente deberían ser nutridos, ser guardados contra el formalismo, alimentados en la Palabra y fortalecidos por medio del constante ejercicio de sus opciones cristianas. Esto es su gran contribución. Su libro es lectura esencial para todo aquel que desea entender, a) que el discipulado de unidades étnicas es una manera espléndida para que multitudes lleguen a ser cristianos, y b) que el discipulado y el perfeccionamiento puede ser hecho de tal manera que resulten genuinos cristianos y en una congregación verdaderamente cristiana – una verdadera Iglesia unida y homogénea.

El pensador objetivo

. . . El movimiento de pueblos comenzó a crecer. Los clanes y villas remotas clamaban por llegar a ser cristianos, precisamente porque ellos vieron que los cristianos habían llegado a tener *grandes cambios para su bien*. Esta es la razón fundamental por la que ocurren los movimientos de gentes. El ser humano es altamente inteligente. Después de todo, el hombre es homo sapiens. Cuando él ve que el nuevo orden, la Iglesia, es realmente diferente de y *superior* al orden anterior, entonces el homo sapiens en decisiones corporativas se mueve a la fe cristiana. Una reacción en cadena corre a través de la

Un pueblo vuelto a nacer (continuación)

estructura tribal. Las congregaciones se multiplican. En general, pudiera decirse que mientras más elevado el estándar de cristianismo logrado por los primeros grupos al llegar a ser cristianos, más influyente es su ejemplo. Keysser, pensador objetivo, vio esto. . . .

Formando una verdadera congregación

[Otra razón] por qué los misiólogos se beneficiarán con este libro es el determinado énfasis de Keysser sobre el privilegio y deber del misionero *de formar una congregación cristiana de entre las villas y clanes*. Con esto él no da a entender tomar a las personas como objetos aislados, y formarlos en una nueva organización llamada iglesia. Más bien, él quiere decir tomar el organismo social, que el clan o villa ha sido desde tiempos inmemoriales, y al exponerlos a la voluntad y la Palabra de Dios, llevarlos a que actúen de una manera cristiana *transformándola en una tribu cristiana.* Eso no se logra simplemente por bautizarlos. Escuchar el evangelio, ver el evangelio, recibiendo amplia instrucción, alguna de ella en forma dramática, siendo bautizados con aprobación del clan y luego durante años siendo dirigidos por los misioneros y la Palabra, pensando a través de lo que en circunstancias específicas Cristo requiere que la villa, el clan o tribu (la congregación cristiana) hagan – todos esos pasos son requeridos para transformar unidades sociales no cristianas en congregaciones cristianas. . . .

Los adversos juicios del Dr. Keysser concerniente a las iglesias de Alemania deben ser vistos como parte de sus convicciones con relación a la Verdadera Iglesia. A través de este volumen él critica las congregaciones de Alemania por no ser verdaderas comunidades, es decir, verdaderas *congregaciones*. . . . Cuando en 1922 Keysser volvió a Alemania, experimentó un choque cultural a la inversa. Él encontró "iglesias" que como iglesias se preocupaban muy poco o casi nada, por el cuidado pastoral de sus miembros. Las congregaciones no eran verdaderas comunidades. . . .

Hoy en día en que el establecimiento de cuidado comunitario en las iglesias occidentales ha llegado a ser uno de los principales propósitos del cristianismo contemporáneo, los comentarios de Keysser acerca de la Iglesia alemana son particularmente pertinentes; y pueden ser afirmados acerca de la Iglesia en la mayoría de las naciones desarrolladas. Cuando la sociedad se fragmenta, el individualismo reina descontrolado y la soledad aflige a millones de personas. La Iglesia debe ser una *comunidad* amorosa, cuidadosa y poderosa. La vida es más rica cuando se vive de esa manera. En el mundo antiguo, las iglesias del Nuevo Testamento eran esa clase de comunidades. Las iglesias pueden llegar a ser así, en

Un pueblo vuelto a nacer (continuación)

Nueva Guinea y Nueva York, en Tokio y Berlín, en pocas palabras, en cada lugar de la tierra. *Las Iglesias Verdaderas son comunidades en funcionamiento.*

. . . El profesor Keysser le ha dado al mundo de las misiones muchas observaciones que serán muy usadas en el siglo venidero. En sus días, tribus animistas se entregaban a Cristo por medio de los movimientos de gente y formaban comunidades (congregaciones) genuinas en el contexto cristiano. En el siglo veintiuno vamos a ser testigos de grandes segmentos de naciones en desarrollo *y desarrolladas* viniendo a la fe cristiana sin que resulte un conflicto social. Ellas permanecerán como comunidades verdaderas mientras llegan a ser congregaciones verdaderas. La misiología moderna está en deuda con Christian Keysser.

Armonía del ministerio de Jesús

*Adaptado por Walter M. Dunnett, **Exploring the New Testament**, p. 14.*

Evangelio	El período de preparación	El período del ministerio público		El período de sufrimiento	El período de triunfo
		Apertura	Cierre		
Mateo	1.1-4.16	4.17-16.20	16.21-26.2	26.3-27.66	28.1-20
Marcos	1.1-1.13	1.14-8.30	8.31-13.37	14.1-15.47	16.1-20
Lucas	1.1-4.13	4.14-9.21	9.22-21.38	22.1-23.56	24.1-53
Juan	1.1-34	1.35-6.71	7.1-12.50	13.1-19.42	20.1-21.25

Una bibliografía para la hermenéutica bíblica

Archer, Gleason L. *Encyclopedia of Bible Difficulties*. Grand Rapids: Zondervan, 1982.

Black, David Alan. *Linguistics for Students of New Testament Greek: A Survey of Basic Concepts and Applications*. Grand Rapids: Baker, 1988.

------. *Using New Testament Greek in Ministry: A Practical Guide for Students and Pastors*. Grand Rapids: Baker Books, 1993.

Blomberg, Craig L. *Interpreting the Parables*. Leicester: Apollos, 1990.

Bowman, Robert M., Jr. *Understanding Jehovah's Witnesses: Why They Read the Bible the Way They Do*. Grand Rapids: Baker, 1991.

Bray, Gerald. *Biblical Interpretation Past and Present*. Downers Grove/Leicester: IVP, 2000.

Bullinger, E. W. *Figures of Speech Used in the Bible*. Grand Rapids: Baker Book House, 1968.

Caird, G. B. *Language and Biblical Imagery*. Gerald Duckworth & Co. Ltd, 1981.

Carson, D. A. *Exegetical Fallacies*. 2nd ed. Grand Rapids/Carlisle: Baker Books/ Paternoster Press, 1996.

Carson, D. A. and John D. Woodbridge, eds. *Hermeneutics, Authority and Canon*. Leicester: IVP, 1986.

------. *Scripture and Truth*. Leicester: IVP, 1983.

Castelli, Elizabeth A. et al, eds. *The Postmodern Bible*. Yale University Press, 1997.

Coggins, R. J. and J. L. Houlden, eds. *A Dictionary of Biblical Interpretation*. London: SCM Press Ltd., 1990.

Cotterall, Peter, and Max Turner. *Linguistics and Biblical Interpretation*. Downers Grove: InterVarsity Press, 1989.

Una bibliografía para la hermenéutica bíblica (continuación)

Erickson, Millard J. *Evangelical Interpretation: Perspectives on Hermeneutical Issues.* Grand Rapids: Baker Books, 1993.

Evans, Craig A. *Noncanonical Writings and New Testament Interpretation.* Peabody, MA: Hendrickson Publishers, 1992.

Fee, Gordon D. *New Testament Exegesis: A Handbook for Students and Pastors.* Philadelphia: Westminster Press, 1983.

Fee, Gordon D. and Douglas Stewart. *How to Read the Bible for All its Worth: A Guide to Understanding the Bible.* 2nd ed. Grand Rapids: Zondervan, 1993.

Goldingay, John. *Approaches to Old Testament Interpretation.* Updated ed. Leicester: Apollos, 1990.

Greidanus, Sidney. *The Modern Preacher and the Ancient Text: Interpreting and Preaching Biblical Literature.* Grand Rapids: Eerdmans, 1988.

Hendrickson, Walter. *A Layman's Guide to Interpreting the Bible.* Grand Rapids: Zondervan, 1978.

Johnson, Elliott E. *Expository Hermeneutics: An Introduction.* Grand Rapids: Zondervan, 1990.

Kaiser, Walter C., Jr. *Toward an Exegetical Theology: Biblical Exegesis for Preaching and Teaching.* Grand Rapids: Baker, 1981.

Kaiser, Walter C., Jr. Peter H. Davids, F. F. Bruce, and Manfred T. Brauch. *Hard Sayings of the Bible.* Downers Grove: InterVarsity Press, 1996.

Kaiser, Walter C., Jr. and Moises Silva. *An Introduction to Biblical Hermeneutics: The Search for Meaning.* Grand Rapids: Zondervan, 1994.

Klein, William W., Craig L. Blomberg, and Robert L. Hubbard. *Introduction to Biblical Interpretation.* Dallas: Word Publishing, 1993.

Kurht, Wilfred. *Interpreting the Bible: A Handbook of Biblical Interpretation.* Welwyn: Evangelical Press, 1983.

Long, V. Philips. *The Art of Biblical Interpretation. Foundations of Contemporary Interpretation.* Vol. 5. Leicester: InterVarsity Press, 1994.

Longman, Tremper, III. *How to Read the Psalms.* Downers Grove: InterVaristy Press, 1988.

Una bibliografía para la hermenéutica bíblica (continuación)

------. *Literary Approaches to Biblical Interpretation. Foundations of Contemporary Interpretation.* Vol. 3. Leicester: InterVarsity Press, 1987.

------. *Reading the Bible with Heart and Mind.* Navpress Publishing Group, 1996.

Longenecker, Richard N. *Biblical Exegesis in the Apostolic Period.* Carlisle: Paternoster Press, 1995.

Lundin, Roger. *Disciplining Hermeneutics: Interpretation in Christian Perspective.* Grand Rapids: Eerdmans, 1997.

McKnight, Scot, ed. *Introduction to New Testament Interpretation.* Grand Rapids: Baker Books, 1989.

Marshall, I. H., ed. *New Testament Interpretation: Essays on Principles and Methods.* Rev. 1979. Carlisle: Paternoster Press, 1992.

Neill, Stephen. *The Interpretation of the New Testament 1861-1961.* Oxford: Oxford University Press, 1964.

Osborne, Grant R. *The Hermeneutical Spiral: A Comprehensive Introduction to Biblical Interpretation.* Downers Grove: InterVarsity Press, 1991.

Poythress, Vern SheriDn. *Symphonic Theology: The Validity of Multiple Perspectives in Theology.* Grand Rapids: Zondervan, 1987.

Pratt, Richard L., Jr. *He Gave Us Stories: The Bible Student's Guide to Interpreting Old Testament Narratives.* Phillipsburg, NJ: Presbyterian and Reformed, 1993.

Scalise, Charles J. *From Scripture to Theology: A Canonical Journey into Hermeneutics.* Downers Grove: IVP, 1996.

Silva, Moises. *Biblical Words and Their Meaning: An Introduction to Lexical Semantics.* Revised and expanded ed. Grand Rapids: Zondervan, 1994.

------. God, *Language and Scripture. Foundations of Contemporary Interpretation.* Vol. 4. Grand Rapids: Zondervan, 1990.

------. *Has the Church Misread the Bible? The History of Interpretation in the Light of Current Issues. Foundations of Contemporary Interpretation.* Vol 1. Grand Rapids: Zondervan, 1987.

Una bibliografía para la hermenéutica bíblica (continuación)

Sire, James W. *Scripture Twisting: 20 Ways the Cults Misread the Bible.* Leicester: InterVarsity Press, 1980.

Stein, Robert H. *A Basic Guide to Interpreting the Bible: Playing by the Rules.* Grand Rapids: Baker, 1994.

Stenger, Werner. *Introduction to New Testament Exegesis.* Grand Rapids: Eerdmans, 1987.

Stuart, Douglas. *Old Testament Exegesis: A Primer for Students and Pastors.* 2nd ed. Revised and expanded. Philadelphia: The Westminster Press, 1984.

Tate, Randolph W. *Biblical Interpretation: An Integrated Approach.* Peabody, MA: Hendrickson Publishers, 1997.

Thistleton, Anthony C. *New Horizons in Hermeneutics: The Theory and Practice of Transforming Biblical Reading.* Grand Rapids: Zondervan, 1992.

------. *Promise of Hermeneutics.* Carlisle: Paternoster Press, 1999

------. *The Two Horizons: New Testament Hermeneutics and Philosophical Description with Special Reference to Heideggar, Bultmann, Gadamer, and Wittgenstein.* Carlisle: Paternoster Press, 1980.

Una comparación de las filosofías de traducción

Versiones comunes de la Biblia en inglés

Rev. Dr. Don L. Davis

Más literalmente palabra por palabra ◄·········· ··········► *Menos literalmente palabra por palabra*

Equivalencia formal **Equivalencia dinámica** **Paráfrasis**

New American Standard Bible (NASB)

New King James Versión (NKJV)

New Revised Standard Versión (NRSV)

English Standard Versión (ESV)

International Version(NIV)

New Jerusalem Bible (NJB)

Revised English Bible (REB)

Today's English Versión (TEV)

Contemporary English Versión (CEV)

New Living Translation (NLT)

JB Phillips Versión (Phillips)

The Living Bible (LB)

The Message

Cotton Patch Gospels

Una guía para determinar su perfil de adoración

Tomado de Robert Webber, Planning Blended Worship, Nashville: Abingdon Press, 1998

1. ¿Cuál de las siguientes categorías describe mejor a su iglesia?

   ____ Afectada por lo Católico y la línea principal de renovación de la adoración

   ____ Afectada por lo pentecostal, carismático, o renovación de alabanza y adoración

   ____ Afectada por el movimiento que mezcla la alabanza tradicional y contemporánea

   ____ No es afectada por ningún movimiento de renovación de la adoración

2. Identifique la edad de los que conforman su iglesia

   ____ % de gente en nuestra iglesia nació antes de 1945 (generación A)

   ____ % de gente en nuestra iglesia nació entre 1945 y 1961 (generación B)

   ____ % de gente en nuestra iglesia nació después de 1961 (generación C)

3. De los 8 elementos comunes de renovación en la adoración, ¿cuáles han impactado la adoración de su iglesia? Evalúe cada área en la escala de 1 (menos impactante) a 10 (más impactante). Luego tome el tiempo para discutir las áreas mas débiles.

   a. Nuestra iglesia tiene un entendimiento bíblico de la adoración. 1 2 3 4 5 6 7 8 9 10

   b. La adoración de nuestra iglesia viene del pasado, en especial de la Iglesia primitiva. 1 2 3 4 5 6 7 8 9 10

   c. Nuestra iglesia tiene nuevo enfoque de la adoración en la reunión del domingo 1 2 3 4 5 6 7 8 9 10

   d. Nuestra iglesia extrae música de toda la Iglesia. 1 2 3 4 5 6 7 8 9 10

   e. Nuestra iglesia ha restaurado el uso de las artes. 1 2 3 4 5 6 7 8 9 10

   f. Nuestra iglesia sigue el calendario del año cristiano efectivamente. 1 2 3 4 5 6 7 8 9 10

   g. Nuestra iglesia ha experimentado la restauración de la vida en las acciones sagradas de adoración 1 2 3 4 5 6 7 8 9 10

   h. La adoración de nuestra iglesia fortalece sus ministerios de evangelización. 1 2 3 4 5 6 7 8 9 10

Una guía para determinar su perfil de adoración (continuación)

4. Evalúe el contenido, estructura y estilo de su adoración. Otra vez, use la escala de 1 ("No describe a nuestra iglesia en nada") al 10 ("Sí, esa es mi iglesia"). Discuta las áreas más débiles.

   a. El contenido de nuestra adoración es la historia completa de las Escrituras. 1 2 3 4 5 6 7 8 9 10

   b. La estructura de nuestra adoración es aceptada universalmente. 1 2 3 4 5 6 7 8 9 10

   c. El estilo de nuestra adoración es apropiado para la congregación y a la gente que atraemos. 1 2 3 4 5 6 7 8 9 10

5. Conteste lo siguiente:

   a. La adoración de nuestra iglesia está basada en: lenguaje conceptual o lenguaje simbólico

   b. El estilo de comunicación de nuestra iglesia se relaciona mejor a:
   generación A, generación B, generación C (ver página 259), o todas las anteriores

6. Yo describiría nuestra iglesia como: una iglesia de paradigmas antiguos o una iglesia de paradigmas nuevos

7. De cada pregunta anterior trata de crear un perfil sobre la adoración de su iglesia. Hágalo completando cada una de las siguientes oraciones:

   a. Nuestra iglesia ha sido afectada por (cuál corriente de renovación de adoración)

   b. Nuestro grupo de edad es primariamente

   c. De los ocho aspectos de renovación de la adoración, nosotros somos

   d. El contenido de nuestra adoración es

   e. La estructura de nuestra adoración es

   f. El estilo de nuestra adoración es

   g. Nuestro enfoque de la comunicación es

8. Para completar este estudio, comente sobre las clases de cambios que le gustaría que ocurran en la adoración de su iglesia.

Una vista teológica de los dones de equipamiento descritos en Efesios 4.11

Rev. Terry Cornett, M.A., M.A.R.

I. Evangelistas

A. Consideraciones lingüísticas

Euaggelistes

"Un predicador del evangelio" (*Strong's Greek Dictionary of New Testament Words*)

"La palabra traducida en el NT como 'evangelista' es un pronombre del verbo *euangelizomai* 'anunciar noticias' y generalmente se usa . . . para 'predicar el evangelio'" (D.B. Knox, "Evangelista", *El Nuevo Diccionario Bíblico*, 2nd Edition, J. D. Douglas y otros, eds. Leicester, England-Downers Grove, IL: InterVarsity Press, 1982, p. 356).

"La palabra griega para evangelista (Ef. 4.11) es un compuesto de dos palabras. La primera palabra griega *eu* que significa "bien, bueno, amable, recto y prospero". La segunda palabra significa "mensajero". La segunda palabra griega *aggelos* significa "mensajero, enviado, persona enviada, un ángel de Dios". El evangelista es un buen mensajero, alguien que viene a traer buenas noticias - las cuales traen al corazón de los oyentes alegría y acción de gracias" (Harley H. Schmitt, *Muchos Dones, Un Señor*, Fairfax, VA: Xulon Press, 2002, p. 76).

B. Pensamiento teológico pertinente

1. "Un evangelista conocía la narración de los Evangelios completamente y era capaz de explicarla, así como Felipe el evangelista con el eunuco . . . Originalmente, *euaggelistes* denotaban una función más que un oficio. Había muy poca diferencia entre un apóstol y un evangelista, todos los apóstoles son evangelistas, pero no todos los evangelistas son apóstoles" (Spiros Zodhiates, *El Diccionario del Estudio Completo de la Palabra*: New Testament, Chattanooga, TN: AMG Publishers, 1992, pp. 670-671).

2. "Todos los cristianos son llamados a hacer su parte en el cumplimiento de la Gran Comisión de Jesús, pero algunos creyentes tienen un llamado especial, un don espiritual para comunicar a Cristo y guiar a otros a Él. Estos son llamados evangelistas, y así los llamaba el Nuevo Testamento" (La

Una vista teológica de los dones de equipamiento descritos en Efesios 4.11 (continuación)

Declaración de Amsterdam, publicada en *Christianity Today*, Agosto 7, 2000, [Amsterdam 2000 fue un encuentro mundial de evangélicos en misión convocados por la Asociación Evangelística Billy Graham con un enfoque especial en los evangelistas itinerantes y su rol en la misión mundial]).

3. "Se podrá ver que a pesar que todos los apóstoles eran evangelistas, no todos los evangelistas eran apóstoles. Esta distinción es confirmada en Efesios 4, 11, en donde el oficio de 'evangelista' luego se menciona como 'apóstol' y 'profeta', y antes 'pastor' y 'evangelista'. De este pasaje se ve que el don de evangelización era un don distinto en la iglesia, y a pesar que todos los cristianos sin duda realizaban esta tarea sagrada, cuando se presentaba la oportunidad, había algunos que tenían un llamado o eran dotados por el Espíritu Santo para esta obra" (D.B. Knox, "Evangelista", *New Bible Dictionary*, 2nd Edition, J. D. Douglas and others, eds. Leicester, England-Downers Grove, IL: InterVarsity Press, 1982, pp. 356-57).

4. "Aquellas personas no eran llamadas a servir a una congregación específica, sino que se movían de un lugar a otro, proclamando el evangelio a la gente en donde tuvieran la oportunidad... Los evangelistas comparten el evangelio de tal manera que se vuelve en buenas nuevas a los oyentes. Los oyentes responden y se convierten en fieles y comprometidos seguidores de Jesucristo. Los evangelistas también tienen una unción específica 'equipar a los santos, para el trabajo del ministerio de edificar el cuerpo de Cristo' (Ef. 4.12). El reconocimiento oficial de tales individuos dentro de la congregación y a lo largo de la iglesia permite el proceso de traer gente a la fe de Cristo" (Harley H. Schmitt, *Many Gifts, One Lord*, Fairfax, VA: Xulon Press, 2002, p. 77).

5. "Los evangelistas en las Escrituras son, sin lugar a dudas, los mensajeros para los inconversos, que preparan el camino para el pastor y el maestro en su ministerio constante en la iglesia" (Lewis Sperry Chafer, *True Evangelism*, Grand Rapids: Zondervan, 1967, p. 6).

6. "Se ve como un orden en el ministerio que el evangelista precede al pastor y al maestro, un hecho que armoniza con el carácter de cada trabajo y que aun ahora es reconocido. El evangelista no tiene un lugar de residencia fija, sino que se mueve en diferentes localidades, predicando el evangelio a aquellos que lo ignoraban antes. Cuando se convierten y se unen a Jesucristo por fe, comienza la obra del pastor y del maestro para instruirles más en las cosas de

Una vista teológica de los dones de equipamiento descritos en Efesios 4.11 (continuación)

Cristo y construir su fe" (J. M. Gray, *The International Standard Bible Encyclopedia*, Vol. 2, Geoffrey W. Bromily, Gen. ed. Grand Rapids: Eerdmans, 1982, p. 204).

C. Resumen

1. Como los ministerios apostólicos y proféticos, la función primaria del evangelista es de naturaleza itinerante y misionera. El oficio evangelístico reconoce que si bien que el cristianismo se esparce naturalmente a través del *oikos* (familia y amigos) de individuos convertidos, a menudo cruza barreras (cultura, geografía, resistencia religiosa, etc) que otros medios no logran vencer. La función extraordinaria del evangelista es la de forzar el suelo para que el evangelio se puede esparcir.

2. El don de evangelización asegura que una dote especial de sabiduría y del poder del Espíritu están presentes para que el evangelista sea excepcionalmente efectivo en lograr que escuchen el evangelio, aun en ambientes hostiles. El oficio de evangelista da libertad a la persona dotada para un ministerio itinerante de tal manera que pueda estar patrocinado por una iglesia grande, y da a esta persona una responsabilidad especial de estimular y entrenar a los evangelistas en las congregaciones locales para un alcance misionero, al igual que todos los oficios en Efesios 4.11 que existen para "equipar a los santos para el trabajo del ministerio".

3. A pesar que los evangelistas realizan una función distinta, la tarea de los mismos no está separada de la tarea de plantar iglesias. Esto se ve claramente en Hechos 8, en donde el suceso evangelístico de Felipe en Samaria culmina con una visita de los apóstoles que confirman las conversiones, bautizan a los nuevos creyentes, aseguran que la presencia del Espíritu Santo sea entendida y experimentada por la nueva comunidad de cristianos, usando la imposición de manos como un reconocimiento formal de la legitimidad de los nuevos convertidos, ejercitando la enseñanza y la disciplina de la iglesia (corrigiendo a Simón el mago), y predicando el alcance de la misión al predicar en otras ciudades samaritanas. En otras palabras, los evangelistas eran la primera etapa en el proceso de plantar iglesias y discipular, y no era un oficio

Una vista teológica de los dones de equipamiento descritos en Efesios 4.11 (continuación)

independiente que existía para ejercitar los dones del ministerio en forma aislada.

II. Pastores[1]

A. Consideraciones lingüísticas

Poimen

"Un pastor de ovejas" (literalmente o figurativamente) (*Strong's Greek Dictionary of New Testament Words*).

"Pastor, pastor de ovejas, es una palabra indo-europea que es usada frecuentemente en sentido metafórico: líder, gobernador y comandante . . . Platón nos recuerda el uso religioso de la palabra cuando compara las reglas de la ciudad-estado con la de los pastores que cuidan de su rebaño" (E. Beyreuther, *El Nuevo Diccionario Internacional de la Teología del Nuevo Testamento*, Vol. 3, Colin Brown, Gen. ed., Grand Rapids: Zondervan, 1986, p. 564).

"[El Pastor de ovejas es] una palabra natural de frecuente uso en las Escrituras. Esta palabra se utiliza para representar en sentido figurado la relación de los gobernantes con su gente y de Dios con su pueblo (Sal. 23.1; 80.1; Is. 40.11; 44.28; Jer. 25.34, 35; Nahum 3.18; Juan 10.11, 14; Heb. 13.20; 1 Pe. 2.25; 5.4). Las tareas de un pastor en un país como Palestina eran muy difíciles. "En una mañana el sacó al rebaño del establo, marchando hasta que vio el lugar donde iba a ser pastoreado. Allí los vigiló todo el día, cuidando que ninguna oveja se desviara, y si por algún motivo una se perdía de su vigilancia y se alejaba del resto, la buscaba diligentemente hasta encontrarla y la traía de regreso. En aquellos tierras las ovejas requerían ser suplidas regularmente de agua, y el pastor con este propósito tenía que guiarlas a algún arroyo o cavar un hoyo en el desierto y darles de beber. Por la noche traía al rebaño de regreso al establo, contaba las ovejas en la puerta para asegurarse que no faltara ninguna. Ninguna de sus labores acababa con la puesta del sol. Tenía que vigilar el establo durante las horas oscuras para evitar el ataque de las bestias salvajes, o los atentados de los ladrones que querían robarlas" (ver 1 Samuel 17.34) ("Pastor", *Diccionario Bíblico Easton*).

[1] Ya que que Pablo en Efesios 4.11 omite el artículo definido antes de la palabra "maestros", lo que ha sido ampliamente discutido en la iglesia, si había tratado de describir sólo un oficio, "pastor- maestro" o dos, "pastores" y "maestros". Calvino resume el debate así: "Pastores y Maestros son supuestamente denotados por algunos como un sólo oficio. . . . Crisóstomo y Agustín son de esta opinión. . . . Yo estoy parcialmente de acuerdo con ellos, que Pablo habla claramente de pastores y maestros como pertenecientes a una misma clase, y que el nombre del maestro, se aplica hasta cierto punto a todos los pastores. Pero esto no me parece razón suficiente para que dos oficios, los que yo encuentro diferentes uno del otro, deben ser confundidos. La enseñanza es, sin duda, la tarea de todos los pastores; pero el mantener la sana doctrina requiere de talento para interpretar las Escrituras, un hombre puede ser un maestro que no está calificado para predicar" ("Epístola a los Efesios", Comentarios de Calvino. XXI, Grand Rapids: Baker, 1981, pp. 279-280). Este papel le sigue a Calvino al sostener la posibilidad de dos oficios separados, mientras prácticamente entendemos que ambos oficios son combinados en la misma persona.

Una vista teológica de los dones de equipamiento descritos en Efesios 4.11 (continuación)

B. Aportes teológicos pertinentes

1. "Los apóstoles y evangelistas tenían la tarea particular de plantar iglesias en cada lugar; y los profetas, de traer una palabra de Dios particular en una determinada situación. Los pastores y maestros tenían la responsabilidad de construir día a día la iglesia" (Francis Foulkes *La Epístola de San Pablo a los Efesios, Comentarios de Tyndales sobre el Nuevo Testamento*, Grand Rapids: Eerdmans, 1956, p. 119).

2. "Los pastores puede ser rápidamente identificados con los ministerios que en otras partes se denominan de 'ancianos' (*presbyteroi*) u 'obispos' (*episkopoi* considerados 'guardianes' en la cita anterior de Hechos 20.28: 'mirad por vosotros y por todo el rebaño en que el Espíritu Santo os ha puesto por obispos' es el mandato dado a los ancianos por un 'compañero anciano' en 1 Pedro 5.2). Este mandato fue dado a los apóstoles, cuya final comisión por parte del Señor, quien dijo en Juan 21.15-17, 'alimenta a mis ovejas'". F. F. Bruce, "Epístola a los Colosenses, a Filemón y a Efesios" *El Nuevo Comentario Internacional sobre el Nuevo Testamento*, Vol. 10., Grand Rapids: Eerdmans, 1984, pp. 348).

3. "El ministerio de un pastor es un ministerio de amor. Ningún hombre puede realizar este ministerio sin un corazón de pastor dado como un don de Dios... Jesús recalcó que un verdadero pastor debe tener la disposición de dar su vida por sus ovejas... Cuando a un hombre le ha sido dado el corazón de un verdadero pastor, está allí por el mejor interés del rebaño, sin importar el costo personal... Las tareas del pastor son variadas, pero mayormente pueden agruparse bajo tres títulos generales. En primer lugar, el pastor debe de vigilar y alimentar al rebaño de Dios... Segundo, tiene la responsabilidad de guardar e instruir a su pueblo... Tercero, el pastor debe ser un maestro de la Palabra por precepto y ejemplo" (Joe H. Cothen, *Equipados para el Buen Trabajo*, Gretna, LA: Pelican Publishing, 1996, pp. 13-15).

4. "Además de cualquier otra cosa, el don de pastorear es un catalizador que libera los dones potenciales del rebaño" (Kenneth O. Gangel, *Descubre tus Dones Espirituales, Wheaton, IL: Victor Books*, 1983, p. 72).

5. "Los apóstoles predicaron el evangelio antes de plantar iglesias, y enseñaron a los convertidos, ellos eran en efecto evangelistas (como también pastores y

Una vista teológica de los dones de equipamiento descritos en Efesios 4.11 (continuación)

maestros) a pesar que no fueron llamados específicamente a eso" (F. F. Bruce, "Epístolas a los Colosenses, Filemón y Efesios", *El Nuevo Comentario Internacional sobre el Nuevo Testamento*, Vol. 10., Grand Rapids: Eerdmans, 1984, p. 347).

C. Resumen

Los pastores organizan, nutren, entrenan y protegen a las comunidades cristianas y a sus miembros. La meta final del pastor es presentar a cada uno "completo en Cristo" para que la comunidad de creyentes actúe y hable en el mundo tal y como Cristo lo haría. La tarea central del pastor no es "hacer la obra ministerial" sino "equipar a los miembros a cumplirla", entrenándolos en la Palabra de Dios, reconociendo sus dones espirituales y ayudándoles a poner estos dones en acción en el ministerio y la misión. Los misioneros con dones pastorales tienen una responsabilidad especial de entrenar líderes nativos para llevar a cabo el trabajo encargado.

III. Maestros

A. Consideraciones lingüísticas

didaskalos

"Un instructor" (*Diccionario Griego de Strong de las Palabras del Nuevo Testamento*).

"Hechos 13.1 se refiere a *didáskaloi*, maestros con *prophetai*, profetas. De esto concluimos que en la iglesia cristiana, los *didáskaloi* (maestros) tienen una función especial (Hechos 13.1; 1 Co. 12.23, 29; Ef. 4.11; Santiago 3.1). Estos *didáskaloi* responden a los *grammateís* (pl.) judíos, escribas, y deberían verse como intérpretes de la salvación de Dios (Mt. 13.52; Lucas 2.46). A ellos les cayó el deber de dar instrucción progresiva sobre el propósito redentor de Dios, una función, de acuerdo a Ef. 4.11, que podía estar unida al *poimen*, pastor, en una misma persona. Sin embargo, los lingüistas han debatido la relación precisa entre maestros y pastores en ese texto. Hay un consenso creciente que los pastores son un sub-grupo dentro de un cuerpo mayor de maestros" (Spiros Zodhiates, *El Diccionario Completo de Estudio de la Palabra: Nuevo Testamento*, Chattanooga, TN: AMG Publishers, 1992).

Una vista teológica de los dones de equipamiento descritos en Efesios 4.11 (continuación)

B. Aportes teológicos pertinentes

1. "Las palabras *pastor y maestro* están agrupadas como si fueran un solo oficio, y en muchas maneras así es. Sin embargo, hay maestros que no han sido llamados a ser pastores. El maestro es aquel que instruye, especialmente en doctrina" (Joe H. Cothen, *Equipados para el Buen Trabajo*, Gretna, LA: Pelican Publishing, 1996, p. 301).

2. "El contenido de la enseñanza era amplio, incluía las enseñanzas de Jesús con sus implicaciones para la creencia y conducta cristiana. En Hechos 2.42 se le llama la enseñanza de 'los apóstoles', a lo cual la iglesia primitiva de Jerusalén se había hecho devota... Pablo asume, al escribir a Roma, que la 'forma de enseñanza' que los cristianos de esa ciudad habían recibido era suficientemente clara y comprensible para permitirles detectar y rechazar propaganda que fuera incompatible con ella (Ro. 6. 17; 16.17)" (F. F. Bruce, "Epístolas a los Colosenses, a Filemón, y a los Efesios", *El Nuevo Comentario Internacional sobre el Nuevo Testamento*, Vol. 10., Grand Rapids: Eerdmans, 1984, pp. 348-349).

3. "Recordemos que Jesús no sólo era *el* pastor o pastor de ovejas, sino que era *el* maestro (y además era *el* apóstol, *el* profeta, y *el* evangelista). . . . Su enseñanza era la palabra de Dios que daba vida. Temprano en su ministerio, en respuesta a la tentación de Satanás, Jesús declaró, "No sólo de pan el hombre vivirá, sino de toda palabra que sale de la boca de Dios" (Mt. 4.4). . . . Pero el propósito principal de toda enseñanza cristiana es el de alimentar al pueblo con la misma palabra de vida... Recuerda que Pedro fue comisionado por Jesús no sólo para pastorear Sus ovejas ---refiriéndose esencialmente a supervisar y cuidarlas --sino también a alimentar a sus corderos y alimentar a Sus ovejas. Esta alimentación pudo ocurrir sólo a través de "cada palabra que procedía de la boca de Dios" –y es la responsabilidad del maestro permitir que la gente entienda y reciba esta palabra" (J. Rodman Williams, *Teología Renovada: Teología Sistemática desde una Perspectiva Carismática*, Vol. 3: La Iglesia, el Reino y las Ultimas Cosas, Grand Rapids: Zondervan, 1996, pp. 180-81).

4. "En 1 Co. 12.28 *didaskalos* es mencionado como el tercer oficio carismático de un trío (junto con los apóstoles y profetas). Los hombres que poseían este oficio tenían la tarea de explicar la fe cristiana a otros y de proveer una exposición cristiana del AT... Santiago 3.1 advierte a no tomar esta posición en forma liviana (un oficio que el escritor parece mantener), y señala que las

Una vista teológica de los dones de equipamiento descritos en Efesios 4.11 (continuación)

fallas de los maestros van a incurrir en severas penalidades en el juicio" (K. Wegenast, *The New International Dictionary of New Testament Theology*, Vol. 3, Colin Brown, Gen. ed., Grand Rapids: Zondervan, 1986, p. 768).

C. Resumen

El fundamento del oficio de enseñar es la habilidad de explicar las Escrituras de tal manera que "el deposito de fe" sea pasado a las congregaciones y a las personas en ellas, y que a la vez contrarreste la falsa doctrina con la verdad de las Escrituras. Debido a que ellos cuidan la sana doctrina, es importante que quienes tienen el "oficio" de la enseñanza sean formalmente reconocidos y autorizados a hablar a nombre de la congregación. Los misioneros que tienen dones de enseñanza deben constantemente trabajar para asegurar la sana doctrina "a hombres fieles que puedan enseñarla a otros también" (2 Ti. 2.2 ESV).

IV. Profetas

A. Consideraciones lingüísticas

Prophetes

"Un relator del futuro" ("profetas"); por analogía, un orador inspirado, por extensión, un poeta (*Diccionario Griego de Strong de las Palabras del Nuevo Testamento*)

"'El que habla abiertamente,' 'un proclamador del mensaje divino'. . . En general, 'el profeta' era aquel sobre el cual el Espíritu de Dios descansaba . . . uno a quien y por quien Dios habla" (W. E. Vine, *Diccionario Expositor Completo de Vine de las palabras del Antiguo y Nuevo Testamento*, Nashville: Thomas Nelson, 1996, p. 493).

En la cultura griega antigua,[2] el término *profeta* podía describir un profeta de oráculos así como el que estaba en Delfos, y claramente se usaba para describir un puesto oficial (oficio). "El profeta del oráculo gozaba de tal estima social que podía ser invitado a cumplir funciones representativas como liderar delegaciones y servir como el que tomaba la palabra a nombre de ellos. El carácter oficial de su puesto era importante, tanto que nombraban el año con el nombre de su período de su oficio" (*Diccionario Teológico del Nuevo Testamento*, Vol.6, Gerhard Kittel, ed., Grand Rapids: Wm. B. Eerdmans, 1964, p. 792). Sin embargo, también puede usarse para describir a profetas más informales, como aquellos que desarrollaban

[2] Si bien es útil entender el contexto lingüístico y social del mundo griego relacionado con la palabra que Pablo usa aquí, es probable que haya una pequeña sobreposición relativa entre la profecía común para el mundo helenista, y el uso judeo-cristiano del término de Pablo. Christopher Forbes marca estas diferencias en su libro Profecía y Discurso Inspirado en la Cristiandad Temprana y el Ambiente Helenista (Peabody: Hendrickson, 1997). Forbes dice que las formas sociales que describen la profecía cristiana difieren dramáticamente de la profecía griega. "Los primeros grupos cristianos . . .no tenían jerarquías sacerdotales, ningún ritual profético conscientemente formalizado más allá de unas simples reglas de procedimiento . . . Ningún lugar profético, ni ningún procedimiento para asegurar que una profecía era requerida... la profecía en la cristiandad temprana tomó una forma muy diferente de la aceptada por el amplio mundo helenista" (p. 319). En oposición a la profecía divina de la cultura griega, "La profecía cristiana temprana se caracterizaba por su espontaneidad: uno no se acerca al profeta con un pedido. El profeta habla a la congregación, sin ningún pedido previo, en la confianza que su revelación es como la Palabra de Dios para el necesitado, ya sea que esta necesidad haya sido percibida o todavía no. (p. 289).

Una vista teológica de los dones de equipamiento descritos en Efesios 4.11 (continuación)

un misticismo profético, y poetas que se creaban bajo la influencia de su musa. La mayoría de las profecías en el mundo griego estaban en la forma de adivinación, en la cual una persona se acercaba al profeta con un pedido que el profeta contestaba. En el pensamiento griego, "el profeta ocupaba un rol de mediación. El era la boca de Dios y también era el que hablaba a Dios en nombre del hombre" (*Diccionario Teológico del Nuevo Testamento*, Vol.6, Gerhard Kittel, ed., Grand Rapids: Wm. B. Eerdmans, 1964, p. 794).

B. Aportes teológicos pertinentes

1. "Todos podemos estar de acuerdo en que parece no haber nueva revelación con respecto a Dios en Cristo. Pero parece no haber una buena razón para decir que el Dios viviente, que habla y actúa (en contraste a los ídolos muertos), no pueda usar el don de profecía para dar una guía local a la iglesia, nación o individuo, o de advertir o animar a través de predicciones así como de recordatorios, en completa concordancia con la palabra escrita de las Escrituras, por la cual todas las expresiones deben ser probadas. Ciertamente, el NT no lo ve que el trabajo del profeta consista en ser un innovador doctrinal, sino en entregar la palabra que el Espíritu le da en relación con la verdad que una vez y para siempre fue entregada a los santos (Judas 3), para desafiar y animar nuestra fe" (J. P. Baker, "Profecía", *El Nuevo Diccionario Bíblico*, 2nd Edition, J. D. Douglas and others, eds., Leicester, England-Downers Grove, IL: InterVarsity Press, 1982, p. 985).

2. "El profeta conoce algo de los misterios divinos. . . . Sin embargo, la profecía cristiana primitiva no consistía en revelar únicamente eventos futuros. . . . El profeta habla de asuntos contemporáneos. El no sólo dice lo que Dios intenta hacer; también proclama lo que Dios ha hecho a través de los hombres… El profeta amonesta al indolente y cansado, y consuela y anima a aquellos bajo asalto, 1 Co. 14.3; Hec. 15.32. A través de sus predicaciones trae a la luz los secretos de la maldad de los hombres, 1 Co. 14.25. Aunque hable con un sentido de autoridad dada por Dios, da instrucción autoritativa, aunque no está por encima de la crítica" (Gerhard Kittel, ed., *Diccionario Teológico del Nuevo Testamento*, Vol.6, Grand Rapids: Wm. B. Eerdmans, 1964, p. 848).

Una vista teológica de los dones de equipamiento descritos en Efesios 4.11 (continuación)

3. "En todo tiempo [*en la historia de la iglesia*] no hubo carencia de personas que tuvieran el espíritu de profecía, no en lo referente a la declaración de una nueva doctrina de fe, sino en relación a la dirección de los actos humanos" (Tomás de Aquino, *Resúmen Teológico*, Vol. IV., Westminster, MD: Christian Classics, © Benziger Brothers, 1948, p. 1906).

4. "Recibía [la profecía] una autoridad incuestionable sólo después de ser probada(1 Ts. 5.19-21). Aún cuando se la reconociera como una palabra divina, no se convertía necesariamente en una palabra canónica. La profecía tenía (y tiene) usos importantes para sus receptores inmediatos, pero se le daba un estatus canónico sólo cuando era reconocida también como una revelación normativa por la cual las futuras profecías debían ser probadas" (E. E. Ellis, "La Teología de la Profecía" *Nuevo Diccionario de Teología*, Sinclair Ferguson, David F. Wright, and J. I. Packer, eds., Downers Grove, IL/Leicester, England: InterVarsity Press, 1988, p. 538).

5. Wayne Gruden dice en su libro *El Don de Profecía en el Nuevo Testamento y el Día de Hoy*, (Wheaton, IL: Crossway Books, 2000) que los profetas del Antiguo Testamento y los apóstoles del Nuevo Testamento (refiriéndose a los Doce más Pablo) son equivalentemente funcionales en que son las únicas personas autorizadas a dar revelación inmediata de Dios que no puede ser quebrantada. Lo que es cierto de los profetas del Antiguo Testamento y de los apóstoles del Nuevo Testamento es que ambos hablan con una autoridad que sobrepasa a los profetas del Nuevo Testamento. En otras palabras, un profeta del Nuevo Testamento no habla de parte de Dios de la misma manera que un profeta del Antiguo Testamento o un apóstol del Nuevo Testamento (estrechamente definido). Este punto de vista es compartido por D.A. Carson, quien escribe que,

   > "se puede disertar de manera convincente que el verdadero análogo del profeta del AT en el Nuevo no es el profeta del NT, sino el apóstol (en el sentido estrecho). Sería prácticamente imposible que se concibiera aplicar 1 Co. 14.29 a los profetas del AT (una vez que sus credenciales fueron aceptadas) o a los apóstoles del NT". (Ver "Iglesia, Autoridad en" *El Diccionario Evangélico de Teología*, Walter A. Elwell, ed, Grand Rapids: Baker Book House, 1984, pp. 228-229.)

Una vista teológica de los dones de equipamiento descritos en Efesios 4.11 (continuación)

Graham Houston matiza esta visión aún más, argumentando que incluso en el Antiguo Testamento había una distinción entre los tipos de profecía. Estaba la palabra autoritaria del Señor que tenía un carácter único obligatorio (como los apóstoles del NT) pero estaban también muchos casos "*donde un tipo de profecía parece haber sido considerado en forma diferente, no tanto como una revelación de los secretos de Dios sino como un signo poderoso de su presencia con su pueblo en tiempos cruciales y en el desarrollo de los propósitos de Dios*" (*Prophecy: A Gift for Today?* Downers Grove, IL: InterVarsity Press, 1989, p. 35). Entre las instancias de este tipo secundario de profecía se podría hablar de la repentina proclamación profética del rey Saúl, la cual cambiaría su deseo de atrapar a David, y la profecía de los setenta ancianos en Números 11, que no contiene un mensaje específico, pero que fue una señal de confirmación de la presencia de Dios con ellos. De la misma forma, el deseo de Moisés que todo el pueblo de Dios se convierta en profetas (Nm. 11.29) parece sugerir que la necesidad de este segundo orden de profecía enfocado en la presencia de Dios corresponde a la visión profética de Joel referente a un tiempo en el cual el Espíritu se va a derramar de tal manera que todo el pueblo de Dios, tanto jóvenes como ancianos, hombres y mujeres, recibirán palabra profética y visiones (Joel 2.28).

C. Resumen

La profecía es la proclamación abierta de un mensaje revelado por Dios que prepara a la Iglesia para la obediencia a Él y a las Escrituras. En las prácticas del Nuevo Testamento el mensaje profético es recibido espontáneamente y declarado inmediatamente (ej. no es algo preparado con anticipación). La profecía del Nuevo Testamento está asociada con una variedad de funciones incluyendo la guía, consuelo, exhortación y predicción. No es por sí misma una proclamación del evangelio sino un medio por el cual los principios de las Escrituras pueden ser entendidos más claramente en relación a una situación en particular. Su propósito es siempre fortalecer a la Iglesia.

Todos las tradiciones cristianas tienen algún medio por el cual la gente puede afirmar, "Yo creo que Dios esta diciéndonos que. " Cuando se discierne que la voz de Dios nos está hablando, una palabra profética esta siendo dada. La profecía alienta, guía y motiva a la obediencia a Dios a gente en particular en una situación en particular. Siempre es evaluada de acuerdo a la Palabra escrita de Dios (y en algunas tradiciones la predicación y la profecía son tomadas como

Una vista teológica de los dones de equipamiento descritos en Efesios 4.11 (continuación)

sinónimos). Este liderazgo profético y su desarrollo puede emplear un número de diversas formas en relación a cómo la voz del Espíritu Santo (que nos guía en toda verdad) es discernida, evaluada y obedecida. Los bautistas, pentecostales, menonitas y presbiterianos tienen muy diferentes tradiciones del lenguaje y los medios que son empleados en el proceso, pero todos ellos toman seriamente que la Iglesia debe escuchar específicamente lo que Dios esta diciéndole en el tiempo presente.

V. Apóstoles

A. Consideraciones lingüísticas

Apostolos

Un *delegado*; especialmente, un *embajador* del evangelio, oficialmente un comisionado de Cristo (*Diccionario de las Palabras del Nuevo Testamento de Strong*).

"*Un delegado, mensajero, uno que es enviado adelante con órdenes.* . . . específicamente aplicado a los doce discípulos que Cristo escogió de la multitud de sus adherentes, para ser sus constantes compañeros y los heraldos frente a los hombres del reino de Dios. . . . En un amplio sentido, el nombre es transferido a otros maestros cristianos eminentes; como Bernabé, Hechos 14.14, y quizás también Timoteo y Silvano", (1 Ti. 2.7, comp. también Ro. 16.7). (Joseph Henry Thayer, *lección Griega-Inglesa del Nuevo Testamento, Grand Rapids: Baker*, 1977, p. 68).

Las autoridades lingüísticas generalmente están de acuerdo en que hay relativamente poco en común entre la manera que el griego clásico o el judío intertestamental usa el término *apóstol* y la importancia que llegó a tener en el ministerio de Jesús o en la Iglesia post-pentecostal.[3]

B. Citas teológicas pertinentes

1. [Pablo] llama en un sentido general, a los de este lugar [Ro. 16.7][4] apóstoles, quienes plantaron iglesias llevando por aquí y por allá la doctrina de la salvación". (Juan Calvino, "Romanos", *Comentarios de Calvino*, Vol. XIX, Grand Rapids: Baker Book House, 1981, p. 546).

[3] Ver, por ejemplo, el articulo de "Apóstoles" en el Diccionario Teológico del Nuevo Testamento vol. 1, Gerhard Kittel, ed. Grand Rapids: Wm. B. Eerdmans, 1964, pp. 398-420.

[4] Romanos 16.7 se refiere a Andrónico y a Junio, que no eran parte de los doce, pero eran mencionados como apóstoles por Pablo.

Una vista teológica de los dones de equipamiento descritos en Efesios 4.11 (continuación)

2. "Los títulos 'apóstol' y 'profeta' aparecen en el NT con significados amplios y estrechos. Algunas veces el término 'apóstol' está lleno de connotaciones de especial elección y autoridad, en estos casos es restringido a los doce discípulos de Jesús y Pablo. En otras ocasiones es usado en un sentido más amplio: cada testigo de la resurrección de Cristo y cada delegado de la iglesia para un trabajo en la misión puede tener el mismo título (Mt. 10.1-5; Gal. 1.1,17, 19; 1 Co. 9.1-2; 2 Co. 8.23)" (Karl Barth, *Ephesians* 4-6, Garden City, N.Y.: Doubleday & Co., 1974, p. 314 quoted in Harley H. Schmitt, *Muchos Dones, Un Señor*, Fairfax, VA: Xulon Press, 2002).

3. "[El Apóstol] es un término completo para los 'portadores del mensaje del NT'. El nombre es primeramente otorgado al círculo de los doce los apóstoles originales. . . . El nombre es también aplicado a los primeros misioneros cristianos o a sus más prominentes represententes, incluyendo aquellos que no pertenecían aún a los grupos más amplios de discípulos" (Gerhard Kittel, ed., *Diccionario Teológico del Nuevo Testamento*, Vol. 1, Grand Rapids: Wm. B. Eerdmans, 1964, p. 422).

4. "El término *apóstoles* designa tres grupos de personas diferentes. Inicialmente, sólo los discípulos originales (que significan "estudiantes, aprendices") de Jesús fueron llamados apóstoles (que significa "aquellos enviados con una misión"). Más adelante, ese nombre fue dado a los misioneros involucrados en plantar iglesias, los cuales eran también testigos oculares de la resurrección de Cristo, así como Pablo mismo (1 Co. 9.1-1) y un grupo de seguidores de Jesús aparte de los Doce (1 Co. 15.5,7). Finalmente, la designación fue extendida a la gente que nunca había visto a Cristo pero que estaban involucrados con los apóstoles en los esfuerzos pioneros misioneros —Apolos (1 Co. 4.6,9); Epafrodita (Fil. 2.25); Silvano y Timoteo (1 Ts. 1.1, comp. 2.6). La definición de "apóstol" como uno de los dones más destacados que se pueda desear provee evidencia al respecto de la continuidad de este ministerio para aquellos individuos que están calificados. (1 Co. 12.28, comp. 31). Los cristianos de Corinto podían aspirar a convertirse en apóstoles, profetas o maestros. El término *apóstol* todavía era usado en este amplio sentido en los escritos post-apostólicos de la Didaché" (Gilbert Bilezikian, *Más Allá de los Roles Sexuales: Lo Que la Biblia dice sobre el Lugar de la Mujer en la Iglesia y la Familia*, Grand Rapids, MI: Baker Book House, 1986).

Una vista teológica de los dones de equipamiento descritos en Efesios 4.11 (continuación)

5. "La mayoría de los evangélicos se siente muy incomodos usando el término *apóstol* para describir un oficio o líder en la iglesia de hoy. ¿Será posible, sin embargo, que concibamos una separación del don y el oficio después del primer siglo? Antes de asignar este don a la historia de la iglesia primitiva, ¿no podremos reconocer el amplio sentido de la forma del verbo *apostello*? ¿No podría ser que en el tiempo entre el 1er y 20avo siglo el Espíritu Santo haya dado este don al pueblo de Dios en lo que denominamos *servicio misionero*?. . . Muchos han escogido la opción de confinar muchos de los dones espirituales al primer siglo, por temor a que alguna explicación sea requerida para su presencia en la iglesia de hoy. Yo preferiría permitir al Espíritu Santo la más amplia latitud para producir en el cuerpo de Cristo cualquier don en cualquier era, como Él lo designe. Parece seguro decir que el *oficio* de los apóstoles estaba restringido al establecimiento de la iglesia del Nuevo Testamento. Pero . . . podemos ver la evidencia del "apostolado" no sólo como un don, sino como un don que ha operado en la iglesia a través de todos los años de su historia" (Kenneth O. Gangel, *Descubre Tus Dones Espirituales*, Wheaton, IL: Victor Books, 1983, pp. 26-27).

6. "Puede haber una distinción entre el ministerio fundamental del apóstol, que es, el apostolado, y el ministerio constante de otros que son llamados apóstoles. En este amplio sentido un apóstol es uno *enviado*, *comisionado*, y por lo tanto no está fijo a un lugar en particular o a una iglesia. No tiene la autoridad de un apóstol fundamental ni tampoco sus palabras son igualmente inspiradas. Tal apóstol opera de una manera trans local, pero no opera independientemente. Tiene su base en la iglesia, representando a una iglesia en particular, pero ministrando en un campo amplio. *Tales apóstoles son siempre esenciales para la vida de la iglesia que cumple su llamado para alcanzar ampliamente la misión del evangelio*" (J. Rodman Williams, *Teología Renovada: Teología Sistemática desde una Perspectiva Carismática, Vol. 3: La Iglesia, el Reino y las Últimas Cosas*, Grand Rapids: Zondervan, 1996, pp. 169-70).

7. "La palabra se aplica ocasionalmente en un sentido menos restrictivo en el NT a hombres que tienen un don, una gracia, una labor o un éxito apostólico. Es tan notable en Bernabé, que se le envió con Pablo (Hechos 13.3; 14.4, 14). Uno encuentra semejanzas como en el caso de Judson, el 'apóstol de Birmania'" ("Apóstol", *Diccionario de la Biblia Westminster*, John D. Davis, *ed. Philadelphia: The Westminster Press*, 1944, p. 36).

Una vista teológica de los dones de equipamiento descritos en Efesios 4.11 (continuación)

8. "Una de las principales funciones --ciertamente, la función principal-- de un apóstol (en el uso cristiano de la palabra) era la predicación del evangelio. Los apóstoles, como una orden del ministerio en la iglesia, no estaban perpetuados más allá de la era apostólica, pero las diversas funciones que realizaban no acabaron con su partida, sino que siguieron siendo realizadas por otros-- por los evangelistas, los pastores y los maestros nombrados aquí (en Efesios 4.11) . . . Los apóstoles predicaron el evangelio antes que plantaran iglesias y daban a sus convertidos la enseñanza, ellos eran de hecho evangelistas (así como pastores y maestros) a pesar que no eran específicamente llamados así". (F. F. Bruce, "Epístolas a los Colosenses, a Filemón, y a los Efesios", *El Nuevo Comentario Internacional sobre el Nuevo Testamento*, Vol. 10., Grand Rapids: Eerdmans, 1984, pp. 346-347).

9. "La palabra *apóstol* significa *enviado*, y es usada para otras personas además de los originales Doce. Hoy en día, es el misionero para áreas nuevas" (Avery Willis, Jr. *Bases Bíblicas de la Misión*, Baptist Doctrine Series, Nashville: Convention Press, 1979, p. 108).

10. "A la luz de [Efesios] 2.20 y 3.5 y el hecho de que Pablo mismo realizó las funciones de apóstol y profeta, las primeras tres designaciones [apóstoles, profetas y evangelistas] se refieren primariamente en el caso de los profetas y evangelistas, no exclusivamente a los ministerios itinerantes entre las primeras iglesias. Los trabajadores itinerantes fundaron iglesias evangelizando y construyéndolas a través de expresiones proféticas. Hay poco cuestionamiento de que éste es el entendimiento del término 'apóstol' en las cartas de Pablo" (Gordon D. Fee, *La Presencia Autoritaria de Dios*, Peabody, MA: Hendrickson, 1994, p. 707).

C. Resumen

La idea que el sentido amplio del apostolado (usado en las cartas paulinas) y el término misionero moderno son funcionalmente equivalentes encuentra un amplio apoyo en la enseñanza bíblica y teológica actual, y este entendimiento comúnmente (aunque no universalmente) está en los sectores reformados y arminianos de la teología evangélica.[5] Este amplio sentido del don apostólico está fuertemente asociado con aquellos llamados al ministerio *itinerantes* de la misión de plantar iglesias.

[5] De la misma manera, el catoli- cismo romano que promueve un oficio activo del apóstol en una forma que los Protestantes no lo hacen (ej. los obispos de la iglesia son los sucesores de los apóstoles, estrechamente definen y ejercitan sus oficios autoritativamente a través de una sucesión de línea directa apostólica) sin embargo, también mantienen una diferencia entre el sentido amplio y estrecho del termino "apóstol". Por eso, la Iglesia Católica puede enseñar la existencia de una clase más amplia de ministerio apostólico, en el sentido de un alcance misionero y ministerial, diciendo "De cierto, llamamos un apostolado a 'cada actividad del Cuerpo Místico' cuyo objetivo es el 'esparcir el Reino de Cristo sobre toda la tierra'" (Catecismo de la Iglesia Católica, Liguori, MO: Liguori Publications, 1994, p. 229).

Una vista teológica de los dones de equipamiento descritos en Efesios 4.11 (continuación)

Toda autoridad cristiana legitima está basada en su habilidad de edificar (2 Cor10.8) Bendecir y no controlar es la base de la autoridad. Aun el lenguaje directo sobre la "sumisión a los líderes" de Hebreos 13.17 exhorta que los seguidores cristianos se sometan a los líderes para que los seguidores ganen "ventaja", ya que los líderes son un regalo de Dios para proveer edificación y protección. Cualquier líder cristiano que reclama una autoridad separada de la obediencia a Cristo, de la sumisión a las Escrituras, del crecimiento de la iglesia de Cristo, o de la edificación de sus miembros, no está ejerciendo una autoridad bíblica. Pablo explica esta idea en la siguiente porción del texto cuando escribe que "el entrenamiento de los santos para el ministerio" esta dirigido para que "construya (edificar) el Cuerpo de Cristo" (Ef. 4.13).

A pesar de esto, sin embargo, probablemente sea mejor restringir la idea de un "oficio apostólico" al más estrecho sentido de los Doce (sustituyendo a Matías por Judas) y sumando a Pablo. De ahí, el término misionero es mejor que apóstol para el plantador de iglesias modernas y trans-culturales, porque retiene el sentido lingüístico de aquel que es enviado en misión sin detracción de la autoridad especial retenida por los apóstoles originales que fueron directamente comisionados por el Señor resucitado. Sin embargo, debe reconocerse que la naturaleza de la tarea misionera es de ser "pequeños apóstoles", siendo testigos de Cristo y ejerciendo autoridad sobre la formación de sus congregaciones dentro de los límites de la Escritura. Los apóstoles originales podían hablar autoritativamente a toda la iglesia, los misioneros pueden hablar autoritativamente a las iglesia que han plantado dentro de las normas de la Escritura. Finalmente para los apóstoles y misioneros, el asunto de la autoridad no consiste en controlar, sino en desarrollar congregaciones y líderes que puedan por sí mismos escuchar y obedecer a Cristo.

El don misionero (apostólico), definido en esta forma, indica que:

- una persona siente un llamado urgente hacia los inconversos,
- presionarán constantemente a los nuevos grupos no alcanzados,
- agresivamente se adaptarán a las nuevas culturas para poder ganar el mayor número posible de personas,
- y, levantaran líderes para las nuevas iglesias que establezcan, para que funcionalmente sirvan como "pastores de pastores".

Una sociología del desarrollo del liderazgo urbano

Una herramienta para medir y capacitar

Rev. Dr. Don L. Davis

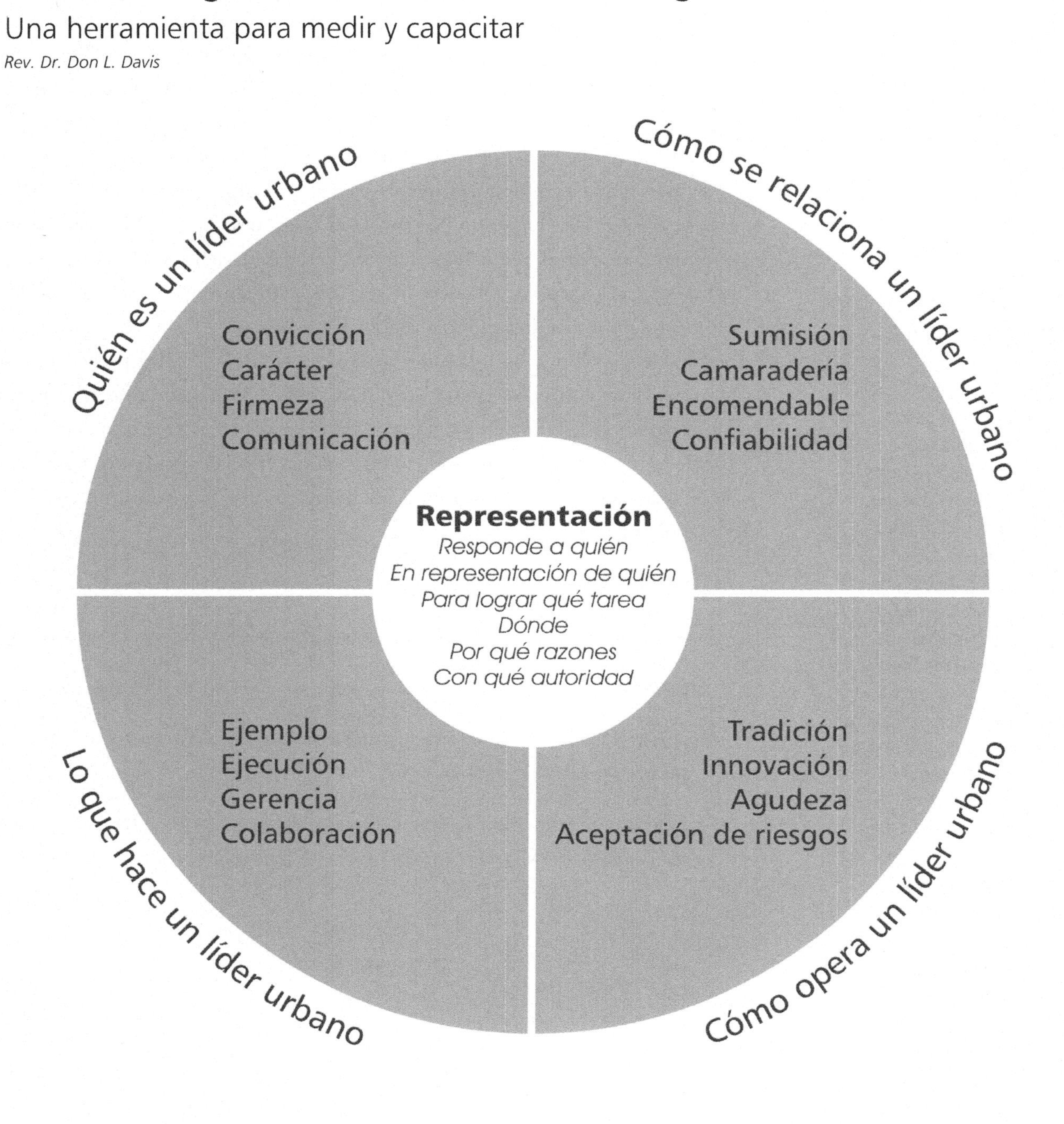

Una teología de la Iglesia

Don L. Davis and Terry Cornett ©1996 World Impact Press

La Iglesia es una comunidad apostólica donde la Palabra se predica correctamente

I. Una comunidad con llamamiento

A. El significado esencial de Iglesia es *Ekklesía*: los que han sido "*llamados fuera*" a fin de ser "*llamados a*" una Nueva Comunidad.

1. Al igual que los de Tesalónica, la Iglesia es llamada a salir de la idolatría para servir al Dios vivo y *llamados a* esperar al Hijo de los cielos.

2. La Iglesia es *llamada fuera* a fin de poder pertenecer a Cristo (Ro. 1.6). Jesús habla de la Iglesia como "mi *ekklesía*" es decir, los "llamados fuera" quienes son su singular posesión (Mt. 16.18; Gál. 5.24; Stg. 2.7).

3. Los componentes del llamado de Dios:

   a. El fundamento es el deseo de Dios de salvar (Jn. 3.16, 1 Ti. 2.4).

   b. El mensaje son las buenas nuevas del Reino (Mt. 24.14).

   c. Los que lo reciben son "todo aquel que quiera" (Jn. 3.15).

   d. El método es por medio de la fe en la sangre derramada de Cristo y el reconocimiento de su señorío (Ro. 3.25; 10.9-10; Ef. 2.8).

   e. El resultado es regeneración y posición en el cuerpo de Cristo (2 Co. 5.17; Ro. 12.4-5; Ef. 3.6; 5.30).

B. La Iglesia es *llamada fuera*.

1. Llamada a salir del mundo:

   a. El mundo está bajo el dominio de Satanás y en oposición a Dios.

Una teología de la Iglesia (continuación)

b. La conversión e incorporación en la Iglesia de Cristo involucra arrepentimiento (*metanoia*) y lealtad al Reino.

c. Los miembros de la Iglesia existen como extranjeros y forasteros quienes están "en" pero no son "de" este sistema mundial.

2. Llamados fuera del pecado:

a. Los miembros de la Iglesia están siendo santificados, puestos aparte para acciones santas y para que expresen su llamamiento como santos de Dios (1 Co. 1.2; 2 Ti. 1.9, 1 Pe. 1.15).

b. La Iglesia debe estar disponible para los propósitos y usos de Dios (Ro. 8.28-29; Ef. 1.11; Ro. 6.13).

c. La Iglesia solamente debe darle gloria a Dios (Is. 42.8; Jn. 13.31-32; 17.1; Ro. 15.6; 1 Pe. 2.12).

d. En la actualidad la Iglesia debe caracterizarse por la obediencia a Dios (2 Ts. 1.8; Heb. 5.8-9; 1 Jn. 2.3).

C. La Iglesia está *llamada a*:

1. Salvación y vida nueva

a. Perdón y limpieza del pecado (Ef. 1.7; 5.26; 1 Jn. 1.9).

b. Justificación (Ro. 3.24; 8.30; Tito 3.7) por medio de la cual Dios nos declara sin culpa en referencia a la pena de la ley divina.

c. Regeneración (Jn. 3.5-8; Col. 3.9-10) por la cual un "nuevo yo" nace en nosotros por medio del Espíritu.

d. Santificación (Jn. 17.19; 1 Co. 1.2) en la cual somos "puestos aparte" por Dios para santidad.

e. Glorificación y Vida Eterna (Ro. 8.30, 1 Ti. 6.12; 2 Ts. 2.14) en la cual somos cambiados para ser como Cristo y preparados para vivir para siempre en la presencia de Dios (Ro. 8.23; 1 Co. 15.51-53; 1 Jn 3.2).

Una teología de la Iglesia (continuación)

2. Participación en la nueva comunidad del pueblo escogido de Dios (1 Pe. 2.9-10).

   a. Miembros del cuerpo de Cristo (1 Co. 10.16-17; 12.27).

   b. Ovejas del rebaño de Dios bajo un Pastor (Jn. 10; Heb. 13.20; 1 Pe. 5.2-4).

   c. Miembros de la familia y casa de Dios (Gál. 6.10; 1 Ti. 3.15).

   d. Hijos de Abraham y herederos de la promesa del pacto (Ro. 4.16; Gál. 3.29; Ef. 2.12).

   e. Ciudadanos de la Nueva Jerusalén (Fil. 3.20; Ap. 3.12).

   f. Las primicias del Reino de Dios (Lc. 12.32; Stg. 1.18).

3. Libertad (Gál. 5.1, 13)

   a. Llamados fuera del dominio de las tinieblas, las cuales estorban la libertad (Col. 1.13-14).

   b. Llamados a alejarnos del pecado, el cual esclaviza (Jn. 8.34-36).

   c. Llamados a Dios el Padre, quien es el Libertador de su pueblo (Ex. 6.6).

   d. Llamados a Dios el Hijo, quien da la verdad que hace libres (Jn. 8.31-36).

   e. Llamados a Dios el Espíritu, cuya presencia da libertad (2 Co. 3.17).

II. Una comunidad de fe

A. La Iglesia es una comunidad de fe, la cual ha confesado a Jesús como Señor y Salvador a través de ésta.

La fe se refiere tanto al *contenido de nuestra creencia como al acto de creer* en sí. Jesús es el objeto (contenido) de nuestra fe y su vida se recibe por medio de la fe (nuestra creencia) en Él y en su palabra. En estos dos sentidos la Iglesia es una comunidad de fe.

1. La Iglesia pone su fe en:

Una teología de la Iglesia (continuación)

a. La Palabra Viviente (Jesús el Mesías),

b. Quien está revelado en la Palabra escrita (las Sagradas Escrituras),

c. Y que ahora está presente, enseñando y aplicando su Palabra a la Iglesia (por medio del ministerio del Espíritu Santo).

2. La Iglesia guarda el depósito de la fe, dado por Cristo y los apóstoles a través de la sana enseñanza y la ayuda del Espíritu Santo quien mora en sus miembros (2 Ti. 1.13-14).

B. Debido a que es una comunidad de fe, la Iglesia también lo es de gracia.

1. La Iglesia existe por gracia por medio de la fe, más bien que por méritos u obras del hombre (Gál. 2.21; Ef. 2.8).

2. Por la fe, la Iglesia anuncia la gracia de Dios a toda la humanidad (Tito 2.11-15).

3. La Iglesia vive por fe en todas sus acciones y relaciones (Ef. 4.1-7).

C. La Iglesia es una comunidad donde las Escrituras son predicadas, estudiadas, meditadas, memorizadas y obedecidas (Ez. 7.10; Jos. 1.8; Sal. 119; Col. 3.16; 1 Ti. 4.13; Stg. 1.22-25).

1. La Iglesia predica el evangelio del Reino, según está revelado en las Escrituras, y llama a la gente al arrepentimiento y fe, lo cual conduce a la obediencia (Mt. 4.17; 28.19-20; Hch. 2.38-40).

2. La Iglesia estudia y aplica las Escrituras por medio de la enseñanza, redarguyendo, por corrección e instrucción en justicia, de modo que todos los miembros de la comunidad están equipados para vivir vidas piadosas caracterizadas por buenas obras (2 Ti. 3.16-17; 4.2).

3. Intencionalmente, la Iglesia reflexiona en las Escrituras a la luz de la razón, tradición y experiencia, aprendiendo y haciendo teología como una manera para mayor entendimiento y actuar sobre la verdad (Sal. 119.97-99; 1 Ti. 4.16; 2 Ti. 2.15).

Una teología de la Iglesia (continuación)

4. La Iglesia funciona como una comunidad que escucha y es consciente de la presencia del Espíritu confiando en Él para interpretar y aplicar las Escrituras a cada momento de su vida (Jn. 14.25-26).

D. La Iglesia contiende por la fe que de una vez para siempre le fue confiada a los santos (Judas 3).

III. Una comunidad de testigos

A. La Iglesia testifica del hecho que el Reino de Dios ha comenzado en la encarnación, vida, enseñanzas, muerte y resurrección de Jesús el Cristo (Mc. 1.15; Lc. 4.43; 6.20; 11.20; Hch. 1.3; 28.23; 1 Co. 4.20; Col. 1.12-13).

1. La Iglesia proclama a Jesús como el *Cristus Victor* cuyo reino logrará:

    a. Anular la maldición sobre la creación y la humanidad (Ap. 22.3).

    b. Derrotar a Satanás y sus poderes, y destruir sus obras (1 Jn. 3.8).

    c. Invertir el orden presente al defender y premiar al manso, humilde, despreciado, desposeído, justo, hambriento y rechazado (Lc. 1.46-55, 4.18-19; 6.20-22).

    d. Propiciar la justa ira de Dios (Gál. 3.10-14; 1 Jn. 2.1-2).

    e. Crear una nueva humanidad (1 Co. 15.45-49; Ef. 2.15; Ap. 5.9-10).

    f. Destruir al último enemigo - la muerte (1 Co. 15.26).

2. En última instancia, el Reino mismo le será entregado a Dios el Padre, y la libertad, bienestar y justicia del Señor abundarán en el universo (Is. 10.2-7; 11.1-9; 53.5; Miq. 4.1-3; 6.8; Mt. 6.33; 23.23; Lc. 4.18-19; Jn. 8.34-36; 1 Co. 15.28; Ap. 21).

Una teología de la Iglesia (continuación)

B. La Iglesia da testimonio al:

1. Funcionar como señal y anticipo del Reino de Dios; la Iglesia es una comunidad visible donde las personas ven que:

   a. Jesús es reconocido como Señor (Ro. 10.9-10).

   b. La verdad y el poder del evangelio van creciendo y produciendo fruto a todo pueblo, tribu y nación (Hch. 2.47; Ro. 1.16; Col. 1.6; Ap. 7.9-10).

   c. Los valores del Reino de Dios son aceptados y puestos en práctica (Mt. 6.33).

   d. Los mandamientos de Dios son obedecidos en la tierra como en el cielo (Mt. 6.10; Jn. 14.23-24).

   e. La presencia de Dios es experimentada (Mt. 18.20; Jn. 14.16-21).

   f. El poder de Dios es demostrado (1 Co. 4.20).

   g. El amor de Dios se recibe y se da con gracia (Ef. 5.1-2; 1 Jn. 3.18; 4.7-8).

   h. La compasión de Dios se expresa al llevar las cargas unos de otros, primero dentro de la Iglesia, y luego en servicio y sacrificio a todo el mundo (Mt. 5.44-45; Gál. 6.2, 10; Heb. 13.16).

   i. La redención de Dios trasciende la fragilidad humana y el pecado, de tal manera que el tesoro del Reino es evidente a pesar de estar contenido en vasos terrenales (2 Co. 4.7).

2. Haciendo señales y maravillas, las que confirman el evangelio (Mc. 16.20; Hch. 4.30; 8.6,13; 14.3; 15.12; Ro. 15.18-19; Heb. 2.4)

3. Aceptando el llamado a la misión

   a. Yendo a todo el mundo a predicar el evangelio (Mt. 24.14; 28.18-20; Hch. 1.8, Col. 1.6).

   b. Evangelizando y haciendo discípulos para Cristo y su Reino (Mt. 28.18-20; 2 Ti. 2.2).

Una teología de la Iglesia (continuación)

c. Estableciendo iglesias entre los no alcanzados con el evangelio (Mt. 16.18; 28.19; Hch. 2.41-42; 16.5; 2 Co. 11.28; Heb. 12.22-23).

d. Mostrando las excelencias del Reino de Cristo al lograr libertad, bienestar y justicia en su nombre (Is. 53.5; Miq. 6.8; Mt. 5.16; 12.18-20; Lc. 4.18-19; Jn. 8.34-36; 1 Pe. 3.11).

4. Actuando como una comunidad profética

a. Hablando la Palabra de Dios en situaciones erróneas, confusas y pecaminosas (2 Co. 4.2; Heb. 4.12; Stg. 5.20; Tito 2.15).

b. Defendiendo a quienes no se pueden defender por sí mismos, para que haya justicia (Pr. 31.8-9).

c. Anunciando juicio contra el pecado en todas sus formas (Ro. 2.5; Gál. 6.7-8; 1 Pe. 4.17).

d. Anunciando esperanza en situaciones donde el pecado ha producido inquietud (Jer. 32.17; 2 Ts. 2.16; Heb. 10.22-23; 1 Pe. 1.3-5).

e. Proclamando el regreso de Jesús, la urgencia de la hora y la realidad que proclama que pronto toda rodilla se doblará y toda lengua confesará que Jesús es el Señor para la gloria de Dios Padre (Mt. 25.1-13; Fil. 2.10-11; 2 Ti. 4.1, Tito 2.12-13).

La Iglesia es una comunidad donde los sacramentos son administrados correctamente

IV. Una comunidad de adoración

A. La Iglesia reconoce que la adoración es el propósito principal de toda la creación.

1. El que adora, exalta y alaba, le da gracias a Dios por su carácter y acciones, adscribiéndole a Él lo digno y la gloria debida a Su Persona. Esta adoración está dirigida:

a. Al Padre Todopoderoso, quien es el Hacedor de toda cosa visible e invisible.

Una teología de la Iglesia (continuación)

b. Al Hijo, quien por su encarnación, muerte y resurrección logró la salvación y quien ahora está glorificado a la diestra del Padre.

c. Al Espíritu, quien es el Señor y Dador de la Vida.

2. La adoración es el principal propósito en el cielo y en la tierra, y toda vida dentro de ellos (Sal. 148-150; Lc. 19.37-40; Ro. 11.36; Ap. 4.11; 15.3-4).

3. La adoración es la actividad central de las huestes angelicales que honran a Dios en su presencia (Is. 6; Ap. 5).

4. La adoración es la principal vocación de la "comunidad de santos", es decir todo verdadero cristiano, vivo o muerto, que procura glorificar a Dios en todas las cosas (Sal. 29.2; Ro. 12.1-2; 1 Co. 10.31; Col. 3.17).

B. La Iglesia ofrece a Dios adoración aceptable. Esto significa que:

1. Los que adoran han renunciado a todo dios falso o sistema de creencias que pretendan su lealtad, y han hecho un pacto de servir y adorar al único Dios verdadero (Ex. 34.14; 1 Ts. 1.9-10).

2. Los adoradores adoran:

a. En Espíritu, como personas regeneradas que por la fe salvadora en Cristo Jesús son llenos con el Espíritu Santo y están bajo su dirección.

b. En Verdad, entendiendo a Dios tal como Él es revelado en las Escrituras y adorándolo de acuerdo con la enseñanza de la Palabra.

c. En Santidad, viviendo vidas que demuestran su entrega genuina para servir al Dios viviente.

C. La Iglesia adora como un real sacerdocio, ofreciendo de todo corazón sacrificios de alabanza a Dios y empleando todos sus recursos creativos para adorarlo con excelencia.

1. La Iglesia cristiana es un pueblo en adoración, no un lugar de adoración.

Una teología de la Iglesia (continuación)

2. La totalidad de la congregación ministra al Señor; contribuyendo cada uno con un canto, una palabra, un testimonio, una oración, etc., de acuerdo a sus dones y capacidades (1 Co. 14.26).

3. La Iglesia adora con todas las emociones humanas, todo intelecto y creatividad:

    a. Expresiones físicas, levantando las manos, danzando, arrodillándose, postrándose, etc.

    b. Actitudes intelectuales, esforzándose por entender la naturaleza y obras de Dios.

    c. Expresiones artísticas, a través de la música y otras artes creadoras.

    d. Expresiones de celebración, la Iglesia se goza en la presencia de Dios (Pr. 8.30-31) experimentando el "descanso sabático" por medio de festivales, celebraciones y alabanzas.

4. La Iglesia adora litúrgicamente con el propósito de representar juntos la historia de Dios y de su pueblo.

    a. La Iglesia proclama e incorpora el drama de la acción redentora de Dios, en su ritual, en la tradición y orden de adoración.

    b. La Iglesia, al igual que Israel, el pueblo del pacto, ordena su vida alrededor de la celebración de la Cena del Señor y el Bautismo, los cuales representan la historia de la salvación de Dios (Dt. 16.3; Mt. 28.19; Ro. 6.4; 1 Co. 11.23-26).

    c. La Iglesia recuerda la adoración y el servicio de los santos a través de las edades, aprendiendo de sus experiencias por medio del Espíritu de Dios (Dt. 32.7; Sal. 77.10-12; 143.5; Is. 46.9; Heb. 11).

5. La Iglesia adora con libertad:

    a. Experimentando constantemente nuevas formas y expresiones de adoración que honran a Dios y permiten que Su pueblo se deleite en Él (Sal. 33.3; 40.3; 96.1; 149.1; Is. 42.9-10; Lc. 5.38; Ap. 5.9).

    b. Siendo dirigidos por el Espíritu, de modo que su adoración es una reacción a Dios mismo (2 Co. 3.6; Gál. 5.25; Flp. 3.3).

Una teología de la Iglesia (continuación)

c. Expresando la inmutable naturaleza de Dios en forma que se adapte a las distintas culturas y personalidades de quienes adoran (Hch. 15).

6. La Iglesia adora en el orden correcto, asegurándose que cada acto de adoración edifique el cuerpo, y esté en concordancia con la Palabra de Dios (1 Co. 14.12, 33, 40; Gál. 5.13-15, 22-25; Ef. 4.29; Fil. 4.8).

D. La adoración de la Iglesia conduce al bienestar personal:

1. Cuando la comunidad adora, recibe salud y bendiciones (Ex. 23.25; Sal. 147.1-3).

2. La comunidad se conforma al carácter de Aquel quien es adorado (Ex. 29.37; Sal. 27.4; Jer. 2.5; 10.8; Mt. 6.21; Col. 3.1-4; 1 Jn. 3.2).

V. Una comunidad del pacto

A. La Iglesia es la reunión de quienes participan en el Nuevo Pacto, el cual:

1. Es mediado por Cristo Jesús, el Gran Sumo Sacerdote, y es comprado y sellado por su sangre (Mt. 26.28; 1 Ti. 2.5; Heb. 8.6; 4.14-16).

2. Se inicia y se participa en él solamente por medio de la gracia de Dios (Ro. 8.29-30; 2 Ti. 1.9; Tito 1.1; 1 Pe. 1.1).

3. Es un pacto de paz (*Shalom*) el cual permite el acceso directo a Dios (Ez. 34.23-31; Ro. 5.1-2; Ef. 2.17-18; Heb. 7.2-3).

4. Es singularmente celebrado y experimentado en la Cena del Señor y en el Bautismo (Mc. 14.22-25; 1 Co. 10.16; Col. 2.12; 1 Pe. 3.21).

5. Por fe imputa e imparte justicia a los que participan de ella, de tal manera que las leyes de Dios son grabadas en los corazones y escritas en sus mentes (Jer. 31.33; Ro. 1.17; 2 Co. 5.21; Gál. 3.21-22; Flp. 1.11; 3.9; Heb. 10.15-17; 12.10-11; 1 Pe. 2.24).

B. El pacto nos habilita a entender y experimentar la santificación cristiana de:

Una teología de la Iglesia (continuación)

1. Justicia: correcta relación con Dios y otros (Ex. 20.1-17; Miq. 6.8; Mc. 12.29-31; Stg. 2.8).

2. Verdad: correcta creencias acerca de Dios y otros (Sal. 86.11; Is 45.19; Jn. 8.31-32, 17.17; 1 Pe. 1.22).

3. Santidad: correctas acciones para con Dios y otros (Lv. 11.45; 20.8; Ec. 12.13; Mt. 7.12; 2 Co. 7.1; Col. 3.12; 2 Pe. 3.11).

C. El propósito del Nuevo Pacto es capacitar a la Iglesia para ser como Cristo Jesús:

1. Jesús es el nuevo modelo para la humanidad:

   a. El segundo Adán (Ro. 5.12-17; 1 Co. 15.45-49).

   b. La semejanza a la cual la Iglesia está siendo conformada (Ro. 8.29; 1 Jn. 3.2).

   c. Su vida, carácter y enseñanzas son el estándar para la fe y la práctica de la misma (Jn. 13.17; 20.21; 2 Jn. 6, 9, 1 Co. 11.1).

2. Tal pacto es hecho posible por el sacrificio de Cristo mismo (Mt. 26.27-29; Heb. 8-10).

3. El ministerio apostólico del nuevo pacto tiene el propósito de conformar a los creyentes a la imagen de Cristo (2 Co. 3; Ef. 4.12-13).

D. El pacto nos une con quienes se han ido antes.

1. Reconoce que la Iglesia es una (Ef. 4.4-5).

2. Nos recuerda que estamos rodeados por una nube de testigos que han participado del mismo pacto (Heb. 12.1).

3. Nos recuerda que somos parte de una sagrada cadena:

   Dios-Cristo-Apóstoles-Iglesia.

4. Nos recuerda que compartimos lo mismo:

   a. Paternidad espiritual (Jn. 1.13; 3.5-6; 2 Co. 1.2; Gál. 4.6; 1 Jn. 3.9).

Una teología de la Iglesia (continuación)

b. Igualdad familiar (Ef. 3.15; Heb. 2.11).

c. Un Señor, una fe y un bautismo (Ef. 4.5).

d. Habitados por el Espíritu (Jn. 14.17; Ro. 8.9; 2 Co. 1.22).

e. Llamamiento y misión (Ef. 4.1; Heb. 3.1; 2 Pe. 1.10).

f. Esperanza y destino (Gál. 5.5; Ef. 1.18; Ef. 4.4; Col. 1.5).

5. Hace que entendamos que al compartir el mismo pacto, administrado por el mismo Señor, bajo la dirección del mismo Espíritu, con aquellos cristianos que se han ido antes que nosotros, debemos reflexionar necesariamente en los credos, concilios y los actos de la Iglesia a través de la historia para poder entender la tradición apostólica y la continua obra del Espíritu Santo (1 Co. 11.16).

VI. Una comunidad de presencia

A. "Donde está Cristo Jesús, ahí está la Iglesia" Ignacio de Antioquía (Mt. 18.20).

B. La Iglesia es el lugar donde Dios habita (Ef. 2.19-21):

1. Su nación

2. Su casa

3. Su templo

C. La Iglesia se congrega con anhelante participación de la presencia de Dios (Ef. 2.22).

1. La Iglesia ahora entra en la presencia de Dios en cada reunión:

a. Al igual que el pueblo del pacto en el Antiguo Testamento, la Iglesia se reúne en la presencia de Dios (Ex. 18.12; 34.34; Dt. 14.23; 15.20; Sal. 132.7; Heb. 12.18-24).

Una teología de la Iglesia (continuación)

b. La Iglesia reunida hace manifestar la realidad del Reino de Dios al estar en la presencia del Rey (1 Co. 14.25).

2. La Iglesia anticipa la futura reunión del pueblo de Dios cuando la plenitud de Su presencia está con todos ellos (Ez. 48.35; 2 Co. 4.14; 1 Ts. 3.13; Ap. 21.13).

D. La Iglesia depende absolutamente de la presencia del Espíritu.

1. Sin la presencia del Espíritu Santo no hay Iglesia (Hch. 2.38; Ro. 8.9; 1 Co. 12.13; Gál. 3.3; Ef. 2.22; 4.4; Fil. 3.3).

2. El Espíritu Santo crea, dirige, da poder y enseña a las congregaciones de creyentes (Jn. 14.16-17, 26; Hch. 1.8; 2.17; 13.1; Ro. 15.13, 19; 2 Co. 3.18).

3. El Espíritu Santo otorga dones a la Iglesia para que pueda cumplir con su misión, dándole honor y gloria a Dios (Ro. 12.4-8; 1 Co. 12.1-31; Heb. 2.4).

4. El Espíritu Santo relaciona a la Iglesia, toda junta, como la familia de Dios y el cuerpo de Cristo (2 Co. 13.14; Ef. 4.3).

E. La Iglesia es un Reino de sacerdotes en la presencia de Dios (1 Pe. 2.5, 9):

1. Ministrando delante del Señor (Sal. 43.4; Sal. 134.1-2).

2. Asignando la bendición de Dios sobre Su pueblo (Nm. 6.22-27; 2 Co. 13.14).

3. Trayendo al pueblo ante la presencia de Dios (1 Ts. 1.3; 2 Ti. 1.3).

4. Ofreciéndose a sí mismos y el fruto de sus ministerios a Dios (Is. 66.20, Ro. 12.1; 15.16).

F. La Iglesia vive en la presencia de Dios por medio de la oración.

1. La oración como acceso al Lugar Santísimo (Ap. 5.8).

Una teología de la Iglesia (continuación)

2. La oración como comunión con Dios (Sal. 5.3; Ro. 8.26-27).

3. La oración como intercesión.

    a. Por el mundo (1 Ti. 2.1-2).

    b. Por los santos (Ef. 6.18-20, 1 Ts. 5.25).

4. La oración como acción de gracias (Fil. 4.6; Col. 1.3).

5. La oración como la guerra espiritual del Reino.

    a. Atando y desatando (Mt. 16.19).

    b. Confrontando a los principados y potestades (Ef. 6.12,18).

La Iglesia es una comunidad santa donde la disciplina es correctamente ordenada

VII. Una comunidad de reconciliación

A. La Iglesia es una comunidad que está reconciliada con Dios: en última instancia, toda reconciliación depende de los actos reconciliadores de Dios para con la humanidad.

1. El deseo de Dios de reconciliarse está evidenciado al haber enviado a sus profetas, y en los días finales por medio de Su Hijo (Heb. 1.1-2).

2. La encarnación, vida, muerte y la resurrección de Jesús son actos definitivos de la reconciliación de Dios para con la humanidad (Ro. 5.8).

3. Ahora el evangelio es un mensaje de reconciliación que Dios le ofrece a la humanidad, hecho posible por la muerte de Cristo (2 Co. 5.16-20).

B. La Iglesia es una comunidad de personas que están reconciliadas entre sí por su identidad como cuerpo.

1. Por su muerte Cristo unió a su pueblo, los que han nacido de la misma simiente (1 Jn. 3.9), reconciliados como conciudadanos y miembros de una nueva humanidad (Ef. 2.11-22).

Una teología de la Iglesia (continuación)

2. La comunidad de la Iglesia trata a todos los miembros de la familia de Dios con amor y justicia a pesar de las diferencias de raza, clase, género y cultura, por estar orgánicamente unidos por su participación en el cuerpo de Cristo (Gál. 3.26-29; Col. 3.11).

C. La Iglesia es una comunidad que se preocupa por la reconciliación entre todas las personas.

1. La Iglesia funciona como una embajadora que invita a toda la gente a reconciliarse con Dios (2 Co. 5.19-20). Esta parte de la misión establece el fundamento para todas las actividades reconciliadoras de la Iglesia.

2. La Iglesia promueve la reconciliación con y entre todas las personas.

a. Porque a la Iglesia se le ordena amar a sus enemigos (Mt. 5.44-48).

b. Porque la Iglesia es una comunidad que se ha encarnado, al igual que Cristo para identificarse con aquellos que están alejados de ella.

c. Porque la Iglesia incorpora y obra a través de la visión del Reino de Dios en la cual las personas, naciones y la naturaleza misma estarán completamente reconciliadas y en paz (Is. 11.1-9; Miq. 4.2-4; Mt. 4.17; Hch. 28.31).

d. Porque la Iglesia reconoce el plan eterno de Dios de reconciliar todas las cosas en el cielo y en la tierra bajo una cabeza, el Señor Jesucristo, para que el Reino pueda ser entregado a Dios Padre quien será todo en todos (Ef. 1.10; Ro. 11.36; 1 Co. 15.27-28; Ap. 11.15, 21.1-17).

D. La Iglesia es una comunidad amistosa: la amistad es parte clave de la reconciliación y el desarrollo espiritual.

1. La madurez espiritual resulta en la amistad con Dios (Ex. 33.11; Stg. 2.23).

Una teología de la Iglesia (continuación)

2. El discipulado espiritual resulta en amistad con Cristo (Jn. 15.13-15).

3. La unidad espiritual resulta en amistad con los santos (Ro. 16.5, 9, 12; 2 Co. 7.1; Flp. 2.12; Col. 4.14; 1 Pe. 2.11; 1 Jn. 2.7; 3 Jn. 1.14).

VIII. Una comunidad de sufrimiento

A. La Iglesia como comunidad sufre porque habita en el mundo como "ovejas entre los lobos" (Lc. 10.3).

1. Odiada por los que rechazan a Cristo (Jn. 15.18-20).

2. Perseguida por el sistema de este mundo (Mt. 5.10; 2 Co. 4.9; 2 Ti. 3.12).

3. Es una comunidad de pobres, hambrientos, los que lloran, los excluidos, los insultados y los rechazados (Mt. 5.20-22).

4. Está fundada en el ejemplo y la experiencia de Cristo y los apóstoles (Is. 53.3; Lc. 9.22; Lc. 24.46; Hch. 5.41; 2 Ti. 1.8; 1 Ts. 2.2).

B. La comunidad de la Iglesia imita a Cristo en sus sufrimientos.

1. Porque se purifica del pecado (1 Pe. 4.1-2).

2. Porque enseña obediencia (Heb. 5.8).

3. Porque permite conocer a Cristo más plenamente (Flp. 3.10).

4. Porque los que comparten el sufrimiento de Cristo compartirán su consuelo y gloria (Ro. 8.17-18; 2 Co. 1.5; 1 Pe. 5.1).

C. La comunidad de la Iglesia sufre porque se identifica con los que sufren.

1. El cuerpo de Cristo sufre dondequiera que uno de sus miembros sufre (1 Co. 12.26).

Una teología de la Iglesia (continuación)

2. El cuerpo de Cristo sufre porque voluntariamente se identifica con los despreciados, los rechazados, los oprimidos y quienes no son amados (Pr. 29.7; Lc. 7.34; Lc. 15.1-2).

D. La cruz de Cristo es tanto el instrumento de salvación como el modelo de vida cristiana. La cruz incorpora los valores de la comunidad en la Iglesia.

1. La cruz de Cristo es el símbolo cristiano fundamental. Sirve como un constante recordatorio que la Iglesia es una comunidad que sufre.

2. El requisito básico del discipulado es la disponibilidad de tomar la cruz a diario y seguir a Jesús (Mc. 8.34; Lc. 9.23; Lc. 14.27).

IX. Una comunidad que hace obras

A. Las "obras de servicio" son la marca distinguida de las congregaciones cristianas al hacer justicia y caminar humildemente con Dios.

1. Al liderazgo de la Iglesia se le ha encargado que prepare al pueblo de Dios para hacer "obras de servicio" (Ef. 4.12).

2. Tales buenas obras son centrales al nuevo propósito e identidad que son dados en el nuevo nacimiento. "Porque somos hechura suya, creados en Cristo Jesús para buenas obras, las cuales Dios preparó de antemano para que anduviésemos en ellas" (Ef. 2.10).

3. Estas obras de servicio revelan el carácter de Dios al mundo y llevan a las personas a alabarlo (Mt. 5.16; 2 Co. 9.13).

B. Una actitud de siervo caracteriza el trabajo cristiano en las relaciones, recursos y ministerio.

1. La comunidad de la Iglesia sirve basada en el ejemplo de Cristo, quien vino "no para ser servido sino para servir" (Mt. 20.25-28; Lc. 22.27; Flp. 2.7).

2. La comunidad de la Iglesia sirve basada en el mandamiento de Cristo y de los apóstoles (Mc. 10.42-45; Gál. 5.13; 1 Pe. 4.10).

Una teología de la Iglesia (continuación)

3. La comunidad de la Iglesia sirve, en primer lugar, "al más pequeño de éstos" de acuerdo a los mandatos de las enseñanzas de Cristo (Mt. 18.2-5; Mt. 25. 34-46; Lc. 4.18-19).

C. Generosidad y hospitalidad son señales gemelas de servicio en el Reino.

1. La generosidad resulta por darse uno mismo y sus bienes con el propósito de anunciar y obedecer a Cristo y la soberanía de su Reino.

2. La hospitalidad resulta en tratar al extranjero, al forastero, al prisionero y a los enemigos como a uno de su propio pueblo (Heb. 13.2).

3. Estas señales son verdadero fruto de arrepentimiento (Lc. 3.7-14; Lc. 19.8-10; Stg. 1.27)

D. La mayordomía es la verdad fundamental que rige al cristiano para usar los recursos a fin de hacer "obras de servicio".

1. Nuestros recursos (tiempo, dinero, autoridad, salud, posición, etc.) no nos pertenecen a nosotros sino a Dios.

    a. Somos responsables ante Dios por el manejo de las cosas que nos han sido confiadas, personal y corporalmente (Mt. 25.14-30).

    b. El dinero debería ser manejado de tal manera que se hagan tesoros en el cielo (Mt. 6.19-21; Lc. 12.32-34; Lc. 16.1-15; 1 Ti. 6.17-19).

    c. Buscar primeramente el Reino de Dios es el estándar por el cual es medida nuestra mayordomía, y es la base sobre la cual nos serán confiadas más cosas (Mt. 6.33).

2. Una apropiada mayordomía debería contribuir a la igualdad y al compartir mutuo (2 Co. 8.13-15).

Una teología de la Iglesia (continuación)

3. La avaricia es indicio de una deshonesta mayordomía y un repudio a Dios como el dueño y dador de todas las cosas (Lc. 12.15; Lc. 16.13; Ef. 5.5; Col. 3.5; 1 Pe. 5.2).

E. La justicia es la meta clave de la Iglesia al servir a Dios y a otros.

1. Hacer justicia es una parte esencial para cumplir nuestro servicio a Dios (Dt. 16.20; 27.19; Sal. 33.5; 106.3; Pr. 28.5; Miq. 6.8; Mt. 23.23).

2. La justicia caracteriza al siervo justo, pero está ausente en el hipócrita y en el injusto (Pr. 29.7; Is. 1.17; 58.1-14; Mt. 12.18-20; Lc. 11.42).

Una teología de la Iglesia acorde a la perspectiva del Reino

Don Davis y Terry Cornett

Unión con Cristo: El paradigma Cristocéntrico

El Cristianismo como una unión leal y una devoción a Jesús de Nazaret

Textos representativos

Ro. 6.4-5 (RV60) - Porque somos sepultados juntamente con él para muerte por el bautismo, así que como Cristo resucitó de los muertos por la gloria del Padre, así también nosotros andemos en vida nueva. [5] Porque si fuimos plantados juntamente con él en la semejanza de su muerte, así también lo seremos en la de su resurrección.

Col. 2.6-7 (RV60) - Por tanto, de la manera que habéis recibido al Señor Jesús, andad en él; [7] arraigados y sobreedificados en él, y confirmados en la fe, así como habéis sido enseñados, abundando en acciones de gracias.

Jn. 14.6 (RV60) - Jesús le dijo: Yo soy el camino, y la verdad, y la vida; nadie viene al Padre, sino por mí.

Gál. 2.20 (RV60) - Y ya no vivo yo, mas vive Cristo en mí; y lo que ahora vivo en la carne, lo vivo en la fe del Hijo de Dios, el cual me amó y se entregó a sí mismo por mí.

Ef. 2.4-7 (RV60) - Pero Dios, que es rico en misericordia, por su gran amor con que nos amó, [5] aun estando nosotros muertos en pecados, nos dio vida juntamente con Cristo (por gracias sois salvos), [6] y juntamente con él nos resucitó, y asimismo nos hizo sentar en los lugares celestiales con Cristo Jesús, [7] para mostrar en los siglos venideros las abundantes riquezas de su gracia en su bondad para con nosotros en Cristo Jesús.

Ro. 8.16-17 (RV60) - El Espíritu mismo da testimonio a nuestro espíritu, de que somos hijos de Dios. [17] Y si hijos, también herederos; herederos de Dios y coherederos con Cristo si es que padecemos juntamente con él, para que juntamente con él seamos glorificados.

Ef. 5.2 (RV60) - Y andad en amor, como también Cristo nos amó, y se entregó a sí mismo por nosotros, ofrenda y sacrificio a Dios en olor fragante.

Jn. 15.4-5 (RV60) - Permaneced en mí, y yo en vosotros. Como el pámpano no puede llevar fruto por sí mismo, si no permanece en la vid, así tampoco vosotros, si no permanecéis en mí. [5] Yo soy la vid, vosotros los pámpanos; el que permanece en mí, y yo en él, éste lleva mucho fruto; porque separados de mí nada podéis hacer.

Unión con Cristo: El paradigma Cristocéntrico (continuación)

Col. 3.17 (RV60) - Y todo lo que hacéis, sea de palabra o de hecho, hacedlo todo en el nombre del Señor Jesús, dando gracias a Dios Padre por medio de él.

1 Jn. 2.6 (LBLA) - El que dice que permanece en El, debe andar como El anduvo.

Gál. 5.24 (RV60) - Pero los que son de Cristo han crucificado la carne con sus pasiones y deseos.

Ro. 8.29 (LBLA) - Porque a los que de antemano conoció, también los predestinó a ser hechos conforme a la imagen de su Hijo, para que El sea el primogénito entre muchos hermanos.

Ro. 13.14 (RV60) - Sino vestíos del Señor Jesucristo, y no proveáis para los deseos de la carne.

1 Co. 15.49 (RV60) - Y así como hemos traído la imagen del terrenal, traeremos también la imagen del celestial.

2 Co. 3.18 (RV60) - Por tanto, nosotros todos, mirando a cara descubierta como en un espejo la gloria del Señor, somos transformados de gloria en gloria en la misma imagen, como por el Espíritu del Señor.

Fil. 3.7-8 (LBLA) - Pero todo lo que para mí era ganancia, lo he estimado como pérdida por amor de Cristo. [8] Y aún más, yo estimo como pérdida todas las cosas en vista del incomparable valor de conocer a Cristo Jesús, mi Señor, por quien lo he perdido todo, y lo considero como basura a fin de ganar a Cristo.

Fil. 3.20-21 (RV60) - Mas nuestra ciudadanía está en los cielos, de donde también esperamos al Salvador, al Señor Jesucristo; [21] el cual transformará el cuerpo de la humillación nuestra, para que sea semejante al cuerpo de la gloria suya, por el poder con el cual puede también sujetar a sí mismo todas las cosas.

1 Jn. 3.2 (RV60) - Amados, ahora somos hijos de Dios, y aún no se ha manifestado lo que hemos de ser; pero sabemos que cuando él se manifieste, seremos semejantes a él, porque le veremos tal como él es.

Jn. 17.16 (RV60) - No son del mundo, como tampoco yo soy del mundo.

Unión con Cristo: El paradigma Cristocéntrico (continuación)

Col. 1.15-18 (RV60) - El es la imagen del Dios invisible, el primogénito de toda creación. [16] Porque en él fueron creadas todas las cosas, las que hay en los cielos y las que hay en la tierra, visibles e invisibles; sean tronos, sean dominios, sean principados, sean potestades; todo fue creado por medio de él y para él. [17] Y él es antes de todas las cosas, y todas las cosas en él subsisten; [18] Y él es la cabeza del cuerpo que es la iglesia, él que es el principio, el primogénito de entre los muertos, para que en todo tenga la preeminencia.

Heb. 2.14-15 (RV60) - Así que, por cuanto los hijos participaron de carne y sangre, él también participó de lo mismo, para destruir por medio de la muerte al que tenía el imperio de la muerte, esto es, al diablo, [15] y librar a todos los que por el temor a la muerte estaban durante toda la vida sujetos a servidumbre.

Ap. 1.5-6 (RV60) - y de Jesucristo el testigo fiel, el primogénito de los muertos, y el soberano de los reyes de la tierra. Al que nos amó, y nos lavó de nuestros pecados con su sangre, [6] y nos hizo reyes y sacerdotes para Dios, su Padre; a él sea gloria e imperio por los siglos de los siglos. Amén.

2 Ti. 2.11-13 (RV60) - Palabra fiel es esta: Si somos muertos con él, también viviremos con él; [12] si sufrimos, también reinaremos con él; si le negáremos, él también nos negará. [13] Si fuéremos infieles, él permanece fiel; él no puede negarse a sí mismo.

Ap. 3.21 (RV60) - Al que venciere, le daré que se siente conmigo en mi trono, así como yo he vencido, y me he sentado con mi Padre en su trono.

Uso de las herramientas de referencia para interpretar la Biblia

Rev. Dr. Don L. Davis

	Ayudas de referencias cruzadas y concordancias temáticas	Manuales teológicos, diccionarios y estudios	Diccionarios de la Biblia, atlas, y referencias de costumbres
Propósito	Asociar los textos diferentes en un asunto dado, tema, o problema	Proporcionar una comprensión de los significados de una palabra o expresarlo a la luz de su importancia teológica	Proporcionar trasfondo en la historia, cultura, costumbres sociales, y/o vida de los períodos bíblicos
Etapa donde es de mayor beneficio	Al encontrar principios bíblicos	Al entender la situación original y encontrar principios bíblicos	Al entender la situación original
Modos	1. Encuentra la referencia que desea hallar. 2. Busca los otros textos asociados con el pasaje en la referencia. 3. Asocia el versículo con un tema particular. 4. Ver el tema contra las citas dadas.	1. Atribuye el versículo o pasaje que estás estudiando a un tema particular. 2. Encuentra la palabra o concepto que te gustaría investigar. 3. Lee acerca del trasfondo de la palabra en la referencia o diccionario 4. Asocia tu texto con el tema, tomando lo que es de ayuda y descartando lo que no es pertinente para el propósito de tu estudio	1. Selecciona un objeto, tema, problema o costumbre en el que necesites ayuda para comprenderlo. 2. Comprueba el objeto en el texto de referencia provisto. 3. Toma nota del trasfondo del tema, e incluye la información nueva en tu recuento general del pasaje.
Beneficios	Encuentra textos en el mismo tema por toda la Biblia Bosquejos provistos para ayudarte a digerir toda la Escritura acerca de un tema diferente	Erudición acerca de los usos teológicos variados y significados de una palabra, frase o frases de la Biblia	Una riqueza de información dada en los varios registros de sociología, antropología, historia, costumbres, sociedad, geografía y datos acerca de la situación original
Precaución clave	Profundice en el texto ANTES de comenzar a ver materiales similares	No se confunda con la VARIEDAD de los usos y significados de la idea teológica	Enfóquese en el significado del texto no meramente en su CONTEXTO
Confiabilidad	Buena	Muy buena	Excelente

Uso de las herramientas de referencia para interpretar la Biblia (continuación)

	Manuales bíblicos, Biblias de estudio, y comentarios	Biblias temáticas, libros de texto, y estudios temáticos	Ayudas de léxicos, traducciones interlineales, y estudios de palabras
Propósito	Dar una opinión erudita del trasfondo, contexto y significado del texto	Dar un bosquejo sofisticado de los pasajes o de un tema dado	Proveer conocimiento del significado, uso, y gramática de las palabras bíblicas y el lenguaje
Etapa donde es de mayor beneficio	Al entender la situación original y buscando los principios bíblicos	Al usar los principios bíblicos	Al entender la situación original y encontrar los principios bíblicos
Modos	1. Después de haber completado tu estudio preliminar, selecciona uno o dos comentarios con los que comprobarás tus descubrimientos. 2. Compara tus descubrimientos con 2-3 otros autores para ver si el tuyo armoniza con el significado que ellos proveen.	1. Después de hacer tus estudios y realizar un juicio preliminar de lo que crees que el pasaje enseña, asigna a tu pasaje un tema bíblico o teológico. 2. Usando ese tema, busca herramientas de referencia temática para ver otros textos en el mismo tema y los incorporas a tu significado en tu estudio. 3. No tengas miedo de modificar tus descubrimientos si los datos nuevos iluminan tu estudio.	1. Selecciona las palabras o frases en el pasaje que sirvan como palabras clave para definir y para entender el significado global del pasaje. 2. Usando una concordancia, léxico, u otra herramienta lingüística, mire los varios significados de la palabra en el contexto del libro, el autor, los contemporáneos del autor, la Biblia, y finalmente el período. 3. Permita que la riqueza de los significados bíblicos matice las demandas de su estudio en lo que el pasaje significó a su audiencia original y lo que significa hoy.
Beneficios	Opiniones eruditas excelentes en el fondo y significado de los varios textos de la Escritura	Presentaciones ricas, completas en los varios temas y conceptos teológicos que se tocan en un pasaje	Abundante conocimiento especializado dado en cada fase del plan, uso, y significado de los idiomas bíblicos en su propia escena histórica y religiosa
Precaución clave	Haz tu propio estudio y reflexión antes de CONFIAR en la opinión de su intérprete favorito	No haga que la lista temática de textos SUSTITUYA el profundizar en los textos y pasajes individuales de la verdad	No pretenda que el conocimiento de los significados originales de las palabras clave DESCALIFIQUE un conocimiento bueno del texto en su propio idioma
Confiabilidad	Buena	Buena	Excelente

Visión de World Impact: Una estrategia bíblica para impactar los barrios urbanos

World Impact, Inc.

Visiones y enfoques teológicos

El Instituto de Ministerial Urbano

El siguiente bosquejo proporciona una descripción esencial de algunos enfoques filosóficos y entendimientos relacionados con Dios y su relación con el universo. Los individuos plantean argumentos diferentes para la existencia de Dios y la relación entre Dios y su universo basado en 1) su entendimiento de la Escritura, 2) las suposiciones subyacentes sobre la existencia de Dios, 3) su opinión del universo y el mundo material, y 4) la capacidad humana para conocer a Dios (si Él existe), y lo que dicho conocimiento implica. Muchos enfoques modernos piensan en la existencia de Dios y todos hablan sobre Dios como la posibilidad de la religión dentro de los límites del conocimiento.

I. Principios de la teología natural

A. *Argumento ontológico* - el *Proslogion* de Anselmo

1. Necesidad lógica de la existencia de Dios sólo por la razón
2. Dios = aquello que está por encima de cualquier otro pensamiento
3. Existir es en realidad mayor que existir meramente en el pensamiento.
4. "Aquello que está por encima de cualquier otro pensamiento" debe existir tanto en la realidad como en el pensamiento.
5. La tautología – (argumento en círculo) el decir meramente que una entidad existe no proporciona bases para deducir su existencia.
6. Kant – un comerciante no puede aumentar su riqueza añadiendo ceros a sus números.

B. *Argumento cosmológico* – existencia de una primera causa del cosmos

1. Las cosas que observamos en el mundo tienen causas previas. Nada se auto-origina, y debe haber una primera causa.
2. Dios es el Motor Principal y la Primera Causa.

Visiones y enfoques teológicos (continuación)

C. *Argumento teleológico* – (físico-teleológico)

1. Telos = final

2. Las cosas de nuestra experiencia parecen servir propósitos más allá de su plan o control. En la naturaleza se observa la existencia de un propósito, lo cual implica que haya una mente cósmica.

3. Autorización clave: el propósito no ocurre sin un Proporcionador del mismo.

D. *Argumento moral* – la gente de culturas y creencias diferentes reconocen ciertos valores morales y obligaciones básicos.

1. Estos valores universales no pueden ser reducidos a simples convencionalismos.

2. Éstos no surgen del universo material.

3. Podemos postular, por lo tanto, que un ser personal moral es la fuente de todos los valores morales, y es Uno ante quien todos los seres morales son responsables.

II. Hechos sobre la teología natural

A. Con más frecuencia en la *teología católica*

B. *La teología Calvinista*: cree en una revelación general de Dios en la naturaleza y la providencia

1. Habló 'de la divinidad' o 'el sentido de Dios' que era 'la semilla de la religión'

2. Para un conocimiento seguro y cierto de Dios debemos volver a la Palabra de Dios.

C. *Karl Barth*: rechazó toda la teología natural a causa de que Dios se revela en su Palabra, y es inútil mirar en otra parte

Visiones y enfoques teológicos(continuación)

D. *Emil Brunner*: abogó a favor de la teología natural basado en ideas tales como la imagen de Dios, la revelación general, la conservación de la gracia, ordenanzas divinas, el punto del contacto, y la opinión de que la raza no elimina la naturaleza, sino que la perfecciona.

III. Dualismo

A. *El dualismo* existe cuando hay dos sustancias, o poderes, o modos, ninguno de los cuales es reducible al otro.

1. El Monismo – hay sólo una sustancia, poder, o modo.

2. Gemelos de todas las cosas

B. Cuatro contextos diferentes (Dios y la creación)

1. Identificando a Dios con su creación

a. Panteísmo metafísico

b. Unión mística

2. Dios se diferencia de su creación en el sentido de su FUNDAMENTO.

3. A diferencia del deísmo, Dios es su CAUSA DE SOSTENIMIENTO (tanto superiormente como inminentemente).

4. Dificultades: lo que es exactamente la relación entre la acción divina y humana en la creación

IV. Materialismo

"La doctrina que sea lo que sea que existe, o es materia física, o depende de la materia física".

A. Una posición filosófica con explicaciones ontológicas definidas (la negación de la existencia de mentes o espíritus)

B. Programa de investigación y metodología sin tales implicaciones

Visiones y enfoques teológicos (continuación)

C. Opuesto por el dualismo de cuerpo-mente

D. ¿Qué de la humanidad como parte de la creación, y la vida después de la muerte?

V. Deísmo

"Creencia en un creador remoto, no implicado en el mundo cuyo mecanismo Él ideó"

A. Significa la abolición del dogma fundado en la presunta revelación

B. Promueve una religión natural con bendiciones otorgadas sobre todos por un Dios caritativo

C. Religión con una ley moral: "racionalistas con hambre del corazón por la religión"

D. Adoración de Dios no Cristo-céntrica

E. Poder eclesiástico como un obstáculo para la gente que piensa libremente

F. La caída y la redención están descartadas, su forma literaria es considerada como cruda, corrupta, y estropeada

VI. Determinismo

A. *Determinismo científico* – la forma en que cada acontecimiento físico es determinado únicamente por la conjunción de acontecimientos que le preceden; descubriendo la interdependencia y expresándolo en leyes.

Visiones y enfoques teológicos(continuación)

B. *Determinismo teológico* – la forma de todos los acontecimientos es determinada según el "consejo determinado y conocimiento previo de Dios" (Hechos 2.23).

C. ¿Qué de las preguntas de la *Teodicea*? (Teodicea considerado como el problema del mal que le sucede a las personas buenas o inocentes)

D. Libertad limitada o sin libertad en lo absoluto: ¿qué de la relación entre el mundo material, los acontecimientos causativos, y la soberanía de Dios?

Viviendo en el Reino del YA y EL TODAVÍA NO

Rev. Dr. Don L. Davis

El Espíritu: La promesa de la herencia ***(arrabón)***
La Iglesia: El anticipo ***(aparqué)*** del Reino
"En Cristo": La vida rica ***(en Cristós)*** que compartimos como ciudadanos del Reino

Enemigo interno: La carne (*sarx*) y la naturaleza del pecado
Enemigo externo: El mundo (*kósmos*), los sistemas de avaricia, lujuria, y el orgullo
Enemigo infernal: El diablo (*kakós*), el espíritu incitador de la mentira y el miedo

Interpretación Judía del tiempo

La venida del Mesías
La restauración de Israel
El fin de la opresión gentil
El retorno de la tierra a la gloria edénica
Conocimiento universal del Señor

Viviendo las disciplinas

Rev. Dr. Don L. Davis

1. Entienda el por qué, Mt. 22.29

2. Estudie el cómo, Esd. 7.10

3. Comprométase con Dios, Sal. 5.1-3

4. Consiga una guía apropiada, Hch. 8.30-31

5. Comience con lo pequeño, Lucas 18.9-14

6. Inicie inmediatamente, 2 Co. 6.1

7. Establezca metas realistas, Sal. 119.64

8. Busque compañeros, Sal. 34.1-4

9. Sea consistente, Dn. 6.5-10

10. Dé pasos para mejorar, 2 Pe. 3.18

11. Ayude a otros a crecer, Heb. 5.11-14

12. Manténgase enfocado, Flp. 1.20-21

Wei ji

Chua Wee Hian, El Hacer Un Líder. Downers Grove: InterVarsity, 1987, p. 151.

"Crisis"

"Oportunidad"

Lista alfabética de apéndices con referencias cruzadas para los módulos de Piedra Angular

	Número de apéndice en cada módulo específico																
Apéndice Nombre	FGFF	C-1	C-2	C-3	C-4	C-5	C-6	C-7	C-8	C-9	C-10	C-11	C-12	C-13	C-14	C-15	C-16
¡Levántese Dios!					47												
¡Levántese Dios! Siete palabras clave para buscar al Señor y encontrar su favor	23																
¡Tiene que servir a alguien!								24				24					
¡Venga Tu Reino! Disertaciones sobre el Reino de Dios			21		40												
Aferrándonos firmemente a la Escritura		19														23	
Alcanzando a grupos no afectados dentro de vecindarios con iglesias					35								28				
Análisis de diferentes tendencias de pensamiento			34				19	57		24	15			24			
Apariciones del Mesías resucitado										27	32			27			
Apostolado							17				40		41				
Aprendiendo a ser un teo-mithos										37							
Áreas de desacuerdo entre cristianos respecto a los dones espirituales															19		
Avanzando al mirar atrás: Hacia una recuperación evangélica de la Gran Tradición	16																
Avanzando el Reino en la ciudad													35				
Banda apostólica													42				
Capacitando al pueblo para la libertad, el bienestar y la justicia			27		29												28
Capturando la visión de Dios para su pueblo								43									
Christus Victor (Cristo Victorioso): Una visión integrada para la vida cristiana y el testimonio	12	5	5	5	5	5	5	5	5	5	5	5	5	5	5	5	5
Cinco puntos acerca de la relación entre Cristo y la cultura			29		43			52					33				22
Claves para la interpretación bíblica						31											
Cómo empezar a leer la Biblia	3																
Cómo interpretar una narrativa (historia)						29											
Cómo PLANTAR una iglesia					37								21				
Comprendiendo la Biblia en partes y como un todo	13																
Comunicando al Mesías: La relación de los Evangelios	19										31						
Contextualización entre los musulmanes, hindúes y budistas					51		29						50				
Creando movimientos coherentes de plantación de iglesias urbanas													36				
Cuando la palabra "cristiano" no comunica					49		27						48				

Apéndice Nombre	Número de apéndice en cada módulo específico																
	FGFF	C-1	C-2	C-3	C-4	C-5	C-6	C-7	C-8	C-9	C-10	C-11	C-12	C-13	C-14	C-15	C-16
Cuatro contextos del desarrollo del liderazgo urbano cristiano								32				32					
Cuidado con lo que imagina								50									
Cultura, no color: Interacción de clases, cultura y raza					26								39			22	25
Dando la gloria a Dios							32										
Declaraciones denominacionales sobre "santificación"															22		
Definiendo los líderes y los miembros de un equipo de plantación de iglesias													22				
Delegación y autoridad en el liderazgo cristiano								35				35					
Desarrollando oídos que escuchan: Respondiendo al Espíritu y a la Palabra						21											
Descripción de las fases de planificación de la plantación de iglesias													31				
Descripción del acróstico PLANTAR													30				
Desde antes hasta después del tiempo: El plan de Dios y la historia humana	6	8	8	8	8	8	8	8	8	8	8	8	8	8	8	8	8
Desde la ignorancia hasta el testimonio creíble		14	38			14	18	27		29		27	26			28	
Diagrama de discipulado																46	
Diagrama de estudios bíblicos						16				34				34			
Diagramas de crecimiento espiritual																41	
Diferentes tradiciones de la respuesta afro-americana													27				
Dinámicas de una visión espiritual creíble								48									
Dios es tres en uno: La Trinidad							34										
Discerniendo el llamado: El perfil de un líder cristiano piadoso					22			21				21	20				
Discipulando a los fieles: Estableciendo líderes para la iglesia urbana			22													21	20
Diseñado para representar: Multiplicando discípulos del Reino de Dios	20		31		46			55	14		18	43				45	
Documentando su tarea		20	42	19	54	32	38	60	18	43	45	44	53	40	23	47	29
Dones espirituales mencionados específicamente en el Nuevo Testamento					17			17			17	17	16		18	17	
Editorial de Ralph D. Winter					48		26						47				
Ejemplos de declaraciones denominacionales sobre el "bautismo del Espíritu"															16		
El año de la Iglesia (iglesia occidental)								40				40					
El Antiguo Testamento testifica de Cristo y Su Reino		6	6	6	6	6	6	6	6	6	6	6	6	6	6	6	6
El centro y la circunferencia: El cristianismo es Jesucristo											43						
El compás de los elementos narrativos						19											

Apéndice Nombre	Número de apéndice en cada módulo específico																
	FGFF	C-1	C-2	C-3	C-4	C-5	C-6	C-7	C-8	C-9	C-10	C-11	C-12	C-13	C-14	C-15	C-16
El contexto comunal del auténtico liderazgo cristiano													24				
El Credo de los Apóstoles	26																
El Credo Niceno	24																
El Credo Niceno (con los versículos para memorizar)		1	1	1	1	1	1	1	1	1	1	1	1	1	1	1	1
El Credo Niceno en métrica común (canto)		2		2		2		2		2		2		2		2	
El Credo Niceno en métrica común (canto)			2		2		2		2		2		2		2		2
El cristiano obediente en acción																39	
El cuadro y el drama			30		45		21	54		32							
El equipo de plantación de iglesias													43				
El factor Oikos	10				34				15				37			32	24
El Mesías Yeshua en cada libro de la Biblia										20				20			
El método del Maestro: Representando a siervos fieles								46								44	
El ministerio de alabanza y adoración								39				39					
El modelo de los tres pasos																38	
El papel de la mujer en el ministerio					21			20				20	19			20	
El papel del Espíritu Santo en la guía espiritual															20		
El paradigma del liderazgo de la Iglesia								49									
El perfil de un discípulo de Jesús en el siglo 21		16	41													34	
El punto de vista de Cristo acerca de la Biblia						25											
El sufrimiento: El costo del discipulado y el liderazgo de servicio		18	17				37	22			26	22		31			
El tabernáculo de Moisés										39							
En Cristo	8		35							30	34					24	
En pos de la fe, no de la religión					50		28						49				
Encuentro a mi Señor en el Libro											42						
Enfoque del Antiguo Testamento, analítico vs. Cristo-céntrico										36							
Enfoques que sustituyen la visión Cristo-céntrica					30			29		31		29				29	
Entendiendo el liderazgo como una representación			28		41			42			20	42					
Equipando al miembro del equipo de plantación de iglesias													23				
Escala de receptividad									16								
Esquema para una teología del Reino y la Iglesia		10	10	10	10	10	10	10	10	10	10	10	10	10	10	10	10
Figuras de lenguaje						23											
Funciones del liderazgo representativo								51									
Gobernando sobre versus sirviendo entre								26				26					
Grados de autoridad dados al fruto del uso Cristo-céntrico del AT										41							
Había una vez: El drama cósmico a través de una narración bíblica del mundo	1																

Apéndice Nombre	Número de apéndice en cada módulo específico																
	FGFF	C-1	C-2	C-3	C-4	C-5	C-6	C-7	C-8	C-9	C-10	C-11	C-12	C-13	C-14	C-15	C-16
Hacia una hermenéutica de compromiso crucial							25			33	16			33		36	
Hay un río		9	9	9	9	9	9	9	9	9	9	9	9	9	9	9	9
Hechos generales referentes al Nuevo Testamento														28			
Historia, teología e iglesia						26											
Hoja de trabajo de las herramientas del estudio bíblico						24											
Impedimentos para un servicio semejante al de Cristo								38			19	38					
Invertir, facultar y evaluar					33			33				33	32			33	
Jesucristo, el personaje y tema de la Biblia	22																
Jesús como el representante escogido de Dios			33					34			14	34					
Jesús de Nazaret: La presencia del futuro	4	12	12	12	12	12	12	12	12	12	12	12	12	12	12	12	12
Jesús el Mesías: Cumplimiento de los símbolos del Antiguo Testamento										23	28			23			
Jesús y los pobres			25		14						44						
Justificación bíblica de la resurrección de Jesús el Mesías														32			
La auto-consciencia de Jesucristo							22				41						
La búsqueda del peregrino		15															
La Cena del Señor: Cuatro puntos de vista				17													
La complejidad de la diferencia: Raza, cultura, clase					32								38			27	
La ética del Nuevo Testamento: Viviendo lo opuesto del Reino de Dios	21		26		28			28		28	23	28					
La historia de Dios: Nuestras Raíces Sagradas	5	3	3	3	3	3	3	3	3	3	3	3	3	3	3	3	3
La historia que Dios está contando	2																
La joroba	15															40	
La salvación significa unirse al pueblo de Dios				15	24												
La senda de la sabiduría						15											
La soberanía de Dios y la revelación universal							35										
La sombra y la sustancia	7						23			35	33						
La teología de Christus Victor	11	4	4	4	4	4	4	4	4	4	4	4	4	4	4	4	4
La teología de la asociación de Pablo					15			15				15	14			15	
La vida de Cristo de acuerdo a las estaciones y años											38			35			
La visión profética como fuente de compromiso de fe bíblica										17				17			
Las misiones en el siglo 21					53		31						52				
Las parábolas de Jesús											36						
Lecturas acerca de la credibilidad histórica del Nuevo Testamento														30			
Lecturas acerca de la Iglesia					42			44									21
Lecturas acerca del cuidado pastoral								45									
Lecturas acerca del Nuevo Testamento														39			
Lecturas acerca del servicio								47									

	Número de apéndice en cada módulo específico																
Apéndice Nombre	FGFF	C-1	C-2	C-3	C-4	C-5	C-6	C-7	C-8	C-9	C-10	C-11	C-12	C-13	C-14	C-15	C-16
Lecturas sobre Cristo										14				14			
Lecturas sobre la profecía mesiánica														38			
Lecturas sobre tipología										38				37			
Libertad auténtica en Cristo Jesús													40				26
Línea de tiempo del Reino de Dios			18		38												15
Lista de comprobación de un servicio espiritual			40					25				25				26	
Lista de elementos narrativos					18	30				42							
Los miembros del equipo de Pablo								18				18	17			18	
Los milagros de Jesús											35						
Los nombres del Dios Todopoderoso							14										
Maneras en las que los cristianos no están de acuerdo sobre la santificación															21		
Metodología de traducción (versiones en inglés)						22											
Modelo de plantación de iglesias													25				
Modelos del Reino			20		39												16
Nombres, títulos y epítetos para el Mesías en el Antiguo Testamento										21	27			21			
Nuestra declaración de dependencia: Libertad en Cristo	9		32					23				23					18
Nutriendo al auténtico liderazgo cristiano								19				19	18			19	
Orden de las doce tribus alrededor del tabernáculo										40							
Padre, Hijo y Espíritu Santo, comparten los mismos atributos y obras divinas							20								15		
Pasajes clave sobre dones espirituales en el Nuevo Testamento															17		
Pasos para equipar a otros																43	
Percepción y verdad				18													
Predicar y enseñar a Jesús de Nazaret como Mesías y Señor										18	24			18		25	
Principios detrás de la profecía										25				25			
Profecías mesiánicas citadas en el Nuevo Testamento										16	22			16			
Promesa vs. predicción: La hermenéutica apostólica del AT										22				22			
Puede pagarme ahora, o puede pagarme después								37				37					
Que podamos ser uno					27								34				23
Que venga Tu Reino: "La historia de la gloria de Dios"			39				33										
Relación entre el costo y la eficacia en el intento de hacer discípulos									17								
Representaciones de Jesús en los libros del Nuevo Testamento											29			29			
Re-presentando al Mesías					36			36				36		15			
Representando fielmente a Jesús de Nazaret			37							15	39						

Apéndice Nombre	Número de apéndice en cada módulo específico																
	FGFF	C-1	C-2	C-3	C-4	C-5	C-6	C-7	C-8	C-9	C-10	C-11	C-12	C-13	C-14	C-15	C-16
Resumen de interpretaciones mesiánicas en el Antiguo Testamento										19	25			19			
Resumen esquemático de las Escrituras	17	7	7	7	7	7	7	7	7	7	7	7	7	7	7	7	7
San Basilio, El Credo Niceno y la doctrina del Espíritu Santo															14		
Seis clases de ministerios neotestamentarios para la comunidad					16			16				16					
Seleccionando un criterio creíble de independencia					23								15				
Símbolos del liderazgo cristiano								56									
Sustitución							36										
Tabla cronológica del Nuevo Testamento	18																
Teorías de la inspiración		17				17	24										
Textos acerca del Reino en el Antiguo Testamento			16														
Textos acerca del Reino en el Nuevo Testamento			15														
Tradiciones		13	13	13	13	13	13	13	13	13	13	13	13	13	13	13	13
Traduciendo la historia de Dios			24		19								44			37	
Tratando con formas antiguas								30				30	29			30	19
Treinta y tres bendiciones en Cristo	14		19					14				14				14	
Tres contextos de desarrollo de liderazgo urbano cristiano					31			31				31				31	
Tres niveles de inversión ministerial													45			35	
Un ejemplo práctico de la crítica textual						18								36			
Un pueblo vuelto a nacer					52		30						51				
Una armonía del ministerio de Jesús										26	30			26			
Una bibliografía para la hermenéutica bíblica						28											
Una comparación de las filosofías de traducción						20											
Una guía para determinar su perfil de adoración								41				41					
Una repaso teológico de los dones de equipamiento descritos en Efesios 4.11								58									
Una sociología del desarrollo del liderazgo urbano											21					16	
Una teología de la Iglesia			23	16	25												17
Una teología de la Iglesia acorde a la perspectiva del Reino			14	14	44		16	53									14
Unión con Cristo: El paradigma Cristocéntrico			36								37						
Uso de las herramientas de referencia para interpretar la Biblia						27											
Visión de World Impact: Una estrategia bíblica para impactar los barrios urbanos					20								46				27
Visiones y enfoques teológicos							15										
Viviendo en el Reino del YA y EL TODAVÍA NO		11	11	11	11	11	11	11	11	11	11	11	11	11	11	11	11
Viviendo las disciplinas																42	
Wei ji								59									

Apéndices de Piedra Angular tal como aparecen en cada módulo

	Módulo 1	Número de página
1	El Credo Niceno (con los versículos para memorizar)	131
2	El Credo Niceno en métrica común (canto)	132
3	La historia de Dios: Nuestras Raíces Sagradas	133
4	La teología de Christus Victor	134
5	Christus Victor (Cristo Victorioso)	135
6	El Antiguo Testamento testifica de Cristo y Su Reino	136
7	Resumen esquemático de las Escrituras	137-138
8	Desde antes hasta después del tiempo: El plan de Dios y la historia humana	139-140
9	Hay un río	141
10	Esquema para una teología del Reino y la Iglesia	142
11	Viviendo en el Reino del YA y EL TODAVÍA NO	143
12	Jesús de Nazaret: La presencia del futuro	144
13	Tradiciones	145-152
14	Desde la ignorancia hasta el testimonio creíble	153
15	La búsqueda del peregrino	154
16	El perfil de un discípulo de Jesús en el siglo 21	155-156
17	Teorías de la inspiración	157
18	El sufrimiento: El costo del discipulado y el liderazgo de servicio	158
19	Aferrándonos firmemente a la Escritura	159
20	Documentando su tarea	160

	Módulo 8	Número de página
1	El Credo Niceno (con los versículos para memorizar)	133
2	El Credo Niceno en métrica común (canto)	134
3	La historia de Dios: Nuestras Raíces Sagradas	135
4	La teología de Christus Victor	136
5	Christus Victor (Cristo Victorioso): Una visión integrada para la vida cristiana y el testimonio	137
6	El Antiguo Testamento testifica de Cristo y Su Reino	138
7	Resumen esquemático de las Escrituras	139-140
8	Desde antes hasta después del tiempo: El plan de Dios y la historia humana	141-142
9	Hay un río	143
10	Esquema para una teología del Reino y la Iglesia	144
11	Viviendo en el Reino del YA y EL TODAVÍA NO	145
12	Jesús de Nazaret: La presencia del futuro	146
13	Tradiciones	147-154
14	Diseñado para representar: Multiplicando discípulos del Reino de Dios	155
15	El factor Oikos: Esferas de relaciones e influencia	156
16	Escala de receptividad	157
17	Relación entre el costo y la eficacia en el intento de hacer discípulos	158
18	Documentando su tarea	159

	Módulo 9	Número de página
1	El Credo Niceno (con los versículos para memorizar)	211
2	El Credo Niceno en métrica común (canto)	212
3	La historia de Dios: Nuestras Raíces Sagradas	213
4	La teología de Christus Victor	214
5	Christus Victor (Cristo Victorioso): Una visión integrada para la vida cristiana y el testimonio	215
6	El Antiguo Testamento testifica de Cristo y Su Reino	216
7	Resumen esquemático de las Escrituras	217-218
8	Desde antes hasta después del tiempo: El plan de Dios y la historia humana	219-220
9	Hay un río	221
10	Esquema para una teología del Reino y la Iglesia	222
11	Viviendo en el Reino del YA y EL TODAVÍA NO	223
12	Jesús de Nazaret: La presencia del futuro	224
13	Tradiciones	225-232
14	Lecturas sobre Cristo	233-237
15	Representando fielmente a Jesús de Nazaret	238
16	Profecías mesiánicas citadas en el Nuevo Testamento	239-244
17	La visión profética como fuente de compromiso de fe bíblica	245
18	Predicar y enseñar a Jesús de Nazaret como Mesías y Señor	246
19	Resumen de interpretaciones mesiánicas en el Antiguo Testamento	247-251
20	El Mesías Yeshua en cada libro de la Biblia	252-253
21	Nombres, títulos y epítetos para el Mesías en el Antiguo Testamento	254-255
22	Promesa vs. predicción: La hermenéutica apostólica del AT	256
23	Jesús el Mesías: Cumplimiento de los símbolos del Antiguo Testamento	257-260
24	Análisis de diferentes tendencias de pensamiento	261-264
25	Principios detrás de la profecía	265
26	Una armonía del ministerio de Jesús	266
27	Apariciones del Mesías resucitado	267
28	La ética del Nuevo Testamento: Viviendo lo opuesto del Reino de Dios	268
29	Desde la ignorancia hasta el testimonio creíble	269
30	En Cristo	270
31	Enfoques que sustituyen la visión Cristo-céntrica	271
32	El cuadro y el drama	272
33	Hacia una hermenéutica de compromiso crucial	273
34	Diagrama de estudios bíblicos	274-275
35	La sombra y la sustancia	276
36	Enfoque del Antiguo Testamento, analítico vs. Cristo-céntrico	277
37	Aprendiendo a ser un teo-mithos	278
38	Lecturas sobre tipología	279-284

	Módulo 10	Número de página
1	El Credo Niceno (con los versículos para memorizar)	159
2	El Credo Niceno en métrica común (canto)	160
3	La historia de Dios: Nuestras Raíces Sagradas	161
4	La teología de Christus Victor	162
5	Christus Victor (Cristo Victorioso): Una visión integrada para la vida cristiana y el testimonio	163
6	El Antiguo Testamento testifica de Cristo y Su Reino	164
7	Resumen esquemático de las Escrituras	165-166
8	Desde antes hasta después del tiempo: El plan de Dios y la historia humana	167-168
9	Hay un río	169
10	Esquema para una teología del Reino y la Iglesia	170
11	Viviendo en el Reino del YA y EL TODAVÍA NO	171
12	Jesús de Nazaret: La presencia del futuro	172
13	Tradiciones	173-180
14	Jesús como el representante escogido de Dios	181
15	Análisis de diferentes tendencias de pensamiento	182-185
16	Hacia una hermenéutica de compromiso crucial	186
17	Dones espirituales mencionados específicamente en el Nuevo Testamento	187-188
18	Diseñado para representar: Multiplicando discípulos del Reino de Dios	189
19	Impedimentos para un servicio semejante al de Cristo	190
20	Entendiendo el liderazgo como una representación	191
21	Una sociología del desarrollo del liderazgo urbano	192
22	Profecías mesiánicas citadas en el Nuevo Testamento	193-198
23	La ética del Nuevo Testamento: Viviendo lo opuesto del Reino de Dios	199
24	Predicar y enseñar a Jesús de Nazaret como Mesías y Señor	200
25	Resumen de interpretaciones mesiánicas en el Antiguo Testamento	201-205
26	El sufrimiento: El costo del discipulado y el liderazgo de servicio	206
27	Nombres, títulos y epítetos para el Mesías en el Antiguo Testamento	207-208
28	Jesús el Mesías: Cumplimiento de los símbolos del Antiguo Testamento	209-212
29	Representaciones de Jesús en los libros del Nuevo Testamento	213
30	Una armonía del ministerio de Jesús	214
31	Comunicando al Mesías: La relación de los Evangelios	215
32	Apariciones del Mesías resucitado	216
33	La sombra y la sustancia	217
34	En Cristo	218
35	Los milagros de Jesús	219
36	Las parábolas de Jesús	220
37	Unión con Cristo: El paradigma Cristocéntrico	221-223
38	La vida de Cristo de acuerdo a las estaciones y años	224-225

Índice temático

F

H

I

J

L

M

N

O

P

R

S

T

U

V

Made in United States
North Haven, CT
09 September 2022